Collana: **LITURGIA**

Imprimatur 2.02.2019

Arcivescovo di Ancona-Osimo
✠ S. E. Mons. Angelo Spina

+ Angelo Spina

Commenti: **don Ivan Licinio**

Anno 15 – n. 86 Marzo-Aprile 2023

Registrazione presso il Tribunale di Ancona n. 16/2008 del 28 Luglio 2008

Iscrizione al ROC n. 15607

Direttore responsabile: Giordano Maria Mascioni

ISSN 9771974377009 30086 - ISBN **978 88 8404 808 0**

SHALOM
editrice

Via Galvani, 1 - 60020 Camerata Picena (AN)

Per ordinare citare il codice 515:

www.editriceshalom.it
ordina@editriceshalom.it

Tel. 071 74 50 440
dal lunedì al venerdì dalle 9:00 alle 19:00

Whatsapp 36 66 06 16 00 (solo messaggi)

Fax 071 74 50 140 in qualsiasi ora del giorno e della notte

Per comunicazioni, consigli e/o suggerimenti su questo Messalino scrivere a:
info@editriceshalom.it

CUSTODIRE IL CREATO

L'Editrice Shalom per la cura della nostra casa comune

Siamo in cammino per:

- Aumentare progressivamente l'uso di carta certificata.
- Scegliere fornitori che:
  - utilizzano energia elettrica proveniente da fonti rinnovabili;
  - investono in impianti che utilizzano forni a basso consumo in grado di recuperare i vapori esausti per alimentarsi;
  - investono in impianti di stampa di ultimissima generazione che consentono di eliminare le polveri normalmente utilizzate per l'essiccazione e riducono i consumi di energia.

STAMPATO IN ITALIA

Indice

Preghiere

INDICAZIONI

Nell'anno liturgico 2023 il **Lezionario** segue:

- **Anno A** per le domeniche e le solennità.
- **Anno I** (o **dispari**) per il ciclo feriale.

Per le celebrazioni dei santi:
s = solennità; **f** = festa; **m** = memoria;
mf = memoria facoltativa; **comm** = commemorazione.

«Per favore, non dimenticarti di pregare per me! Grazie tante!».

CORONA ANGELICA

Questo pio esercizio fu rivelato dall'arcangelo Michele stesso alla serva di Dio Antonia de Astonac in Portogallo. Il principe degli angeli, apparendo alla Serva di Dio, disse che voleva essere venerato con nove invocazioni in ricordo dei nove cori degli angeli. Ogni invocazione doveva comprendere il ricordo di un coro angelico e la recita di un *Padre nostro* e tre *Ave Maria*. La corona angelica doveva concludersi con la recita di quattro *Padre nostro*: il primo in suo onore, gli altri tre in onore di san Gabriele, san Raffaele e degli angeli custodi.
L'arcangelo promise ancora di ottenere da Dio che colui che l'avesse venerato con la recita di questa coroncina prima della Comunione, sarebbe stato accompagnato alla sacra Mensa da un angelo di ciascuno dei nove cori. A chi l'avesse pregata ogni giorno prometteva la continua particolare assistenza sua e di tutti gli angeli santi durante la vita e in Purgatorio dopo la morte. Papa Pio IX, grande devoto di questa preghiera, associò a essa numerose indulgenze.

Si suggerisce il libro dell'Editrice Shalom ***La Corona Angelica****, codice 8197 oppure la* ***confezione corona e libro La Corona Angelica*** *codice 10983.*

RITO DELLA MESSA CON IL POPOLO

RITI DI INTRODUZIONE

(in piedi)

Quando il popolo è radunato, il sacerdote con i ministri si reca all'altare, mentre si esegue il CANTO D'INGRESSO.
Giunto all'altare, il sacerdote fa con i ministri un profondo inchino, bacia l'altare in segno di venerazione e, secondo l'opportunità, incensa la croce e l'altare. Poi, con i ministri, si reca alla sede.
Terminato il canto d'ingresso, il sacerdote e i fedeli, in piedi, si fanno il SEGNO DELLA CROCE.

Nel nome del Padre e del Figlio e dello Spirito Santo.
Il popolo risponde: **Amen.**

Quindi il sacerdote rivolge il SALUTO *al popolo, allargando le braccia e dicendo:*
La grazia del Signore nostro Gesù Cristo,
l'amore di Dio Padre
e la comunione dello Spirito Santo
siano con tutti voi *(Cfr. 2Cor 13,13)*.
Il popolo risponde: **E con il tuo spirito.**

Il sacerdote, o il diacono o un altro ministro, può introdur-

*re brevemente i fedeli alla Messa del giorno. Segue l'*ATTO PENITENZIALE, *introdotto dal sacerdote con queste parole.*

I formulario:
Fratelli e sorelle,
per celebrare degnamente i santi misteri,
riconosciamo i nostri peccati.
Oppure:
Il Signore Gesù,
che ci invita alla mensa della Parola e dell'Eucaristia,
ci chiama alla conversione.
Riconosciamo di essere peccatori
e invochiamo con fiducia la misericordia di Dio.
Oppure, specialmente nelle domeniche e nel Tempo Pasquale:
Oggi, celebrando la vittoria di Cristo
sul peccato e sulla morte,
siamo chiamati a morire al peccato
per risorgere alla vita nuova.
Riconosciamoci bisognosi della misericordia del Padre.

Segue una breve pausa di silenzio. Poi tutti insieme pronunciano la formula della confessione generale:

Confesso a Dio onnipotente e a voi, fratelli e sorelle,
che ho molto peccato
in pensieri, parole, opere e omissioni,
e, battendosi il petto, dicono:

per mia colpa, mia colpa, mia grandissima colpa.
E proseguono:
E supplico la beata sempre Vergine Maria,
gli angeli, i santi e voi, fratelli e sorelle,
di pregare per me il Signore Dio nostro.

Segue l'assoluzione del sacerdote:
Dio onnipotente abbia misericordia di noi, perdoni i nostri peccati e ci conduca alla vita eterna.
Il popolo risponde: **Amen.**

II formulario:
Fratelli e sorelle,
all'inizio di questa celebrazione eucaristica,
invochiamo la misericordia di Dio,
fonte di riconciliazione e di comunione.
Oppure:
Umili e pentiti come il pubblicano al tempio,
accostiamoci al Dio giusto e santo,
perché abbia pietà anche di noi peccatori.

Segue una breve pausa di silenzio.

Poi il sacerdote dice:
Pietà di noi, Signore.
Il popolo risponde: **Contro di te abbiamo peccato.**
Il sacerdote prosegue:

Mostraci, Signore, la tua misericordia.
Il popolo risponde: **E donaci la tua salvezza.**

Segue l'assoluzione del sacerdote (come indicato a pag. 10).

III formulario:
Gesù Cristo, il giusto, intercede per noi
e ci riconcilia con il Padre:
per accostarci degnamente
alla mensa del Signore,
invochiamolo con cuore pentito.
Oppure:
Riconosciamoci tutti peccatori,
invochiamo la misericordia del Signore
e perdoniamoci a vicenda dal profondo del cuore.

Segue una breve pausa di silenzio. Poi il sacerdote, o il diacono o un altro ministro, dice o canta le seguenti invocazioni o altre con il Kýrie, eléison.
Signore, mandato dal Padre a salvare i contriti di cuore, Kýrie, eléison.
Il popolo risponde: **Kýrie, eléison.**

Il sacerdote:
Cristo, che sei venuto a chiamare i peccatori,
Christe, eléison.
Il popolo: **Christe, eléison.**

Il sacerdote:
Signore, che siedi alla destra del Padre e intercedi per noi, Kýrie, eléison.
Il popolo: **Kýrie, eléison.**

Segue l'assoluzione del sacerdote (come indicato a pag. 10).

Seguono le INVOCAZIONI Kýrie, eléison, *se non sono state già proclamate o cantate con l'atto penitenziale:*

℣ Kýrie, eléison.
℟ Kýrie, eléison.

℣ Christe, eléison.
℟ Christe, eléison.

℣ Kýrie, eléison.
℟ Kýrie, eléison.

Oppure:

℣ Signore, pietà.
℟ Signore, pietà.

℣ Cristo, pietà.
℟ Cristo, pietà.

℣ Signore, pietà.
℟ Signore, pietà.

*Poi, quando è prescritto, si canta o si proclama l'*INNO*:*
Gloria a Dio nell'alto dei cieli
e pace in terra agli uomini, amati dal Signore.

Noi ti lodiamo, ti benediciamo, ti adoriamo,
ti glorifichiamo, ti rendiamo grazie
per la tua gloria immensa,
Signore Dio, Re del cielo, Dio Padre onnipotente.
Signore, Figlio unigenito, Gesù Cristo,
Signore Dio, Agnello di Dio, Figlio del Padre,

tu che togli i peccati del mondo,
abbi pietà di noi;
tu che togli i peccati del mondo,
accogli la nostra supplica;
tu che siedi alla destra del Padre,
abbi pietà di noi.

Perché tu solo il Santo, tu solo il Signore,
tu solo l'Altissimo,
Gesù Cristo, con lo Spirito Santo:
nella gloria di Dio Padre. Amen.

Terminato l'inno, il sacerdote, a mani giunte, dice:
Preghiamo.

E tutti, insieme con il sacerdote, pregano in silenzio per qualche momento. Quindi il sacerdote, con le braccia allargate, dice o canta la COLLETTA.

LITURGIA DELLA PAROLA

(seduti)

Il lettore si reca all'ambone e proclama la PRIMA LETTURA. *Tutti ascoltano seduti.*
Il salmista, o il cantore, canta o proclama il SALMO; *il popolo risponde con il ritornello.*
Quando è prevista, il lettore proclama dall'ambone la SECONDA LETTURA.

(in piedi)

*Segue l'*Alleluia *o altro canto stabilito dalle rubriche, secondo il Tempo liturgico.*

Il sacerdote, inchinandosi davanti all'altare, dice sottovoce:
Purifica il mio cuore e le mie labbra,
Dio onnipotente,
perché possa annunciare degnamente
il tuo santo Vangelo.

Poi il sacerdote si reca all'ambone, accompagnato, secondo l'opportunità, dai ministri con l'incenso e i candelieri. Giunto all'ambone, canta o dice, a mani giunte:
Il Signore sia con voi.
Il popolo risponde: **E con il tuo spirito.**
Il diacono o il sacerdote:
Dal Vangelo secondo N.,
e intanto segna il libro e se stesso sulla fronte, sulla bocca e sul petto. Il popolo acclama: **Gloria a te, o Signore.**
Il diacono o il sacerdote, se si usa l'incenso, incensa il libro e proclama o canta il VANGELO.

*Segue l'*OMELIA *al termine della quale è opportuno fare un momento di silenzio.*

(in piedi)

Quando è prescritto, si proclama o si canta il SIMBOLO *o* PROFESSIONE DI FEDE:

**Credo in un solo Dio Padre onnipotente,
creatore del cielo e della terra,
di tutte le cose visibili e invisibili.**

**Credo in un solo Signore, Gesù Cristo,
unigenito Figlio di Dio,
nato dal Padre prima di tutti i secoli:
Dio da Dio, Luce da Luce,
Dio vero da Dio vero;
generato, non creato,
della stessa sostanza del Padre;
per mezzo di lui tutte le cose sono state create.
Per noi uomini e per la nostra salvezza
discese dal cielo,**

Alle parole: e per opera dello Spirito Santo… *fino a* si è fatto uomo, *tutti si inchinano.*

**e per opera dello Spirito Santo
si è incarnato nel seno della Vergine Maria
e si è fatto uomo.
Fu crocifisso per noi sotto Ponzio Pilato,
morì e fu sepolto.
Il terzo giorno è risuscitato,
secondo le Scritture,
è salito al cielo, siede alla destra del Padre.
E di nuovo verrà, nella gloria,
per giudicare i vivi e i morti,**

e il suo regno non avrà fine.
Credo nello Spirito Santo,
che è Signore e dà la vita,
e procede dal Padre e dal Figlio.
Con il Padre e il Figlio è adorato e glorificato,
e ha parlato per mezzo dei profeti.

Credo la Chiesa, una, santa,
cattolica e apostolica.
Professo un solo Battesimo
per il perdono dei peccati.
Aspetto la risurrezione dei morti
e la vita del mondo che verrà. Amen.

In luogo del Simbolo niceno-costantinopolitano, si può utilizzare, specialmente nel Tempo di Quaresima e nel Tempo Pasquale, il Simbolo battesimale della Chiesa romana, detto «degli apostoli».

Segue la PREGHIERA UNIVERSALE O PREGHIERA DEI FEDELI.

LITURGIA EUCARISTICA

(seduti)

Terminata la Liturgia della Parola, i ministri preparano sull'altare il corporale, il purificatoio, il calice, la palla e il Messale, mentre si può eseguire il CANTO DI OFFERTORIO. *È bene che i fedeli esprimano la loro partecipazione*

all'offerta, portando sia il pane e il vino per la celebrazione dell'Eucaristia, sia altri doni per le necessità della Chiesa e dei poveri.
Il sacerdote, stando all'altare, prende la patena con il pane e, tenendola con entrambe le mani un po' sollevata sull'altare, dice sottovoce:
Benedetto sei tu, Signore, Dio dell'universo:
dalla tua bontà abbiamo ricevuto questo pane,
frutto della terra e del lavoro dell'uomo;
lo presentiamo a te,
perché diventi per noi cibo di vita eterna.
Quindi depone sul corporale la patena con il pane.
Se non si esegue il canto di offertorio, il sacerdote può dire questa formula ad alta voce; al termine il popolo può acclamare: **Benedetto nei secoli il Signore.**

Il diacono, o il sacerdote, versa nel calice il vino, con un po' d'acqua, dicendo sottovoce:
L'acqua unita al vino
sia segno della nostra unione
con la vita divina di colui che ha voluto assumere
la nostra natura umana.

Il sacerdote prende il calice e, tenendolo con entrambe le mani un po' sollevato sull'altare, dice sottovoce:
Benedetto sei tu, Signore, Dio dell'universo:
dalla tua bontà abbiamo ricevuto questo vino,

frutto della vite e del lavoro dell'uomo;
lo presentiamo a te,
perché diventi per noi bevanda di salvezza.
Quindi depone il calice sul corporale.
Se non si esegue il canto di offertorio, il sacerdote può dire questa formula ad alta voce; al termine il popolo può acclamare: **Benedetto nei secoli il Signore.**

Il sacerdote, inchinandosi profondamente, dice sottovoce:
Umili e pentiti accoglici, o Signore:
ti sia gradito il nostro sacrificio
che oggi si compie dinanzi a te.

Si possono incensare le offerte, la croce e l'altare. Poi il diacono, o un ministro, incensa il sacerdote e il popolo.
Il sacerdote, stando a lato dell'altare, si lava le mani dicendo sottovoce:
Lavami, o Signore, dalla mia colpa,
dal mio peccato rendimi puro.

Il sacerdote, ritornato al centro dell'altare, allargando e ricongiungendo le mani, rivolto al popolo dice:
Pregate, fratelli e sorelle,
perché il mio e vostro sacrificio
sia gradito a Dio, Padre onnipotente.
Oppure:
Pregate, fratelli e sorelle,

perché questa nostra famiglia,
radunata dallo Spirito Santo nel nome di Cristo,
possa offrire il sacrificio gradito
a Dio Padre onnipotente.

Il popolo risponde:

**Il Signore riceva dalle tue mani questo sacrificio
a lode e gloria del suo nome,
per il bene nostro e di tutta la sua santa Chiesa.**

*Il popolo si alza e il sacerdote, con le braccia allargate, dice l'*ORAZIONE SULLE OFFERTE.

L'orazione sulle offerte termina con la conclusione breve:

Per Cristo nostro Signore.

– se alla fine di essa si fa menzione del Figlio:

Egli vive e regna nei secoli dei secoli.

PREGHIERA EUCARISTICA

Il sacerdote può cantare tutta, o in parte, la Preghiera Eucaristica.

Il sacerdote inizia la Preghiera Eucaristica con il PREFAZIO.

Allargando le braccia, dice:

Il Signore sia con voi.

Il popolo risponde: **E con il tuo spirito.**

Alzando le mani, il sacerdote prosegue:

In alto i nostri cuori.

Il popolo: **Sono rivolti al Signore.**
Con le braccia allargate, il sacerdote soggiunge:
Rendiamo grazie al Signore nostro Dio.
Il popolo: **È cosa buona e giusta.**

PREGHIERA EUCARISTICA II

Questa Preghiera Eucaristica ha un prefazio proprio, che fa parte della sua struttura. Si possono però usare anche altri prefazi, specialmente quelli che presentano in breve sintesi il mistero della salvezza, per esempio i prefazi comuni.

È veramente cosa buona e giusta, nostro dovere e fonte di salvezza, rendere grazie sempre e in ogni luogo a te, Padre santo, per Gesù Cristo, tuo amatissimo Figlio. Egli è la tua parola vivente: per mezzo di lui hai creato tutte le cose, lo hai mandato a noi salvatore e redentore, fatto uomo per opera dello Spirito Santo e nato dalla Vergine Maria. Per compiere la tua volontà e acquistarti un popolo santo egli, nell'ora della passione, stese le braccia sulla croce, morendo distrusse la morte e proclamò la risurrezione. Per questo mistero di salvezza, uniti agli angeli e ai santi, cantiamo a una sola voce la tua gloria: **Santo…**

(in ginocchio o in piedi)

Il sacerdote, con le braccia allargate, dice:

Veramente santo sei tu, o Padre, fonte di ogni santità.

Congiunge le mani e, tenendole stese sulle offerte, dice:

Ti preghiamo:
santifica questi doni con la rugiada del tuo Spirito

congiunge le mani e traccia un unico segno di croce sul pane e sul calice, dicendo:

perché diventino per noi
il Corpo e ✠ il Sangue del Signore nostro Gesù Cristo.

Congiunge le mani.

Nelle formule seguenti, le parole del Signore si pronuncino con voce chiara e distinta, come è richiesto dalla loro natura.

Egli, consegnandosi volontariamente alla passione,

prende il pane e, tenendolo leggermente sollevato sull'altare, prosegue:

prese il pane, rese grazie,
lo spezzò, lo diede ai suoi discepoli e disse:

si inchina leggermente,

PRENDETE, E MANGIATENE TUTTI:
QUESTO È IL MIO CORPO
OFFERTO IN SACRIFICIO PER VOI.

Presenta al popolo l'ostia consacrata, la depone sulla patena e genuflette in adorazione.

Poi prosegue:
Allo stesso modo, dopo aver cenato,
prende il calice e, tenendolo leggermente sollevato sull'altare, prosegue:
prese il calice,
di nuovo ti rese grazie, lo diede ai suoi discepoli e disse:

si inchina leggermente,

PRENDETE, E BEVETENE TUTTI:
QUESTO È IL CALICE DEL MIO SANGUE,
PER LA NUOVA ED ETERNA ALLEANZA,
VERSATO PER VOI E PER TUTTI
IN REMISSIONE DEI PECCATI.

FATE QUESTO IN MEMORIA DI ME.

Presenta al popolo il calice, lo depone sul corporale e genuflette in adorazione.

Quindi, il sacerdote canta o dice:
Mistero della fede.

(in piedi)

Il popolo prosegue acclamando:
Annunciamo la tua morte, Signore,

proclamiamo la tua risurrezione,
nell'attesa della tua venuta.

Oppure:

Ogni volta che mangiamo di questo pane
e beviamo a questo calice,
annunciamo la tua morte, Signore,
nell'attesa della tua venuta.

Oppure:

Tu ci hai redenti con la tua croce
e la tua risurrezione:
salvaci, o Salvatore del mondo.

Quindi, con le braccia allargate, il sacerdote dice:

Celebrando il memoriale della morte e risurrezione del tuo Figlio, ti offriamo, Padre, il pane della vita e il calice della salvezza, e ti rendiamo grazie perché ci hai resi degni di stare alla tua presenza a compiere il servizio sacerdotale.
Ti preghiamo umilmente: per la comunione al Corpo e al Sangue di Cristo, lo Spirito Santo ci riunisca in un solo corpo.

Ricordati, Padre, della tua Chiesa diffusa su tutta la terra: †

Domenica
Si può dire in tutte le domeniche, a esclusione di quando c'è un altro ricordo proprio.

† e qui convocata nel giorno in cui Cristo ha vinto la morte e ci ha resi partecipi della sua vita immortale:

Giovedì Santo alla Messa vespertina «Cena del Signore»

† e qui convocata nel giorno santissimo nel quale Gesù Cristo nostro Signore fu consegnato alla morte per noi:

Dalla Veglia Pasquale alla II domenica di Pasqua

† e qui convocata nel giorno glorioso [nella notte gloriosa] della risurrezione di Cristo Signore nel suo vero corpo:

---

rendila perfetta nell'amore in unione con il nostro papa N., il nostro vescovo N.*, i presbiteri e i diaconi. †

Nelle Messe per i defunti si può aggiungere:

† Ricordati del nostro fratello [della nostra sorella] N., che [oggi] hai chiamato a te da questa vita; e come per il Battesimo l'hai unito[a] alla morte di Cristo, tuo Figlio, così rendilo[a] partecipe della sua risurrezione.

---

* Qui è permesso nominare anche il vescovo coadiutore o gli ausiliari, come indicato al n. 149 dell'*Ordinamento Generale del Messale Romano.*

Ricordati anche dei nostri fratelli e sorelle, che si sono addormentati nella speranza della risurrezione e, nella tua misericordia, di tutti i defunti: ammettili alla luce del tuo volto.
Di noi tutti abbi misericordia, donaci di aver parte alla vita eterna, insieme con la beata Maria, Vergine e Madre di Dio, san Giuseppe, suo sposo, gli apostoli, [san N.: santo del giorno o patrono] e tutti i santi che in ogni tempo ti furono graditi,
congiunge le mani,
e in Gesù Cristo tuo Figlio canteremo la tua lode e la tua gloria.

Prende sia la patena con l'ostia sia il calice ed elevandoli insieme canta o dice:
Per Cristo, con Cristo e in Cristo,
a te, Dio Padre onnipotente,
nell'unità dello Spirito Santo,
ogni onore e gloria, per tutti i secoli dei secoli.
Il popolo acclama: **Amen.**

RITI DI COMUNIONE

Il sacerdote, deposti il calice e la patena, a mani giunte, canta o dice:
Obbedienti alla parola del Salvatore e formati al suo

divino insegnamento, osiamo dire:

Oppure:

Prima di partecipare al banchetto dell'Eucaristia, segno di riconciliazione e vincolo di comunione fraterna, preghiamo insieme come il Signore ci ha insegnato:

Allarga le braccia e canta o dice insieme al popolo:

Padre nostro che sei nei cieli,
sia santificato il tuo nome,
venga il tuo regno,
sia fatta la tua volontà,
come in cielo così in terra.
Dacci oggi il nostro pane quotidiano,
e rimetti a noi i nostri debiti
come anche noi li rimettiamo ai nostri debitori,
e non abbandonarci alla tentazione,
ma liberaci dal male.

Solo il sacerdote, con le braccia allargate, continua:

Liberaci, o Signore, da tutti i mali, concedi la pace ai nostri giorni, e con l'aiuto della tua misericordia vivremo sempre liberi dal peccato e sicuri da ogni turbamento, nell'attesa che si compia la beata speranza e venga il nostro salvatore Gesù Cristo.

Congiunge la mani.

Il popolo conclude la preghiera con l'acclamazione:

Tuo è il regno, tua la potenza e la gloria nei secoli.

Il sacerdote, con le braccia allargate, dice ad alta voce:
Signore Gesù Cristo, che hai detto ai tuoi apostoli: «Vi lascio la pace, vi do la mia pace», non guardare ai nostri peccati, ma alla fede della tua Chiesa, e donale unità e pace secondo la tua volontà.
Congiunge le mani.
Tu che vivi e regni nei secoli dei secoli.
Il popolo risponde: **Amen.**

Il sacerdote, rivolto al popolo allargando e ricongiungendo le mani, dice:
La pace del Signore sia sempre con voi.
Il popolo risponde: **E con il tuo spirito.**

Poi, secondo l'opportunità, il diacono, o il sacerdote, aggiunge:
Scambiatevi il dono della pace.
Oppure:
Come figli del Dio della pace,
scambiatevi un gesto di comunione fraterna.

E tutti si scambiano vicendevolmente un gesto di pace, di comunione e di carità secondo gli usi locali. Il sacerdote dà la pace al diacono o al ministro.

Il sacerdote quindi prende l'ostia, la spezza sopra la pate-

na e ne mette un frammento nel calice, dicendo sottovoce:
Il Corpo e il Sangue del Signore nostro Gesù Cristo,
uniti in questo calice,
siano per noi cibo di vita eterna.

Intanto si canta o si dice:
Agnello di Dio, che togli i peccati del mondo, abbi pietà di noi.

Agnello di Dio, che togli i peccati del mondo, abbi pietà di noi.

Agnello di Dio, che togli i peccati del mondo, dona a noi la pace.

Il sacerdote, con le mani giunte, dice sottovoce:
Signore Gesù Cristo, Figlio del Dio vivo, che per volontà del Padre e con l'opera dello Spirito Santo morendo hai dato la vita al mondo, per il santo mistero del tuo Corpo e del tuo Sangue liberami da ogni colpa e da ogni male, fa' che sia sempre fedele alla tua legge e non sia mai separato da te.

Il sacerdote genuflette, prende l'ostia e tenendola un po' sollevata sulla patena o sul calice, rivolto al popolo, dice ad alta voce:
Ecco l'Agnello di Dio,
ecco colui che toglie i peccati del mondo.

Beati gli invitati alla cena dell'Agnello.

E continua, dicendo insieme con il popolo:

O Signore, non sono degno di partecipare alla tua mensa, ma di' soltanto una parola e io sarò salvato.

Il sacerdote, rivolto all'altare, dice sottovoce:

Il Corpo di Cristo mi custodisca per la vita eterna.

E con riverenza si comunica al Corpo di Cristo. Poi prende il calice e dice sottovoce:

Il Sangue di Cristo mi custodisca per la vita eterna.

E con riverenza si comunica al Sangue di Cristo.

Mentre il sacerdote si comunica al Corpo di Cristo, si inizia il CANTO DI COMUNIONE. *Il sacerdote prende poi la patena o la pisside e si reca verso i comunicandi. Nel presentare a ognuno l'ostia, la tiene alquanto sollevata e dice:*

Il Corpo di Cristo.

Il comunicando risponde: **Amen.**

Terminata la distribuzione della comunione, il sacerdote, o il diacono, o l'accolito, alla credenza o a lato dell'altare, purifica la patena sul calice e quindi il calice.

Mentre purifica la patena e il calice, il sacerdote dice sottovoce:

Il sacramento ricevuto con la bocca sia accolto con purezza nel nostro spirito, o Signore, e il dono a noi fatto nel tempo ci sia rimedio per la vita eterna.

Poi il sacerdote può tornare alla sede. Secondo l'opportunità, si può osservare il sacro silenzio per un tempo conveniente, oppure cantare un salmo o un altro canto di lode o un inno.
Poi, stando alla sede o all'altare, il sacerdote, rivolto al popolo, dice a mani giunte:
Preghiamo.

*E tutti, insieme con il sacerdote, pregano per qualche momento in silenzio, a meno che sia già stato osservato subito dopo la comunione. Poi il sacerdote, con le braccia allargate, dice l'*ORAZIONE DOPO LA COMUNIONE.

RITI DI CONCLUSIONE

Dopo l'orazione e prima della BENEDIZIONE *si possono dare, quando occorre, brevi comunicazioni al popolo.*
Segue il congedo. Il sacerdote, allargando le braccia, rivolto verso il popolo, dice:
Il Signore sia con voi.
Il popolo risponde: **E con il tuo spirito.**

Il sacerdote benedice il popolo:
Vi benedica Dio onnipotente,
Padre e Figlio ✠ e Spirito Santo.
Il popolo risponde: **Amen.**

In certi giorni e in circostanze particolari si usa una forma più solenne di Benedizione *o l'*Orazione sul popolo.

Infine il diacono o il sacerdote stesso, rivolto al popolo, a mani giunte, dice:

Andate in pace.

Oppure:

La Messa è finita: andate in pace.

Oppure:

Andate e annunciate il Vangelo del Signore.

Oppure:

Glorificate il Signore con la vostra vita. Andate in pace.

Oppure:

La gioia del Signore sia la vostra forza. Andate in pace.

Oppure:

Nel nome del Signore, andate in pace.

Oppure, specialmente nelle domeniche di Pasqua:

Portate a tutti la gioia del Signore risorto. Andate in pace.

Il popolo risponde: **Rendiamo grazie a Dio.**

Il sacerdote bacia l'altare in segno di venerazione come all'inizio; fa quindi con i ministri un profondo inchino e torna in sacrestia.

Quando segue immediatamente un'altra azione liturgica, si tralasciano i riti di conclusione.

PREGHIERA A SAN MICHELE ARCANGELO DA RECITARE DOPO LA SANTA MESSA

Il mattino del 13 ottobre 1884 papa Leone XIII, dopo avere celebrato la santa Messa, assiste come al solito a un'altra Messa di ringraziamento. A un tratto alza energicamente la testa, poi fissa intensamente qualcosa al di sopra del capo del celebrante. Guarda fisso, senza battere le palpebre, con un senso di terrore e di meraviglia; il colorito del suo volto e i lineamenti cambiano. Finalmente, come ritornando in sé, si alza e si avvia verso il suo studio privato. Dopo una mezz'ora fa chiamare il segretario della Congregazione dei Riti e, porgendogli un foglio, gli ordina di farlo stampare e di farlo avere a tutti gli Ordinari del mondo. Che cosa contiene? L'invocazione a san Michele arcangelo da recitarsi al termine della santa Messa, in difesa della Chiesa contro i nemici diabolici all'interno e all'esterno di essa.

Prima della riforma liturgica, il celebrante e i ministri la ***recitavano inginocchiati davanti all'altare a voce alta****, insieme ai fedeli. Tale disposizione viene abolita nel 1964, ma Giovanni Paolo II, durante la recita del* Regina caeli *del 24 aprile 1994, così si esprime: «Anche se oggi questa preghiera non viene più recitata al termine della celebrazione eucaristica, invito tutti a non dimenticarla, ma a recitarla*

per ottenere di essere aiutati nella battaglia contro le forze delle tenebre e contro lo spirito di questo mondo».
Già nel 1987 lo stesso Giovanni Paolo II, in visita al santuario di San Michele Arcangelo, sul monte Gargano, aveva detto: «Questa lotta contro il Demonio, che contraddistingue la figura dell'arcangelo Michele, è attuale anche oggi, perché il Demonio è tuttora vivo e operante nel mondo. In questa lotta, l'arcangelo Michele è a fianco della Chiesa per difenderla contro le nequizie del secolo, per aiutare i credenti a resistere al Demonio che "come leone ruggente va in giro cercando chi divorare"».
Riprendiamo a recitare con fiducia l'invocazione di Leone XIII a san Michele arcangelo al termine della santa Messa e chiediamogli di essere aiutati nella lotta al Maligno.

San Michele arcangelo,
difendici nella lotta,
sii il nostro aiuto contro la malvagità
e le insidie del demonio.
Supplichevoli preghiamo che Dio lo domini
e tu, Principe della milizia celeste,
con il potere che ti viene da Dio,
incatena nell'Inferno Satana
e gli spiriti maligni,
che si aggirano per il mondo
per far perdere le anime. Amen.

MARZO

Calendario liturgico marzo 2023

1	M	S. Davide	I Salt
2	G	S. Agnese da Praga	
3	V	S. Tiziano	
4	S	S. Casimiro	comm
5	**D**	**II domenica di Quaresima (A)**	**II Salt**
6	L	S. Vittorino	
7	M	Ss. Perpetua e Felicita, martiri	comm
8	M	S. Giovanni di Dio, religioso	comm
9	G	S. Francesca Romana, religiosa	comm
10	V	S. Macario	
11	S	S. Costantino	
12	**D**	**III domenica di Quaresima (A)**	**III Salt**
13	L	S. Sabino	
14	M	S. Matilde	
15	M	S. Luisa de Marillac	
16	G	S. Giuliano	
17	V	S. Patrizio, vescovo	comm
18	S	S. Cirillo di Gerusalemme, vesc. e dott. Chiesa	comm
19	**D**	**IV domenica di Quaresima (A)**	**IV Salt**
20	**L**	**S. Giuseppe sposo della beata Vergine Maria**	**s**
21	M	S. Benedetta Cambiagio Frassinello	
22	M	S. Lea	
23	G	S. Turibio di Mogrovejo, vescovo	comm
24	V	S. Caterina di Svezia	
25	**S**	**Annunciazione del Signore**	**s**
26	**D**	**V domenica di Quaresima (A)**	**I Salt**
27	L	B. Francesco Faà di Bruno	
28	M	S. Stefano Harding	
29	M	S. Guglielmo Tempier	
30	G	S. Leonardo Murialdo	
31	V	S. Guido	

Il rosso indica i giorni di precetto, in cui vi è l'obbligo di partecipare alla S. Messa

MESE DEDICATO A SAN GIUSEPPE

La Chiesa dedica il mese di marzo a san Giuseppe, ricordato il 19 marzo come sposo della Vergine Maria (quest'anno la solennità cade il 20, perché il 19 è domenica). Chi è san Giuseppe? È un uomo pienamente responsabile e concreto che avvolge nell'amore chi gli è stato donato: Maria e Gesù. Egli, accogliendo Maria in casa sua, accoglie il mistero che è in lei, il mistero che è lei stessa e la ama con quel grande rispetto che è il sigillo dell'amore autentico.

Proprio Giuseppe, padre e custode della Santa Famiglia, pone legittimamente il nome al bambino. Dio desidera che il giusto Giuseppe dia il nome – che lui stesso ha rivelato – al Figlio chiamandolo Gesù: l'Altissimo vuole che lo faccia Giuseppe perché desidera che, come Maria, egli collabori intimamente alla redenzione.

Tra i molti aspetti della sua meravigliosa testimonianza, un accento particolare va dedicato al suo silenzio. Il suo è un silenzio permeato di contemplazione del mistero di Dio, in atteggiamento di totale disponibilità al suo volere.

Il silenzio di Giuseppe non manifesta un vuoto interiore ma, al contrario, la pienezza di fede che porta nel cuore e che guida ogni suo pensiero e ogni sua azione. Un silenzio grazie al quale, all'unisono con Maria, custodisce la Parola di Dio; un silenzio intessuto di preghiera fedele, di affidamento alla sua volontà e di abbandono fiducioso alla sua provvidenza. La vita di Giuseppe, trascorsa nell'obbedienza alla Parola, è un segno eloquente per tutti noi, discepoli di Gesù.

11 - 19 marzo ▶ Novena a **san Giovanni Nepomuceno**

12 - 20 marzo ▶ Novena a **san Nicola di Flüe**

13 - 21 marzo ▶ Novena a **santa Lea**

14 - 22 marzo ▶ Novena a **san Turibio di Mogrovejo**

15 - 23 marzo ▶ Novena a **santa Caterina di Svezia**
▶ Novena a **sant'Oscar Romero**

16 - 24 marzo ▶ Novena dell'**Annunciazione del Signore**

24 marzo 1 aprile ▶ Novena a **san Francesco da Paola** (cod. 8473)

29 - 31 marzo ▶ Triduo di ringraziamento a **san Giuseppe** (cod. 8115, 8190)

30 marzo 1 aprile ▶ Triduo a **san Francesco da Paola** (cod. 8473)

1 MARZO

MERCOLEDÌ

1ª settimana di Quaresima

viola **1ª sett. salt.**

ANTIFONA D'INGRESSO - Ricordati, Signore, della tua misericordia e del tuo amore che è da sempre. Non trionfino su di noi i nemici. Da ogni angoscia salvaci, Dio d'Israele *(Cfr. Sal 24,6.2.22).*

COLLETTA - Guarda, o Signore, il popolo a te consacrato, e fa' che, mortificando il corpo con l'astinenza, si rinnovi con il frutto delle buone opere. Per il nostro Signore…

PRIMA LETTURA Gn 3,1-10

Dal libro del profeta Giona

In quel tempo, fu rivolta a Giona questa parola del Signore: «Àlzati, va' a Nìnive, la grande città, e annuncia loro quanto ti dico». Giona si alzò e andò a Nìnive secondo la parola del Signore. Nìnive era una città molto grande, larga tre giornate di cammino. Giona cominciò a percorrere la città per un giorno di cammino e predicava: «Ancora quaranta giorni e Nìnive sarà distrutta». I cittadini di Nìnive credettero a Dio e bandirono un digiuno, vestirono il sacco, grandi e piccoli. Giunta la notizia fino al re di Nìnive, egli si alzò dal trono, si tolse il manto, si coprì di sacco e si mise a sedere sulla cenere. Per ordine del re e dei suoi grandi fu poi proclamato a Nìnive questo decreto: «Uomini e animali, armenti e greggi non gustino nulla, non pascolino, non bevano acqua. Uomini e animali si coprano di sacco e Dio sia invocato con tutte le forze; ognuno si converta dalla sua condotta malvagia e dalla violenza che è nelle sue mani. Chi sa che Dio non cambi, si ravveda, deponga il suo ardente sdegno e noi non abbiamo a perire!». Dio vide le loro opere, che cioè si erano convertiti dalla loro condotta malvagia, e Dio si ravvide riguardo al male che aveva minacciato di fare loro e non lo fece. **Parola di Dio.**

SALMO RESPONSORIALE Dal Salmo 50 (51)

℟. **Tu non disprezzi, o Dio,**
un cuore contrito e affranto.

Oppure:

℟. **Tu gradisci, Signore, il cuore penitente.**

Pietà di me, o Dio, nel tuo amore;

nella tua grande misericordia
cancella la mia iniquità.
Lavami tutto dalla mia colpa,
dal mio peccato rendimi puro. ℟.

Crea in me, o Dio, un cuore puro,
rinnova in me uno spirito saldo.
Non scacciarmi dalla tua presenza
e non privarmi del tuo santo spirito. ℟.

Tu non gradisci il sacrificio;
se offro olocàusti, tu non li accetti.
Uno spirito contrito è sacrificio a Dio;
un cuore contrito e affranto tu, o Dio, non disprezzi. ℟.

CANTO AL VANGELO Cfr. Gl 2,12-13

Lode a te, o Cristo, re di eterna gloria!
Ritornate a me con tutto il cuore, dice il Signore,
perché **sono misericordioso e pietoso**.
Lode a te, o Cristo, re di eterna gloria!

VANGELO Lc 11,29-32

✠ *Dal Vangelo secondo Luca*

In quel tempo, mentre le folle si accalcavano, Gesù cominciò a dire: «Questa generazione è una generazione malvagia; essa cerca un segno, ma non le sarà dato alcun segno, se non il segno di Giona. Poiché, come Giona fu un segno per quelli di Nìnive, così anche il Figlio dell'uomo lo sarà per questa generazione. Nel giorno del giudizio, la regina del Sud si alzerà contro gli uomini di questa generazione e li condannerà, perché ella venne dagli estremi confini della terra per ascoltare la sapienza di Salomone. Ed ecco, qui vi è uno più grande di Salomone. Nel giorno del giudizio, gli abitanti di Nìnive si alzeranno contro questa generazione e la condanneranno, perché essi alla predicazione di Giona si convertirono. Ed ecco, qui vi è uno più grande di Giona». **Parola del Signore.**

SULLE OFFERTE - Ti offriamo, o Signore, i doni che ci hai dato perché siano consacrati al tuo nome; rendili per noi sacramento di salvezza e farmaco di vita immortale. Per Cristo nostro Signore.

Prefazio di Quaresima.

COMUNIONE - Gioiscano quanti in te si rifugiano, o Signore: esultino senza fine perché tu sei con loro *(Cfr. Sal 5,12)*.

Oppure: Come Giona fu un segno per quelli di Ninive, così il Figlio dell'uomo lo sarà per questa generazione *(Lc 11,30)*.

Dopo la Comunione - O Dio, che sempre ci nutri con i tuoi sacramenti, per questi doni della tua bontà guidaci alla vita eterna. Per Cristo nostro Signore.

Orazione sul popolo ***ad libitum*** - Proteggi, o Signore, il tuo popolo e nella tua clemenza purificalo da ogni peccato, poiché nulla potrà nuocergli se sarà libero dal dominio del male. Per Cristo nostro Signore.

Commenti

1ª lettura - Potremmo considerare il libro di Giona una grande parabola sulla misericordia di Dio. Attraverso il profeta, l'annuncio della salvezza non si limita al solo popolo eletto, ma abbraccia tutti gli uomini. Giona viene mandato dal Signore a Nìnive, la maestosa capitale del regno assiro, al fine di annunciare l'imminente distruzione della città a causa della malvagità dei suoi abitanti. Dopo un primo rifiuto, le peripezie vissute lo porteranno a compiere la missione affidatagli da Dio. In qualità di profeta, Giona annunzia la parola di minaccia e di rimprovero a nome del Signore in un modo così appassionato da toccare il cuore degli abitanti di Nìnive e dello stesso re: essi «credettero a Dio» e si imposero una durissima penitenza accompagnata da preghiera fervente e da una profonda conversione. Quello che ci insegna la vicenda di Nìnive è che il cambiamento di vita è sostenuto dalla speranza che i decreti di Dio non siano irrevocabili, ma al pentimento sincero dell'uomo possa seguire il "pentimento" di Dio e il castigo minacciato mutarsi in perdono.

VANGELO - Nei nostri cuori, per quanto amiamo spesso ripeterci il contrario, è radicata nel profondo un'idea cattiva di Dio come di colui che ripaga secondo i meriti e che si diverte con le nostre vite. «Perché Dio non mi dà quella cosa che desidero tanto? Perché non riesco a capire cosa farmene di questa vita? Perché non trovo il mio posto, la mia felicità? Dio, dammi un segno!». «Ma non le sarà dato nessun segno fuorché il segno di Giona»: Giona trascorse tre giorni e tre notti nel ventre della balena. È chiaro il riferimento alla risurrezione. La chiave sta proprio qui: Dio viene a salvarti e Gesù è l'ultimo e unico segno che Dio ha inviato per dimostrarlo, ma soprattutto per insegnarci a essere noi stessi segni del suo amore. Potremmo essere proprio noi quei segni che il mondo si aspetta. Le nostre azioni, il nostro stile di vita, il nostro amore possono diventare un segno della presenza di Dio. Tutti possiamo essere un segno per gli altri e gli altri possono essere un segno per noi della presenza di Dio. Impariamo da Cristo e dalla sua Parola come essere lievito per far crescere in noi e negli altri la consapevolezza di essere figli amati e mai abbandonati.

PROPOSITO DEL GIORNO... Oggi pregherò, possibilmente alle 15:00, la coroncina alla Divina Misericordia *(pag. 754)*, affinché Dio abbia misericordia di me e del mondo intero.

PRATICHE E FESTE DEL GIORNO...

- Pratiche e preghiere di ogni giorno consigliate per il mese di marzo *(pag. 727)*.
- Primo mercoledì del mese dedicato a san Giuseppe: atto di riparazione e ringraziamento al suo cuore castissimo (cod. 8001, 8115).
- Inizio del sacro manto (cod. 8001, 8115, 8190).
- Festa Madonna di Machaby, Arnad (Aosta).

SANTI E BEATI DEL GIORNO

S. Albino di Angers • S. Davide di Menevia • S. Felice III • Ss. Silvio e compagni • B. Giovanna Maria Bonomo

SANT'ALBINO DI ANGERS: il Vescovo dei prodigi.

I **miracoli** che gli si attribuiscono **hanno fatto di Albino uno dei santi più popolari del Medioevo**. Secondo una tradizione, si scontrò con il re Childeberto, che aveva imprigionato una donna di nome Etherie: Albino andò da lei in prigione e il soldato che tentò di opporglisi cadde morto ai suoi piedi. Questo fatto impressionò il re, che permise ad Albino di liberarla. Un'altra leggenda racconta che una volta Albino pregò fino a notte per alcuni uomini imprigionati nella torre di Angers: all'improvviso una pietra crollò dal muro, permettendo loro la fuga. Il "vescovo dei prodigi", era nato verso il 469 a Vannes (Francia) da una famiglia nobile.

Monaco e poi abate a Tincillac, per circa venticinque anni Albino resse in modo saggio e santo l'abbazia e nel 529 fu eletto, per desiderio popolare e nonostante le sue resistenze, vescovo di Angers. In quel periodo, per proteggere l'entità di ingenti patrimoni, erano frequenti tra le famiglie nobili **i matrimoni incestuosi: egli vi si oppose fermamente e fece il possibile per annullare questa pratica; partecipò** inoltre in maniera attiva a **diversi Concili** tenuti a Orleans **per contribuire a rinnovare la Chiesa**. Morì il 1° marzo 550 ad Angers.

2 MARZO

GIOVEDÌ

1ª settimana di Quaresima

viola **1ª sett. salt.**

ANTIFONA D'INGRESSO - Porgi l'orecchio, Signore, alle mie parole: intendi il mio lamento. Sii attento alla voce del mio grido, mio re e mio Dio *(Sal 5,2-3)*.

COLLETTA - Ispiraci, o Padre, pensieri e propositi santi e donaci la forza di attuarli prontamente, e poiché non possiamo esistere senza di te, fa' che viviamo secondo il tuo volere. Per il nostro Signore…

PRIMA LETTURA Est 4,17n.p-r.aa-bb.gg-hh (NV) [gr. 4,17kα.kε.l.s]

Dal libro di Ester

In quei giorni, la regina Ester cercò rifugio presso il Signore, presa da un'angoscia mortale. Si prostrò a terra con le sue ancelle da mattina a sera e disse: «Tu sei benedetto, Dio di Abramo, Dio di Isacco, Dio di Giacobbe. Vieni in aiuto a me che sono sola e non ho altro soccorso all'infuori di te, o Signore, perché un grande pericolo mi sovrasta. Io ho sentito dai libri dei miei antenati, Signore, che tu liberi fino all'ultimo tutti coloro che compiono la tua volontà. Ora, Signore, mio Dio, aiuta me che sono sola e non ho nessuno all'infuori di te. Vieni in soccorso a me, che sono orfana, e poni sulle mie labbra una parola opportuna davanti al leone, e rendimi gradita a lui. Volgi il suo cuore all'odio contro chi ci combatte, a rovina sua e di quanti sono d'accordo con lui. Quanto a noi, liberaci dalla mano dei nostri nemici, volgi il nostro lutto in gioia e le nostre sofferenze in salvezza». **Parola di Dio.**

SALMO RESPONSORIALE Dal Salmo 137 (138)

℟. **Nel giorno in cui ti ho invocato mi hai risposto.**

Ti rendo grazie, Signore, con tutto il cuore:
hai ascoltato le parole della mia bocca.
Non agli dèi, ma a te voglio cantare,
mi prostro verso il tuo tempio santo. ℟.

Rendo grazie al tuo nome per il tuo amore
e la tua fedeltà:
hai reso la tua promessa più grande del tuo nome.

Nel giorno in cui ti ho invocato, mi hai risposto,
hai accresciuto in me la forza. R.

La tua destra mi salva.
Il Signore farà tutto per me.
Signore, il tuo amore è per sempre:
non abbandonare l'opera delle tue mani. R.

CANTO AL VANGELO

Sal 50 (51),12a.14a

Lode a te, o Cristo, re di eterna gloria!
Crea in me, o Dio un cuore puro;
rendimi la gioia della tua salvezza.
Lode a te, o Cristo, re di eterna gloria!

VANGELO

Mt 7,7-12

✠ *Dal Vangelo secondo Matteo*

In quel tempo, Gesù disse ai suoi discepoli: «Chiedete e vi sarà dato; cercate e troverete, bussate e vi sarà aperto. Perché chiunque chiede riceve, e chi cerca trova, e a chi bussa sarà aperto. Chi di voi, al figlio che gli chiede un pane, darà una pietra? E se gli chiede un pesce, gli darà una serpe? Se voi, dunque, che siete cattivi, sapete dare cose buone ai vostri figli, quanto più il Padre vostro che è nei cieli

darà cose buone a quelli che gliele chiedono! Tutto quanto volete che gli uomini facciano a voi, anche voi fatelo a loro: questa infatti è la Legge e i Profeti».
Parola del Signore.

SULLE OFFERTE - Accogli nella tua bontà, o Dio, le preghiere e le offerte che ti presentiamo e converti a te i nostri cuori. Per Cristo nostro Signore.

Prefazio di Quaresima.

COMUNIONE - Chi chiede riceve, chi cerca trova, a chi bussa sarà aperto *(Mt 7,8).*

DOPO LA COMUNIONE - Signore nostro Dio, questi santi misteri, che hai affidato alla tua Chiesa come forza e vigore nel cammino della salvezza, ci siano di aiuto per la vita presente e per quella futura. Per Cristo nostro Signore.

ORAZIONE SUL POPOLO *ad libitum* - Scenda, o Signore, la tua misericordia su coloro che ti supplicano; la sapienza che viene dall'alto ispiri la loro preghiera, perché possano ottenere i doni che invocano con fiducia. Per Cristo nostro Signore.

Commenti

1ª LETTURA - Ester, una giovane ebrea sposa del re persiano, viene a conoscenza che è stato decretato lo sterminio di tutti gli ebrei deportati nel regno della Persia. La regina decide allora di esporsi al pericolo e di affrontare lo sposo per intercedere in favore del suo popolo. Prima di presentarsi al suo cospetto, supplica nell'angoscia il Signore, accompagnando la preghiera con la penitenza. Avrebbe potuto decidere di non compromettere il suo status e invece non resta indifferente dinanzi alla tragedia annunciata. Ben salda nella sua fede, la regina riconosce che il vero Re è Dio e professa che egli e l'Unico: da lui solo può venire la salvezza. Invocando il suo aiuto presenta la propria solitudine, che è quella che si sperimenta dinanzi alle scelte giuste, ma controcorrente. Nella sua supplica Ester ricorda al Signore l'elezione di Israele e le promesse fatte ai padri ma, allo stesso tempo, confessa il peccato del popolo. Per la grazia di un tempo e il pentimento del presente, la regina chiede al Signore salvezza per la sua gente e per sé coraggio e sapienza per compiere efficacemente il compito di intercessione.

VANGELO - In Quaresima siamo chiamati a riscoprire la verità della preghiera così come ce la presenta Gesù. La sua vita è una vera e propria scuola di preghiera. Molto spesso chiediamo e non riceviamo, perché chiediamo male o chiediamo cose che, in verità, non sono necessarie. Gesù insegna a rivolgerci continuamente a un Padre amorevole che sa bene ciò di cui abbiamo bisogno. Al di là della natura buona o cattiva dell'uomo, il Signore risponde sempre alle nostre richieste proprio come un padre fa con suo figlio. Da questo si comprende come accogliere la grandezza dell'amore del Signore nella propria vita sia la cosa migliore che ogni uomo possa fare, perché è l'occasione per crescere spiritualmente e diventare una persona migliore. Il Vangelo di oggi ci dice proprio che la preghiera cambia la vita; così, al centro dell'attenzione dei cristiani di tutte le epoche, le regole da seguire sono riassunte nella famosa regola d'oro: tutto quanto volete che gli uomini facciano a voi, anche voi fatelo a loro. Ricordiamoci del prossimo soprattutto nelle nostre preghiere, ma anche nei gesti e nelle scelte quotidiane, affinché ciò che il Signore ci concede non rimanga solo a noi, ma possa essere un dono da condividere.

☐ **PROPOSITO DEL GIORNO...** Oggi, nella preghiera, renderò grazie a Dio per ogni dono che mi ha riservato, anche il più piccolo, e gli domanderò aiuto per imparare a ringraziare sempre il prossimo.

☐ **PRATICHE E FESTE DEL GIORNO...**

- Pratiche e preghiere di ogni giorno consigliate per il mese di marzo *(pag. 727)*.
- Dalle 23:00 alle 24:00 "prostrarsi con la faccia a terra", come chiesto da Gesù a santa Margherita Maria Alacoque, per riparare all'ingratitudine degli uomini e alla loro indifferenza.
- Primo giovedì del mese: adorazione al Santissimo Sacramento (cod. 8001, 8038, 8141, 8202, 8037).
- I sei primi giovedì del mese: ricevere la Comunione e fare un'ora di adorazione davanti al tabernacolo (cod. 8001, 8038, 8141, 8202, 8037).
- I quindici giovedì di santa Rita: 5° giovedì (cod. 8036, 8352), secondo lo schema in uso nel santuario di Santa Rita da Cascia.
- Festa Santa Maria in Cosmedin, Roma.

SANTI E BEATI DEL GIORNO

S. Agnese di Boemia • S. Angela della Croce Guerrero González • S. Carmelo • B. Carlo il Buono

SANT'AGNESE DI BOEMIA: come Chiara d'Assisi.

Agnese di Boemia è una santa principessa: tredicesima figlia del sovrano boemo Premysl Otakar I e della regina Costanza, respinse i progetti di fidanzamento pensati per lei fin dall'infanzia e **decise di consacrare a Dio la sua verginità**. Papa Gregorio IX, cui lei aveva chiesto protezione, riconobbe il voto di castità della principessa, che acquistò quindi la libertà e la felicità di consacrarsi a Dio. **Quando venne a conoscenza della vita spirituale che conduceva ad Assisi la vergine Chiara**, ne rimase affascinata e decise di imitarne l'esempio: **distribuì i propri beni ai poveri** dopo aver fondato a Praga, a proprie spese, l'ospedale di San Francesco. L'11 giugno 1234 entrò nel monastero di San Francesco e, divenuta badessa, esercitò tale funzione per tutta la vita con umiltà e carità, **considerandosi sempre la "sorella maggiore" delle monache sottoposte alla sua autorità**.

Agnese adorava con particolare fervore i misteri dell'Eucaristia e della croce del Signore e nutriva una devozione filiale per la Vergine. Nel suo itinerario di santità ebbe una guida d'eccezione: all'età di 3 anni era stata affidata alle cure della duchessa di Slesia, la futura santa Edvige, che la introdusse alla fede cristiana. Morì il 2 marzo 1282.

3 MARZO

VENERDÌ

1ª settimana di Quaresima

viola — **1ª sett. salt.**

PRIMO VENERDÌ DEL MESE

ANTIFONA D'INGRESSO - Salva, o Signore, il mio cuore angosciato, vedi la mia povertà e la mia fatica e perdona tutti i miei peccati *(Cfr. Sal 24,17-18).*

COLLETTA - Concedi, o Signore, alla tua Chiesa di prepararsi interiormente alla celebrazione della Pasqua, perché il comune impegno nella mortificazione corporale porti a tutti noi un vero rinnovamento dello spirito. Per il nostro Signore…

PRIMA LETTURA — Ez 18,21-28

Dal libro del profeta Ezechièle

Così dice il Signore Dio: «Se il malvagio si allontana da tutti i peccati che ha commesso e osserva tutte le mie leggi e agisce con giustizia e rettitudine, egli vivrà, non morirà. Nessuna delle colpe commesse sarà più ricordata, ma vivrà per la giustizia che ha praticato. Forse che io ho piacere della morte del malvagio – oracolo del Signore – o non piuttosto che desista dalla sua condotta e viva? Ma se il giusto si allontana dalla giustizia e commette il male, imitando tutte le azioni abominevoli che l'empio commette, potrà egli vivere? Tutte le opere giuste da lui fatte saranno dimenticate; a causa della prevaricazione in cui è caduto e del peccato che ha commesso, egli morirà. Voi dite: "Non è retto il modo di agire del Signore". Ascolta dunque, casa d'Israele: Non è retta la mia condotta o piuttosto non è retta la vostra? Se il giusto si allontana dalla giustizia e commette il male e a causa di questo muore, egli muore appunto per il male che ha commesso. E se il malvagio si converte dalla sua malvagità che ha commesso e compie ciò che è retto e giusto, egli fa vivere se stesso. Ha riflettuto, si è allontanato da tutte le colpe commesse: egli certo vivrà e non morirà». **Parola di Dio.**

SALMO RESPONSORIALE Sal 129 (130)

℟. **Se consideri le colpe, Signore,**
chi ti può resistere?

Oppure:

℟. **Perdonaci, Signore, e noi vivremo.**

Dal profondo a te grido, o Signore;
Signore, ascolta la mia voce.
Siano i tuoi orecchi attenti

alla voce della mia supplica. R.

Se consideri le colpe, Signore,
Signore, chi ti può resistere?
Ma con te è il perdono:
così avremo il tuo timore. R.

Io spero, Signore.
Spera l'anima mia,
attendo la sua parola.
L'anima mia è rivolta al Signore
più che le sentinelle all'aurora. R.

Più che le sentinelle all'aurora,
Israele attenda il Signore,
perché con il Signore è la misericordia
e grande è con lui la redenzione.
Egli redimerà Israele
da tutte le sue colpe. R.

CANTO AL VANGELO Cfr. Ez 18,31a

Lode a te, o Cristo, re di eterna gloria!
Liberatevi da tutte le iniquità commesse,
dice il Signore,
e formatevi un cuore nuovo e uno spirito nuovo.
Lode a te, o Cristo, re di eterna gloria!

VANGELO Mt 5,20-26

✠ *Dal Vangelo secondo Matteo*

In quel tempo, Gesù disse ai suoi discepoli: «Se la vostra giustizia non supererà quella degli scribi e dei farisei, non entrerete nel regno dei cieli. Avete inteso che fu detto agli antichi: "Non ucciderai"; chi avrà ucciso dovrà essere sottoposto al giudizio. Ma io vi dico: chiunque si adira con il proprio fratello dovrà essere sottoposto al giudizio. Chi poi dice al fratello: "Stupido", dovrà essere sottoposto al sinèdrio; e **chi gli dice: "Pazzo", sarà destinato al fuoco della Geènna**. Se dunque tu presenti la tua offerta all'altare e lì ti ricordi che tuo fratello ha qualche cosa contro di te, lascia lì il tuo dono davanti all'altare, va' prima a riconciliarti con il tuo fratello e poi torna a offrire il tuo dono. Mettiti presto d'accordo con il tuo avversario mentre sei in cammino con lui, perché l'avversario non ti consegni al giudice e il giudice alla guardia, e tu venga gettato in prigione. In verità io ti dico: non uscirai di là finché non avrai pagato fino all'ultimo spicciolo!».

Parola del Signore.

SULLE OFFERTE - Accogli, o Signore, questo sacrificio che nella tua grande misericordia hai istituito perché abbiamo pace con te e otteniamo il dono della salvezza eterna. Per Cristo nostro Signore.

Prefazio di Quaresima.

COMUNIONE - Io non godo della morte del malvagio, ma che il malvagio si converta dalla sua malvagità e viva *(Ez 33,11)*.
Oppure: Se un tuo fratello ha qualcosa contro di te, va' prima a riconciliarti con lui *(Cfr. Mt 5,23-24)*.

DOPO LA COMUNIONE - Questi santi sacramenti che abbiamo ricevuto ci rinnovino profondamente, o Signore, perché liberi dalla corruzione del peccato entriamo in comunione con il tuo mistero di salvezza. Per Cristo nostro Signore.

ORAZIONE SUL POPOLO *ad libitum* - Guarda con bontà, o Signore, il tuo popolo, e fa' che le sue opere di penitenza manifestino una vera conversione interiore. Per Cristo nostro Signore.

Commenti

1ª LETTURA - Per comprendere il brano di Ezechièle bisogna tener presente che Israele avverte vivamente il senso della responsabilità collettiva del peccato.

Tuttavia, il profeta Geremia aveva già cominciato a insegnare che vi è anche un «peccato personale», ossia che ciascuno è responsabile in prima persona delle proprie azioni. Ezechièle riprende e supera le affermazioni a questo riguardo e profetizza che ciascuno con il suo comportamento decide del proprio destino; poi annunzia che anche il destino personale non è immutabile: il Dio della vita, infatti, non gode della rovina degli uomini ma attende e, in un certo senso, suscita la conversione di ciascuno. Il Signore offre a ciascuno la possibilità di una vita nuova, indica il cammino della salvezza, che come ogni cammino è impegnativo e richiede perseveranza. Se il "peccatore" deve operare un cambiamento radicale, anche il "giusto" deve continuamente scegliere di operare secondo la volontà di Dio, altrimenti il valore delle sue opere sarà dimenticato. Nessuno è giusto una volta per tutte, ma si diventa giusti giorno dopo giorno aderendo al Signore.

VANGELO - *Le parole sono pietre*: si intitola così un libro di Carlo Levi. Le parole sono pietre che possono costruire ponti tra le persone quando amano, incoraggiano, perdonano, rasserenano. Ma si può uccidere con una sola parola, quando questa toglie dignità al prossimo, quando si racchiude in una sola parola negativa tutta la persona, dimenticandone la ricchezza interiore e la complessità della vita. Gesù, oggi, ci ricorda che non basta astenersi dall'omicidio per rispettare il comandamento, perché ci sono tanti modi di uccidere una persona, di mortificarla. Basti pensare a tutte le generalizzazioni che si fanno, a tutte le etichette che si appiccicano sulle spalle di un singolo individuo o su una categoria di persone senza neanche conoscerle, senza entrarci mai in contatto. Tante vite sono finite troppo presto perché non più in grado di sopportare il peso del giudizio altrui. Gesù, invece, le parole le usava per amare, benedire ("dire bene"), per costruire nuove relazioni. Questo è il tempo giusto per usare parole nuove tra di noi e in questo ci aiuta la Parola più grande e solida che ci sia, quella di Gesù. Alla scuola di Gesù le nostre parole diventino parole che non uccidono, ma che danno vita.

☐ **PROPOSITO DEL GIORNO...** Oggi prego per tutte le persone che soffrono a causa di una malattia mentale perché, oltre alla sofferenza, non subiscano discriminazioni.

☐ **PRATICHE E FESTE DEL GIORNO...**

- Pratiche e preghiere di ogni giorno consigliate per il mese di marzo *(pag. 727)*.

- Astinenza dalle carni.
- Rosario delle sante piaghe (cod. 8001, 8194).
- Preghiere a Gesù crocifisso (cod. 8001, 8193, 8194).
- Rosario dei sette dolori (cod. 8001, 8140).
- I tredici venerdì di san Francesco di Paola: 9° venerdì (cod. 8473).
- **I nove primi venerdì del mese**

La devozione al Sacro Cuore di Gesù, e in particolare al «pio esercizio» dei Primi nove venerdì del mese, è una «forma di devozione che deve essere sommamente inculcata» (papa Paolo VI).

Gesù confida il suo amore per le anime all'umile suora francese santa Margherita M. Alacoque (XVII secolo). Le dice: «Io ti prometto, nell'eccesso della Misericordia del mio cuore, che il mio amore onnipotente concederà a tutti quelli che si comunicheranno il primo venerdì del mese per nove mesi consecutivi, la grazia della penitenza finale. Essi non moriranno in mia disgrazia, né senza ricevere i Sacramenti, e il mio cuore sarà il loro asilo sicuro in quell'ora estrema».

Per approfondire: *pag. 765* (cod. 8247),
inoltre, cod. 8001, 8071.

SANTI E BEATI DEL GIORNO

S. Caterina Drexel • **S. Cunegonda** • S. Teresa Eustochio Verzeri • S. Tiziano • B. Federico • B. Pietro Geremia

SANTA CUNEGONDA:

la santa umiltà di un'imperatrice.

Cunegonda è un'imperatrice che visse l'ultimo periodo della sua vita in un monastero benedettino, **in assoluta umiltà, addirittura come se mai fosse stata imperatrice**: trascorreva gran parte delle sue giornate in preghiera e nella lettura delle Sacre Scritture, senza rifuggire però i lavori manuali e i servizi più umili.

Le radici della sua santità affondano nella sua infanzia: i suoi genitori, Sigfrido e Adesvige, fin dai suoi primi anni le diedero una profonda educazione cristiana. Quando, all'età di circa 20 anni, Cunegonda sposò il duca di Baviera, Enrico, che sarebbe poi stato incoronato imperatore del Sacro Romano Impero, con il consenso del suo sposo, fece voto di verginità e lo mantenne anche nello stato coniugale. Probabilmente per questa scelta, nella Vita e nella bolla pontificia di canonizzazione si legge che Cunegonda fu oggetto di una grande calunnia di infedeltà coniugale ed Enrico, per provarne l'innocenza, decise di sottoporla alla prova del fuoco.

La moglie accettò e passò miracolosamente indenne a piedi nudi sopra vomeri infuocati. L'imperatore chiese perdono allora alla consorte per aver dato troppo credito agli accusatori e da quel momento visse in piena stima e fiducia nei suoi confronti. Il 10 agosto 1002, a Paderborn, Cunegonda fu incoronata regina e il 14 febbraio 1014 si recò a Roma con il marito per ricevere la corona imperiale dalle mani di papa Benedetto VIII.

La vita dell'imperatrice costituì un mirabile esempio di carità, umiltà e mortificazione.

Assecondata dal marito, nel 1007 fece erigere il duomo di Bamberga e nel 1021 il monastero di Kaufungen, fondato in seguito a un voto fatto durante una gravissima malattia da cui uscì pienamente ristabilita. Proprio in questo monastero benedettino volle ritirarsi nel 1025, addolorata per la perdita del marito.

Nel giorno dell'anniversario della morte di Enrico II, Cunegonda convocò parecchi vescovi per la dedicazione della chiesa di Kaufungen, cui donò una reliquia della Santa Croce. Dopo la lettura del Vangelo, **si spogliò delle insegne e degli abiti imperiali, si fece tagliare i capelli e vestì il rozzo saio benedettino**.

Continuò, come già aveva fatto in precedenza, a spendere il suo patrimonio nell'edificazione di nuovi monasteri, decorando chiese e aiutando i poveri.

Morì il 3 marzo di un anno imprecisato, generalmente viene preferito il 1033 anziché il 1039.

4 MARZO

SABATO

1ª settimana di Quaresima

viola **1ª sett. salt.**

PRIMO SABATO DEL MESE

S. Casimiro (comm)

ANTIFONA D'INGRESSO - La legge del Signore è perfetta, rinfranca l'anima; la testimonianza del Signore è stabile, rende saggio il semplice *(Sal 18,8).*

COLLETTA - Padre di eterna misericordia, converti a te i nostri cuori, perché nella ricerca dell'unico bene necessario e nelle opere di carità fraterna siamo sempre consacrati alla tua lode. Per il nostro Signore…

PRIMA LETTURA Dt 26,16-19

Dal libro del Deuteronòmio

Mosè parlò al popolo, e disse: «Oggi il Signore, tuo Dio, ti comanda di mettere in pratica queste leggi e queste norme. Osservale e mettile in pratica con tutto il cuore e con tutta l'anima. Tu hai sentito oggi il Signore dichiarare che egli sarà Dio per te, ma solo se tu camminerai per le sue vie e osserverai le sue leggi, i suoi comandi, le sue norme e ascolterai la sua voce. Il Signore ti ha fatto dichiarare oggi che tu sarai il suo popolo particolare, come egli ti ha detto, ma solo se osserverai tutti i suoi comandi. Egli ti metterà, per gloria, rinomanza e splendore, sopra tutte le nazioni che ha fatto e tu sarai un popolo consacrato al Signore, tuo Dio, come egli ha promesso». **Parola di Dio.**

SALMO RESPONSORIALE Dal Salmo 118 (119)

℟. **Beato chi cammina nella legge del Signore.**

Beato chi è integro nella sua via
e cammina nella legge del Signore.
Beato chi custodisce i suoi insegnamenti
e lo cerca con tutto il cuore. ℟.

Tu hai promulgato i tuoi precetti
perché siano osservati interamente.
Siano stabili le mie vie
nel custodire i tuoi decreti. ℟.

Ti loderò con cuore sincero,
quando avrò appreso i tuoi giusti giudizi.
Voglio osservare i tuoi decreti:
non abbandonarmi mai. ℟.

CANTO AL VANGELO Cfr. 2Cor 6,2b

Lode a te, o Cristo, re di eterna gloria!
Ecco ora il momento favorevole,
ecco ora il giorno della salvezza!
Lode a te, o Cristo, re di eterna gloria!

VANGELO Mt 5,43-48

✠ *Dal Vangelo secondo Matteo*

In quel tempo, Gesù disse ai suoi discepoli: «Avete inteso che fu detto: "Amerai il tuo prossimo" e odierai il tuo nemico. Ma io vi dico: amate i vostri nemici e pregate per quelli che vi perseguitano, affinché siate figli del Padre vostro che è nei cieli; egli fa sorgere il suo sole sui cattivi e sui buoni, e fa piovere sui giusti e sugli ingiusti. Infatti, se amate quelli che vi amano, quale ricompensa ne avete? Non fanno così anche i pubblicani? E se date il saluto soltanto ai vostri fratelli, che cosa fate di straordinario? Non fanno così anche i pagani? Voi, dunque, siate perfetti come è perfetto il Padre vostro celeste».

Parola del Signore.

SULLE OFFERTE - Signore Dio nostro, l'offerta di questi santi misteri ci renda degni di ricevere il dono della tua salvezza. Per Cristo nostro Signore.

Prefazio di Quaresima.

Comunione - «Siate perfetti come è perfetto il Padre vostro celeste», dice il Signore *(Mt 5,48).*

Dopo la Comunione - Non manchi mai la tua benevolenza, o Signore, a coloro che nutri con questi divini misteri, e poiché ci hai accolti alla scuola della tua sapienza, continua ad assisterci con il tuo paterno aiuto. Per Cristo nostro Signore.

Orazione sul popolo ***ad libitum*** - Scenda sui tuoi fedeli, o Signore, la benedizione che invocano e confermali nei santi propositi, perché non si separino mai dalla tua volontà e rendano sempre grazie per i tuoi benefici. Per Cristo nostro Signore.

Commenti

1ª lettura - Ci troviamo dinanzi a un brano di carattere giuridico: esso è infatti una formula di trattato, una ratifica formale dell'alleanza. Perciò è significativa la sua collocazione nel libro del Deuteronòmio tra il corpo legislativo e le benedizioni e maledizioni che conseguono l'osservanza o la trasgressione dei decreti del Signore. Sul piano giuridico, nell'antico Israele, il patto rappresenta la forma più radicale in cui viene a costituirsi una comunione tra persone; consiste nel creare una situazione in cui i contraenti si scambiano ciò che hanno di più personale. Il brano di oggi presenta un "patto teologico" tra Dio e il suo popolo. Dio non è, allora, un essere lontano, inaccessibile: Dio è comunione, è volontà di salvezza per il popolo che si è scelto. È lui a prendere l'iniziativa dell'elezione per amore gratuito verso il popolo; è ancora lui a donare a Israele leggi e comandi che costituiscono un cammino di vita e un modello di sapienza per la gente. Accogliere la grazia e corrispondere con l'obbedienza alla voce del Signore è la risposta di fedeltà che Dio chiede a Israele e a noi.

VANGELO - Questa è una di quelle pagine del Vangelo che sentiamo molto difficili da realizzare, soprattutto in questo contesto storico, dove è tornata tristemente attuale la parola "nemico". In realtà tutti noi nel quotidiano abbiamo persone che ci affaticano la vita e anche noi siamo avversari per qualcun altro. Con quale logica, quindi, si può realizzare la richiesta di Gesù di amare i nemici? Solo una: quella del cuore del Padre. Perché per lui non ci sono nemici, ma tutti sono suoi figli. Dev'essere difficile il mestiere del genitore quando i figli litigano: si può propendere per uno o per l'altro, ma l'affetto non lo si può dirigere. Sono entrambi figli. Pensiamo allora alla "fatica" che fa Dio nel vedere il mondo come va: non solo la guerra, ma anche i nostri litigi, le violenze che facciamo l'uno all'altro o come diventiamo il peggior nemico di noi stessi. Eppure, nonostante questo, continua a trattarci tutti come figli. Quel «siate perfetti come è perfetto il Padre vostro celeste» diventa allora l'invito di Gesù a trattare l'altro così come lo tratta Dio, facendo spazio nel cuore anche a chi non trova spazio nel cuore degli altri.

☐ **PROPOSITO DEL GIORNO...** Oggi inizio o proseguo la devozione dei **Primi cinque sabati del mese**. *Tale devozione richiede che ci si comunichi – con le dovute disposizioni – in questo giorno, ci si confessi entro gli otto giorni precedenti o successivi, si reciti una Corona del Rosario meditando i misteri del Rosario, con l'intenzione di offrire riparazione dei peccati commessi contro il Cuore Immacolato di Maria.* (Per approfondire: *pag. 765*)

☐ **PRATICHE E FESTE DEL GIORNO...**

- 11° sabato di Pompei.

ALTRI SANTI E BEATI DEL GIORNO

S. Giovanni Antonio Farina • S. Pietro I di Cava • Bb. Cristoforo Bales, Alessandro Blake e Nicola Horner

SAN CASIMIRO:
un "monaco" immerso negli impegni di corte.

Casimiro è il figlio di un re: è infatti il terzo dei tredici figli del re di Polonia. Educato cristianamente e con saldi principi morali, **sogna di realizzare l'ideale ascetico della povertà e dell'umiltà**, pur continuando a essere impegnato in politica; anzi, servendosi proprio di quest'ultima per realizzare la giustizia, difendere i più deboli e soccorrere i poveri. Il re suo padre, impegnato in una vasta operazione di espansione del regno, gli affida la reggenza della Polonia e Casimiro non lo delude. Lo stesso accade quando il padre lo nomina vicecancelliere della Lituania: dignitari e sudditi ammirano in lui tanta delicatezza e semplicità, un'attenta sensibilità verso i più umili, **una carità smisurata, tanta preghiera e penitenza**. E tutto senza tralasciare gli impegni di governo, anzi illuminandoli e dando loro un senso proprio attraverso quelle virtù che tutti gli riconoscono. Una sola volta si oppone alla ragion di stato: quando il padre gli chiede di sposare una figlia dell'imperatore tedesco Federico III. Casimiro non ne vuole sapere, **rivelando di essersi consacrato a Dio**, "monaco" nel mondo, immerso negli impegni di corte. Muore in Lituania il 4 marzo 1484, a poco più di 25 anni.

5 MARZO

DOMENICA

2ª domenica di Quaresima (A) *viola* **2ª sett. salt.**

ANTIFONA D'INGRESSO - Il mio cuore ripete il tuo invito: «Cercate il mio volto!». Il tuo volto, o Signore, io cerco, non nascondermi il tuo volto *(Sal 26,8-9)*. *Oppure:* Ricordati, Signore, della tua misericordia e del tuo amore che è da sempre. Non trionfino su di noi i nemici. Da ogni angoscia salvaci, Dio d'Israele *(Cfr. Sal 24,6.2.22)*.

Non si dice il Gloria.

COLLETTA - **Preghiamo:** O Padre, che ci chiami ad ascoltare il tuo amato Figlio, guidaci con la tua parola, perché purificati interiormente, possiamo godere la visione della tua gloria. Per il nostro Signore... **Amen.**

Oppure: O Dio, che hai chiamato alla fede i nostri padri e per mezzo del Vangelo hai fatto risplendere la vita, aprici all'ascolto del tuo Figlio, perché, accogliendo in noi il mistero della croce, possiamo essere con lui trasfigurati nella luce. Per il nostro Signore... **Amen.**

(seduti)

PRIMA LETTURA — Gen 12,1-4a

Dal libro della Gènesi

In quei giorni, il Signore disse ad Abram: «Vàttene dalla tua terra, dalla tua parentela e dalla casa di tuo padre, verso la terra che io ti indicherò. Farò di te una grande nazione e ti benedirò, renderò grande il tuo nome e possa tu essere una benedizione. Benedirò coloro che ti benediranno e coloro che ti malediranno maledirò, e in te si diranno benedette tutte le famiglie della terra». Allora Abram partì, come gli aveva ordinato il Signore. - Parola di Dio.

℟. **Rendiamo grazie a Dio.**

SALMO RESPONSORIALE Dal Salmo 32 (33)

℟. **Donaci, Signore, il tuo amore: in te speriamo.**

Retta è la parola del Signore
e fedele ogni sua opera.
Egli ama la giustizia e il diritto;
dell'amore del Signore è piena la terra. ℟.

Ecco, l'occhio del Signore è su chi lo teme,
su chi spera nel suo amore,
per liberarlo dalla morte
e nutrirlo in tempo di fame. ℟.

L'anima nostra attende il Signore:
egli è nostro aiuto e nostro scudo.
Su di noi sia il tuo amore, Signore,
come da te noi speriamo. ℟.

SECONDA LETTURA 2Tm 1,8b-10

Dalla seconda lettera di san Paolo apostolo a Timòteo

Figlio mio, con la forza di Dio, soffri con me per il Vangelo. Egli infatti ci ha salvati e ci ha chiamati con una vocazione santa, non già in base alle nostre opere, ma secondo il suo progetto e la sua grazia. Questa ci è stata data in Cristo Gesù fin dall'eternità, ma è stata rivelata ora, con la manifestazione del salvatore nostro Cristo Gesù. Egli ha vinto la morte e ha fatto risplendere la vita e l'incorruttibilità per mezzo del Vangelo. - Parola di Dio. R. **Rendiamo grazie a Dio.**

(in piedi)

CANTO AL VANGELO
Cfr. Mc 9,7

Lode e onore a te, Signore Gesù!
Dalla nube luminosa, si udì la voce del Padre:
«Questi è il mio Figlio, l'amato: ascoltatelo!».
Lode e onore a te, Signore Gesù!

VANGELO
Mt 17,1-9

Il Signore sia con voi.
R. **E con il tuo spirito.**
✠ *Dal Vangelo secondo Matteo*
R. **Gloria a te, o Signore.**

In quel tempo, Gesù prese con sé Pietro, Giacomo e Giovanni suo fratello e li condusse in disparte, su un alto monte. E fu trasfigurato davanti a loro: il suo volto brillò come il sole e le sue vesti divennero candide come la luce. Ed ecco apparvero loro Mosè ed Elia, che conversavano con lui. Prendendo la parola, Pietro disse a Gesù: «Signore, è bello per noi essere qui! Se vuoi, farò qui tre capanne, una per te, una per Mosè e una per Elia». Egli stava ancora parlando, quando una nube luminosa li coprì con la sua ombra. Ed ecco una voce dalla nube che diceva: «Questi è il Figlio mio, l'amato: in lui ho posto il mio compiacimento. Ascoltatelo». All'udire ciò, i discepoli caddero con la faccia a terra e furono presi da grande timore. Ma Gesù si avvicinò, li toccò e disse: «Alzatevi e non temete». Alzando gli occhi non videro nessuno, se non Gesù solo. Mentre scendevano dal monte, Gesù ordinò loro: «Non parlate a nessuno di questa visione, prima che il Figlio dell'uomo non sia risorto dai morti». - Parola del Signore. ℟. **Lode a te o Cristo.**

Si dice il Credo *(pag. 15).*

(in piedi)

SULLE OFFERTE - Questa offerta, Padre misericordioso, ci ottenga il perdono dei nostri peccati e ci santifichi nel corpo e nello spirito, perché possiamo celebrare degnamente le feste pasquali. Per Cristo nostro Signore. **Amen.**

PREFAZIO - *La trasfigurazione del Signore.* È veramente cosa buona e giusta, nostro dovere e fonte di salvezza, rendere grazie sempre e in ogni luogo a te, Signore, Padre santo, Dio onnipotente ed eterno, per Cristo Signore nostro. Egli, dopo aver dato ai discepoli l'annuncio della sua morte, sul santo monte manifestò la sua gloria e chiamando a testimoni la legge e i profeti indicò agli apostoli che solo attraverso la passione possiamo giungere al trionfo della risurrezione. E noi, uniti agli angeli del cielo, acclamiamo senza fine la tua santità, cantando l'inno di lode: **Santo...**

COMUNIONE - Questi è il Figlio mio, l'amato: in lui ho posto il mio compiacimento. Ascoltatelo *(Mt 17,5)*.

DOPO LA COMUNIONE - **Preghiamo:** Per la partecipazione ai tuoi gloriosi misteri vogliamo renderti grazie, o Signore, perché a noi ancora pellegrini sulla terra fai pregustare i beni del cielo. Per Cristo nostro Signore. **Amen.**

ORAZIONE SUL POPOLO - Benedici sempre i tuoi fedeli, o Padre, perché, aderendo al Vangelo del tuo Figlio unigenito, possano desiderare e raggiungere la gloria manifestata agli apostoli in tutta la sua bellezza. Per Cristo nostro Signore. **Amen.**

Commenti

1ª LETTURA - Dopo l'alleanza stabilita con Noè, in cui Dio giura fedeltà al creato, gli uomini si comportano nuovamente male. Eppure Dio continua a cercare la comunione con loro: alla dispersione di Babele segue la vocazione di Abramo, chiamato significativamente a rompere ogni vincolo sociale e di clan per poter seguire incondizionatamente le vie del Signore. Il comando di Dio – «vattene dalla tua terra» – è seguito da una promessa di benedizione sovrabbondante che riguarda non solo la sua stirpe, ma anche quanti accoglieranno la storia della salvezza. Al comando di Dio segue l'obbedienza di Abramo, il quale lascia che Dio disponga di sé e del proprio destino. Fidandosi di lui, parte sulla sua parola. In questa partenza non solo Israele ma tutti i figli della promessa riconoscono il prototipo delle successive uscite che il Signore chiede ai suoi: l'esodo, il ritorno da Babilonia, la sequela dei discepoli, l'impegno a vivere da stranieri e pellegrini in questo mondo. La fede obbediente di Abramo resterà per tutti il paradigma della risposta alla propria vocazione.

2ª LETTURA - Da Roma Paolo, in carcere come un delinquente comune, invia al diletto discepolo Timòteo un accorato appello che ha il tono di ultimo messaggio. Alla prigionia fisica si è aggiunta la sofferenza morale; tuttavia ciò non deve diventare motivo di vergogna o di sconforto per il figlio spirituale. Anzi, è proprio questo il momento di ravvivare il carisma ricevuto mediante l'imposizione delle mani e attingervi quello spirito di forza, d'amore e di saggezza che permette di affrontare vittoriosamente l'ora della prova. È inevitabile che i discepoli di Cristo debbano soffrire per la fede, ma non sono soli nella persecuzione: la grazia di Dio sostiene nella testimonianza e fa concorrere alla salvezza anche l'umana debolezza. Paolo, nel breve versetto finale esprime il nucleo centrale dell'annuncio di fede: l'incarnazione, la morte e la risurrezione del Salvatore. Egli ci ha aperto un varco verso la luce, vincendo la morte: sulle sue orme – e sulle orme dei santi – anche Timòteo, così come tutti i cristiani, possono affrontare con fede e amore la sofferenza per il Vangelo.

VANGELO - In Quaresima siamo chiamati a salire verso l'alto per vedere oltre il nostro limite, con la fatica di scalare quella paura che blocca le nostre decisioni più difficili. Solo così potremo vedere oltre gli orizzonti ristretti dove abbiamo organizzato e sistemato tutto e tutti secondo i nostri rigidi schemi mentali. Ma l'amore segue forse una logica? Se vogliamo salire in alto con Gesù, dobbiamo essere capaci di emergere dalle nuvole che ci impediscono di vedere davvero cosa c'è di bello e di vero oltre quello *skyline* personalizzato che ci siamo creati. Ma per vedere oltre abbiamo bisogno della luce di Dio, che è l'unica capace di raggiungere tutti quegli angoli bui della nostra anima, dove abbiamo nascosto le nostre fragilità. Ma dopo essere stati in alto, dopo aver visto oltre, dobbiamo essere capaci di ritrovare quella stessa luce nel volto dell'altro. Credo che l'esperienza più bella di trasfigurazione che possiamo fare è proprio quella di trasformare la nostra fede in esperienza concreta di servizio d'amore agli altri, altrimenti tutto si riduce soltanto a un rapporto intimistico fra noi e Dio e questo non è certamente quello che Gesù ci ha insegnato.

PROPOSITO DEL GIORNO... Vigilerò nel mio cuore e starò attento a non sentirmi mai migliore degli altri.

PRATICHE E FESTE DEL GIORNO...

- Pratiche e preghiere di ogni giorno consigliate per il mese di marzo *(pag. 727)*.
- Anniversario dedicazione santuario Madonna del Miracolo, Desenzano al Serio (Bergamo).

SANTI E BEATI DEL GIORNO

S. Adriano di Cesarea • S. Lucio I • B. Cristoforo Macassoli • B. Geremia da Valacchia (Giovanni) Kostistik

6 MARZO

LUNEDÌ

2ª settimana di Quaresima

viola **2ª sett. salt.**

ANTIFONA D'INGRESSO - Riscattami, o Signore, e abbi pietà di me. Il mio piede è sul retto sentiero; benedirò il Signore in mezzo all'assemblea *(Cfr. Sal 25,11-12).*

COLLETTA - O Dio, che hai ordinato la penitenza del corpo come medicina dell'anima, fa' che ci asteniamo da ogni peccato per avere la forza di osservare i comandamenti del tuo amore. Per il nostro Signore…

PRIMA LETTURA Dn 9,4b-10

Dal libro del profeta Daniele

«Signore Dio, grande e tremendo, che sei fedele all'alleanza e benevolo verso coloro che ti amano e osservano i tuoi comandamenti, abbiamo peccato e abbiamo operato da malvagi e da empi, siamo stati ribelli, ci siamo allontanati dai tuoi comandamenti e dalle tue leggi! Non abbiamo obbedito ai tuoi servi, i profeti, i quali nel tuo nome hanno parlato ai nostri re, ai nostri prìncipi, ai nostri padri e a tutto il popolo del paese. A te conviene la giustizia, o Signore, a noi la vergogna sul volto, come avviene ancora oggi per gli uomini di Giuda, per gli abitanti di Gerusalemme e per tutto Israele, vicini e lontani, in tutti i paesi dove tu li hai dispersi per i delitti che hanno commesso contro di te. Signore, la vergogna sul volto a noi, ai nostri re, ai nostri prìncipi, ai nostri padri, perché abbiamo peccato contro di te; al Signore, nostro Dio, la misericordia e il perdono, perché ci siamo ribellati contro di lui, non abbiamo ascoltato la voce del Signore, nostro Dio, né seguito quelle leggi che egli ci aveva dato per mezzo dei suoi servi, i profeti». **Parola di Dio.**

SALMO RESPONSORIALE Dal Salmo 78 (79)

℟. **Signore, non trattarci secondo i nostri peccati.**

Oppure:

℟. **Perdonaci, Signore, nella tua misericordia.**

Non imputare a noi le colpe dei nostri antenati:
presto ci venga incontro la tua misericordia,
perché siamo così poveri! ℟.

Aiutaci, o Dio, nostra salvezza,
per la gloria del tuo nome;
liberaci e perdona i nostri peccati
a motivo del tuo nome. ℟.

Giunga fino a te il gemito dei prigionieri;
con la grandezza del tuo braccio
salva i condannati a morte. ℟.

E noi, tuo popolo e gregge del tuo pascolo,
ti renderemo grazie per sempre;
di generazione in generazione narreremo la tua lode. ℟.

CANTO AL VANGELO Cfr. Gv 6,63c.68c

Lode e onore a te, Signore Gesù.
Le tue parole, Signore, sono spirito e vita;
tu hai parole di vita eterna.
Lode e onore a te, Signore Gesù.

VANGELO Lc 6,36-38

✠ *Dal Vangelo secondo Luca*

In quel tempo, Gesù disse ai suoi discepoli: «Siate misericordiosi, come il Padre vostro è misericordioso. **Non giudicate** e non sarete giudicati; **non condannate** e non sarete condannati; perdonate e sarete perdonati. Date e vi sarà dato: una misura buona, pigiata, colma e traboccante vi sarà versata nel grembo, perché con la misura con la quale misurate, sarà misurato a voi in cambio». **Parola del Signore.**

SULLE OFFERTE - O Signore, che ci doni la grazia di servirti nei santi misteri, accogli nella tua bontà le nostre preghiere e liberaci dalle seduzioni del peccato. Per Cristo nostro Signore.

Prefazio di Quaresima.

COMUNIONE - «Siate misericordiosi, come è misericordioso il Padre vostro», dice il Signore *(Lc 6,36).*

DOPO LA COMUNIONE - Ci purifichi da ogni colpa, o Signore, questa comunione al tuo sacramento e ci renda partecipi della gioia eterna. Per Cristo nostro Signore.

ORAZIONE SUL POPOLO *ad libitum* - Conferma, o Signore, i cuori dei tuoi fedeli e sostienili con il vigore della tua grazia perché siano perseveranti nella preghiera e sinceri nella carità fraterna. Per Cristo nostro Signore.

Commenti

1ª LETTURA - La preghiera di Daniele è la chiave per comprendere un oracolo di Geremia sulla durata dell'esilio babilonese e sulla restaurazione di Gerusalemme. I settant'anni predetti da Geremia sono una lunga "quaresima" intercorsa tra l'inizio dell'esilio e la riconsacrazione del tempio di Gerusalemme. Nella prova, Daniele si rivolge a Dio leggendo la storia alla luce dell'infedeltà del popolo e del conseguente castigo divino, secondo lo schema dell'epoca. Egli si chiede anche fino a quando il Signore sarà costretto a correggere così duramente Israele. La sua sembra quasi essere una provocazione; tuttavia, come individuo e come voce di tutto il popolo, Daniele può solo confessare a Dio, con sincero pentimento, che la sofferenza è ben meritata. La confessione, però, non si chiude nella disperazione, bensì nell'attesa fiduciosa del perdono divino: il Dio d'Israele, infatti, è fedele e benevolo, lento all'ira e grande nell'amore. Daniele, dunque, ci consegna un modello di preghiera che ha ben presente il limite dell'orante ma, allo stesso tempo, è consapevole che ben più grande del limite è la misericordia di Dio.

VANGELO - Il Vangelo di oggi ci propone lo stile di vita che deve caratterizzare il cristiano: è un invito a essere misericordiosi così come lo è Dio con noi. Spesso cadiamo nell'errore di immaginare il Signore come un giudice che siede nel tribunale e dà la sua sentenza. Non è così. Il giudizio di Dio è quello di un padre buono che siede con i suoi figli e usa compassione. E allora chi siamo noi per giudicare, per condannare? Nessuno è legittimato a farlo! Dobbiamo imparare ad andare al di là delle apparenze, dobbiamo capire che dietro un volto, un carattere, ci sono delle ragioni profonde: sofferenze, ferite, delusioni. Sforziamoci sempre di comprendere, assolvere, scusare, ma soprattutto perdonare. Il giudizio finale, di salvezza o di perdizione, non dipende da Dio ma da noi e ciò scaturisce dal nostro rapporto con gli altri; se non giudichiamo, non saremo giudicati; se non condanniamo, non saremo condannati. In questa Quaresima impegniamoci ad accogliere il cuore di Gesù, ricco di misericordia e di amore verso il prossimo: solo così il nostro cuore si riempirà, si allargherà. Se invece facciamo prevalere la rabbia e l'orgoglio, il nostro cuore diventerà piccolo e duro come una pietra.

PROPOSITO DEL GIORNO... Oggi mi asterrò da ogni forma di giudizio o di condanna del prossimo, cercando di capire le ragioni del suo comportamento.

PRATICHE E FESTE DEL GIORNO...

- Pratiche e preghiere di ogni giorno consigliate per il mese di marzo *(pag. 727)*.

SANTI E BEATI DEL GIORNO

S. Coletta Boylet • S. Vittore • S. Marciano • S. Giuliano di Toledo • B. Ponzio di Polignac

SANTA COLETTA BOYLET:
un dono di Dio.

Coletta è un grande dono di Dio e lo è innanzitutto per la sua famiglia di origine: quando nasce nel 1381, sua madre, Marguerite, ha 60 anni e non spera più di poter avere figli. Suo padre è carpentiere presso un convento benedettino, così Coletta – diminutivo di Nicoletta in onore di san Nicola di Bari cui era attribuita la grazia della sua nascita – cresce "respirando" Dio. Sua madre si confessa e si comunica ogni settimana; parla spesso alla figlia della passione di Gesù Cristo.

Coletta, per unirsi alle sofferenze di Gesù, fa molti sacrifici e si priva del cibo per dare il suo pasto ai poveri. Prestissimo si sente chiamata alla vita religiosa e inizia ad avere visioni del Signore, che a 9 anni le affida quella che sarà la sua missione: la riforma delle Clarisse.

Coletta si prepara a questa vocazione esercitandosi nella carità e praticando la penitenza, facendo l'esperienza dell'estasi, della rivelazione divina e compiendo gesti miracolosi.

Rimasta orfana a 18 anni, viene affidata all'abate di Corbie, ma si sente confusa: non trova quello che cerca, la sua sete di Dio non viene saziata. Quando incontra il francescano padre Pinet, si convince a entrare nel Terz'Ordine. Si fa murare in una stanzetta attigua alla chiesa e qui vive reclusa tra il 1402 e il 1406 **trascorrendo le giornate tra la preghiera, la penitenza e il cucito dei paramenti e dei vestiti per i poveri**.

Può ricevere visite, ma soltanto attraverso una grata. Come lei stessa scrive, il tempo trascorso è in parte ricco di grazia, in parte di sofferenza: Coletta, infatti, si fa domande sempre più insistenti sul suo futuro e inizialmente crede che questi dubbi vengano dal demonio. Solo quando capisce che il disegno di Dio si sta facendo strada nel suo animo, si sente finalmente libera di prendere una decisione.

Nel 1406 riceve il velo delle Clarisse e pronuncia i voti secondo la Regola di santa Chiara. Da qui inizia la sua profonda opera riformatrice dell'Ordine, che altro non sarà se non un ritorno ai costumi più austeri delle origini, alla preghiera personale e comunitaria, alla vita penitenziale offerta per l'unità della Chiesa.

La sua opera viene approvata dal Ministro generale francescano e, nel 1458, da Pio II. I monasteri "collettini", così chiamati in suo onore, giunti fino a noi, sono circa 140 sparsi in tutto il mondo.

7 MARZO

MARTEDÌ

2ª settimana di Quaresima

viola **2ª sett. salt.**

Ss. Perpetua e Felicita, martiri (comm)

ANTIFONA D'INGRESSO - Conserva la luce ai miei occhi, o Signore, perché non mi sorprenda il sonno della morte e il mio nemico non dica: «L'ho vinto!» *(Cfr. Sal 12,4-5).*

COLLETTA - Custodisci con continua benevolenza, o Padre, la tua Chiesa e poiché, a causa della debolezza umana, non può sostenersi senza di te, il tuo aiuto la liberi sempre da ogni pericolo e la guidi alla salvezza eterna. Per il nostro Signore…

PRIMA LETTURA Is 1,10.16-20

Dal libro del profeta Isaìa

Ascoltate la parola del Signore, capi di Sòdoma; prestate orecchio all'insegnamento del nostro Dio, popolo di Gomorra! «Lavatevi, purificatevi, allontanate dai miei occhi il male delle vostre azioni. Cessate di fare il male, imparate a fare il bene, cercate la giustizia, soccorrete l'oppresso, rendete giustizia all'orfano, difendete la causa della vedova». «Su, venite e discutiamo – dice il Signore. Anche se i vostri peccati fossero come scarlatto, diventeranno bianchi come neve. Se fossero rossi come porpora, diventeranno come lana. Se sarete docili e ascolterete, mangerete i frutti della terra. Ma se vi ostinate e vi ribellate, sarete divorati dalla spada, perché la bocca del Signore ha parlato». **Parola di Dio.**

SALMO RESPONSORIALE Dal Salmo 49 (50)

℟. **A chi cammina per la retta via**
mostrerò la salvezza di Dio.

Oppure:

℟. **Mostraci, Signore, la via della salvezza.**

Non ti rimprovero per i tuoi sacrifici,
i tuoi olocàusti mi stanno sempre davanti.
Non prenderò vitelli dalla tua casa
né capri dai tuoi ovili. ℟.

Perché vai ripetendo i miei decreti
e hai sempre in bocca la mia alleanza,
tu che hai in odio la disciplina
e le mie parole ti getti alle spalle? ℟.

Hai fatto questo e io dovrei tacere?

Forse credevi che io fossi come te!
Ti rimprovero: pongo davanti a te la mia accusa.
Chi offre la lode in sacrificio, questi mi onora;
a chi cammina per la retta via
mostrerò la salvezza di Dio. ℞.

CANTO AL VANGELO Cfr. Ez 18,31a

Lode e onore a te, Signore Gesù.
Liberatevi da tutte le iniquità commesse,
dice il Signore,
e formatevi un cuore nuovo e uno spirito nuovo.
Lode e onore a te, Signore Gesù.

VANGELO Mt 23,1-12

✠ *Dal Vangelo secondo Matteo*

In quel tempo, Gesù si rivolse alla folla e ai suoi discepoli dicendo: «Sulla cattedra di Mosè si sono seduti gli scribi e i farisei. Praticate e osservate tutto ciò che vi dicono, ma non agite secondo le loro opere, perché essi dicono e non fanno. Legano infatti fardelli pesanti e difficili da portare e li pongono sulle spalle della gente, ma essi non vogliono muoverli neppure con un dito. Tutte le loro opere le fanno per essere ammirati dalla gente: allargano i loro filattèri e allungano le frange; si compiacciono dei posti d'onore nei banchetti, dei primi seggi nelle sinagoghe, dei saluti nelle piazze, come anche di essere chiamati "rabbì" dalla gente. Ma voi non fatevi chiamare "rabbì", perché **uno solo è il vostro Maestro e voi siete tutti fratelli**. E non chiamate "padre" nessuno di voi sulla terra, perché uno solo è il Padre vostro, quello celeste. E non fatevi chiamare "guide", perché uno solo è la vostra Guida, il Cristo. Chi tra voi è più grande, sarà vostro servo; chi invece si esalterà, sarà umiliato e chi si umilierà sarà esaltato». **Parola del Signore.**

SULLE OFFERTE - Per la potenza di questo mistero di riconciliazione compi in noi, o Signore, la tua opera di salvezza, perché ci guarisca dai mali di questo mondo e ci conduca ai beni del cielo. Per Cristo nostro Signore.

Prefazio di Quaresima.

COMUNIONE - Annuncerò tutte le tue meraviglie. In te gioisco ed esulto, canto inni al tuo nome, o Altissimo *(Cfr. Sal 9,2-3)*.
Oppure: Chi si esalta sarà umiliato e chi si umilia sarà esaltato *(Cfr. Mt 23,12)*.

Dopo la Comunione - La partecipazione alla tua mensa, o Signore, ci faccia progredire nell'impegno di vita cristiana e ci ottenga il continuo aiuto della tua misericordia. Per Cristo nostro Signore.

Orazione sul popolo *ad libitum* - Accogli con benevolenza, o Signore, le suppliche dei tuoi fedeli e guarisci le loro debolezze, perché, ottenuta la grazia del perdono, gioiscano sempre della tua benedizione. Per Cristo nostro Signore.

Commenti

1ª lettura - Il brano del profeta Isaìa che la liturgia odierna ci propone è un insegnamento contro il ritualismo. Quando non vi è adesione sincera alla legge divina, la preghiera si rivela inefficace e il culto diventa vuoto, anzi perverso, proprio come l'offerta d'incenso agli idoli. Tuttavia il popolo di Israele, pur nella sua infedeltà, rimane sempre il destinatario della Parola di vita, perché i doni di Dio sono irrevocabili. A partire da questa Parola, Isaìa prospetta l'urgenza di un cambiamento radicale per accogliere il perdono offerto dal Signore. Sembra, invece, che l'umanità non abbia ancora imparato che cosa sia l'amore, continuando a ignorare il grido dell'oppresso o degli orfani di giustizia. A cosa servono riti e preghiere se poi la nostra vita non diventa eco e trasparenza dell'amore di Dio per ogni uomo? Impegniamoci a fare la differenza senza lasciarci scoraggiare da come va il mondo. Sòdoma e Gomorra insegnano che non c'è colpa per quanto grave che possa vincere sulla misericordia di Dio: un piccolo resto è sempre salvato ed è radice di una vita nuova.

VANGELO - Non esiste peggior maestro di colui che insegna un comportamento con le parole e lo contraddice palesemente con le azioni. Ma quanti farisei "moderni" ci sono! Senza umiltà e senza l'ombra di sapienza! Gesù, dunque, ci mette in guardia e ci insegna come difenderci dai falsi maestri e dai falsi profeti: «Praticate e osservate tutto ciò che vi dicono, ma non agite secondo le loro opere, perché essi dicono e non fanno». E pretendono anche che qualcuno lo faccia al posto loro! Questi farisei moderni dovrebbero piuttosto tenere a mente che è l'esempio a essere efficace, non le parole che si disperdono. L'incoerenza, infatti, è sempre un grave peccato, tanto più se è perpetrata da chi si erge a maestro e siede su una cattedra. Se poi «tutte le loro opere le fanno per essere ammirati dalla gente», ecco che, all'incoerenza, si aggiunge l'ipocrisia, quel virus che intacca in profondità il nostro essere figli di Dio e fratelli. Per questo Gesù insegna ai suoi discepoli a non replicare nella loro piccola comunità gli schemi umani che portano alla separazione degli uomini tra loro, ovvero apparire a tutti i livelli, essere importanti, essere maestri, prevalere sull'altro. E, per farci capire che il suo non è un insegnamento fatto solo di parole, si fa fratello di tutti.

☐ **PROPOSITO DEL GIORNO...** Oggi leggo o rileggo il capitolo III dell'Enciclica di papa Francesco ***Fratelli tutti*** *(inquadra il QR Code).*

☐ **PRATICHE E FESTE DEL GIORNO...**

- Pratiche e preghiere di ogni giorno consigliate per il mese di marzo *(pag. 727).*
- Giorno dedicato alle anime del Purgatorio (cod. 8110, 8147, 8477).
- Preghiera alle sante Perpetua e Felicita.
- Anniversario 1ª apparizione Beata Vergine di Monte Berico (Vicenza).

ALTRI SANTI E BEATI DEL GIORNO

S. Giusto Ranfer di Bretenières • S. Gaudioso • **S. Teresa Margherita Redi** • B. Giuseppe Olallo Valdes

S. TERESA MARGHERITA REDI: compiacere Dio in tutto.

Anna Maria ha appena 16 anni, quando le accade un episodio straordinario che indirizzerà la sua vita: al parlatorio del monastero benedettino dove lei era stata mandata per ricevere un'istruzione, si presenta una fanciulla di Arezzo che ha deciso di entrare nel monastero carmelitano di Firenze.

Mentre Anna Maria ascolta questa fanciulla parlare, sente dentro di sé una voce che le dice: **«Sono Teresa di Gesù e ti voglio tra le mie figlie»**. Veste l'abito carmelitano il 10 marzo 1765, facendo il proposito di vivere pienamente l'orazione, l'obbedienza e il silenzio.

Un anno dopo fa la sua professione e prende il nome di Teresa Margherita del Cuore di Gesù. Il suo proposito è quello di **amare sempre**, in ogni sua azione, **e di mantenersi unita alla volontà di Dio**, compiacendolo in tutto.

È perseverante nei piccoli servizi alle sorelle ed esclama costantemente: **«Dio è amore»**. Fin dai primi giorni si offre per prendersi cura delle consorelle anziane e inferme perché vi vede Gesù Cristo. Nominata aiutante infermiera, è molto richiesta dalle ammalate.

Fondamentale, nella sua vita di fede, è stata la figura di

suo padre Ignazio: è Gran Maestro dell'Ordine Militare Cavalleresco di Santo Stefano Papa e ha con sua figlia – nata nel 1747 e seconda di tredici figli – una profonda sintonia spirituale. È il papà a insegnarle a pregare, a spiegarle la sacra dottrina, a farle gustare i sacramenti... Infatti la ragazza, tra i 10 e i 14 anni, sceglie come sua guida spirituale proprio suo padre, mantenendo con lui una fitta corrispondenza.

Quando Ignazio dovrà testimoniare ai processi canonici per quella figlia amata, morta a soli 22 anni, dirà: **«Arrossisco, perché io peccatore ho osato istruire una vera santa»**. Ma c'è di più. La casa di Ignazio Redi è aperta alla devozione del Sacro Cuore, proclamata alcuni decenni prima dalla monaca visitandina Margherita Maria Alacocque, ma allora non ancora riconosciuta dalla Chiesa.

Alla fine della sua vita, Anna Maria affronta molte sofferenze spirituali: aridità nella preghiera, ripugnanze, insensibilità, timori, tentazioni e repulsioni alla pratica delle virtù. Ma, nonostante tutto, non si perde d'animo: intensifica la fede con l'abbandono confidente in Dio, la recita dei salmi, di frasi bibliche o semplicemente con la giaculatoria: «Padre buono». Muore di appendicite il 7 marzo 1770.

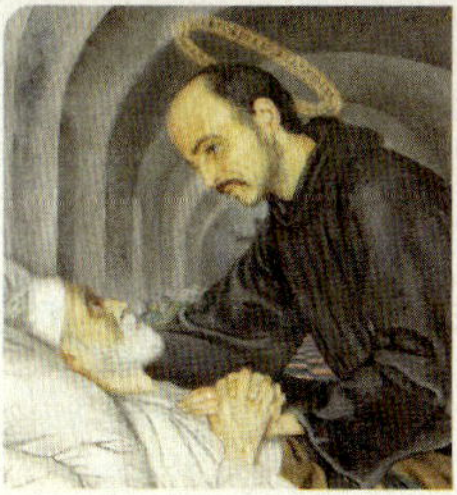

8 MARZO

MERCOLEDÌ

2ª settimana di Quaresima

viola **2ª sett. salt.**

S. Giovanni di Dio, religioso (comm)

ANTIFONA D'INGRESSO - Non abbandonarmi, Signore, mio Dio, da me non stare lontano; vieni presto in mio aiuto, o Signore, mia salvezza *(Sal 37,22-23)*.

COLLETTA - Custodisci, o Padre, la tua famiglia nell'impegno delle buone opere; confortala con il tuo aiuto nel cammino della vita e guidala al possesso dei beni eterni. Per il nostro Signore…

PRIMA LETTURA Ger 18,18-20

Dal libro del profeta Geremìa

[I nemici del profeta] dissero: «Venite e tramiamo insidie contro Geremìa, perché la legge non verrà meno ai sacerdoti né il consiglio ai saggi né la parola ai profeti. Venite, ostacoliamolo quando parla, non badiamo a tutte le sue parole». Prestami ascolto, Signore, e odi la voce di chi è in lite con me. Si rende forse male per bene? Hanno scavato per me una fossa. Ricòrdati quando mi presentavo a te, per parlare in loro favore, per stornare da loro la tua ira. **Parola di Dio.**

SALMO RESPONSORIALE Dal Salmo 30 (31)

℟. **Salvami, Signore, per la tua misericordia.**

Scioglimi dal laccio che mi hanno teso,
perché sei tu la mia difesa.
Alle tue mani affido il mio spirito;
tu mi hai riscattato, Signore, Dio fedele. ℟.

Ascolto la calunnia di molti: «Terrore all'intorno!»,
quando insieme contro di me congiurano,
tramano per togliermi la vita. ℟.

Ma io confido in te, Signore;
dico: «Tu sei il mio Dio,
i miei giorni sono nelle tue mani».
Liberami dalla mano dei miei nemici
e dai miei persecutori. ℟.

CANTO AL VANGELO Cfr. Gv 8,12

Lode e onore a te, Signore Gesù.
Io sono la luce del mondo, dice il Signore;
chi segue me, avrà la luce della vita.
Lode e onore a te, Signore Gesù.

VANGELO Mt 20,17-28

✠ *Dal Vangelo secondo Matteo*

In quel tempo, mentre saliva a Gerusalemme, Gesù prese in disparte i dodici discepoli e lungo il cammino disse loro: «Ecco, noi saliamo a Gerusalemme e il Figlio dell'uomo sarà consegnato ai capi dei sacerdoti e agli scribi; lo condanneranno a morte e lo consegneranno ai pagani perché venga deriso e flagellato e crocifisso, e il terzo giorno risorgerà». Allora gli si avvicinò la madre dei figli di Zebedèo con i suoi figli e si prostrò per chiedergli qualcosa. Egli le disse: «**Che cosa vuoi?**». Gli rispose: «Di' che questi miei due figli siedano uno alla tua destra e uno alla tua sinistra nel tuo regno». Rispose Gesù: «Voi non sapete quello che chiedete. Potete bere il calice che io sto per bere?». Gli dicono: «Lo possiamo». Ed egli disse loro: «Il mio calice, lo berrete; però sedere alla mia destra e alla mia sinistra non sta a me concederlo: è per coloro per i quali il Padre

mio lo ha preparato». Gli altri dieci, avendo sentito, si sdegnarono con i due fratelli. Ma Gesù li chiamò a sé e disse: «Voi sapete che i governanti delle nazioni dòminano su di esse e i capi le opprimono. Tra voi non sarà così; ma chi vuole diventare grande tra voi, sarà vostro servitore e chi vuole essere il primo tra voi, sarà vostro schiavo. Come il Figlio dell'uomo, che non è venuto per farsi servire, ma per servire e dare la propria vita in riscatto per molti».
Parola del Signore.

SULLE OFFERTE - Volgi con bontà lo sguardo, o Signore, alle offerte che ti presentiamo, e per questo santo scambio di doni liberaci dal dominio del peccato. Per Cristo nostro Signore.

Prefazio di Quaresima.

COMUNIONE - Il Figlio dell'uomo non è venuto per essere servito, ma per servire e dare la propria vita in riscatto per molti *(Cfr. Mt 20,28).*

DOPO LA COMUNIONE - Signore Dio nostro, questo sacramento, che ci hai donato come pegno di vita immortale, sia per noi sorgente inesauribile di salvezza eterna. Per Cristo nostro Signore.

ORAZIONE SUL POPOLO *ad libitum* - Concedi ai tuoi figli, o Padre, l'abbondanza della tua grazia, dona loro la salute del corpo e dello spirito, la pienezza della carità fraterna e la gioia di esserti sempre fedeli. Per Cristo nostro Signore.

Commenti

1ª LETTURA - Geremìa viene nuovamente minacciato di morte. Il complotto è ora più grave del precedente, perché tramato dalle stesse guide spirituali del popolo che tentano di ridurre al silenzio un profeta scomodo. Ciò spiega la durezza dei versetti successivi nei quali il profeta invoca la vendetta – secondo l'antica legge del taglione – che, però, la liturgia di oggi omette per guidare l'attenzione del lettore al brano evangelico. Geremìa subisce la persecuzione per la fedeltà alla sua vocazione, per il suo amore al popolo, in favore del quale egli ha osato intercedere nonostante il divieto oppostogli dal Signore. La sua confessione è un abbandono fiducioso a Dio, l'unico dal quale spera salvezza. Quanto Geremìa ha compiuto in favore del popolo eletto e quanto dice nella sua preghiera sarà pienamente vero quando la sua confessione-profezia si realizzerà nel vero Servo sofferente, Gesù. A lui i capi del popolo daranno effettivamente la morte. Allora Gesù non solo non invocherà la vendetta, ma impetrerà il perdono, offrendo liberamente la sua vita anche in favore dei suoi crocifissori.

Vangelo - Come ogni genitore, anche la madre di Giacomo e Giovanni ricorre a ogni mezzo per vedere i figli sistemati. Una cattiva interpretazione politica della missione di Gesù la porta a raccomandare i figli per posti d'onore nel nuovo regno. Una volta chiarito che non è lui a poter concedere questa possibilità, Gesù si preoccupa di ricompattare il gruppo degli apostoli, visibilmente contrariato dalla fuga in avanti dei figli di Zebedèo. Gli apostoli assomigliano un po' a tutte quelle persone, giovani soprattutto, che si vedono scavalcate da altri, magari meno qualificati. «Tra voi non sarà così», dice Gesù. Imparate che chi vuol essere primo fra tutti deve essere il servo di tutti. Ecco la novità di Gesù. Quando avrete raggiunto i vostri traguardi o realizzato un sogno, quando avrete scalato ogni vetta, ricordatevi che siete servi inutili. In una società dove il malaffare sembra avere sempre la meglio, noi cristiani possiamo e dobbiamo fare la differenza con scelte che sanno di Vangelo, con una vita ispirata all'esempio del Maestro. Quel «tra voi non sarà così», diventa una cartina tornasole per capire se sto impegnando la mia vita per essere il primo fra i primi, o l'ultimo fra gli ultimi.

PROPOSITO DEL GIORNO... Oggi sento rivolta a me questa domanda di Gesù «Che cosa vuoi?» e ne faccio motivo di verifica del mio rapporto con lui: mi aspetto che esaudisca la mia volontà o sono pronto ad accogliere la sua?

PRATICHE E FESTE DEL GIORNO...

- Pratiche e preghiere di ogni giorno consigliate per il mese di marzo *(pag. 727)*.
- Giorno dedicato a Maria che scioglie i nodi (cod. 8558).
- Preghiera a san Giovanni di Dio.
- 1° giorno novena a san Patrizio.
- Festa Madonna delle Grazie, Grossotto (Sondrio).

ALTRI SANTI E BEATI DEL GIORNO

S. Demetra • S. Faustino Míguez • S. Stefano d'Obazine • B. Carlo Catalano • B. Vincenzo Kadlubek

SAN GIOVANNI DI DIO: «Se considerassimo quanto è grande la misericordia di Dio, non cesseremmo mai di fare il bene».

Le vie della santità sono infinite, come dimostra la vicenda terrena di questo straordinario Santo. Dopo aver condotto una vita raminga e dopo essere stato soldato di ventura, Giovanni di Dio – nato in Portogallo l'8 marzo 1495 – cambiò radicalmente vita in seguito a una predica del beato Giovanni d'Avila: **abbandonò tutto, si privò anche delle scarpe e del vestito e andò a mendicare per le vie di Granata**, rivolgendo ai passanti la frase che sarebbe divenuta l'emblema di una nuova istituzione: **«Fate (del) bene, fratelli, a voi stessi»**. Infatti, la carità che la gente gli faceva veniva divisa tra i più bisognosi. Gli abitanti di Granata, però, ritenendo molto strano il suo comportamento, lo fecero rinchiudere in manicomio: qui Giovanni si rese conto che le malattie mentali venivano curate con metodi degni di un torturatore. Così, appena poté, fondò un suo ospedale. Pur sprovvisto di studi di medicina, si mostrò più bravo degli stessi medici. La cura dello spirito era la premessa per una proficua cura del corpo. Giovanni di Dio fondò una grande famiglia religiosa, l'ordine dei Fratelli Ospedalieri, meglio conosciuti col nome di Fatebenefratelli.

9 MARZO

GIOVEDÌ

2ª settimana di Quaresima

viola **2ª sett. salt.**

S. Francesca Romana, religiosa (comm)

ANTIFONA D'INGRESSO - Scrutami, o Dio, e conosci il mio cuore; vedi se percorro una via di iniquità e guidami sulla via della vita *(Cfr. Sal 138,23-24).*

COLLETTA - O Dio, che ami l'innocenza e la ridoni a chi l'ha perduta, volgi verso di te i nostri cuori perché, animati dal tuo Spirito, possiamo rimanere saldi nella fede e operosi nella carità fraterna. Per il nostro Signore…

PRIMA LETTURA Ger 17,5-10

Dal libro del profeta Geremìa

Così dice il Signore: «Maledetto l'uomo che confida nell'uomo, e pone nella carne il suo sostegno, allontanando il suo cuore dal Signore. Sarà come un tamerisco nella steppa; non vedrà venire il bene, dimorerà in luoghi aridi nel deserto, in una terra di salsedine, dove nessuno può vivere. Benedetto l'uomo che confida nel Signore e il Signore è la sua fiducia. È come un albero piantato lungo un corso d'acqua, verso la corrente stende le radici; non teme quando viene il caldo, le sue foglie rimangono verdi, nell'anno della siccità non si dà pena, non smette di produrre frutti. Niente è più infido del cuore e difficilmente guarisce! Chi lo può conoscere? Io, il Signore, scruto la mente e saggio i cuori, per dare a ciascuno secondo la sua condotta, secondo il frutto delle sue azioni». **Parola di Dio.**

SALMO RESPONSORIALE Dal Salmo 1

℟. **Beato l'uomo che confida nel Signore.**

Beato l'uomo che non entra nel consiglio dei malvagi,
non resta nella via dei peccatori
e non siede in compagnia degli arroganti,
ma nella legge del Signore trova la sua gioia,
la sua legge medita giorno e notte. ℟.

È come albero piantato lungo corsi d'acqua,
che dà frutto a suo tempo:
le sue foglie non appassiscono
e tutto quello che fa, riesce bene. ℟.

Non così, non così i malvagi,
ma come pula che il vento disperde;
poiché il Signore veglia sul cammino dei giusti,
mentre la via dei malvagi va in rovina. ℟.

CANTO AL VANGELO

Cfr. Lc 8,15

Lode e onore a te, Signore Gesù.
Beati coloro che custodiscono la parola di Dio
con cuore integro e buono
e producono frutto con perseveranza.
Lode e onore a te, Signore Gesù.

VANGELO

Lc 16,19-31

✠ *Dal Vangelo secondo Luca*

In quel tempo, Gesù disse ai farisei: «C'era un uomo ricco, che indossava vestiti di porpora e di lino finissimo, e ogni giorno si dava a lauti banchetti. **Un povero**, di nome Lazzaro, **stava alla sua porta**, coperto di piaghe, bramoso di sfamarsi con quello che cadeva dalla tavola del ricco; ma erano i cani che venivano a leccare le sue piaghe. Un giorno il povero morì e fu portato dagli angeli accanto ad Abramo. Morì anche il ricco e fu sepolto. Stando negli inferi fra i tormenti, alzò gli occhi e vide di lontano Abramo, e Lazzaro accanto a lui. Allora gridando disse: "Padre Abramo, abbi pietà di me e manda Lazzaro a intingere nell'acqua la punta del dito e a bagnarmi la lingua, perché soffro terribilmente in questa fiamma". Ma Abramo rispose: "Figlio, ricòrdati che, nella vita, tu hai ricevuto i tuoi beni, e Lazzaro i suoi mali; ma ora in questo modo lui è consolato, tu invece sei in mezzo ai tormenti. Per di più, tra noi e voi è stato fissato un grande abisso: coloro che di qui vogliono passare da voi, non possono, né di lì possono giungere fino a noi". E quello replicò: "Allora, padre, ti prego di mandare Lazzaro a casa di mio padre, perché ho cinque fratelli. Li ammonisca severamente, perché non vengano anch'essi in questo luogo di tormento". Ma Abramo rispose: "Hanno Mosè e i Profeti; ascoltino loro". E lui replicò: "No, padre Abramo, ma se dai morti qualcuno andrà da loro, si convertiranno". Abramo rispose: "Se non ascoltano Mosè e i Profeti, non saranno persuasi neanche se uno risorgesse dai morti"». **Parola del Signore.**

SULLE OFFERTE - Per questo sacrificio, o Signore, santifica il nostro impegno di conversione e fa' che alla pratica esteriore della Quaresima corrisponda una vera trasformazione interiore. Per Cristo nostro Signore.

Prefazio di Quaresima.

COMUNIONE - Beato chi è integro nella sua via e cammina nella legge del Signore *(Sal 118,1).*
Oppure: Se non ascoltano Mosè e i Profeti, non saranno persuasi neanche se uno risorgesse dai morti *(Lc 16,31).*

DOPO LA COMUNIONE - Questo sacramento, o Dio,

continui ad agire in noi e porti frutto nella nostra vita. Per Cristo nostro Signore.

ORAZIONE SUL POPOLO ***ad libitum*** - Assisti, o Signore, i tuoi fedeli che implorano l'aiuto della tua grazia per ottenere difesa e protezione. Per Cristo nostro Signore.

Commenti

1ª LETTURA - Il profeta Geremìa ci offre due sentenze sapienziali: nella prima, contrapponendo gli estremi, egli indica chiaramente dove sta per l'uomo la maledizione che ha per esito la morte e dove la benedizione che porta con sé la vita. L'empio non è immediatamente caratterizzato come colui che opera il male, ma come l'uomo che confida solo nell'umano e si allontana interiormente dal Signore: da questo atteggiamento del cuore non potranno provenire che azioni malvagie. Ciò in cui l'uomo pone fiducia è come il terreno da cui un albero trae nutrimento. Perciò l'empio è paragonato a un tamerisco radicato in un luogo arido: non potrà portare frutto né avere una lunga durata. Anche l'uomo pio è connotato a partire dall'intimo: egli confida nel Signore, perciò è simile a un albero radicato lungo l'acqua, che non ha da temere le stagioni e le vicissitudini. La seconda sentenza insiste in modo più esplicito sull'importanza del cuore, centro decisionale e affettivo dell'uomo. Solo Dio può conoscerlo nella verità e guarirlo, saggiarlo e valutare con equità la condotta e il frutto delle opere di ciascuno.

VANGELO - Dell'uomo ricco della parabola di oggi non si dice nulla, non ha nemmeno un nome e, probabilmente, non è una brutta persona. Ha invece un nome il povero che mendica alla sua porta: Lazzaro. Il ricco è troppo concentrato nelle sue cose per accorgersi di quest'uomo che muore di fame sotto casa sua. È un uomo interamente concentrato su sé stesso; non è particolarmente malvagio, ma non ha altro orizzonte se non il proprio. Alla sua morte, l'abisso che gli impedisce di raggiungere il padre Abramo lo ha costruito con le sue stesse mani e questo spazio nemmeno Abramo lo può colmare. Anche Dio fa quel che può... Lazzaro, invece, è teneramente abbracciato da Abramo. Se ci ostiniamo a orientare la nostra vita lontano dai sentieri che ci portano alla pienezza, non possiamo certo lamentarci di non essere arrivati da nessuna parte! Stiamo attenti, allora, al demone dell'indifferenza che ci impedisce di riconoscere il volto del povero che mendica alla nostra porta. Questa Quaresima colmi l'abisso che troppo spesso creiamo attorno a noi. Accorgiamoci di chi ci sta intorno e diventiamo noi per primi l'abbraccio di Abramo per ogni uomo e ogni donna che vivono nella solitudine.

PROPOSITO DEL GIORNO... Santa Francesca Romana seppe diventare un punto di riferimento per i bisognosi. Oggi metto in programma un gesto di carità nei confronti di chi, in questo particolare momento storico, è bisognoso di aiuto.

PRATICHE E FESTE DEL GIORNO...

- Pratiche e preghiere di ogni giorno consigliate per il mese di marzo *(pag. 727)*.
- Preghiera alla Madonna dei Miracoli.
- I quindici giovedì di santa Rita: 6° giovedì (cod. 8036, 8352), secondo lo schema in uso nel santuario di Santa Rita da Cascia.
- Preghiera a santa Francesca Romana.
- Preghiera a san Domenico Savio.
- Festa Madonna dei Miracoli, Motta di Livenza (Treviso).

ALTRI SANTI E BEATI DEL GIORNO

S. Caterina da Bologna • S. Domenico Savio • S. Felice di Rhuys • B. Antonio Zogaj • B. Battista da Firenze

IMITIAMO LA VITA DEI SANTI, *che siano di esempio*

SANTA FRANCESCA ROMANA: la nobiltà del cuore.

Francesca, nata a Roma nel 1384, sa reagire a un destino deciso per lei, ma che non vorrebbe: è infatti una bambina saggia e devota, al punto da costruirsi in casa un piccolo eremo, ma a 12 anni viene promessa sposa a Lorenzo de' Ponziani. Questo matrimonio non voluto scatena in lei una violenta reazione nervosa, ma poi una visione celeste le ridona serenità. Francesca è molto affettuosa con il marito e con i tre figli, due dei quali perde troppo presto. Poco per volta, **trasforma la ricca casa in Trastevere in un punto di riferimento per i molti bisognosi della città**, incurante delle dicerie e con una grazia che conquista tutti. A questa sua energia si arrendono anche i familiari: il suocero, esasperato dai continui "prelievi" a favore dei mendicanti, un giorno le toglie le chiavi delle dispense e svuota il granaio di famiglia, per ritrovarlo poi pieno di frumento che nessuno aveva ricomprato. Sono documentati assalti demoniaci contro la sua persona e anche molti segni e guarigioni straordinari.

Nel 1436, rimasta vedova, si ritira nel monastero delle Oblate della Santissima Vergine. E quando il 9 marzo 1440 muore, per tre giorni la gente si mette in fila per salutare colei che tutti già chiamano la **"Santa di Roma"**.

10 MARZO

VENERDÌ

2ª settimana di Quaresima

viola **2ª sett. salt.**

ANTIFONA D'INGRESSO - In te, Signore, mi sono rifugiato, mai sarò deluso. Scioglimi dal laccio che mi hanno teso, perché sei tu la mia difesa *(Sal 30,2.5).*

COLLETTA - Dio onnipotente e misericordioso, donaci di essere intimamente purificati dall'impegno penitenziale della Quaresima per giungere alla Pasqua con spirito rinnovato. Per il nostro Signore…

PRIMA LETTURA Gen 37,3-4.12-13a.17b-28

Dal libro della Gènesi

Israele amava Giuseppe più di tutti i suoi figli, perché era il figlio avuto in vecchiaia, e gli aveva fatto una tunica con maniche lunghe. I suoi fratelli, vedendo che il loro padre amava lui più di tutti i suoi figli, **lo odiavano e non riuscivano a parlargli amichevolmente**. I suoi fratelli erano andati a pascolare il gregge del loro padre a Sichem. Israele disse a Giuseppe: «Sai che i tuoi fratelli sono al pascolo a Sichem? Vieni, ti voglio mandare da loro». Allora Giuseppe ripartì in cerca dei suoi fratelli e li trovò a Dotan. Essi lo videro da lontano e, prima che giungesse vicino a loro, complottarono contro di lui per farlo morire. Si dissero l'un l'altro: «Eccolo! È arrivato il signore dei sogni! Orsù, uccidiamolo e gettiamolo in una cisterna! Poi diremo: "Una bestia feroce l'ha divorato!". Così vedremo che ne sarà dei suoi sogni!». Ma Ruben sentì e, volendo salvarlo dalle loro mani, disse: «Non togliamogli la vita». Poi disse loro: «Non spargete il sangue, gettatelo in questa cisterna che è nel deserto, ma non colpitelo con la vostra mano»: egli intendeva salvarlo dalle loro mani e ricondurlo a suo padre. Quando Giuseppe fu arrivato presso i suoi fratelli, essi lo spogliarono della sua tunica, quella tunica con le maniche lunghe che egli indossava, lo afferrarono e lo gettarono nella cisterna: era una cisterna vuota, senz'acqua. Poi sedettero per prendere cibo. Quand'ecco, alzando gli occhi, videro arrivare una carovana di Ismaeliti provenienti da Gàlaad, con i cammelli carichi di rèsina, balsamo e làudano, che andavano a portare in Egitto. Allora Giuda disse ai fratelli: «Che guadagno c'è a uccidere il nostro fratello e a coprire il suo sangue? Su, vendiamolo agli Ismaeliti e la nostra mano non sia contro di lui, perché è nostro fratello e nostra carne». I suoi fratelli gli diedero ascolto. Passarono alcuni mercanti madianiti; essi tirarono su ed estrassero Giuseppe dalla cisterna e per venti sicli d'argento vendettero Giuseppe agli Ismaeliti. Così Giuseppe fu condotto in Egitto. **Parola di Dio.**

SALMO RESPONSORIALE Dal Salmo 104 (105)

℟. **Ricordiamo, Signore, le tue meraviglie.**

Il Signore chiamò la carestia su quella terra,
togliendo il sostegno del pane.
Davanti a loro mandò un uomo,
Giuseppe, venduto come schiavo. ℟.

Gli strinsero i piedi con ceppi,
il ferro gli serrò la gola,
finché non si avverò la sua parola
e l'oracolo del Signore ne provò l'innocenza. ℟.

Il re mandò a scioglierlo,
il capo dei popoli lo fece liberare;
lo costituì signore del suo palazzo,
capo di tutti i suoi averi. ℟.

CANTO AL VANGELO Cfr. Gv 3,16

Lode e onore a te, Signore Gesù.

Dio ha tanto amato il mondo
da dare il Figlio unigenito;
chiunque crede in lui ha la vita eterna.
Lode e onore a te, Signore Gesù.

VANGELO Mt 21,33-43.45-46

✠ *Dal Vangelo secondo Matteo*

In quel tempo, Gesù disse ai capi dei sacerdoti e agli anziani del popolo: «Ascoltate un'altra parabola: c'era un uomo che possedeva un terreno e vi piantò una vigna. La circondò con una siepe, vi scavò una buca per il torchio e costruì una torre. La diede in affitto a dei contadini e se ne andò lontano. Quando arrivò il tempo di raccogliere i frutti, mandò i suoi servi dai contadini a ritirare il raccolto. Ma i contadini presero i servi e uno lo bastonarono, un altro lo uccisero, un altro lo lapidarono. Mandò di nuovo altri servi, più numerosi dei primi, ma li trattarono allo stesso modo. Da ultimo mandò loro il proprio figlio dicendo: "Avranno rispetto per mio figlio!". Ma i contadini, visto il figlio, dissero tra loro: "Costui è l'erede. Su, uccidiamolo e avremo noi la sua eredità!". Lo presero, lo cacciarono fuori dalla vigna e lo uccisero. Quando verrà dunque il padrone della vigna, che cosa farà a quei contadini?». Gli risposero: «Quei malvagi, li farà morire miseramente e darà in affitto la vigna ad altri contadini, che gli consegneranno i frutti a suo tempo». E Gesù disse loro: «Non avete mai letto nelle Scritture: "La pietra che i costruttori hanno scartato è diventata la pietra d'angolo; questo è stato fatto dal Signore ed è una meraviglia ai nostri occhi"? Perciò io vi dico: a voi sarà tolto il regno di Dio e sarà dato a un popolo che ne produca i frutti». Udite queste parabole, i capi dei sacerdoti e i farisei capirono che parlava di loro. Cercavano di catturarlo, ma ebbero paura della folla, perché lo considerava un profeta. **Parola del Signore.**

SULLE OFFERTE - La tua benevolenza, o Dio, preceda e accompagni sempre i tuoi fedeli sulla via della fede e li prepari a celebrare degnamente questi misteri. Per Cristo nostro Signore.

Prefazio di Quaresima.

COMUNIONE - Dio ci ha amati e ha mandato il suo Figlio, vittima di espiazione per i nostri peccati *(Cfr. 1Gv 4,10).*
Oppure: La pietra scartata dai costruttori è divenuta la pietra d'angolo *(Cfr. Mt 21,42).*

DOPO LA COMUNIONE - Il pegno dell'eterna salvezza, che abbiamo ricevuto in questi sacramenti, ci aiuti, o Signore, a progredire nel cammino verso di te, per giungere al possesso dei beni eterni. Per Cristo nostro Signore.

ORAZIONE SUL POPOLO *ad libitum* - Dona al tuo popolo, o Signore, la salvezza dell'anima e del corpo, perché, perseverando nelle opere buone, sia sempre difeso dalla tua protezione. Per Cristo nostro Signore.

Commenti

1ª LETTURA - Nella storia di Giuseppe risuona ancora una volta la misteriosa pedagogia divina: Dio sceglie i "piccoli" e ciò suscita odio e gelosia fino a provocare l'allontanamento, se non addirittura l'eliminazione, del prediletto. La vicenda è narrata con un fine didattico molto evidente: dentro il meschino gioco delle contese, in realtà agisce il disegno provvidenziale di Dio, che conduce il suo eletto per vie solo apparentemente di morte ma che, in realtà, portano alla salvezza di tutti. Giuseppe è rivestito di una tunica principesca che lo separa e, inevitabilmente, lo contrappone al resto dei suoi fratelli, scavando fra loro una profonda incomunicabilità. Giuseppe è però attento ai segni della volontà di Dio: egli infatti sa interpretare i sogni che, anche in altre occasioni, sono spesso utilizzati da Dio per rivelare il suo disegno. La persecuzione di Giuseppe è figura di quella di Cristo e del suo sangue versato per noi: è il prezzo che il Padre deve pagare per stringere nell'unico abbraccio della salvezza tutti i suoi figli, non più accomunati dal male, ma dal perdono offerto dal fratello innocente.

VANGELO - Il padrone del terreno è il Signore, la vigna piantata siamo noi. Il padrone non fa mancare niente alla sua vigna perché la ama. Ma cosa uccide l'amore? L'egoismo, l'anteporre sé stessi all'altro e addirittura a Dio. I vignaioli desiderano diventare padroni di ciò che non appartiene loro. Gesù, invece, ci insegna che l'amore non è mai possesso ma dono, condivisione, servizio. Chi ama davvero non trattiene, ma libera. L'amore è qualcosa che non possiamo possedere perché è prima di noi e sarà dopo di noi. Siamo chiamati a custodirlo, coltivarlo, difenderlo e farlo fruttificare. Per quanto il Signore ci ha dato potere su ogni cosa, non dobbiamo mai sostituirci a lui. Noi siamo le creature, non il Creatore, ma troppe volte invertiamo i ruoli. Tuttavia il Signore non si stanca di mandarci i suoi servi a ricordarci che l'amore va restituito a chi ce lo ha donato. Certo è difficile amare tutti, ma è Gesù stesso a insegnarci che l'amore autentico passa dalla croce. Siamo chiamati a portare frutto perché in ognuno c'è il seme buono dell'amore di Dio. Non lasciamolo soffocare dall'egoismo, ma impariamo a coltivare pazientemente l'amore nei nostri gesti, nelle nostre relazioni, nella nostra vita.

PROPOSITO DEL GIORNO... Mi impegno a instaurare un dialogo amichevole con una persona con cui ho un rapporto un pò difficile.

PRATICHE E FESTE DEL GIORNO...

- Pratiche e preghiere di ogni giorno consigliate per il mese di marzo *(pag. 727)*.
- Astinenza dalle carni.
- Rosario delle sante piaghe (cod. 8001, 8194).
- Preghiere a Gesù crocifisso (cod. 8001, 8193, 8194).
- Rosario dei sette dolori (cod. 8001, 8140).
- I tredici venerdì di san Francesco da Paola: 10° venerdì (cod. 8473).
- Festa Madonna dei Miracoli, Andria (Bari).

SANTI E BEATI DEL GIORNO

Ss. Caio e Alessandro • S. Emiliano di Lagny • **S. Giovanni Ogilvie** • S. Vittore • B. Elia del Soccorso

SAN GIOVANNI OGILVIE: clandestino del Vangelo.

Autunno 1613: il capitano Watson rimette piede a Edimburgo dopo 22 anni di assenza, ma il "capitano Watson" è in realtà padre Giovanni Ogilvie, un missionario gesuita in incognito, sbarcato in una terra che gli è madre quanto nemica. Vent'anni prima della sua nascita, avvenuta nel 1579, la Scozia è diventata protestante e per i cattolici la vita si è fatta molto pericolosa. Giovanni lo sa bene e, nonostante i superiori lo abbiano destinato a Rouen, in Francia, per due anni supplica il preposito generale di poter tornare tra i suoi connazionali.
Alla fine la spunta e comincia la sua nuova missione, che è una sfida continua: celebra la Messa prima dell'alba con pochi fidati, poi visita i malati, i detenuti, incontra i neoconvertiti e gli "eretici", cioè quei protestanti che stanno pensando di tornare al cattolicesimo. A tradirlo è proprio uno di loro, Adam Boyd, che lo fa arrestare. Per quattro mesi subisce processi e torture: in catene e con i gambali di ferro che lo straziano, insultato e schiaffeggiato. Tuttavia, padre Giovanni ribatte alle accuse. E quando la minaccia della morte si fa concreta dice: **«Salverei, se potessi, la mia vita ma non mai perdendo Iddio»**. La condanna viene eseguita il 10 marzo 1615.

11 MARZO

SABATO

2ª settimana di Quaresima

viola **2ª sett. salt.**

Antifona d'ingresso - Misericordioso e pietoso è il Signore, lento all'ira e grande nell'amore. Buono è il Signore verso tutti, la sua tenerezza si espande su tutte le creature *(Sal 144,8-9).*

Colletta - O Dio, che con i tuoi gloriosi doni di salvezza ci rendi partecipi sulla terra dei beni del cielo, guidaci nelle vicende della vita e accompagnaci alla splendida luce della tua dimora. Per il nostro Signore…

PRIMA LETTURA Mi 7,14-15.18-20

Dal libro del profeta Michèa

Pasci il tuo popolo con la tua verga, il gregge della tua eredità, che sta solitario nella foresta tra fertili campagne; pascolino in Basan e in Gàlaad come nei tempi antichi. Come quando sei uscito dalla terra d'Egitto, mostraci cose prodigiose. Quale dio è come te, che toglie l'iniquità e perdona il peccato al resto della sua eredità? Egli non serba per sempre la sua ira, ma si compiace di manifestare il suo amore. Egli tornerà ad avere pietà di noi, calpesterà le nostre colpe. Tu getterai in fondo al mare tutti i nostri peccati. Conserverai a Giacobbe la tua fedeltà, ad Abramo il tuo amore, come hai giurato ai nostri padri fin dai tempi antichi. **Parola di Dio.**

SALMO RESPONSORIALE Dal Salmo 102 (103)

℟. **Misericordioso e pietoso è il Signore.**

Oppure:

℟. **Il Signore è buono e grande nell'amore.**

Benedici il Signore, anima mia,
quanto è in me benedica il suo santo nome.
Benedici il Signore, anima mia,
non dimenticare tutti i suoi benefici. ℟.

Egli perdona tutte le tue colpe,
guarisce tutte le tue infermità,
salva dalla fossa la tua vita,
ti circonda di bontà e misericordia. ℟.

Non è in lite per sempre,
non rimane adirato in eterno.
Non ci tratta secondo i nostri peccati

e non ci ripaga secondo le nostre colpe. R.

Perché quanto il cielo è alto sulla terra,
così la sua misericordia è potente
su quelli che lo temono;
quanto dista l'oriente dall'occidente,
così egli allontana da noi le nostre colpe. R.

CANTO AL VANGELO Lc 15,18

Lode e onore a te, Signore Gesù.
Mi alzerò, andrò da mio padre e gli dirò:
Padre, ho peccato verso il Cielo e davanti a te.
Lode e onore a te, Signore Gesù.

VANGELO Lc 15,1-3.11-32

✠ *Dal Vangelo secondo Luca*

In quel tempo, si avvicinavano a lui tutti i pubblicani e i peccatori per ascoltarlo. I farisei e gli scribi mormoravano dicendo: «Costui accoglie i peccatori e mangia con loro». Ed egli disse loro questa parabola: «Un uomo aveva due figli. Il più giovane dei due disse al padre: "Padre, dammi la parte di patrimonio che mi spetta". Ed egli divise tra loro le sue sostanze. Pochi giorni dopo, il figlio più giovane, raccolte tutte le sue cose, partì per un paese lontano e là sperperò il suo patrimonio vivendo in modo dissoluto. Quando ebbe speso tutto, sopraggiunse in quel paese una grande carestia ed egli cominciò a trovarsi nel bisogno. Allora andò a mettersi al servizio di uno degli abitanti di quella regione, che lo mandò nei suoi campi a pascolare i porci. Avrebbe voluto saziarsi con le carrube di cui si nutrivano i porci; ma nessuno gli dava nulla. Allora ritornò in sé e disse: "Quanti salariati di mio padre hanno pane in abbondanza e io qui muoio di fame! Mi alzerò, andrò da mio padre e gli dirò: Padre, ho peccato verso il Cielo e davanti a te; non sono più degno di essere chiamato tuo figlio. Trattami come uno dei tuoi salariati". Si alzò e tornò da suo padre. Quando era ancora lontano, suo padre lo vide, ebbe compassione, gli corse incontro, gli si gettò al collo e lo baciò. Il figlio gli disse: "Padre, ho peccato verso il Cielo e davanti a te; non sono più degno di essere chiamato tuo figlio". Ma il padre disse ai servi: "Presto, portate qui il vestito più bello e fateglielo indossare, mettetegli l'anello al dito e i sandali ai piedi. Prendete il vitello grasso, ammazzatelo, mangiamo e facciamo festa, perché questo mio figlio era morto ed è tornato in vita, era perduto ed è stato ritrovato". E cominciarono a far festa. Il figlio maggiore si trovava nei campi. Al ritorno, quando fu vicino a casa, udì la musica e le danze; chiamò uno dei servi e gli domandò che cosa fosse tutto questo. Quello gli rispose: "Tuo fratello è qui e tuo padre ha fatto ammazzare il vitello grasso, perché lo ha riavuto sano e salvo". Egli si indignò, e non voleva entrare. Suo padre allora uscì a supplicarlo. Ma egli rispose a suo padre: "Ecco, io ti servo da tanti anni e non ho mai disobbedito a un tuo comando, e tu non mi hai mai dato un capretto per far festa con i miei amici. Ma ora che è tornato questo tuo figlio, il quale ha divorato le tue sostanze con le prostitute, per lui hai ammazzato il vitello grasso". Gli rispose il padre: "Figlio, tu sei sempre con me e tutto ciò che è mio è tuo; ma **bisognava far festa e rallegrarsi, perché questo tuo fratello** era morto ed è tornato in vita, **era perduto ed è stato ritrovato**"». **Parola del Signore.**

SULLE OFFERTE - Il sacrificio che ti offriamo, o Signore, infonda in noi una forza di redenzione che ci preservi dalle umane intemperanze e ci disponga a ricevere i doni della salvezza. Per Cristo nostro Signore.

Prefazio di Quaresima.

COMUNIONE - Figlio, bisognava far festa e rallegrarsi, perché questo tuo fratello era morto ed è tornato in vita, era perduto ed è stato ritrovato *(Lc 15,32).*

DOPO LA COMUNIONE - Il sacramento che abbiamo ricevuto, o Signore, agisca nelle profondità del nostro cuore, e ci renda partecipi della sua forza. Per Cristo nostro Signore.

ORAZIONE SUL POPOLO ***ad libitum*** - Nella tua misericordia, o Signore, porgi l'orecchio alla voce di coloro che ti supplicano, e perché tu possa esaudire i loro desideri, fa' che chiedano quanto ti è gradito. Per Cristo nostro Signore.

Commenti

1ª LETTURA - Nella liturgia della parola odierna, il brano del profeta Michèa serve a introdurre la famosa parabola del Padre misericordioso o, come è più comunemente nota, del "figliuol prodigo". I sentieri dell'infedeltà all'alleanza sono sempre angusti e privi di sbocco: la lontananza da casa crea, alla fine, una struggente desolazione che attanaglia più della fame. Proprio per questo ogni smarrimento può diventare una "felix culpa", un errore fortunato, in cui finalmente l'uomo si lascia di nuovo raggiungere e salvare. Nel caso di Michèa, il popolo, tornato dall'esilio, si sente stretto e la nostalgia dei pascoli della Transgiordania strappa al profeta un lamento: il Signore torni a rinnovare i prodigi dell'esodo! Ed ecco l'oracolo: comparirà il protagonista di grandi eventi salvifici, colui che radunerà il popolo smarrito. Per questo motivo il cuore trabocca in un inno appassionato, unico nell'Antico Testamento, al Dio che perdona. Egli è padre che si commuove davanti alle sofferenze dei figli che sbagliano: nella sua compassione, è spinto a cancellare le colpe che li opprimono.

VANGELO - Ritornare. È una parola importante per un cristiano, strettamente unita a un'altra: conversione. Ogni ritorno per essere autentico esige un cambiamento. Prima di ritornare dal padre, il figlio lontano ritorna in sé: ha piena consapevolezza, cioè, di essersi allontanato troppo e quindi che quella distanza va colmata. Nella parabola di oggi è perciò adombrato il viaggio di ognuno dalla lontananza causata dal peccato alla vicinanza creata dall'amore. Questo ritorno si fa percorrendo la via che il Padre stesso ha aperto dinanzi agli uomini: Gesù. Egli è la via sulla quale tutti possono camminare, è la strada di casa che a volte smarriamo, ma è l'unica che conduce all'incontro con il Padre. È bastata la volontà del figlio di imboccare questa strada per far sì che il Padre gli corra incontro per abbracciarlo. Quando attorno a noi più nulla ci ricorda qualcosa di familiare, quando la solitudine si fa pesante, allora dal fondo del cuore il desiderio più vero osa farsi sentire: è la voce del Padre che ci invita a ritornare a casa. La Quaresima può essere il momento buono per decidersi a farlo.

PROPOSITO DEL GIORNO... Oggi ricordo nella preghiera tutti coloro che sono lontani da Dio, perché possano sperimentare la gioia del suo abbraccio.

PRATICHE E FESTE DEL GIORNO...

- Pratiche e preghiere di ogni giorno consigliate per il mese di marzo *(pag. 727)*.
- 1° giorno novena a san Giuseppe (cod. 8001, 8115, 8190).
- 12° sabato di Pompei.
- Festa Madonna Miracolosa di Taggia (Imperia).

SANTI E BEATI DEL GIORNO

S. Benedetto di Milano • **S. Costantino** • S. Rosina di Wenglingen • B. Tommaso Atkinsons • B. Mattia (Pal) Prennushi

SAN COSTANTINO:
apostolo e martire della Scozia.

Dagli inizi della vita di Costantino – re di Cornovaglia dal 537 – non si poteva prevedere che sarebbe stato il primo apostolo e martire della Scozia. Il primo periodo della sua vita fu infatti a dir poco scellerato: ripudiò sua moglie per essere libero di commettere adulterio; inoltre, dopo aver giurato di voler fare la pace con i suoi nemici, si travestì da abate, entrò nel santuario dove questi si trovavano e li uccise. Fu l'incontro con san Petroc a **cambiare radicalmente la sua vita: si convertì al cristianesimo** e, quando morì sua moglie, abdicò in favore del figlio Bledric per dedicarsi alla vita religiosa. Fondò chiese e visse molti anni come monaco in Irlanda. Ritiratosi in eremitaggio nei pressi di Cardiff, si spinse poi verso nord, dove fondò il monastero di Govan, ne divenne primo abate e intraprese l'evangelizzazione dei Pitti, popolazione indigena dell'odierna Scozia. **Grazie al suo apostolato, questo paese si convertì al cristianesimo**. **Primo apostolo**, Costantino era destinato ad essere **anche il primo martire della Scozia**: il 9 maggio 576 a Kintyre, fu trucidato da alcuni pagani fanatici e le rovine di un'antica chiesa segnano ancora oggi il luogo dove con ogni probabilità il santo spirò.

3ª domenica di Quaresima (A) *viola* **3ª sett. salt.**

ANTIFONA D'INGRESSO - I miei occhi sono sempre rivolti al Signore: egli libera dal laccio il mio piede. Volgiti a me e abbi pietà, perché sono povero e solo *(Cfr. Sal 24,15-16).*

Oppure: Quando mostrerò la mia santità in voi, vi radunerò da ogni terra; vi aspergerò con acqua pura e sarete purificati da tutte le vostre impurità e metterò dentro di voi uno spirito nuovo *(Cfr. Ez 36,23-26).*

Non si dice il Gloria.

COLLETTA - Preghiamo: O Dio, fonte di misericordia e di ogni bene, che hai proposto a rimedio dei peccati il digiuno, la preghiera e le opere di carità fraterna, accogli la confessione della nostra miseria perché, oppressi dal peso della colpa, siamo sempre sollevati dalla tua misericordia. Per il nostro Signore… **Amen.**

Oppure: O Dio, sorgente della vita, che offri all'umanità l'acqua viva della tua grazia, concedi al tuo popolo di confessare che Gesù è il salvatore del mondo e di adorarti in spirito e verità. Per il nostro Signore… **Amen.**

(seduti)

PRIMA LETTURA — Es 17,3-7

Dal libro dell'Èsodo

In quei giorni, il popolo soffriva la sete per mancanza di acqua; il popolo mormorò contro Mosè e disse: «Perché ci hai fatto salire dall'Egitto per far morire di sete noi, i nostri figli e il nostro bestiame?». Allora Mosè gridò al Signore, dicendo: «Che cosa farò io per questo popolo? Ancora un poco e mi lapideranno!». Il Signore disse a Mosè: «Passa davanti al popolo e prendi con te alcuni anziani d'Israele. Prendi in mano il bastone con cui hai percosso il Nilo, e va'! Ecco, io starò davanti a te là sulla roccia, sull'Oreb; tu batterai sulla roccia: ne uscirà acqua e il popolo berrà». Mosè fece così, sotto gli occhi degli anziani d'Israele. E chiamò quel luogo Massa e Merìba, a causa della protesta degli Israeliti e perché misero alla prova il Signore, dicendo: «Il Signore è in mezzo a noi sì o no?». - Parola di Dio. ℞. **Rendiamo grazie a Dio.**

SALMO RESPONSORIALE Dal Salmo 94 (95)

℞. **Ascoltate oggi la voce del Signore:**
non indurite il vostro cuore.

Venite, cantiamo al Signore,
acclamiamo la roccia della nostra salvezza.
Accostiamoci a lui per rendergli grazie,
a lui acclamiamo con canti di gioia. ℞.

Entrate: prostràti, adoriamo,
in ginocchio davanti al Signore che ci ha fatti.
È lui il nostro Dio
e noi il popolo del suo pascolo,
il gregge che egli conduce. ℞.

Se ascoltaste oggi la sua voce!
«Non indurite il cuore come a Merìba,
come nel giorno di Massa nel deserto,
dove mi tentarono i vostri padri:
mi misero alla prova
pur avendo visto le mie opere». ℞.

SECONDA LETTURA Rm 5,1-2.5-8

Dalla lettera di san Paolo apostolo ai Romani

Fratelli, giustificati per fede, noi siamo in pace con Dio per mezzo del Signore nostro Gesù Cristo. Per mezzo di lui abbiamo anche, mediante la fede, l'accesso a questa grazia nella quale ci troviamo e ci vantiamo, saldi nella speranza della gloria di Dio. La speranza poi non delude, perché l'amore di Dio è stato riversato nei nostri cuori per mezzo dello Spirito Santo che ci è stato dato. Infatti, quando eravamo ancora deboli, nel tempo stabilito Cristo morì per gli empi. Ora, a stento qualcuno è disposto a morire per un giusto; forse qualcuno oserebbe morire per una persona buona. Ma Dio dimostra il suo amore verso di noi nel fatto che, mentre eravamo ancora peccatori, Cristo è morto per noi. - Parola di Dio. ℟. **Rendiamo grazie a Dio.**

(in piedi)

CANTO AL VANGELO Cfr. Gv 4,42.15

Lode a te, o Cristo, re di eterna gloria!
Signore, tu sei veramente il salvatore del mondo;
dammi dell'acqua viva, perché io non abbia più sete.
Lode a te, o Cristo, re di eterna gloria!

VANGELO

Gv 4,5-42

Forma breve: [ ] Gv 4,5-15.19b-26.39a.40-42

Il Signore sia con voi.

℟. **E con il tuo spirito.**

✠ *Dal Vangelo secondo Giovanni*

℟. **Gloria a te, o Signore.**

[In quel tempo, Gesù giunse a una città della Samarìa chiamata Sicar, vicina al terreno che Giacobbe aveva dato a Giuseppe suo figlio: qui c'era un pozzo di Giacobbe. Gesù dunque, affaticato per il viaggio, sedeva presso il pozzo. Era circa mezzogiorno. Giunge una donna samaritana ad attingere acqua. Le dice Gesù: «Dammi da bere». I suoi discepoli erano andati in città a fare provvista di cibi. Allora la donna samaritana gli dice: «Come mai tu, che sei giudeo, chiedi da bere a me, che sono una donna samaritana?». I Giudei infatti non hanno rapporti con i Samaritani. Gesù le risponde: «Se tu conoscessi il dono di Dio e chi è colui che ti dice: "Dammi da bere!", tu avresti chiesto a lui ed egli ti avrebbe dato acqua viva». Gli dice la donna: «Signore, non hai un secchio e il pozzo è profondo; da dove prendi dunque quest'acqua viva? Sei tu forse più grande del nostro padre Giacobbe, che ci diede il pozzo e ne bevve lui con i suoi figli e il suo bestiame?». Gesù le risponde: «Chiunque beve di quest'acqua avrà di nuovo sete; ma chi berrà dell'acqua che io gli darò, non avrà più sete in eterno. Anzi, l'acqua che io gli darò diventerà in lui una sorgente d'acqua che zampilla per la vita eterna». «Signore – gli dice la donna –, dammi quest'acqua, perché io non abbia più sete e non continui a venire qui ad attingere acqua».] Le dice: «Va' a chiamare tuo marito e ritorna qui». Gli risponde la donna: «Io non ho marito». Le dice Gesù: «Hai detto bene: "Io non ho marito". Infatti hai avuto cinque mariti e quello che hai ora non è tuo marito; in questo hai detto il vero». Gli replica la donna: «Signore, [vedo che tu sei un profeta! I nostri padri hanno adorato su questo monte; voi invece dite che è a Gerusalemme il luogo in cui bisogna adorare». Gesù le dice: «Credimi, donna, viene l'ora in cui né su questo monte né a Gerusalemme adorerete il Padre. Voi adorate ciò che non conoscete, noi adoriamo ciò che conosciamo, perché la salvezza viene dai Giudei. Ma viene l'ora – ed è questa – in cui i veri adoratori adoreranno il Padre in spirito e verità: così infatti il Padre vuole che siano quelli che lo adorano. Dio è spirito, e quelli che lo adorano devono adorare in spirito e verità». Gli rispose la donna: «So che deve venire il Messia, chiamato Cristo: quando egli verrà, ci annuncerà ogni cosa». Le dice Gesù: «Sono io, che parlo con te».] In quel momento giunsero i suoi discepoli e si meravigliavano che parlasse con una donna. Nessuno tuttavia disse: «Che cosa cerchi?», o: «Di che cosa parli con lei?». **La donna intanto lasciò la sua anfora**, andò in città e disse alla gente: «Venite a vedere un uomo che mi ha detto tutto quello che ho fatto. Che sia lui il Cristo?». Uscirono dalla città e andavano da lui. Intanto i discepoli lo pregavano: «Rabbì, mangia». Ma egli rispose loro: «Io ho da mangiare un cibo che voi non conoscete». E i discepoli si domandavano l'un l'altro: «Qualcuno gli ha forse portato da mangiare?». Gesù disse loro: «Il mio cibo è fare la volontà di colui che mi ha mandato e compiere la sua opera. Voi non dite forse: ancora quattro mesi e poi viene la mietitura? Ecco, io vi dico: alzate i vostri occhi e guardate i campi che già biondeggiano per la mietitura. Chi miete riceve il salario e raccoglie frutto per la vita eterna, perché chi semina gioisca insieme a chi miete. In questo infatti si dimostra vero il proverbio: uno semina e l'altro miete. Io vi ho mandati a mietere ciò per cui non avete faticato; altri hanno faticato e voi siete subentrati nella loro fatica». [Molti Samaritani di quella città credettero in lui] per la parola della donna, che testimoniava: «Mi ha detto tutto quello che ho fatto». [E quando i Samaritani giunsero da lui, lo pregavano di rimanere da loro ed egli rimase là due giorni. Molti di più credettero per la sua parola e alla donna dicevano: «Non è più per i tuoi discorsi che noi crediamo, ma perché noi stessi abbiamo udito e sappiamo che questi è veramente il salvatore del mondo».] - Parola del Signore. R. **Lode a te o Cristo.**

Si dice il Credo *(pag. 15).*

(in piedi)

Sulle offerte - Per questo sacrificio di riconciliazione, o Padre, rimetti i nostri debiti e donaci la forza di perdonare ai nostri fratelli. Per Cristo nostro Signore. **Amen.**

Prefazio - *La Samaritana.* È veramente cosa buona e giusta, nostro dovere e fonte di salvezza, rendere grazie sempre e in ogni luogo a te, Signore, Padre santo, Dio onnipotente ed eterno, per Cristo Signore nostro. Egli, chiedendo alla Samaritana l'acqua da bere, già aveva suscitato in lei il dono della fede e di questa fede ebbe sete così grande da accendere in lei il fuoco del tuo amore. Per questo mistero, anche noi ti rendiamo grazie e, uniti agli angeli, proclamiamo con il canto le tue meraviglie: **Santo…**

Comunione - «Chi berrà dell'acqua che io gli

darò», dice il Signore, «avrà in sé una sorgente che zampilla per la vita eterna» *(Cfr. Gv 4,13-14).*

Oppure: Anche il passero trova una casa e la rondine il nido dove porre i suoi piccoli, presso i tuoi altari, Signore degli eserciti, mio re e mio Dio. Beato chi abita nella tua casa: senza fine canta le tue lodi *(Sal 83,4-5).*

DOPO LA COMUNIONE - **Preghiamo:** O Dio, che ci nutri in questa vita con il pane del cielo, pegno della tua gloria, fa' che manifestiamo nelle nostre opere la realtà presente nel sacramento che celebriamo. Per Cristo nostro Signore. **Amen.**

ORAZIONE SUL POPOLO - Guida, o Signore, i cuori dei tuoi fedeli: nella tua bontà concedi loro la grazia di rimanere nel tuo amore e nella carità fraterna per adempiere la pienezza dei tuoi comandamenti. Per Cristo nostro Signore. **Amen.**

Commenti

1ª LETTURA - Nel suo esodo verso la terra promessa, il popolo ripetutamente soffre la fame e la sete. Fame e sete sono due costanti del cammino attraverso il deserto, terra di prova e di purificazione, dove si può avanzare solo per fede. L'episodio di Massa e Merìba è emblematico. Innanzitutto i nomi hanno un significato eloquente: l'uno vuol dire tentazione e l'altro mormorazione. Dopo il primo tratto di strada, il popolo, stremato dalla sete, diffida di Dio e teme che Mosè non sia l'uomo da lui mandato per salvarlo; di qui la domanda che denota lo scetticismo del popolo eletto e dell'uomo di ogni tempo che attraversa la difficoltà: «Il Signore è in mezzo a noi sì o no?». Mosè non si lascia prendere dallo scoraggiamento e invoca nuovamente il Signore, il quale non fa mancare il suo aiuto: l'acqua sgorgherà dalla roccia percossa dal bastone di Mosè. Ciò rende evidente al popolo incredulo la presenza continua di Dio, che nella pienezza dei tempi si manifesterà proprio come l'Emmanuele, il Dio-con-noi. Questo, però, può verificarsi perché Mosè ha fede e obbedisce a quanto il Signore gli chiede. Ricordiamolo.

2ª LETTURA - L'apostolo Paolo descrive la condizione del cristiano nel tempo presente: egli è reso conforme al progetto di Dio attraverso la fiducia che ripone nel contenuto dell'«annuncio di salvezza» (*kerygma*). Questo gli dona di sperimentare la pace con Dio, perché è certo dell'amore di Cristo. Egli solo, che con la sua morte è mediatore della nostra giustificazione/riconciliazione, può concederci fin d'ora di accedere alla grazia, alla comunione di vita con Dio. Ciò suscita una gioia nuova, pegno della gloria futura. Le tribolazioni non faranno che radicare più profondamente in noi la speranza. Essa infatti non delude, perché lo Spirito di Dio è stato riversato nei nostri cuori come potenza divina di vita nuova e generosa, caparra della nostra eredità. Lo Spirito attesta al nostro spirito l'amore folle che Dio ha per noi in Cristo: egli ci ha portato la salvezza che ci rende giusti venendo a raggiungerci nell'estrema lontananza del peccato e dell'inimicizia; chi potrà allora separarci, nel tempo e nell'eternità, dal suo amore?

VANGELO - L'incontro tra Gesù e la Samaritana al pozzo è uno degli incontri più belli e simbolici di sempre. Non è un caso che avvenga proprio alla stessa ora della passione – l'ora sesta – e che il dialogo fra i due inizi con delle parole che rimandano alle ultime parole di Gesù sulla croce. Da un lato è straordinario pensare che, con le nostre debolezze, siamo noi l'acqua che Gesù desidera. Dall'altro lato è Gesù che ci aspetta – quando meno ce l'aspettiamo – pronto a donarci quell'acqua di cui abbiamo bisogno e che non ci farà avere più sete; un'acqua che ci darà la forza per continuare il cammino; un'acqua che non si esaurirà mai. È lo Spirito il dono che Gesù fa alla Samaritana: in lui la donna ha trovato il suo vero sposo, la sua ragione di vita. Come la Samaritana, dopo aver riconosciuto il dono grande fattole da Gesù, abbandoniamo le nostre brocche, segno della schiavitù di avere sempre qualcosa da riempire che puntualmente si svuota. Lasciamoci incontrare da Gesù accanto al pozzo dei nostri errori, nella profondità del nostro cuore, dove il desiderio di felicità ristagna. Sia lui a smuovere le acque perché tutto riabbia in noi un significato, perché la sua acqua possa ridonarci la vita.

☐ **PROPOSITO DEL GIORNO...** Rifletterò sull'esempio della Samaritana e cercherò di "lasciare la mia anfora", simbolo di ciò che apparentemente è importante ma che puntualmente lascia vuoti.

☐ **PRATICHE E FESTE DEL GIORNO...**

- Pratiche e preghiere di ogni giorno consigliate per il mese di marzo *(pag. 727)*.
- Preghiera a san Luigi Orione.
- Festa Madonna dell'Olmo, Thiene (Vicenza).

SANTI E BEATI DEL GIORNO

S. Bernardo di Capua • S. Luigi Orione • S. Massimiliano di Tebessa • B. Angela Salawa • B. Girolamo da Recanati

13 MARZO

LUNEDÌ

3ª settimana di Quaresima

viola **3ª sett. salt.**

ANTIFONA D'INGRESSO - L'anima mia anela e desidera gli atri del Signore. Il mio cuore e la mia carne esultano nel Dio vivente *(Sal 83,3).*

COLLETTA - Nella tua continua misericordia, o Padre, purifica e rafforza la tua Chiesa, e poiché non può vivere senza di te, guidala sempre con la tua grazia. Per il nostro Signore…

PRIMA LETTURA 2Re 5,1-15a

Dal secondo libro dei Re

In quei giorni Naamàn, comandante dell'esercito del re di Aram, era un personaggio autorevole presso il suo signore e stimato, perché per suo mezzo il Signore aveva concesso la salvezza agli Aramèi. Ma quest'uomo prode era lebbroso. Ora bande aramèe avevano condotto via prigioniera dalla terra d'Israele una ragazza, che era finita al servizio della moglie di

Naamàn. Lei disse alla padrona: «Oh, se il mio signore potesse presentarsi al profeta che è a Samarìa, certo lo libererebbe dalla sua lebbra». Naamàn andò a riferire al suo signore: «La ragazza che proviene dalla terra d'Israele ha detto così e così». Il re di Aram gli disse: «Va' pure, io stesso invierò una lettera al re d'Israele». Partì dunque, prendendo con sé dieci talenti d'argento, seimila sicli d'oro e dieci mute di abiti. Portò la lettera al re d'Israele, nella quale si diceva: «Orbene, insieme con questa lettera ho mandato da te Naamàn, mio ministro, perché tu lo liberi dalla sua lebbra». Letta la lettera, il re d'Israele si stracciò le vesti dicendo: «Sono forse Dio per dare la morte o la vita, perché costui mi ordini di liberare un uomo dalla sua lebbra? Riconoscete e vedete che egli evidentemente cerca pretesti contro di me». Quando Elisèo, uomo di Dio, seppe che il re d'Israele si era stracciate le vesti, mandò a dire al re: «Perché ti sei stracciato le vesti? Quell'uomo venga da me e saprà che c'è un profeta in Israele». Naamàn arrivò con i suoi cavalli e con il suo carro e si fermò alla porta della casa di Elisèo. Elisèo gli mandò un messaggero per dirgli: «Va', bàgnati sette volte nel Giordano: il tuo corpo ti ritornerà sano e sarai purificato». Naamàn si sdegnò e se ne andò dicendo: «Ecco, io pensavo: "Certo, verrà fuori e, stando in piedi, invocherà il nome del Signore, suo Dio, agiterà la sua mano verso la parte malata e toglierà la lebbra". Forse l'Abanà e il Parpar, fiumi di Damàsco, non sono migliori di tutte le acque d'Israele? Non potrei bagnarmi in quelli per purificarmi?». Si voltò e se ne partì adirato. Gli si avvicinarono i suoi servi e gli dissero: «Padre mio, se il profeta ti avesse ordinato una gran cosa, non l'avresti forse eseguita? Tanto più ora che ti ha detto: "Bàgnati e sarai purificato"». Egli allora scese e si immerse nel Giordano sette volte, secondo la parola dell'uomo di Dio, e il suo corpo ridivenne come il corpo di un ragazzo; egli era purificato. Tornò con tutto il seguito dall'uomo di Dio; entrò e stette davanti a lui dicendo: «Ecco, ora so che non c'è Dio su tutta la terra se non in Israele». **Parola di Dio.**

SALMO RESPONSORIALE

Dai Salmi 41 – 42 (42 – 43)

℟. **L'anima mia ha sete di Dio, del Dio vivente.**

Come la cerva anèla
ai corsi d'acqua,
così l'anima mia anèla
a te, o Dio. ℟.

L’anima mia ha sete di Dio,
del Dio vivente:
quando verrò e vedrò
il volto di Dio? R.

Manda la tua luce e la tua verità:
siano esse a guidarmi,
mi conducano alla tua santa montagna,
alla tua dimora. R.

Verrò all’altare di Dio,
a Dio, mia gioiosa esultanza.
A te canterò sulla cetra,
Dio, Dio mio. R.

CANTO AL VANGELO Cfr. Sal 129 (130),5.7

Gloria e lode a te, o Cristo!
Io spero, Signore; attendo la sua parola.
Con il Signore è la misericordia
e grande è con lui la redenzione.
Gloria e lode a te, o Cristo!

VANGELO Lc 4,24-30

✠ *Dal Vangelo secondo Luca*

In quel tempo, Gesù [cominciò a dire nella sinagoga a Nàzaret:] «In verità io vi dico: nessun profeta è bene accetto nella sua patria. Anzi, in verità io vi dico: c'erano molte vedove in Israele al tempo di Elìa, quando il cielo fu chiuso per tre anni e sei mesi e ci fu una grande carestia in tutto il paese; ma a nessuna di esse fu mandato Elìa, se non a una vedova a Sarèpta di Sidóne. C'erano molti lebbrosi in Israele al tempo del profeta Elisèo; ma nessuno di loro fu purificato, se non Naamàn, il Siro». All'udire queste cose, tutti nella sinagoga si riempirono di sdegno. Si alzarono e lo cacciarono fuori della città e lo condussero fin sul ciglio del monte, sul quale era costruita la loro città, per gettarlo giù. Ma egli, passando in mezzo a loro, si mise in cammino. **Parola del Signore.**

SULLE OFFERTE - Trasforma per noi, o Signore, in sacramento di salvezza l'offerta che ti presentiamo come segno del nostro servizio sacerdotale. Per Cristo nostro Signore.

Prefazio di Quaresima.

COMUNIONE - Genti tutte, lodate il Signore, perché forte è il suo amore per noi *(Sal 116,1.2).*
Oppure: Nessuno fu purificato fra i molti lebbrosi in Israele, se non Naamàn, il Siro *(Cfr. Lc 4,27).*

Dopo la Comunione - La comunione al tuo sacramento ci purifichi, o Signore, e ci raccolga nell'unità e nella pace. Per Cristo nostro Signore.

Orazione sul popolo *ad libitum* - La tua mano, o Signore, protegga questo popolo in preghiera, lo purifichi e lo guidi, perché con la tua consolante presenza giunga ai beni eterni. Per Cristo nostro Signore.

Commenti

1ª lettura - Naamàn è presentato con un crescendo di attributi invidiabili, che però d'improvviso precipitano in un abisso di solitudine e maledizione: la lebbra. Questa malattia nell'antichità è sinonimo d'impurità, di castigo divino, d'isolamento sociale. Tuttavia, il capo dell'esercito di Aram accoglie la proposta avanzata da una giovane prigioniera: rivolgersi al profeta che è a Samarìa. Persino il re di Aram appoggia il suggerimento, ma questo irrita il re d'Israele. Ad alleviare le tensioni fra Aram e Israele ci pensa il profeta Elisèo. Solo seguendo le sue semplici e quasi banali indicazioni avviene la guarigione miracolosa di Naamàn che aprirà la strada alla professione di fede al Dio d'Israele. Nel brano troviamo dei chiari riferimenti al simbolismo battesimale: l'immersione nelle acque, l'efficacia della parola del Dio d'Israele, il carattere universale della salvezza. Inoltre, nel lebbroso guarito che può ritornare a sentirsi pienamente inserito nella sua comunità di affetti e in quella sociale, è richiamata anche la dimensione comunitaria nella quale il battezzato viene inserito.

Vangelo - Dobbiamo confessare che a volte vorremmo un Dio secondo le nostre esigenze, che si comporti seguendo i nostri desideri e che faccia i nostri interessi. C'è chi scambia Dio per un dispenser di miracoli e chi si ricorda di lui solo per accusarlo dei propri fallimenti. Il problema è che, proprio quando ci allontaniamo dagli insegnamenti originari e vogliamo fare a modo nostro, quello che ne esce fuori è una fede traballante, debole e poco affidabile. È semplice avere una fede "secondo me", mentre più difficile è comprendere un Dio che si comporta esattamente all'opposto. Ecco perché quelli che non si aspettano niente da Dio, ma confidano nel suo amore, riescono più facilmente a ottenere e riconoscere la potenza della misericordia nella loro vita. Non a caso gli esempi riportati da

Gesù nel Vangelo riguardano la vedova di Sarèpta e Naamàn il Siro, cioè due stranieri, non giudei, e quindi considerati non appartenenti al popolo eletto da Dio. La storia di questi due personaggi portati ad esempio da Gesù irrita sia i nazareni che noi proprio perché ci mette dinanzi a una triste realtà: siamo più bravi a chiedere che a rinunciare a qualcosa che ci appartiene, anche se questo è in vista di un bene più grande.

PROPOSITO DEL GIORNO... Oggi, nella recita dei misteri gaudiosi del Santo Rosario, ricordo tutte le famiglie. Prego perché i coniugi cerchino il bene l'uno dell'altro, pratichino la fedeltà coniugale e siano aperti al dono della vita.

PRATICHE E FESTE DEL GIORNO...

- Pratiche e preghiere di ogni giorno consigliate per il mese di marzo *(pag. 727)*.
- Festa Madonna della Rosa, San Vito al Tagliamento (Pordenone).

SANTI E BEATI DEL GIORNO

S. Cristina di Persia • S. Giuditta di Ringelheim • **B. Agnello da Pisa** • B. Francesca Tréhet • B. Enrico di Danimarca

BEATO AGNELLO DA PISA: un francescano in Inghilterra, innamorato della povertà.

Agnello – nato intorno al 1194 a Pisa, da una nobile famiglia – è innamorato della povertà e, quando conosce san Francesco, entra nel primitivo convento sorto in città. Nel 1217 si decide che un gruppo di frati si sarebbe recato in Francia: Agnello viene posto a capo della spedizione e, dopo sette anni, Francesco lo nomina capo di una nuova missione, composta da otto frati e diretta in Inghilterra. Il gruppo sbarca nell'isola il 10 settembre 1224. Si insediano a Canterbury e da qui si recano poi a Londra. Grazie alle numerose vocazioni che nascono, viene successivamente aperto un convento anche a Oxford con scuola teologica. Agnello, di per sé, non è uno studioso, ma **apprezza la cultura, anche se vigila sul fatto che non spenga lo spirito di preghiera e non ostacoli l'azione dello Spirito Santo**: dispone quindi che in tutti i conventi si viva in modo austero e il tempo da dedicare agli studi non comprometta il tempo della preghiera.
Sebbene la posizione accademica di Agnello sia la più elevata nell'ordine, **l'amore che nutre per la povertà rimane una sua caratteristica dominante**. Muore il 13 marzo del 1235 o 1236, a soli 41 anni.

14 MARZO

MARTEDÌ

3ª settimana di Quaresima

viola **3ª sett. salt.**

ANTIFONA D'INGRESSO - Io t'invoco, o Dio, perché tu mi rispondi; tendi a me l'orecchio, ascolta le mie parole. Custodiscimi come pupilla degli occhi, all'ombra delle tue ali nascondimi *(Sal 16,6.8).*

COLLETTA - Non ci abbandoni mai la tua grazia, o Signore, ci renda fedeli al tuo santo servizio e ci ottenga sempre il tuo aiuto. Per il nostro Signore…

PRIMA LETTURA Dn 3,25.34-43

Dal libro del profeta Daniele

In quei giorni, Azarìa si alzò e fece questa preghiera in mezzo al fuoco e aprendo la bocca disse: «Non ci abbandonare fino in fondo, per amore del tuo nome, non infrangere la tua alleanza; non ritirare da noi la tua misericordia, per amore di Abramo, tuo amico, di Isacco, tuo servo, di Israele, tuo santo, ai quali hai

parlato, promettendo di moltiplicare la loro stirpe come le stelle del cielo, come la sabbia sulla spiaggia del mare. Ora invece, Signore, noi siamo diventati più piccoli di qualunque altra nazione, oggi siamo umiliati per tutta la terra a causa dei nostri peccati. Ora non abbiamo più né principe né profeta né capo né olocàusto né sacrificio né oblazione né incenso né luogo per presentarti le primizie e trovare misericordia. Potessimo essere accolti con il cuore contrito e con lo spirito umiliato, come olocàusti di montoni e di tori, come migliaia di grassi agnelli. Tale sia oggi il nostro sacrificio davanti a te e ti sia gradito, perché non c'è delusione per coloro che confidano in te. Ora ti seguiamo con tutto il cuore, ti temiamo e cerchiamo il tuo volto, non coprirci di vergogna. Fa' con noi secondo la tua clemenza, secondo la tua grande misericordia. Salvaci con i tuoi prodigi, da' gloria al tuo nome, Signore».
Parola di Dio.

SALMO RESPONSORIALE Dal Salmo 24 (25)

℟. **Ricòrdati, Signore, della tua misericordia.**

Fammi conoscere, Signore, le tue vie,
insegnami i tuoi sentieri.

Guidami nella tua fedeltà e istruiscimi,
perché sei tu il Dio della mia salvezza. R.

Ricòrdati, Signore, della tua misericordia
e del tuo amore, che è da sempre.
Ricòrdati di me nella tua misericordia,
per la tua bontà, Signore. R.

Buono e retto è il Signore,
indica ai peccatori la via giusta;
guida i poveri secondo giustizia,
insegna ai poveri la sua via. R.

CANTO AL VANGELO Cfr. Gl 2,12-13

Gloria e lode a te, o Cristo!
Ritornate a me con tutto il cuore, dice il Signore,
perché sono misericordioso e pietoso.
Gloria e lode a te, o Cristo!

VANGELO Mt 18,21-35

✠ *Dal Vangelo secondo Matteo*

In quel tempo, Pietro si avvicinò a Gesù e gli disse: «Signore, se il mio fratello commette colpe contro di me, quante volte dovrò perdonargli? Fino a sette volte?». E Gesù gli rispose: «**Non ti dico fino a sette volte, ma fino a settanta volte sette**. Per questo, il regno dei cieli è simile a un re che volle regolare i conti con i suoi servi. Aveva cominciato a regolare i conti, quando gli fu presentato un tale che gli doveva diecimila talenti. Poiché costui non era in grado di restituire, il padrone ordinò che fosse venduto lui con la moglie, i figli e quanto possedeva, e così saldasse il debito. Allora il servo, prostrato a terra, lo supplicava dicendo: "Abbi pazienza con me e ti restituirò ogni cosa". Il padrone ebbe compassione di quel servo, lo lasciò andare e gli condonò il debito. Appena uscito, quel servo trovò uno dei suoi compagni, che gli doveva cento denari. Lo prese per il collo e lo soffocava, dicendo: "Restituisci quello che devi!". Il suo compagno, prostrato a terra, lo pregava dicendo: "Abbi pazienza con me e ti restituirò". Ma egli non volle, andò e lo fece gettare in prigione, fino a che non avesse pagato il debito. Visto quello che accadeva, i suoi compagni furono molto dispiaciuti e andarono a riferire al loro padrone tutto l'accaduto. Allora il padrone fece chiamare quell'uomo e gli disse: "Servo malvagio, io ti ho condonato tutto quel debito perché tu mi hai pregato. Non dovevi anche tu aver pietà del tuo compagno, così come io ho avuto pietà di te?". Sdegnato, il padrone lo diede in mano agli aguzzini, finché non avesse restituito tutto il dovuto. Così anche il Padre mio celeste farà con voi se non perdonerete di cuore, ciascuno al proprio fratello». **Parola del Signore.**

SULLE OFFERTE - Concedi, o Signore, che questo sacrificio di salvezza ci purifichi dai peccati e ci ottenga il dono della tua misericordia. Per Cristo nostro Signore.

Prefazio di Quaresima.

COMUNIONE - Signore, chi abiterà nella tua tenda? Chi dimorerà sul tuo santo monte? Colui che cammina senza colpa e pratica la giustizia *(Sal 14,1-2).*
Oppure: Io ti ho condonato tutto quel debito perché tu mi hai pregato. Non dovevi anche tu aver pietà del tuo fratello? *(Cfr. Mt 18,32-33).*

DOPO LA COMUNIONE - La partecipazione ai santi misteri rinnovi, o Padre, la nostra vita, ci ottenga la libertà dal peccato e il conforto della tua protezione. Per Cristo nostro Signore.

ORAZIONE SUL POPOLO ***ad libitum*** - O Dio, maestro e guida del tuo popolo, allontana da questi tuoi figli i peccati che li opprimono, perché vivano conformi alla tua volontà e sicuri della tua protezione. Per Cristo nostro Signore.

Commenti

1ª LETTURA - Nella richiesta «Da' gloria al tuo nome» troviamo la chiave di lettura dell'accorata preghiera di Azarìa. Pur trovandosi nel fuoco della fornace a motivo della persecuzione, Azarìa non si preoccupa di ciò che ne sarà di lui, dei suoi amici o del suo popolo, né dell'umiliazione che sta subendo o della profanazione del tempio; ciò che teme di più è che il nome del Signore perda la sua gloria, cioè il suo peso, la sua potenza. Non si tratta di fanatismo, ma di una convinzione che nasce dalla sua profonda fede: tutti gli avvenimenti dolorosi non nuocciono a Israele, anzi lo purificano. È nella prova che il popolo eletto ritrova il cuore contrito e lo spirito umiliato graditi al Signore come vero sacrificio. Allora rinasce la speranza, perché la fedeltà alle promesse antiche fatte da Dio ai patriarchi non viene meno e così la grandezza della sua misericordia può abbondare in benevolenza e benedizione sul popolo dell'alleanza. Per questo motivo la preghiera di Azarìa muta da salmo penitenziale a inno di lode cantato all'unisono dai tre fanciulli nelle fiamme della fornace.

VANGELO - La sfida a cui ci chiama Gesù non è a essere soltanto delle brave persone perché andiamo in chiesa, ma uomini e donne capaci di perdono. Nessuno perdona istantaneamente un torto subìto, – e neanche è giusto farlo – ma con una certa pratica possiamo capire che la nostra umanità si dimostra nella capacità di essere aperti al perdono, ricevuto o donato. Certe situazioni si sciolgono soltanto con il perdono, altrimenti restano come vicoli ciechi, senza nessuna via d'uscita; magari per lunghi anni e, per qualcuno, anche per tutta la vita! Sappiamo che il perdono è difficile e costa tanta fatica, ma non dobbiamo far prevalere sul nostro cuore il risentimento e la vendetta. Io per primo sperimento la difficoltà nel perdonare un torto subìto, soprattutto quando sono fermamente persuaso di avere ragione. Tuttavia, quando alla fine mi convinco a fare un passo indietro, vedo che quella situazione o quella relazione fa cento passi in avanti. Forse quella persona non merita il tuo perdono? Tu certamente meriti la pace del cuore. Chiediamo nella preghiera il coraggio di perdonare e di accettare il perdono: non solo sette volte, ma settanta volte sette. Cioè sempre!

☐ **PROPOSITO DEL GIORNO...** Oggi, nella mia preghiera, domanderò al Signore la grazia di riuscire a perdonare una persona con cui ho avuto dei dissapori.

☐ PRATICHE E FESTE DEL GIORNO...

- Pratiche e preghiere di ogni giorno consigliate per il mese di marzo *(pag. 727)*.
- Preghiera al beato Giacomo Cusmano.
- Festa Madonna della Colonna, Savona.

SANTI E BEATI DEL GIORNO

S. Alessandro • S. Lazzaro di Milano • **S. Matilde** • S. Paolina • B. Eva • B. Giacomo Cusmano

IMITIAMO LA VITA DEI SANTI, *che siano di esempio*

SANTA MATILDE: dalla corte al monastero.

La regina di Germania Matilde, sposa di Enrico, vive a palazzo una vera e propria **vita monacale, fatta di carità verso i poveri e assistenza ai malati**. Ma non riesce a dedicare tutto il tempo che vorrebbe a queste pratiche, così di notte resta sveglia in preghiera. La fortissima fede che la muove affonda le radici nella sua infanzia: Matilde nasce infatti in una famiglia profondamente religiosa che la manda a studiare nel monastero di Herford, in Westfalia, dove sua nonna è badessa. Ne torna istruita e devota: oltre ad aver coltivato la sua fede, infatti, sa leggere e scrivere e s'interessa perfino di politica.

Quando nel 936 il marito muore, lei si spoglia di tutti i suoi averi e privilegi. Nel frattempo si apre una battaglia tra i figli per la successione: alla fine Ottone diventa re di Germania e nel 962, quando si reca a Roma per ricevere la corona imperiale, è Matilde a reggere il regno dal suo rifugio nel monastero di Nordhausen.

La regina vive gli ultimi anni come fosse una monaca, **sempre generosa e caritatevole verso tutti ed estranea alla mondanità e alle prerogative del suo rango**. Quando muore, nel monastero di Quedlinburg, in molti la chiamano già **"la santa regina"**.

15 MARZO

MERCOLEDÌ

3ª settimana di Quaresima

viola **3ª sett. salt.**

ANTIFONA D'INGRESSO - Rendi saldi i miei passi secondo la tua promessa; non permettere che mi domini alcun male *(Sal 118,133).*

COLLETTA - Concedi a noi, o Signore, che, nutriti dalla tua parola e formati nell'impegno quaresimale, ti serviamo con purezza di cuore e siamo sempre concordi nella preghiera. Per il nostro Signore…

PRIMA LETTURA Dt 4,1.5-9

Dal libro del Deuteronòmio

Mosè parlò al popolo e disse: «Ora, Israele, ascolta le leggi e le norme che io vi insegno, affinché le mettiate in pratica, perché viviate ed entriate in possesso della terra che il Signore, Dio dei vostri padri, sta per darvi. Vedete, io vi ho insegnato leggi e norme come il Signore, mio Dio, mi ha ordinato, perché le mettiate in pratica nella terra in cui state per entrare per prenderne possesso. Le osserverete dunque, e le metterete in pratica, perché quella sarà la vostra saggezza e la vostra intelligenza agli occhi dei popoli, i quali, udendo parlare di tutte queste leggi, diranno: "Questa grande nazione è il solo popolo saggio e intelligente". Infatti quale grande nazione ha gli dèi così vicini a sé, come il Signore, nostro Dio, è vicino a noi ogni volta che lo invochiamo? E quale grande nazione ha leggi e norme giuste come è tutta questa legislazione che io oggi vi do? Ma bada a te e guàrdati bene dal dimenticare le cose che i tuoi occhi hanno visto, non ti sfuggano dal cuore per tutto il tempo della tua vita: le insegnerai anche ai tuoi figli e ai figli dei tuoi figli». **Parola di Dio.**

SALMO RESPONSORIALE Dal Salmo 147

℟. **Celebra il Signore, Gerusalemme.**

Celebra il Signore, Gerusalemme,
loda il tuo Dio, Sion,
perché ha rinforzato le sbarre delle tue porte,
in mezzo a te ha benedetto i tuoi figli. ℟.

Manda sulla terra il suo messaggio:
la sua parola corre veloce.
Fa scendere la neve come lana,
come polvere sparge la brina. ℟.

Annuncia a Giacobbe la sua parola,
i suoi decreti e i suoi giudizi a Israele.
Così non ha fatto con nessun'altra nazione,
non ha fatto conoscere loro i suoi giudizi. ℟.

CANTO AL VANGELO — Cfr. Gv 6,63c.68c

Gloria e lode a te, o Cristo!
Le tue parole, Signore, sono spirito e vita;
tu hai parole di vita eterna.
Gloria e lode a te, o Cristo!

VANGELO — Mt 5,17-19

✠ *Dal Vangelo secondo Matteo*

In quel tempo, Gesù disse ai suoi discepoli: «Non crediate che io sia venuto ad abolire la Legge o i Profeti; non sono venuto ad abolire, ma a dare pieno compimento. In verità io vi dico: finché non siano passati il cielo e la terra, non passerà un solo iota o un solo trattino della Legge, senza che tutto sia avvenuto. Chi dunque trasgredirà uno solo di questi minimi precetti e insegnerà agli altri a fare altrettanto, sarà considerato minimo nel regno dei cieli. Chi invece li osserverà e li insegnerà, sarà considerato grande nel regno dei cieli». **Parola del Signore.**

SULLE OFFERTE - Accetta, o Signore, le offerte e le preghiere del tuo popolo e difendi da ogni pericolo i tuoi fedeli che celebrano i santi misteri. Per Cristo nostro Signore.

Prefazio di Quaresima.

COMUNIONE - Mi indicherai il sentiero della vita, gioia piena alla tua presenza *(Sal 15,11).*
Oppure: Chi osserverà e insegnerà i precetti del Signore sarà grande nel regno dei cieli *(Cfr. Mt 5,19).*

DOPO LA COMUNIONE - Il pane del cielo di cui ci siamo nutriti ci santifichi, o Signore, e, liberati da ogni colpa, ci renda degni delle tue promesse. Per Cristo nostro Signore.

Orazione sul popolo *ad libitum* - Concedi al tuo popolo, o Signore, di desiderare ciò che ti è gradito, perché solo nella conformità al tuo volere sarà ricolmato di ogni bene. Per Cristo nostro Signore.

Commenti

1ª lettura - Il libro del Deuteronòmio si apre con la rievocazione della fedeltà di Dio verso il suo popolo, Israele. Ora, nel brano proposto dalla Liturgia della Parola odierna, allo stesso popolo è richiesta una risposta di assoluta fedeltà a Dio attraverso il rispetto delle leggi e delle norme che Mosè ha insegnato loro. Queste non rappresentano solo una condizione per entrare nella terra promessa, ma anche un impegno ad adottare le norme e le leggi come stile di vita che gli altri popoli possono ammirare. Israele diventerà così, in mezzo alle nazioni, testimone del Dio vivo e vero, che ama l'uomo e si fa presente all'invocazione del suo nome, rivelato a Mosè. La lealtà verso Dio viene concretizzata, perciò, in una serie di azioni espresse nei comandamenti. Questi non sono da intendersi come semplici divieti, ma come risposta d'amore. E poiché si fondano sui precedenti benefici di Dio, per poterli praticare con libertà è indispensabile custodire il ricordo della storia salvifica: fare memoria delle opere del Signore aiuta il popolo a crescere nella gratitudine verso Dio e nell'osservanza delle sue leggi, di generazione in generazione.

Vangelo - Crea una certa confusione l'affermazione di Gesù. Egli dice chiaramente di non essere venuto ad abolire una virgola della Legge; tuttavia spesso entra in contrasto con i dottori della Legge e mette in discussione i loro precetti. Bisogna capirsi, allora. Gesù non si scaglia contro la Legge che Mosè aveva affidato a Israele, ma contro la sua prolifera interpretazione, che aveva portato alla nascita di circa seicento precetti tramandati oralmente di generazione in generazione. Questi precetti, molto spesso, non erano altro che tradizioni umane innalzate al rango di legge. Gesù, allora, si scaglia contro questa commistione fra la Legge donata da Dio e la legge creata dagli uomini, ritornando così all'essenziale: l'amore. Ecco il pieno compimento della Legge. Tutto quello che viene fatto solo per rispetto dei precetti, ma senza amore per Dio e per il prossimo, è vano. Non possiamo fare della nostra fede solo un insieme di regole da rispettare. Anche se la vita ci impone regole che non sono scritte da nessuna parte e che sono più rigide di quelle che Dio ha pensato per noi, l'unica regola da rispettare è sempre questa: non fare agli altri quello che non vorresti fosse fatto a te.

PROPOSITO DEL GIORNO... Oggi rifletterò sulle parole di don Ivan Licinio nel suo commento al Vangelo: "Non fare agli altri quello che non vorresti fosse fatto a te". Io come mi comporto con il mio prossimo?

PRATICHE E FESTE DEL GIORNO...

- Pratiche e preghiere di ogni giorno consigliate per il mese di marzo *(pag. 727)*.
- 1° giorno novena a santa Caterina di Svezia.
- Festa Madonna di Fossolovara, Strà (Venezia).

SANTI E BEATI DEL GIORNO

S. Luisa de Marillac • S. Clemente Maria Hofbauer • B. Artemide Zatti • B. Giovanni Adalberto Balicki

SANTA LUISA DE MARILLAC: «Non abbiate occhi e cuore che per i poveri».

Il Signore conosce e vede strade che gli uomini non sanno immaginare. Così è per Luisa de Marillac, nata in Francia nel 1591: di madre sconosciuta, orfana a 11 anni del padre, desiderava il convento, ma fu costretta a sposarsi per interesse, madre di un figlio che dava e aveva problemi... Il Signore la sceglie perché sia la "Madre dei poveri". Questo accade grazie a Dio e a Vincenzo de' Paoli, che il Signore le fa incontrare.

Il giorno di Pentecoste del 1623, mentre è raccolta in preghiera, Luisa ha infatti una sorta di illuminazione: «**Compresi** – scrive – **che sarebbe venuto un tempo in cui sarei stata nella condizione di fare i tre voti di povertà, castità e obbedienza**. Compresi che doveva essere in un luogo per soccorrere il prossimo».

Un anno dopo, quando Luisa sta affrontando gli ultimi due anni della malattia del marito, conosce Vincenzo, la sua opera e il suo essere accanto ai poveri: lui è un sacerdote dinamico e creativo, organizza a Parigi e nei villaggi circostanti le "Confraternite della Carità", composte da generose volontarie desiderose di aiutare i più bisognosi. Luisa intuisce quindi quale potrebbe essere il proprio compito e la propria missione nella Chiesa. Naturalmente comunica la sua intuizione a Vincenzo, che subito le risponde: «Sì che acconsento, mia cara damigella, acconsento sicuramente. Perché non dovrei volerlo io pure, se nostro Signore vi ha dato questo santo sentimento?... Possiate essere sempre un bell'albero di vita che produce frutti d'amore!».

E proprio a Luisa Vincenzo affida le sue giovani, affinché siano formate e accompagnate nel loro servizio materiale e spirituale. Luisa dice "sì" a questo progetto così innovativo e il 29 novembre 1633 prendono vita ufficialmente **le "Figlie della Carità", ovvero monache senza chiostro**, ma che – nelle parole del de' Paoli – **«hanno per monastero le case dei malati, per cella una stanza d'affitto, per cappella la chiesa parrocchiale, per chiostro le vie della città»**.

Nel servizio Luisa non si risparmia mai: in ogni suo gesto, in ogni sua preghiera mette così tanta devozione che Vincenzo de' Paoli esclama: **«Solo Dio conosce quale forza d'animo ella possieda!»**.

All'inizio del 1660, Luisa avverte che la fine è vicina, ma neanche allora cessa di incoraggiare le sue figlie: «Non abbiate occhi e cuore che per i poveri», raccomanda. Il suo cuore, stremato dalla fatica, cessa di battere il 15 marzo 1660.

16 MARZO

GIOVEDÌ

3ª settimana di Quaresima

viola **3ª sett. salt.**

ANTIFONA D'INGRESSO - «Io sono la salvezza del popolo», dice il Signore. «In qualunque prova mi invocherete, vi esaudirò, e sarò il vostro Signore per sempre».

COLLETTA - Dio grande e misericordioso, quanto più si avvicina la festa della nostra redenzione, tanto più cresca in noi il fervore per celebrare santamente il mistero della Pasqua. Per il nostro Signore…

PRIMA LETTURA Ger 7,23-28

Dal libro del profeta Geremìa

Così dice il Signore: «Questo ordinai loro: "Ascoltate la mia voce, e io sarò il vostro Dio e voi sarete il mio popolo; camminate sempre sulla strada che vi prescriverò, perché siate felici". Ma essi non ascoltarono né prestarono orecchio alla mia parola; anzi, procedettero ostinatamente secondo il loro cuore malvagio e, invece di rivolgersi verso di me, mi hanno voltato le spalle. Da quando i vostri padri sono usciti dall'Egitto fino ad oggi, io vi ho inviato con assidua premura tutti i miei servi, i profeti; ma non mi hanno ascoltato né prestato orecchio, anzi hanno reso dura la loro cervìce, divenendo peggiori dei loro padri. Dirai loro tutte queste cose, ma non ti ascolteranno; li chiamerai, ma non ti risponderanno. Allora dirai loro: Questa è la nazione che non ascolta la voce del Signore, suo Dio, né accetta la correzione. La fedeltà è sparita, è stata bandita dalla loro bocca». **Parola di Dio.**

SALMO RESPONSORIALE — Dal Salmo 94 (95)

℟. **Ascoltate oggi la voce del Signore:**
non indurite il vostro cuore.

Venite, cantiamo al Signore,
acclamiamo la roccia della nostra salvezza.
Accostiamoci a lui per rendergli grazie,
a lui acclamiamo con canti di gioia. ℟.

Entrate: prostràti, adoriamo,
in ginocchio davanti al Signore che ci ha fatti.
È lui il nostro Dio
e noi il popolo del suo pascolo,
il gregge che egli conduce. ℟.

Se ascoltaste oggi la sua voce!

«Non indurite il cuore come a Merìba,
come nel giorno di Massa nel deserto,
dove mi tentarono i vostri padri:
mi misero alla prova
pur avendo visto le mie opere». R.

CANTO AL VANGELO Cfr. Gl 2,12-13

Gloria e lode a te, o Cristo!
Ritornate a me con tutto il cuore, dice il Signore,
perché sono misericordioso e pietoso.
Gloria e lode a te, o Cristo!

VANGELO Lc 11,14-23

✠ *Dal Vangelo secondo Luca*

In quel tempo, Gesù stava scacciando un demonio che era muto. Uscito il demonio, il muto cominciò a parlare e le folle furono prese da stupore. Ma alcuni dissero: «È per mezzo di Beelzebùl, capo dei demòni, che egli scaccia i demòni». Altri poi, per metterlo alla prova, gli domandavano un segno dal cielo. Egli, conoscendo le loro intenzioni, disse: «Ogni regno diviso in se stesso va in rovina e una casa cade sull'altra. Ora, se anche Satana è diviso in se stesso, come potrà stare in piedi il suo regno? Voi dite che io scaccio i demòni per mezzo di Beelzebùl. Ma se io scaccio i demòni per mezzo di

Beelzebùl, i vostri figli per mezzo di chi li scacciano? Per questo saranno loro i vostri giudici. Se invece io scaccio i demòni con il dito di Dio, allora è giunto a voi il regno di Dio. Quando un uomo forte, bene armato, fa la guardia al suo palazzo, ciò che possiede è al sicuro. Ma se arriva uno più forte di lui e lo vince, gli strappa via le armi nelle quali confidava e ne spartisce il bottino. Chi non è con me è contro di me, e chi non raccoglie con me, disperde». **Parola del Signore.**

SULLE OFFERTE - Purificaci, o Signore, dal contagio del male, perché ti sia gradita la nostra offerta; non permettere che siamo attratti da falsi piaceri, tu che ci chiami a godere della vera gioia. Per Cristo nostro Signore.

Prefazio di Quaresima.

COMUNIONE - Tu hai dato, Signore, i tuoi precetti perché siano osservati interamente. Siano stabili le mie vie nel custodire i tuoi decreti *(Cfr. Sal 118,4-5)*.
Oppure: «Chi non è con me, è contro di me; e chi non raccoglie con me, disperde», dice il Signore *(Lc 11,23)*.

DOPO LA COMUNIONE - O Dio, che ci hai nutriti in questo sacramento, fa' che la forza della tua salvezza, operante nei santi misteri, trasformi tutta la nostra vita. Per Cristo nostro Signore.

ORAZIONE SUL POPOLO ***ad libitum*** - Nella tua misericordia guarda, o Signore, il popolo che implora la tua clemenza: come da te ha ricevuto la vita, così la tua grazia gli doni di ricercare il bene e di attuarlo ogni giorno. Per Cristo nostro Signore.

Commenti

1ª LETTURA - Il profeta denuncia la sordità d'Israele alla voce di Dio in un culto che ormai è diventato vuoto formalismo. Solo nell'ascolto obbediente – il primo comandamento infatti dice: «Ascolta Israele» – il popolo eletto può conoscere il suo Dio, diverso da ogni altra divinità o idolo. I veri profeti non cessano di esortare ma, accanto alla loro predicazione, vi è quella più facile e accomodante dei falsi profeti. La scelta è radicale, ne va della vita o della morte. Nel brano possiamo riscontrare che, alla premurosa sollecitudine di Dio che invia profeti, corrisponde l'atteggiamento del popolo che si rifiuta di ascoltare dimostrando, così, nessuna volontà né di pentimento né di conversione. Rimane una sola conclusione:

mentre il popolo ricade ostinatamente nell'idolatria e spiritualmente ritorna schiavo in Egitto, lontano da Dio, il profeta non cessa di rimanere fedele alla sua vocazione: mandato a smascherare questa situazione incresciosa, egli condivide con Dio la sofferenza di essere rifiutato, anzi di essere lui stesso tacciato di impostura da chi alla verità preferisce la menzogna.

VANGELO - Al male non si risponde mai con il male, eppure questa resta una delle tentazioni più subdole che abbiamo. Quando incontriamo il male vorremmo pareggiare i conti con lui mostrando di essere più forti, più astuti, anche se questo dovesse significare utilizzare i suoi stessi metodi. Niente di più sbagliato! Anche la folla del Vangelo di oggi, vedendo Gesù cacciare un demonio, pensa che egli sia uno che risponde al male con il male. Invece il Signore ci ricorda che alla potenza del male si risponde in un solo modo: con l'umiltà dell'amore. Gesù, morendo sulla croce, ha insegnato al mondo che l'umiltà dell'amore donato è l'unica vera potenza capace di vincere definitivamente il male. Quella che agli occhi degli uomini sembra una sconfitta diventa la vittoria più grande dell'amore. Non bisogna aspettare di essere perfetti per cominciare ad amare in questo modo, anzi essere umili vuol dire riconoscere le proprie fragilità e fare in modo che queste diventino occasioni di crescita e di incontro con Dio. Al contrario, chi pensa di essere perfetto, di avere la casa pulita, si ritroverà a ospitare il male con tutte le sue conseguenze.

☐ **PROPOSITO DEL GIORNO...** Oggi voglio ritagliarmi un momento di pausa dal frastuono del mondo. Assaporo lentamente un brano della Bibbia a cui sono legato particolarmente, mettendomi in un ascolto fecondo.

☐ **PRATICHE E FESTE DEL GIORNO...**

- Pratiche e preghiere di ogni giorno consigliate per il mese di marzo *(pag. 727)*.
- 1° giorno novena dell'Annunciazione del Signore.
- I quindici giovedì di santa Rita: 7° giovedì (cod. 8036, 8352), secondo lo schema in uso nel santuario di Santa Rita da Cascia.
- Anniversario traslazione dell'immagine della Madonna della Clemenza, Roma.

SANTI E BEATI DEL GIORNO

S. Eusebia • S. Giuliano • Ss. Ilario e Taziano • B. Ferdinando Valdes • **B. Giovanni Cacciafronte de Sordi**

BEATO GIOVANNI CACCIAFRONTE DE SORDI:
vescovo e martire, fedele alla Chiesa.

L'abate Giovanni Cacciafronte visse al tempo della lotta intrapresa dall'imperatore Federico Barbarossa contro il Papato e **riuscì a mantenere Cremona nell'obbedienza al Papa**. Giovanni era nato a Cremona verso il 1125 da genitori di nobilissime origini; la mamma, rimasta vedova, si risposò con il nobile Adamo Cacciafronte, il quale lo amò come un figlio proprio, dandogli il suo nome. Entrato a 16 anni come monaco benedettino nell'abbazia di San Lorenzo a Cremona, si fece notare per le sue qualità e le sue virtù e fu quindi nominato priore del piccolo monastero di San Vittore e poi abate della stessa grande abbazia di Cremona. Quando nella Chiesa scoppiò lo scisma, con l'elezione dell'antipapa Vittore IV, sostenuto da Federico Barbarossa contro il legittimo papa Alessandro III, l'abate restò fedele alla Chiesa a costo dell'esilio. In seguito il Papa lo incaricò del governo della diocesi di Mantova.

Il 16 marzo 1181 Giovanni concluse la sua vita con il martirio: **fu ucciso da un certo Pietro**, un feudatario che sì vendicò perché il vescovo **l'aveva scomunicato e privato dei beni, a causa delle sue frequenti violazioni dei diritti delle Chiesa**.

17 MARZO

VENERDÌ

3ª settimana di Quaresima

viola 3ª sett. salt.

S. Patrizio, vescovo (comm)

ANTIFONA D'INGRESSO - Fra gli dèi nessuno è come te, Signore. Grande tu sei e compi meraviglie: tu solo sei Dio *(Sal 85,8.10).*

COLLETTA - Padre santo e misericordioso, infondi la tua grazia nei nostri cuori perché possiamo salvarci dagli sbandamenti umani e restare fedeli alla tua parola di vita eterna. Per il nostro Signore…

PRIMA LETTURA Os 14,2-10

Dal libro del profeta Osèa

Così dice il Signore: «Torna, Israele, al Signore, tuo Dio, poiché hai inciampato nella tua iniquità. Preparate le parole da dire e tornate al Signore; ditegli: "Togli ogni iniquità, accetta ciò che è bene: non offerta di tori immolati, ma la lode delle nostre labbra. Assur non ci salverà, non cavalcheremo più su cavalli, né chiameremo più 'dio nostro' l'opera delle nostre mani, perché presso di te l'orfano trova misericordia". Io li guarirò dalla loro infedeltà, li amerò profondamente, poiché la mia ira si è allontanata da loro. Sarò come rugiada per Israele; fiorirà come un giglio e metterà radici come un albero del Libano, si spanderanno i suoi germogli e avrà la bellezza dell'olivo e la fragranza del Libano. Ritorneranno a sedersi alla mia ombra, faranno rivivere il grano, fioriranno come le vigne, saranno famosi come il vino del Libano. Che ho ancora in comune con gli ìdoli, o Èfraim? Io l'esaudisco e veglio su di lui; io sono come un cipresso sempre verde, il tuo frutto è opera mia. Chi è saggio comprenda queste cose, chi ha intelligenza le comprenda; poiché rette sono le vie del Signore, i giusti camminano in esse, mentre i malvagi v'inciampano». **Parola di Dio.**

SALMO RESPONSORIALE Dal Salmo 80 (81)

℟. **Io sono il Signore, tuo Dio: ascolta la mia voce.**

Oppure:

℟. **Signore, tu hai parole di vita eterna.**

Un linguaggio mai inteso io sento:
«Ho liberato dal peso la sua spalla,
le sue mani hanno deposto la cesta.
Hai gridato a me nell'angoscia
e io ti ho liberato. ℟.

Nascosto nei tuoni ti ho dato risposta,
ti ho messo alla prova alle acque di Merìba.
Ascolta, popolo mio:
contro di te voglio testimoniare.
Israele, se tu mi ascoltassi! ℟.

Non ci sia in mezzo a te un dio estraneo
e non prostrarti a un dio straniero.
Sono io il Signore, tuo Dio,
che ti ha fatto salire dal paese d'Egitto. ℟.

Se il mio popolo mi ascoltasse!
Se Israele camminasse per le mie vie!
Lo nutrirei con fiore di frumento,
lo sazierei con miele dalla roccia». ℟.

CANTO AL VANGELO — Mt 4,17

Gloria e lode a te, o Cristo!
Convertitevi, dice il Signore,
perché il regno dei cieli è vicino.
Gloria e lode a te, o Cristo!

VANGELO — Mc 12,28b-34

✠ *Dal Vangelo secondo Marco*

In quel tempo, si avvicinò a Gesù uno degli scribi e gli domandò: «Qual è il primo di tutti i comandamenti?».

Gesù rispose: «Il primo è: “Ascolta, Israele! Il Signore nostro Dio è l’unico Signore; amerai il Signore tuo Dio con tutto il tuo cuore e con tutta la tua anima, con tutta la tua mente e con tutta la tua forza”. Il secondo è questo: **“Amerai il tuo prossimo come te stesso”**. Non c’è altro comandamento più grande di questi». Lo scriba gli disse: «Hai detto bene, Maestro, e secondo verità, che Egli è unico e non vi è altri all’infuori di lui; amarlo con tutto il cuore, con tutta l’intelligenza e con tutta la forza e amare il prossimo come se stesso vale più di tutti gli olocàusti e i sacrifici». Vedendo che egli aveva risposto saggiamente, Gesù gli disse: «Non sei lontano dal regno di Dio». E nessuno aveva più il coraggio di interrogarlo. **Parola del Signore.**

SULLE OFFERTE - Guarda con benevolenza, o Signore, questi doni che ti presentiamo perché siano a te graditi e diventino per noi sorgente di salvezza. Per Cristo nostro Signore.

Prefazio di Quaresima.

COMUNIONE - Amare Dio con tutto il cuore e amare il prossimo come se stessi vale più di tutti i sacrifici *(Cfr. Mc 12,33).*

DOPO LA COMUNIONE - La forza del tuo Spirito ci

pervada corpo e anima, o Signore, perché possiamo ottenere pienamente la redenzione alla quale abbiamo partecipato in questi santi misteri. Per Cristo nostro Signore.

ORAZIONE SUL POPOLO *ad libitum* - Volgi lo sguardo, o Signore, sui fedeli che implorano la tua misericordia, perché, confidando nella tua benevolenza, diffondano ovunque i doni del tuo amore. Per Cristo nostro Signore.

Commenti

1ª LETTURA - L'invito del profeta Osea a "ritornare" va letto come un invito alla conversione, riconoscendo il proprio peccato come causa di sventura. Occorre una confessione lucida e sincera della colpa; il profeta stesso suggerisce le parole per esprimerla e il modo di presentarla, accompagnandola non con vittime sacrificali, ma con una vita purificata e con l'offerta della lode. È necessaria poi la decisa rinuncia al male, ai compromessi, alle tante scelte idolatriche. Libero da ogni appoggio umano, il popolo si ritroverà apparentemente povero, ma proprio allora Dio in persona si prenderà cura di lui. Alla conversione del popolo, allora, corrisponde la "conversione" di Dio: egli desisterà dall'ira e con l'intensità del suo amore guarirà il male d'Israele, perdonerà la sua infedeltà. Gli effetti benefici di questo amore sono evocati in stupende immagini che richiamano un altro libro della Bibbia: il Cantico dei Cantici. Queste promesse giungono al culmine nel v. 9: per il popolo liberato dagli idoli Dio sarà «come un cipresso sempre verde».

Vangelo - Quando riflettiamo sul comandamento dell'amore, forse scivoliamo via troppo velocemente su quel "come te stesso". Prima di amare gli altri, Gesù chiede di amare sé stessi e, in qualche modo, obbliga a guardarsi dentro per comprendere il rapporto che si ha con la propria interiorità. In poche parole, Gesù sta dicendo: amati! Questo vuol dire accettare ciò che si è, con i propri limiti e i lati oscuri dei quali ci si vergogna. Dio ci ama per quello che siamo e nonostante quello che siamo. Sapersi amati in questo modo è motivo di grande gioia. Un falso cristianesimo ci impedisce di gioire di noi stessi, vedendo in questo atteggiamento un atto di egoismo. Egoista è, invece, chi non accetta il proprio limite perché si ostina a voler vedere un'immagine di sé che gli impedisce di rientrare in sé stesso e gioire per tutto quello che ha conquistato nonostante la sua fragilità. Allora chiediamoci oggi quanto ci amiamo, quanto ci perdoniamo. Sì, è vero, ci vuole tutta una vita per imparare ad amare, ma si può fare! Si può arrivare a guardarsi come ci vede e ci ama Dio. Solo così possiamo amare dell'amore che abbiamo ricevuto e vivere riconciliati nel profondo.

☐ **PROPOSITO DEL GIORNO...** Oggi cercherò di incontrare o contattare una persona che ho trascurato per mancanza di tempo o di volontà.

☐ **PRATICHE E FESTE DEL GIORNO...**

- Pratiche e preghiere di ogni giorno consigliate per il mese di marzo *(pag. 727)*.
- Astinenza dalle carni.
- Rosario delle sante piaghe (cod. 8001, 8194).
- Preghiere a Gesù crocifisso (cod. 8001, 8193, 8194).
- Rosario dei sette dolori (cod. 8001, 8140).
- I tredici venerdì di san Francesco da Paola: 11° venerdì (cod. 8473).
- 1° giorno triduo a san Giuseppe (cod. 8001, 8115, 8190).
- Festa Mater Domini, Mesagne (Brindisi).

ALTRI SANTI E BEATI DEL GIORNO

S. Corrado • S. Geltrude di Nivelles • **S. Giovanni Sarkander** • S. Paolo di Cipro • B. Tommasello da Perugia

SAN GIOVANNI SARKANDER: l'Eucaristia come unica difesa.

Giovanni Sarkander è un sacerdote martire che **ha difeso la sua terra "armato" dell'Eucaristia**. Siamo nel febbraio 1620, nel corso della Guerra dei Trent'anni, e la cavalleria del re polacco Sigismondo III Vasa, passando per la Slesia e la Moravia, devasta e incendia la regione. Holesov viene salvata perché Giovanni Sarkander esce incontro alle truppe con una processione eucaristica.

Lui, che era nato il 20 dicembre 1576 a Skoczów in Slesia, era figlio di una nobildonna e di un uomo d'origine più umile. Aveva studiato nel collegio dei Gesuiti, ma poi aveva lasciato gli studi con l'intenzione di sposare Anna Platská. Sembra però che la fidanzata morì prima delle nozze e il 22 marzo 1608 Giovanni Sarkander venne ordinato sacerdote. L'episodio del salvataggio della città aumentò il sospetto dei nobili di Moravia contro il parroco, che credevano alleato di re Sigismondo. Venne quindi catturato e fu sottoposto alla tortura del cavalletto e con le torce per ben tre ore. Solo le proteste dell'unico giudice cattolico del tribunale fecero smettere la tortura, ma Giovanni non sopravvisse al trattamento disumano e, dopo un mese di sofferenze in carcere, morì il 17 marzo 1620.

18 MARZO

SABATO

3ª settimana di Quaresima

viola **3ª sett. salt.**

S. Cirillo di Gerusalemme, vescovo e dottore della Chiesa (comm)

ANTIFONA D'INGRESSO - Benedici il Signore, anima mia, non dimenticare tutti i suoi benefici: egli perdona tutte le tue colpe *(Sal 102,2-3).*

COLLETTA - O Dio, nostro Padre, che nella celebrazione della Quaresima ci fai pregustare la gioia della Pasqua, donaci di contemplare e vivere i misteri della redenzione per godere la pienezza dei suoi frutti. Per il nostro Signore…

PRIMA LETTURA Os 6,1-6

Dal libro del profeta Osèa

«Venite, ritorniamo al Signore: egli ci ha straziato ed egli ci guarirà. Egli ci ha percosso ed egli ci fascerà. Dopo due giorni ci ridarà la vita e il terzo ci farà rialzare, e noi vivremo alla sua presenza. Affrettiamoci a conoscere il Signore, la sua venuta è sicura come l'aurora. Verrà a noi come la pioggia d'autunno, come la pioggia di primavera che feconda la terra». Che dovrò fare per te, Èfraim, che dovrò fare per te, Giuda? Il vostro amore è come una nube del mattino, come la rugiada che all'alba svanisce. Per questo li ho abbattuti per mezzo dei profeti, li ho uccisi con le parole della mia bocca e il mio giudizio sorge come la luce: poiché voglio l'amore e non il sacrificio, la conoscenza di Dio più degli olocàusti. **Parola di Dio.**

SALMO RESPONSORIALE Dal Salmo 50 (51)

℞. **Voglio l'amore e non il sacrificio.**

Oppure:

℞. **Tu gradisci, o Dio, gli umili di cuore.**

Pietà di me, o Dio, nel tuo amore;
nella tua grande misericordia
cancella la mia iniquità.
Lavami tutto dalla mia colpa,
dal mio peccato rendimi puro. ℞.

Tu non gradisci il sacrificio;
se offro olocàusti, tu non li accetti.
Uno spirito contrito è sacrificio a Dio;

un cuore contrito e affranto tu, o Dio, non disprezzi. ℟.

Nella tua bontà fa' grazia a Sion,
ricostruisci le mura di Gerusalemme.
Allora gradirai i sacrifici legittimi,
l'olocàusto e l'intera oblazione. ℟.

CANTO AL VANGELO Cfr. Sal 94 (95),8ab

Gloria e lode a te, o Cristo!
Oggi non indurite il vostro cuore,
ma ascoltate la voce del Signore.
Gloria e lode a te, o Cristo!

VANGELO Lc 18,9-14

✠ *Dal Vangelo secondo Luca*

In quel tempo, Gesù disse ancora questa parabola per alcuni che avevano l'intima presunzione di essere giusti e disprezzavano gli altri: «Due uomini salirono al tempio a pregare: uno era fariseo e l'altro pubblicano. Il fariseo, stando in piedi, pregava così tra sé: "O Dio, ti ringrazio perché non sono come gli altri uomini, ladri, ingiusti, adùlteri, e neppure come questo pubblicano. Digiuno due volte alla settimana e pago le decime di tutto quello che possiedo". Il pubblicano invece, fermatosi a distanza, non osava nemmeno alzare gli occhi al cielo, ma si batteva il petto dicendo: "O Dio, abbi pietà di me peccatore". Io vi dico: questi, a differenza dell'altro, tornò a casa sua giustificato, perché **chiunque si esalta sarà umiliato, chi invece si umilia sarà esaltato**». **Parola del Signore.**

SULLE OFFERTE - O Dio, che ci doni la grazia di accostarci con animo purificato ai tuoi misteri, concedi che, facendo memoria di quanto ci è stato trasmesso, innalziamo la lode a te gradita. Per Cristo nostro Signore.

Prefazio di Quaresima.

COMUNIONE - Il pubblicano, fermatosi a distanza, si batteva il petto dicendo: «O Dio, abbi pietà di me peccatore» *(Lc 18,13).*

DOPO LA COMUNIONE - Dio di misericordia, concedi a noi di celebrare sempre con sincera devozione e di ricevere con spirito di fede i sacramenti che ci doni con inesauribile larghezza. Per Cristo nostro Signore.

Orazione sul popolo *ad libitum* - Stendi la tua mano, o Signore, a difesa dei tuoi fedeli perché ti cerchino con tutto il cuore e vedano esauditi i loro giusti desideri. Per Cristo nostro Signore.

Commenti

1ª lettura - Quello che viene presentato nel brano di Osèa di oggi è un atto liturgico penitenziale al quale partecipa tutto il popolo. A fare da cornice c'è la guerra fra il regno di Israele e quello di Giuda con gli inevitabili orrori dell'occupazione, della distruzione, della deportazione e della morte. In questo contesto, il profeta esorta e ammonisce: tante disgrazie sono capitate perché il cuore era lontano da Dio, appagato da vuoti sacrifici e soprattutto povero di amore. Allora, con un'immagine frequente nella Sacra Scrittura, il popolo riconosce di essere un malato e si rivolge al suo Dio come l'unico medico: egli stesso ha prodotto la ferita in vista della correzione ed egli solo è in grado di guarirla. Tuttavia, Dio sa bene che il pentimento del popolo, in un momento tragico come quello della guerra, è interessato oltre che effimero. Nonostante ciò, non si stanca di invitare alla conversione; la sua parola è come una spada che inesorabilmente colpisce, ma per guarire: chiede amore, non olocausti, fiducia, non semplice osservanza di pratiche cultuali che sono sempre soggette a ipocrisia.

Vangelo - L'evangelista Luca mette a confronto due personaggi in preghiera. Dal loro modo di pregare si evince anche il loro modo di vivere e di rapportarsi a Dio e al prossimo. Ma come mai il Signore ascolta la preghiera del peccatore e non quella del giusto? In fondo il fariseo, nell'elencare i suoi meriti, sta dicendo la verità, mentre il pubblicano si sta accusando di peccati che veramente ha commesso. La differenza fra i due sta nel fatto che il primo, nel ringraziare Dio di essere così giusto, gli sta sostanzialmente dicendo di non aver bisogno di lui, anzi quasi vanta dei crediti nei suoi confronti. Dio, perciò, non può entrare nel cuore del fariseo, perché questo è colmo del suo ego spirituale. È un rischio che corriamo anche noi discepoli: in un mondo ossessionato dall'esteriorità potremmo essere tentati di concentrarci eccessivamente sulla nostra immagine spirituale, tanto da non sentire più l'abisso del nostro cuore che anela ad essere colmato dalla presenza di Dio. Il pubblicano, invece, battendosi il petto, bussa alla porta del cuore di Dio e questa gli viene spalancata, perché riconosce che Dio è più grande del nostro errore e perdona sempre.

PROPOSITO DEL GIORNO... Nella recita del Rosario chiedo alla Vergine il dono dell'umiltà.

PRATICHE E FESTE DEL GIORNO...

- Pratiche e preghiere di ogni giorno consigliate per il mese di marzo *(pag. 727)*.
- 13° sabato di Pompei.
- Preghiera a san Cirillo di Gerusalemme.
- Festa Nostra Signora della Misericordia, Savona.

ALTRI SANTI E BEATI DEL GIORNO

S. Salvatore Grionesos da Horta • S. Edoardo II il Martire • B. Illuminata Bembo • B. Marta Le Bouteiller

SAN CIRILLO DI GERUSALEMME: perseguitato perché fedele.

La storia di Cirillo è **una storia di persecuzione e di fedeltà alla Chiesa**, perché tutta la sua vita (315-387 ca.) è coinvolta nel travaglio della Chiesa dei primi secoli, segnati da dibattiti teologici anche molto aspri e dalle interferenze degli eventi politici nella vita ecclesiale.

Fu successore del vescovo Massimo nella sede episcopale di Gerusalemme nell'anno 348. Oppostosi alle dispute ariane (l'eresia ariana negava la divinità di Cristo), dovette subire più volte l'esilio. Quando poté finalmente tornare a Gerusalemme, trovò una comunità fortemente divisa, ma rifiutò di agire come i suoi avversari, convinto che **«l'errore ha molte forme, mentre la verità ha un solo volto»**. La sua fede fu sempre forte e retta, così come la sua fedeltà alla Chiesa.

Egli, illustrando il Credo, scrive: «Nell'apprendere e professare la fede, abbraccia e ritieni soltanto quella che ora ti viene proposta dalla Chiesa ed è garantita dalle Scritture. Ti consiglio di **portare con te questa fede come provvista di viaggio per tutti i giorni della tua vita** e di non prenderne mai altra fuori di essa».

19 MARZO

DOMENICA

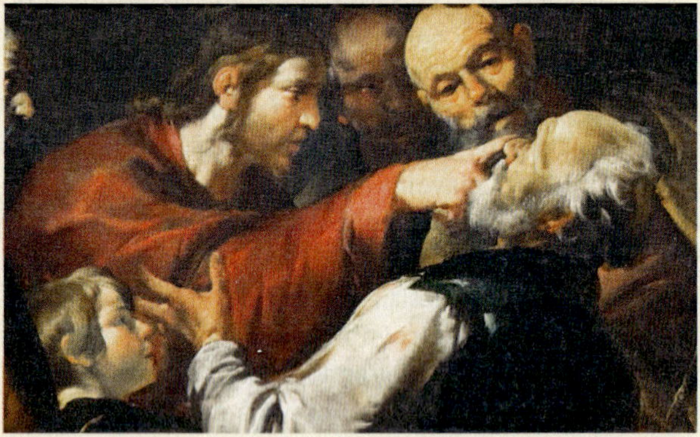

4ª domenica di Quaresima (A) "Laetare"

rosaceo o viola **4ª sett. salt.**

ANTIFONA D'INGRESSO - Rallegrati, Gerusalemme, e voi tutti che l'amate radunatevi. Sfavillate di gioia con essa, voi che eravate nel lutto. Così gioirete e vi sazierete al seno delle sue consolazioni *(Cfr. Is 66,10-11)*.

Non si dice il Gloria.

COLLETTA - Preghiamo: O Padre, che per mezzo del tuo Figlio operi mirabilmente la redenzione del genere umano, concedi al popolo cristiano di affrettarsi con fede viva e generoso impegno verso la Pasqua ormai vicina. Per il nostro Signore… **Amen.**

Oppure: O Dio, Padre della luce, che conosci le profondità dei cuori, apri i nostri occhi con la grazia del tuo Spirito, perché vediamo colui che hai mandato a illuminare il mondo e crediamo in lui solo: Gesù Cristo, tuo Figlio, nostro salvatore. Egli è Dio… **Amen.**

(seduti)

PRIMA LETTURA 1Sam 16,1b.4.6-7.10-13

Dal primo libro di Samuèle

In quei giorni, il Signore disse a Samuèle: «Riempi d'olio il tuo corno e parti. Ti mando da Iesse il Betlemmita, perché mi sono scelto tra i suoi figli un re». Samuèle fece quello che il Signore gli aveva comandato. Quando fu entrato, egli vide Eliàb e disse: «Certo, davanti al Signore sta il suo consacrato!». Il Signore replicò a Samuèle: «Non guardare al suo aspetto né alla sua alta statura. Io l'ho scartato, perché non conta quel che vede l'uomo: infatti **l'uomo vede l'apparenza, ma il Signore vede il cuore**». Iesse fece passare davanti a Samuèle i suoi sette figli e Samuèle ripeté a Iesse: «Il Signore non ha scelto nessuno di questi». Samuèle chiese a Iesse: «Sono qui tutti i giovani?». Rispose Iesse: «Rimane ancora il più piccolo, che ora sta a pascolare il gregge». Samuèle disse a Iesse: «Manda a prenderlo, perché non ci metteremo a tavola prima che egli sia venuto qui». Lo mandò a chiamare e lo fece venire. Era fulvo, con begli occhi e bello di aspetto. Disse il Signore: «Àlzati e ungilo: è lui!». Samuèle prese il corno dell'olio e lo unse in mezzo ai suoi fratelli, e lo spirito del Signore irruppe su Davide da quel giorno in poi. - Parola di Dio. ℟. **Rendiamo grazie a Dio.**

SALMO RESPONSORIALE Dal Salmo 22 (23)

℟. **Il Signore è il mio pastore: non manco di nulla.**

Il Signore è il mio pastore:
non manco di nulla.
Su pascoli erbosi mi fa riposare,
ad acque tranquille mi conduce.
Rinfranca l'anima mia. ℟.

Mi guida per il giusto cammino
a motivo del suo nome.
Anche se vado per una valle oscura,
non temo alcun male, perché tu sei con me.

Il tuo bastone e il tuo vincastro
mi danno sicurezza. ℟.

Davanti a me tu prepari una mensa
sotto gli occhi dei miei nemici.
Ungi di olio il mio capo;
il mio calice trabocca. ℟.

Sì, bontà e fedeltà mi saranno compagne
tutti i giorni della mia vita,
abiterò ancora nella casa del Signore
per lunghi giorni. ℟.

SECONDA LETTURA — Ef 5,8-14

Dalla lettera di san Paolo apostolo agli Efesìni

Fratelli, un tempo eravate tenebra, ora siete luce nel Signore. Comportatevi perciò come figli della luce; ora il frutto della luce consiste in ogni bontà, giustizia e verità. Cercate di capire ciò che è gradito al Signore. Non partecipate alle opere delle tenebre, che non danno frutto, ma piuttosto condannatele apertamente. Di quanto viene fatto in segreto da [coloro che disobbediscono a Dio] è vergognoso perfino parlare, mentre tutte le cose apertamente condannate sono rivelate dalla luce: tutto quello che si manifesta è luce. Per questo è detto: «Svégliati, tu che dormi, risorgi dai morti e Cristo ti illuminerà». - Parola di Dio. R. **Rendiamo grazie a Dio.**

(in piedi)

CANTO AL VANGELO Cfr. Gv 8,12

Gloria a te, o Cristo, Verbo di Dio!
Io sono la luce del mondo, dice il Signore;
chi segue me, avrà la luce della vita.
Gloria a te, o Cristo, Verbo di Dio!

VANGELO Gv 9,1-41

Forma breve: [ ] Gv 9,1.6-9.13-17.34-38

Il Signore sia con voi.
R. **E con il tuo spirito.**
✠ *Dal Vangelo secondo Giovanni*
R. **Gloria a te, o Signore.**

[In quel tempo, Gesù passando vide un uomo cieco dalla nascita] e i suoi discepoli lo interrogarono: «Rabbì, chi ha peccato, lui o i suoi genitori, perché sia nato cieco?». Rispose Gesù: «Né lui ha peccato né i suoi genitori, ma è perché in lui siano manifestate le opere di Dio. Bisogna che noi compiamo le opere di colui che mi ha mandato finché è giorno; poi viene la notte, quando nessuno può agire. Finché io sono nel mondo, sono la luce del mondo». Detto questo, [sputò per terra, fece del fango con la saliva, spalmò il fango sugli occhi del cieco e gli disse: «Va' a lavarti nella piscina di Sìloe», che significa "Inviato". Quegli andò, si lavò e tornò che ci vedeva. Allora i vicini e quelli che lo avevano visto prima, perché era un mendicante, dicevano: «Non è lui quello che stava seduto a chiedere l'elemosina?». Alcuni dicevano: «È lui»; altri dicevano: «No, ma è uno che gli assomiglia». Ed egli diceva: «Sono io!».] Allora gli domandarono: «In che modo ti sono stati aperti gli occhi?». Egli rispose: «L'uomo che si chiama Gesù ha fatto del fango, me lo ha spalmato sugli occhi e mi ha detto: "Va' a Sìloe e làvati!". Io sono andato, mi sono lavato e ho acquistato la vista». Gli dissero: «Dov'è costui?». Rispose: «Non lo so». [Condussero dai farisei quello che era stato cieco: era un sabato, il giorno in cui Gesù aveva fatto del fango e gli aveva aperto gli occhi. Anche i farisei dunque gli chiesero di nuovo come aveva acquistato la vista. Ed egli disse loro: «Mi ha messo del fango sugli occhi, mi sono lavato e ci vedo». Allora alcuni dei farisei dicevano: «Quest'uomo non viene da Dio, perché non osserva il sabato». Altri invece dicevano: «Come può un peccatore compiere segni di questo genere?». E c'era dissenso tra loro. Allora dissero di nuovo al cieco:

«Tu, che cosa dici di lui, dal momento che ti ha aperto gli occhi?». Egli rispose: «È un profeta!».] Ma i Giudei non credettero di lui che fosse stato cieco e che avesse acquistato la vista, finché non chiamarono i genitori di colui che aveva ricuperato la vista. E li interrogarono: «È questo il vostro figlio, che voi dite essere nato cieco? Come mai ora ci vede?». I genitori di lui risposero: «Sappiamo che questo è nostro figlio e che è nato cieco; ma come ora ci veda non lo sappiamo, e chi gli abbia aperto gli occhi, noi non lo sappiamo. Chiedetelo a lui: ha l'età, parlerà lui di sé». Questo dissero i suoi genitori, perché avevano paura dei Giudei; infatti i Giudei avevano già stabilito che, se uno lo avesse riconosciuto come il Cristo, venisse espulso dalla sinagoga. Per questo i suoi genitori dissero: «Ha l'età: chiedetelo a lui!». Allora chiamarono di nuovo l'uomo che era stato cieco e gli dissero: «Da' gloria a Dio! Noi sappiamo che quest'uomo è un peccatore». Quello rispose: «Se sia un peccatore, non lo so. Una cosa io so: ero cieco e ora ci vedo». Allora gli dissero: «Che cosa ti ha fatto? Come ti ha aperto gli occhi?». Rispose loro: «Ve l'ho già detto e non avete ascoltato; perché volete udirlo di nuovo? Volete forse diventare anche voi suoi discepoli?». Lo insultarono e dissero: «Suo discepolo sei tu! Noi siamo discepoli di Mosè! Noi sappiamo che a Mosè ha parlato Dio; ma costui non sappiamo di dove sia». Rispose loro quell'uomo: «Proprio questo stupisce: che voi non sapete di dove sia, eppure mi ha aperto gli occhi. Sappiamo che Dio non ascolta i peccatori, ma che, se uno onora Dio e fa la sua volontà, egli lo ascolta. Da che mondo è mondo, non si è mai sentito dire che uno abbia aperto gli occhi a un cieco nato. Se costui non venisse da Dio, non avrebbe potuto far nulla». [Gli replicarono: «Sei nato tutto nei peccati e insegni a noi?». E lo cacciarono fuori. Gesù seppe che l'avevano cacciato fuori; quando lo trovò, gli disse: «Tu, credi nel Figlio dell'uomo?». Egli rispose: «E chi è, Signore, perché io creda in lui?». Gli disse Gesù: «Lo hai visto: è colui che parla con te». Ed egli disse: «Credo, Signore!». E si prostrò dinanzi a lui.] Gesù allora disse: «È per un giudizio che io sono venuto in questo mondo, perché coloro che non vedono, vedano e quelli che vedono, diventino ciechi». Alcuni dei farisei che erano con lui udirono queste parole e gli dissero: «Siamo ciechi anche noi?». Gesù rispose loro: «Se foste ciechi, non avreste alcun peccato; ma siccome dite: "Noi vediamo", il vostro peccato rimane». - Parola del Signore. R. **Lode a te o Cristo.**

Si dice il Credo *(pag. 15).*

(in piedi)

SULLE OFFERTE - Ti presentiamo con gioia, o Signore, i doni della redenzione eterna: concedi a noi di venerarli con fede e di offrirli degnamente per la salvezza del mondo. Per Cristo nostro Signore. **Amen.**

PREFAZIO - *Il cieco nato.* È veramente cosa buona e giusta, nostro dovere e fonte di salvezza, rendere grazie sempre e in ogni luogo a te, Signore, Padre santo, Dio onnipotente ed eterno, per Cristo Signore nostro. Nel mistero della sua incarnazione egli si è fatto guida del genere umano che camminava nelle tenebre, per condurlo alla luce della fede, e liberare con il lavacro di rigenerazione gli schiavi dell'antico peccato per elevarli alla dignità di figli. Per questo mistero di salvezza, il cielo e la terra ti adorano, intonando il cantico nuovo, e noi con tutte le schiere degli angeli proclamiamo senza fine la tua lode: **Santo...**

COMUNIONE - Il Signore ha spalmato un po' di fango sui miei occhi. Sono andato, mi sono lavato, ho acquistato la vista *(Cfr. Gv 9,11).*

Oppure: Gerusalemme è costruita come città salda e compatta. È là che salgono le tribù, le tribù del Signore, secondo la legge d'Israele, per lodare il nome del Signore *(Cfr. Sal 121,3-4)*.

Dopo la Comunione - **Preghiamo:** O Dio, che illumini ogni uomo che viene in questo mondo, fa' risplendere su di noi la luce della tua grazia, perché i nostri pensieri siano conformi alla tua sapienza e possiamo amarti con cuore sincero. Per Cristo nostro Signore. **Amen.**

Orazione sul popolo - Custodisci, o Signore, coloro che ti supplicano, sorreggi chi è fragile, vivifica sempre con la tua luce quanti camminano nelle tenebre del mondo e concedi loro, liberati da ogni male, di giungere ai beni eterni. Per Cristo nostro Signore. **Amen.**

Commenti

1ª lettura - La prima lettura di oggi ci aiuta a purificare lo sguardo che abbiamo sul mondo e sugli altri, ricalibrandolo su quello di Dio. Anche il vecchio Samuèle deve imparare a vedere con lo stesso sguardo di Dio. Il Signore infatti ha letteralmente visto tra i figli di Iesse un re secondo il suo volere e ora manda il profeta a consacrarlo. Come individuare tra i giovani che gli sfilano davanti colui che Dio ha scelto? Samuèle vede le qualità del primogenito, simili a quelle del precedente re Saul, ma il Signore gli indica un altro criterio di discernimento: il vedere di Dio, infatti, è diverso dal guardare dell'uomo, in quanto si rivolge al cuore e non all'esteriorità. Conformandosi a questo sguardo di Dio, Samuèle potrà scartare gli aitanti figli di Iesse e accogliere poi senza esitazione l'invito a consacrare re l'ultimogenito, neppure preso in considerazione da suo padre. Su questo piccolo si poserà stabilmente lo Spirito del Signore, quello Spirito che abbandona definitivamente il re Saul, ripudiato da Dio per la sua orgogliosa indocilità.

2ª LETTURA - Il termine chiave del brano paolino è la parola «luce», con preciso riferimento al sacramento del Battesimo. Per mezzo di esso i cristiani diventano «figli della luce», cioè membra di Cristo, «luce del mondo». Da questa reale trasformazione consegue, se si corrisponde alla grazia, una diversità di vita, in modo tale che le opere dei battezzati siano il frutto del sacramento ricevuto, la fragranza di Cristo e il profumo del suo Nome che si effonde su tutta la terra. Dalla luce deriva tutto ciò che è giusto, vero, buono. Sono questi i tre frutti principali che l'Apostolo menziona per il loro particolare riferimento alla vita comunitaria: l'amore benevolo, il rispetto del diritto altrui, la sincerità nelle parole e nei fatti. Una condotta autenticamente cristiana è, allora, raggio di luce che non solo – non tanto – giudica le tenebre, ma le penetra per trasformarle. Con la sua vita il discepolo di Cristo è perciò missionario: risvegliato dal sonno della morte (tale è la vita prima del Battesimo) risveglia a sua volta le coscienze, perché da infruttuose diventino feconde di bene.

VANGELO - Attraverso l'esperienza del cieco nato sappiamo che Gesù non ignora la nostra sofferenza, ma si ferma e ci incrocia così come siamo. Quest'incontro cambia radicalmente la vita. Il cieco non viene guarito solo dalla sua cecità ma, attraverso i gesti specifici che accompagnano la sua guarigione e che richiamano la creazione dell'uomo, capiamo che Gesù non si limita soltanto a guarire ma va oltre: ricrea una nuova vita! Il cieco non solo riacquisterà la vista, ma anche il coraggio e la dignità di vedere gli altri in faccia, occhi negli occhi. Non deve più vergognarsi e non ha paura di affrontare quei farisei che, invece di rallegrarsi per la sua guarigione, imbastiscono un processo contro di lui. Ora sono gli altri ad avere paura di lui, compresi i suoi genitori, bloccati dal giudizio della gente. Una volta guarito, compito del cieco è quello di testimoniare la gioia della luce nuova che ha ricevuto. Oggi facciamo nostra la domanda dei farisei a Gesù: «Siamo ciechi anche noi?», perché potremmo essere uomini che «hanno occhi e non vedono» (Sal 115). Invece, illuminato da Cristo, ognuno possa riaprire gli occhi del cuore e dire al mondo: «Una cosa io so: ero cieco e ora ci vedo».

PROPOSITO DEL GIORNO... Oggi mi sforzerò di vedere gli altri con lo sguardo di Dio, cercando di mettere da parte l'apparenza per poter vedere, capire e accogliere ciò che hanno nel cuore.

PRATICHE E FESTE DEL GIORNO...

- Pratiche e preghiere di ogni giorno consigliate per il mese di marzo *(pag. 727)*.
- Festa Nostra Signora dei Miracoli (Festa del Voto), Saronno (Varese).
- Festa Madonna della Pioggia, Bologna.

SANTI E BEATI DEL GIORNO

Ss. Quinto e compagni • B. Giovanni Buralli da Parma • B. Marcello Callo • B. Marco da Montegallo

20 MARZO

LUNEDÌ

San Giuseppe sposo della beata Vergine Maria (s) *bianco*

propria

SAN GIUSEPPE:

uomo di grande preghiera, giusto, sposo, padre.

La prima definizione di Giuseppe che incontriamo nel vangelo di Matteo è «giusto». Il promesso sposo di Maria, davanti all'inesplicabile gravidanza della sua fidanzata, non pensa al proprio orgoglio o alla propria dignità ferita: pensa invece a salvarla dalla cattiveria della gente licenziandola in segreto. Ma subito, in quella comprensibile angoscia, l'amore di Dio arriva a sollevar-

lo, un angelo viene a parlargli, **ad ispirargli la scelta più giusta, che è sempre quella di non aver paura**: «Non temere», gli dice (Mt 1,20) e lui prende Maria come sua sposa.
È indubbio che Giuseppe abbia amato Gesù con tutta la tenerezza che un padre ha per il proprio figlio: tutto ciò che Giuseppe fa è per proteggere ed educare questo misterioso bambino che gli è stato affidato. Grandissima missione! E dopo averlo cercato per tre giorni, durante i quali, Gesù era rimasto nel tempio a discutere con i dottori della legge, quale stupore sentir dire a quel ragazzino: «Non sapevate che io devo occuparmi delle cose del Padre mio?». Ma forse è lo smarrimento che ogni padre prova quando si accorge che **i propri figli non gli appartengono e che il loro destino è nelle mani di Dio**.

ANTIFONA D'INGRESSO - Ecco il servo fedele e prudente, che il Signore ha messo a capo della sua famiglia *(Cfr. Lc 12,42)*.

Si dice il Gloria *(pag. 12)*.

COLLETTA - **Preghiamo:** Dio onnipotente, che hai voluto affidare gli inizi della nostra redenzione alla custodia premurosa di san Giuseppe, per sua intercessione concedi alla tua Chiesa di cooperare fedelmente al compimento dell'opera di salvezza. Per il nostro Signore… **Amen.**

(seduti)

PRIMA LETTURA 2Sam 7,4-5a.12-14a.16

Dal secondo libro di Samuèle

In quei giorni, fu rivolta a Natan questa parola del Signore: «Va' e di' al mio servo Davide: Così dice il Signore: "Quando i tuoi giorni saranno compiuti e tu dormirai con i tuoi padri, io susciterò un tuo discendente dopo di te, uscito dalle tue viscere, e renderò stabile il suo regno. Egli edificherà una casa al mio nome e io renderò stabile il trono del suo regno per sempre. Io sarò per lui padre ed egli sarà per me figlio. La tua casa e il tuo regno saranno saldi per sempre davanti a te, il tuo trono sarà reso stabile per sempre"». - Parola di Dio. ℟. **Rendiamo grazie a Dio.**

SALMO RESPONSORIALE Dal Salmo 88 (89)

℟. **In eterno durerà la sua discendenza.**

Canterò in eterno l'amore del Signore,
di generazione in generazione
farò conoscere con la mia bocca la tua fedeltà,
perché ho detto: «È un amore edificato per sempre;
nel cielo rendi stabile la tua fedeltà». ℟.

«Ho stretto un'alleanza con il mio eletto,
ho giurato a Davide, mio servo.
Stabilirò per sempre la tua discendenza,
di generazione in generazione
edificherò il tuo trono». R.

«Egli mi invocherà: "Tu sei mio padre,
mio Dio e roccia della mia salvezza".
Gli conserverò sempre il mio amore,
la mia alleanza gli sarà fedele». R.

SECONDA LETTURA Rm 4,13.16-18.22

Dalla lettera di san Paolo apostolo ai Romani

Fratelli, non in virtù della Legge fu data ad Abramo, o alla sua discendenza, la promessa di diventare erede del mondo, ma in virtù della giustizia che viene dalla fede. Eredi dunque si diventa in virtù della fede, perché sia secondo la grazia, e in tal modo la promessa sia sicura per tutta la discendenza: non soltanto per quella che deriva dalla Legge, ma anche per quella che deriva dalla fede di Abramo, il quale è padre di tutti noi – come sta scritto: «Ti ho costituito padre di molti popoli» – davanti al Dio nel quale credette, che dà vita ai morti e chiama all'esistenza le cose che non esistono. Egli credette, saldo nella speranza contro ogni speranza, e così divenne padre di molti popoli, come gli era stato detto: «Così sarà la tua discendenza». Ecco perché gli fu accreditato come giustizia. - Parola di Dio. ℟. **Rendiamo grazie a Dio.**

(in piedi)

CANTO AL VANGELO Salmo 83 (84),5

Lode e onore a te, Signore Gesù.
Beato chi abita nella tua casa, Signore:
senza fine canta le tue lodi.
Lode e onore a te, Signore Gesù.

VANGELO Mt 1,16.18-21.24a

Il Signore sia con voi.
℟. **E con il tuo spirito.**
✠ *Dal Vangelo secondo Matteo*
℟. **Gloria a te, o Signore.**

Giacobbe generò Giuseppe, lo sposo di Maria, dalla quale è nato Gesù, chiamato Cristo. Così fu generato Gesù Cristo: sua madre Maria, essendo promessa sposa di Giuseppe, prima che andassero a vivere insieme si trovò incinta per opera dello Spirito Santo. Giuseppe suo sposo, poiché era uomo giusto e non voleva accusarla pubblicamente, pensò di ripudiarla in segreto. Mentre però stava considerando queste cose, ecco, gli apparve in sogno un angelo del Signore e gli disse: «Giuseppe, figlio di Davide, non temere di prendere con te Maria, tua sposa. Infatti il bambino che è generato in lei viene dallo Spirito Santo; ella darà alla luce un figlio e tu lo chiamerai Gesù: egli infatti salverà il suo popolo dai suoi peccati». Quando si destò dal sonno, **Giuseppe fece come gli aveva ordinato l'angelo del Signore**. - Parola del Signore. ℟. **Lode a te o Cristo.**

Oppure: Lc 2,41-51a

Il Signore sia con voi.

℟. **E con il tuo spirito.**

✠ *Dal Vangelo secondo Luca*

℟. **Gloria a te, o Signore.**

I genitori di Gesù si recavano ogni anno a Gerusalemme per la festa di Pasqua. Quando egli ebbe dodici anni, vi salirono secondo la consuetudine della festa. Ma, trascorsi i giorni, mentre riprendevano la via del ritorno, il fanciullo Gesù rimase a Gerusalemme, senza che i genitori se ne accorgessero. Credendo che egli fosse nella comitiva, fecero una giornata di viaggio, e poi si misero a cercarlo tra i parenti e i conoscenti; non avendolo trovato, tornarono in cerca di lui a Gerusalemme. Dopo tre giorni lo trovarono nel tempio, seduto in mezzo ai maestri, mentre li ascoltava e li interrogava. E tutti quelli che l'udivano erano pieni di stupore per la sua intelligenza e le sue risposte. Al vederlo restarono stupiti, e sua madre gli disse: «Figlio, perché ci hai fatto questo? Ecco, tuo padre e io, angosciati, ti cercavamo». Ed egli rispose loro: «Perché mi cercavate? Non sapevate che io devo occuparmi delle cose del Padre mio?». Ma essi non compresero ciò che aveva detto loro. Scese dunque con loro e venne a Nàzaret e stava loro sottomesso. - Parola del Signore. R. **Lode a te o Cristo.**

Si dice il Credo *(pag. 15).*

(in piedi)

SULLE OFFERTE - Donaci, o Padre, di servire al tuo altare con la stessa purezza di cuore che animò san Giuseppe nella fedele dedizione al tuo Figlio unigenito, nato dalla Vergine Maria. Per Cristo nostro Signore. **Amen.**

Prefazio di san Giuseppe, sposo della beata Vergine Maria.

COMUNIONE - Bene, servo buono e fedele: prendi parte alla gioia del tuo padrone (Mt 25,21).

DOPO LA COMUNIONE - **Preghiamo:** Proteggi

sempre la tua famiglia, o Signore, che hai nutrito a questo altare nella gioiosa memoria di san Giuseppe, e custodisci in noi i doni del tuo amore. Per Cristo nostro Signore. **Amen.**

Commenti

1ª LETTURA - Celebriamo oggi la festa di san Giuseppe poiché ieri la liturgia ha dato la precedenza alla celebrazione della quarta domenica di Quaresima, tempo forte dell'anno liturgico. La prima lettura ci parla, con accenti storici e teologici, della discendenza di Davide che regnerà per sempre. Sicuramente la profezia di Natan accenna a Salomone, figlio di Davide e costruttore del tempio, ma le parole «renderò stabile il trono del suo regno per sempre» indicano una lunga discendenza sul trono di Giuda. Tuttavia questa discendenza ebbe una fine storica e allora l'oracolo riceve forza profetica nell'allusione velata al Messia, discendente di Davide. È lui che regnerà per sempre nel suo regno, un regno che non sarà di questo mondo, ma spirituale, secondo il disegno di Dio per la salvezza dell'umanità. Chiaramente, la tradizione cristiana ha sempre riletto questo brano come profetico e messianico, applicandolo a Gesù, Messia discendente di Davide e quindi, indirettamente, anche a Giuseppe, ultimo anello della genealogia davidica e garante della trasmissione dell'eredità storica riguardo la promessa divina fatta a Israele.

2ª LETTURA - Nell'intento di sviluppare la lezione che deriva dalla vicenda di Abramo, l'Apostolo stabilisce un forte contrasto tra la legge e la giustizia che viene dalla fede. In primo luogo, Paolo mette in rilievo il fatto che la promessa di Dio ad Abramo non dipende dalla legge e così stabilisce, in modo inequivocabile, che la promessa di Dio è assoluta, preveniente e incondizionata. In secondo luogo l'Apostolo ribadisce che la fede è l'unica via che porta alla giustizia, cioè all'accoglienza del dono della salvezza. In questo la lettura si applica splendidamente a Giuseppe, uomo giusto. Veri discendenti di Abramo sono non tanto coloro che vivono secondo le esigenze e le pretese della legge, bensì coloro che accolgono il dono della fede e ne vivono con animo grato. Sotto questo profilo, Paolo definisce «eredi» di Abramo coloro che da lui hanno imparato la lezione della fede, e non solo l'obbedienza alla legge. Un'eredità estremamente preziosa e delicata perché essa sollecita e unifica diversi atteggiamenti di vita, tutti riconducibili all'ascolto di Dio che parla e comanda, che invita e promette.

VANGELO - Se c'è una cosa che oggi san Giuseppe ci insegna è dare valore ai sogni. Molte volte i nostri sogni coincidono con i sogni di Dio, anzi, come nel caso di Giuseppe, è proprio il sogno il luogo privilegiato da Dio per incontrare le nostre paure. «Non temere» è l'espressione preferita da Dio per entrare in dialogo con noi. Non temere di sognare! Purtroppo oggi ci scontriamo tante volte con chi non è più capace di sognare. Spesso i sogni, soprattutto quelli dei giovani, si scontrano con i soliti "abbiamo sempre fatto così", "niente mai cambierà", "pensi di cambiare il mondo?": espressioni tipiche di chi ha smesso di sognare un futuro migliore. I sogni dei giovani ci interrogano e ci mandano in crisi, eppure sono la risorsa più bella della Chiesa e di una Nazione. Il giovane Giuseppe ha seguito il suo sogno e ha cambiato il mondo! Che ogni padre custodisca i sogni dei suoi figli dando loro tutti gli strumenti per continuare a sognare. Permettiamo ai sogni dei giovani di cambiare la nostra vita monotona e grigia. Non invidiamoli, non ostacoliamoli, ma lasciamoci prendere dal loro entusiasmo e dalla loro creatività. Cosa ci costa sognare? Vuoi vedere che davvero lo cambiamo questo mondo?

Oppure - I santi coniugi, nella confusione del Tempio e della carovana di ritorno a casa, dimenticano Gesù dodicenne a Gerusalemme. Ognuno pensava che Gesù fosse con l'altro e solo dopo alcuni giorni si accorgeranno della sua assenza. Allora Maria e Giuseppe, angosciati, tornano indietro per cercarlo. Ogni volta che perdiamo Gesù significa che abbiamo perso il senso del nostro andare, la direzione del nostro cammino. Maria e Giuseppe sono esemplari perché, quando si rendono conto di aver perso Gesù, sono capaci di tornare indietro, di andarlo a cercare. Possa il Vangelo di oggi ricordare a ciascuno di noi che se da un lato è vero che ci sono cose che, una volta rotte, non si possono più rimettere insieme, dall'altro ci dice che tante volte basta tornare indietro, basta fare un passo indietro, basta prendere sul serio quell'angoscia e quella tristezza di Maria e Giuseppe nell'accorgersi di aver perso Gesù. Saranno questi sentimenti a riportarci lì dove siamo rimasti bloccati, lì dove abbiamo perso quel senso, lì dove è aperta quella ferita. E magari lì ritroveremo

Gesù a spiegarci che avevamo perso il senso perché avevamo cominciato a vivere ciascuno per conto proprio, ciascuno secondo sé stesso.

PROPOSITO DEL GIORNO... Oggi chiedo a san Giuseppe di intercedere per me affinché io possa essere docile alla volontà di Dio come lo è stato lui. Lo invocherò con la preghiera "A te, o beato Giuseppe".

PRATICHE E FESTE DEL GIORNO...

- Pratiche e preghiere di ogni giorno consigliate per il mese di marzo *(pag. 727)*.
- Onoriamo san Giuseppe con le litanie di san Giuseppe (cod. 8115).
- A te, o beato Giuseppe (cod. 8001, 8115, 8190).
- Informiamoci e conosciamo san Giuseppe (cod. 8008, 8019, 8670, 8115, 8393, 8930, 8957).
- Informiamoci e conosciamo la Santa Famiglia (cod. 8469).
- Festa Madonna dell'Abbondanza, Santa Maria del Quartiere, Parma.

ALTRI SANTI E BEATI DEL GIORNO

S. Giovanni Nepomuceno • S. Giuseppe Bilczewski • B. Ambrogio Sansedoni • B. Battista Spagnoli

SAN GIOVANNI NEPOMUCENO: martire del segreto sacramentale.

Giovanni è un giovane sacerdote, chiamato, suo malgrado, alla corte del re e che pagherà con la vita la sua fedeltà ai sacramenti. Originario di Nepomuk – località in cui nasce nel 1330 e che gli conserverà l'appellativo di "Nepomuceno" – è infatti una persona che **non usa la vocazione per fare carriera**. Tuttavia, nel 1393 l'arcivescovo di Praga lo vuole come suo vicario generale e, poiché è anche un brillante predicatore, come tale viene chiamato a corte da re Venceslao IV.

Rispetto al suo martirio, una tradizione vuole che la regina Giovanna di Baviera, donna dalla fede cristallina che ha trovato in Giovanni il suo confessore, trascorra ore in preghiera e sopporti con dignità i continui tradimenti del marito. Eppure, è Venceslao a dubitare della fedeltà della moglie: prima sospetta di una relazione con Giovanni, poi dell'esistenza di un qualche amante, di cui il confessore non può non sapere. Un giorno ordina al sacerdote di rivelargli le confidenze della regina, ma Giovanni si oppone: **non violerà il segreto della Confessione**. Per questo viene arrestato e gettato nel fiume Moldava, dove ancora oggi una croce ricorda il sacrificio di un **prete umile e coraggioso**, martire del segreto sacramentale.

21 MARZO

MARTEDÌ

4ª settimana di Quaresima

verde **4ª sett. salt.**

ANTIFONA D'INGRESSO - O voi tutti assetati, venite all'acqua; voi che non avete denaro, venite e dissetatevi con gioia *(Cfr. Is 55,1).*

COLLETTA - Dio fedele e misericordioso, questo tempo di penitenza e di preghiera disponga i cuori dei tuoi fedeli ad accogliere degnamente il mistero pasquale e a proclamare il lieto annuncio della tua salvezza. Per il nostro Signore…

PRIMA LETTURA Ez 47,1-9.12

Dal libro del profeta Ezechièle

In quei giorni [l'angelo] mi condusse all'ingresso del tempio [del Signore] e vidi che sotto la soglia del tempio usciva acqua verso oriente, poiché la facciata del tempio era verso oriente. Quell'acqua scendeva sotto il lato destro del tempio, dalla parte meridionale dell'altare. Mi condusse fuori dalla porta settentrionale e mi fece girare all'esterno, fino alla porta esterna rivolta a oriente, e vidi che l'acqua scaturiva dal lato destro. Quell'uomo avanzò verso oriente e con una cordicella in mano misurò mille cùbiti, poi mi fece attraversare quell'acqua: mi giungeva alla caviglia. Misurò altri mille cùbiti, poi mi fece attraversare quell'acqua: mi giungeva al ginocchio. Misurò altri mille cùbiti, poi mi fece attraversare l'acqua: mi giungeva ai fianchi. Ne misurò altri mille: era un torrente che non potevo attraversare, perché le acque erano cresciute; erano acque navigabili, un torrente che non si poteva passare a guado. Allora egli mi disse: «Hai visto, figlio dell'uomo?». Poi mi fece ritornare sulla sponda del torrente; voltandomi, vidi che sulla sponda del torrente vi era una grandissima quantità di alberi da una parte e dall'altra. Mi disse: «Queste acque scorrono verso la regione orientale, scendono nell'Aràba ed entrano nel mare: sfociate nel mare, ne risanano le acque. Ogni essere vivente che si muove dovunque arriva il torrente, vivrà: il pesce vi sarà abbondantissimo, perché dove giungono quelle acque, risanano, e là dove giungerà il torrente tutto rivivrà. Lungo il torrente, su una riva e sull'altra, crescerà ogni sorta di alberi da frutto, le cui foglie non appassiranno: i loro

frutti non cesseranno e ogni mese matureranno, perché le loro acque sgorgano dal santuario. I loro frutti serviranno come cibo e le foglie come medicina».
Parola di Dio.

SALMO RESPONSORIALE Dal Salmo 45 (46)

R. **Dio è per noi rifugio e fortezza.**

Oppure:

R. **Con la tua presenza salvaci, Signore.**

Dio è per noi rifugio e fortezza,
aiuto infallibile si è mostrato nelle angosce.
Perciò non temiamo se trema la terra,
se vacillano i monti nel fondo del mare. R.

Un fiume e i suoi canali rallegrano la città di Dio,
la più santa delle dimore dell'Altissimo.
Dio è in mezzo ad essa: non potrà vacillare.
Dio la soccorre allo spuntare dell'alba. R.

Il Signore degli eserciti è con noi,
nostro baluardo è il Dio di Giacobbe.
Venite, vedete le opere del Signore,
egli ha fatto cose tremende sulla terra. R.

CANTO AL VANGELO Sal 50 (51),12a.14a

Gloria e lode a te, o Cristo, Verbo di Dio!
Crea in me, o Dio un cuore puro;
rendimi la gioia della tua salvezza.
Gloria e lode a te, o Cristo, Verbo di Dio!

VANGELO Gv 5,1-16

✠ *Dal Vangelo secondo Giovanni*

Ricorreva una festa dei Giudei e Gesù salì a Gerusalemme. A Gerusalemme, presso la porta delle Pecore, vi è una piscina, chiamata in ebraico Betzatà, con cinque portici, sotto i quali giaceva un grande numero di infermi, ciechi, zoppi e paralitici. Si trovava lì un uomo che da trentotto anni era malato. Gesù, vedendolo giacere e sapendo che da molto tempo era così, gli disse: «Vuoi guarire?». Gli rispose il malato: «Signore, non ho nessuno che mi immerga nella piscina quando l'acqua si agita. Mentre infatti sto per andarvi, un altro scende prima di me». Gesù gli disse: «Àlzati, prendi la tua barella e cammina». E all'istante quell'uomo guarì: prese la sua barella e cominciò a camminare. Quel giorno però era un sabato. Dissero dunque i Giudei all'uomo che era stato guarito: «È sabato e non ti è lecito portare la tua barella». Ma egli rispose loro: «Colui che mi ha guarito mi ha detto: "Prendi la tua barella e cammina"». Gli domandarono allora: «Chi è l'uomo che ti ha detto: "Prendi e cammina"?». Ma colui che era stato guarito non sapeva chi fosse; Gesù infatti si era allontanato perché vi era folla in quel luogo. Poco dopo Gesù lo trovò nel tempio e gli disse: «Ecco: sei guarito! Non peccare più, perché non ti accada qualcosa di peggio». Quell'uomo se ne andò e riferì ai Giudei che era stato Gesù a guarirlo. Per questo i Giudei perseguitavano Gesù, perché faceva tali cose di sabato. **Parola del Signore.**

SULLE OFFERTE - Ti offriamo, o Signore, i doni che ci hai dato a sostegno della nostra vita mortale perché diventino per noi farmaco di eternità. Per Cristo nostro Signore.

Prefazio di Quaresima.

COMUNIONE - Il Signore è il mio pastore: non manco di nulla. Su pascoli erbosi mi fa riposare, ad acque tranquille mi conduce *(Sal 22,1-2)*.
Oppure: «Signore, non ho nessuno che mi immerga

nella piscina quando l'acqua si agita». Gesù gli disse: «Alzati, prendi la tua barella e cammina» (Gv 5,7-8).

Dopo la Comunione - Purifica, o Signore, il nostro spirito e rinnovalo con questo sacramento di salvezza, perché anche il nostro corpo mortale riceva un germe di risurrezione e di vita nuova. Per Cristo nostro Signore.

Orazione sul popolo *ad libitum* - Concedi, Dio misericordioso, che il tuo popolo viva sempre nell'adesione piena alla tua volontà e ottenga incessantemente il sostegno della tua clemenza. Per Cristo nostro Signore.

Commenti

1ª lettura - Il clima arido della Palestina faceva sì che una sorgente fosse spesso considerata come simbolo della potenza vivificante di Dio. Talora perciò nei suoi paraggi veniva costruito un santuario. Nella visione di Ezechièle questa potenza di vita nuova sgorga dalla soglia stessa del tempio e fluisce verso Oriente, da dove era rientrata la gloria del Signore per dimorare in mezzo al popolo rimpatriato dall'esilio. È dapprima solo un piccolo corso d'acqua insignificante, se paragonato ai grandi fiumi della Mesopotamia che i deportati avevano conosciuto, ma diventa sempre più abbondante fino a essere un fiume navigabile. Al profeta è rivelata la straordinaria fecondità ed efficacia della sorgente: essa rende rigoglioso di vegetazione il territorio, risana il Mar Morto, fa pullulare i pesci e prosperare la gente. L'acqua che viene da Dio rende benefiche e feconde tutte le terre che lambisce. Il Nuovo Testamento accoglierà e compirà questa simbologia: Gesù è il vero tempio da cui zampilla l'acqua viva dello Spirito, un'acqua vivificante e rigeneratrice.

Vangelo - «Vuoi guarire?»: la domanda di Gesù al malato potrebbe sembrare una domanda retorica. Tutti vogliamo guarire tanto dalla malattia fisica quanto dal malessere generale che proviamo; tuttavia, dietro questa domanda c'è una richiesta più profonda. Ai tempi di Gesù, la malattia era vista come una punizione divina dei peccati e forse, dopo tanto tempo, dopo tanta indifferenza, l'uomo ai margini della piscina di Betzatà aveva finito col ritenersi veramente un condannato. A volte nella vita può accadere di non voler guarire interiormente e di non ammettere che, in fondo, non stiamo bene. Infatti, alla domanda di Gesù, l'uomo malato del Vangelo risponde dando la colpa agli altri; eppure, è molto improbabile che in tanti anni non abbia mai trovato qualcuno disposto ad aiutarlo a immergersi nell'acqua, considerata miracolosa, della piscina. Gesù, allora, con la sua domanda interroga la reale volontà del malato di guarire, perché Dio non ci salva senza la nostra collaborazione. Se vogliamo davvero guarire, dobbiamo avere il coraggio di alzarci dal nostro passato e la forza di ritornare a camminare. Sia la nostra Quaresima un tempo di reale conversione perché non ci «accada qualcosa di peggio».

PROPOSITO DEL GIORNO... Oggi offro il mio lavoro o le mie fatiche quotidiane a Maria santissima, rinnovandone l'offerta durante la giornata.

PRATICHE E FESTE DEL GIORNO...

- Pratiche e preghiere di ogni giorno consigliate per il mese di marzo *(pag. 727)*.

SANTI E BEATI DEL GIORNO

S. Benedetta Cambiagio Frassinello • S. Elia • **S. Nicola di Flüe** • B. Lucia da Verona • B. Matteo Flathers

SAN NICOLA DI FLÜE: «La misericordia vale più della giustizia».

Il cammino di Nicola può apparire sconcertante a uno sguardo umano: cinquantenne, laico, sposato da vent'anni e padre di dieci figli, ex soldato, contadino che poteva ritenersi soddisfatto del suo stato, Nicola si lascia condurre dalla chiamata di Dio – la cui voce aveva sentito molto presto – là dove non avrebbe mai pensato di arrivare. La decisione fu il risultato di una dura lotta interiore che egli paragona alla «lima che purifica e al pungolo che stimola». Alla fine **il Signore lo ricolma delle tre grazie che ha richiesto**: il parere favorevole di moglie e figli alla sua partenza, l'assenza di tentazione di tornare indietro e **la possibilità di vivere senza bere e senza mangiare**. Nel 1467 si ritira a vita monastica, stabilendosi in un luogo scosceso chiamato Ranft, dove si costruisce una misera cella fatta di assi. Per vent'anni lo trovano lì, **vestito di panno grezzo, scalzo, con il rosario in mano, a nutrirsi solo di Gesù Eucaristia**. In molti vanno da lui a parlargli, lo chiamano fratello Klaus. Lui riceve tutti e diffonde il messaggio evangelico: «In tutte le cose la misericordia vale più della giustizia», dice. Muore nella sua cella il giorno del suo settantesimo compleanno.

22 MARZO

MERCOLEDÌ

4ª settimana di Quaresima

viola **4ª sett. salt.**

ANTIFONA D'INGRESSO - Rivolgo a te la mia preghiera, o Signore, nel tempo della benevolenza. Nella tua grande bontà, rispondimi, o Dio, nella fedeltà della tua salvezza *(Sal 68,14)*.

COLLETTA - O Dio, che doni la ricompensa ai giusti e non rifiuti il perdono ai peccatori purificati dalla penitenza, abbi misericordia di noi, perché l'umile confessione delle nostre colpe ci ottenga la remissione dei peccati. Per il nostro Signore…

PRIMA LETTURA — Is 49,8-15

Dal libro del profeta Isaìa

Così dice il Signore: «Al tempo della benevolenza ti ho risposto, nel giorno della salvezza ti ho aiutato. Ti ho formato e ti ho stabilito come alleanza del popolo, per far risorgere la terra, per farti rioccupare

l'eredità devastata, per dire ai prigionieri: "Uscite", e a quelli che sono nelle tenebre: "Venite fuori". Essi pascoleranno lungo tutte le strade, e su ogni altura troveranno pascoli. Non avranno né fame né sete e non li colpirà né l'arsura né il sole, perché colui che ha misericordia di loro li guiderà, li condurrà alle sorgenti d'acqua. Io trasformerò i miei monti in strade e le mie vie saranno elevate. Ecco, questi vengono da lontano, ed ecco, quelli vengono da settentrione e da occidente e altri dalla regione di Sinìm». Giubilate, o cieli, rallégrati, o terra, gridate di gioia, o monti, perché il Signore consola il suo popolo e ha misericordia dei suoi poveri. Sion ha detto: «Il Signore mi ha abbandonato, il Signore mi ha dimenticato». Si dimentica forse una donna del suo bambino, così da non commuoversi per il figlio delle sue viscere? Anche se costoro si dimenticassero, io invece non ti dimenticherò mai.
Parola di Dio.

SALMO RESPONSORIALE Dal Salmo 144 (145)

℟. **Misericordioso e pietoso è il Signore.**

Misericordioso e pietoso è il Signore,
lento all'ira e grande nell'amore.

Buono è il Signore verso tutti,
la sua tenerezza si espande su tutte le creature. ℟.

Fedele è il Signore in tutte le sue parole
e buono in tutte le sue opere.
Il Signore sostiene quelli che vacillano
e rialza chiunque è caduto. ℟.

Giusto è il Signore in tutte le sue vie
e buono in tutte le sue opere.
Il Signore è vicino a chiunque lo invoca,
a quanti lo invocano con sincerità. ℟.

CANTO AL VANGELO Cfr. Gv 11,25a.26

Gloria e lode a te, o Cristo, Verbo di Dio!
Io sono la risurrezione e la vita, dice il Signore,
chiunque crede in me non morirà in eterno.
Gloria e lode a te, o Cristo, Verbo di Dio!

VANGELO Gv 5,17-30

✠ *Dal Vangelo secondo Giovanni*

In quel tempo, Gesù disse ai Giudei: «Il Padre mio agisce anche ora e anch'io agisco». Per questo i Giudei cercavano ancor più di ucciderlo, perché non soltanto violava il sabato, ma chiamava Dio suo Padre, facendosi uguale a Dio. Gesù riprese a parlare e disse loro: «In verità, in verità io vi dico: il Figlio da se stesso non può fare nulla, se non ciò che vede fare dal Padre; quello che egli fa, anche il Figlio lo fa allo stesso modo. Il Padre infatti ama il Figlio, gli manifesta tutto quello che fa e gli manifesterà opere ancora più grandi di queste, perché voi ne siate meravigliati. Come il Padre risuscita i morti e dà la vita, così anche il Figlio dà la vita a chi egli vuole. Il Padre infatti non giudica nessuno, ma ha dato ogni giudizio al Figlio, perché tutti onorino il Figlio come onorano il Padre. Chi non onora il Figlio, non onora il Padre che lo ha mandato. In verità, in verità io vi dico: chi ascolta la mia parola e crede a colui che mi ha mandato, ha la vita eterna e non va incontro al giudizio, ma è passato dalla morte alla vita. In verità, in verità io vi dico: viene l'ora – ed è questa – in cui i morti udranno la voce del Figlio di Dio e quelli che l'avranno ascoltata, vivranno. Come infatti il Padre ha la vita in se stesso, così ha concesso anche al Figlio di avere la vita in se stesso, e gli ha dato il potere di giudicare, perché è Figlio dell'uomo. Non meravigliatevi di questo: viene l'ora in cui tutti coloro che sono nei sepolcri udranno la sua voce e usciranno, quanti fecero il bene per una

risurrezione di vita e quanti fecero il male per una risurrezione di condanna. Da me, io non posso fare nulla. Giudico secondo quello che ascolto e il mio giudizio è giusto, perché non cerco la mia volontà, ma la volontà di colui che mi ha mandato».
Parola del Signore.

SULLE OFFERTE - La potenza di questo sacrificio, o Signore, cancelli l'antica schiavitù del peccato e faccia germogliare in noi novità di vita e salvezza. Per Cristo nostro Signore.

Prefazio di Quaresima

COMUNIONE - Dio ha mandato il Figlio non per condannare il mondo, ma perché il mondo sia salvato per mezzo di lui *(Gv 3,17)*.
Oppure: Chi ascolta la mia parola e crede a colui che mi ha mandato, ha la vita eterna e non va incontro al giudizio, ma è passato dalla morte alla vita *(Gv 5,24)*.

DOPO LA COMUNIONE - O Signore, fa' che non diventino per noi motivo di condanna i doni del cielo ricevuti come medicina di salvezza. Per Cristo nostro Signore.

Orazione sul popolo *ad libitum* - I tuoi fedeli, o Signore, siano protetti dalla tua benevolenza, perché, facendo il bene in questa vita, possano giungere a te, sorgente di ogni bontà. Per Cristo nostro Signore.

Commenti

1ª lettura - Il servo di YHWH sperimenta il fallimento e l'insuccesso, ma Dio gli infonde nuovo coraggio e dilata fino all'estremità della terra i confini della sua missione salvifica. Essa comporta in primo luogo la liberazione degli Israeliti dall'esilio, perché è giunto il tempo della misericordia, il giorno della salvezza. Dio ha i suoi tempi e i suoi giorni, nei quali offre grazia e realizza la promessa. Egli entra nel corso della storia umana per trasformarla. Nel disegno di Dio, il Servo è come Mosè: mediatore dell'alleanza. Sara l'araldo del nuovo esodo che il Signore stesso, «colui che ha misericordia», guiderà come buon pastore e agevolerà oltre ogni speranza. Un messaggio di vita è così rivolto agli esuli scoraggiati. Il cosmo intero inneggia, esultando per la misericordia che il Signore ha usato al popolo. Il suo amore è tenerezza profonda e viscerale; lo caratterizzano assoluta dedizione e fedeltà perenne. È come l'amore di una madre verso i figli. Sono immagini prese dal linguaggio umano per dire quanto Dio sia legato alle sue creature; non è un Dio lontano e impassibile, giudice implacabile, ma un Dio vicino e sollecito per la sorte di tutti i suoi figli.

VANGELO - Esiste questa regola elementare: l'esempio vale più delle parole. Vale soprattutto nel rapporto educativo, dove il figlio apprende le opere del genitore prima ancora che i suoi insegnamenti. Dobbiamo molto a chi ci ha insegnato a vivere attraverso la sua vita esemplare. Anche Gesù fa quello che vede fare dal Padre e lo rivela agli uomini. Ai Giudei che lo accusano di violare il sabato, non conformandosi al riposo di Dio stesso, egli rivela la propria conformità sostanziale di Figlio che in tutto agisce secondo ciò che ascolta dal Padre. Ne consegue che la fede si trasmette più con la testimonianza della nostra vita che con le tante parole che pronunciamo ma, a chi ascolta con fede la Parola e la custodisce nel suo cuore, è dato il potere di diventare figlio di Dio. Lo stesso Gesù patisce l'incomprensione, ma nessuno osa toccarlo quando egli compie un'opera di misericordia o un segno dell'amore del Padre. In questa Quaresima, allora, guariamo dalla presunzione di voler insegnare agli altri ciò che noi per primi non facciamo; viviamo da figli seguendo gli insegnamenti del Padre. D'altronde anche san Paolo VI diceva che «i giovani hanno bisogno più di testimoni che di maestri».

PROPOSITO DEL GIORNO... Nel corso della giornata, rivolgerò al Signore piccole preghiere o semplici parole di ringraziamento per tutte le volte in cui si è preso cura di me.

PRATICHE E FESTE DEL GIORNO...

- Pratiche e preghiere di ogni giorno consigliate per il mese di marzo *(pag. 727)*.
- Anniversario della 1ª apparizione della Madonna Addolorata, Castelpetroso (Campobasso).

SANTI E BEATI DEL GIORNO

S. Benvenuto Scotivoli • **S. Lea** • S. Nicola Owen • B. Antonio Cocq • B. Francesco Chartier

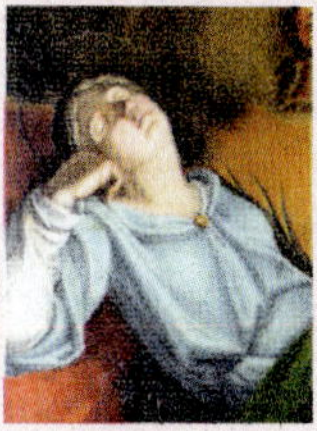

SANTA LEA:
da gran dama a serva, per amore di Gesù.

«Maestra di perfezione alle altre, più con l'esempio che con la parola, fu di un'umiltà così sincera e profonda che, **dopo essere stata gran dama con molta servitù ai suoi ordini, si considerò poi come una serva**», così san Girolamo descrive Lea, nobildonna romana, che conosciamo solo grazie a una lettera del Santo alla gentil donna Marcella, che diede vita a Roma a una comunità femminile di tipo quasi monastico nella sua residenza sull'Aventino.

Anche Lea è di famiglia nobile: rimasta vedova in giovane età, pareva che dovesse poi sposare un personaggio illustre, ma lei preferisce entrare invece nella comunità di Marcella, dove si studiano le Scritture e si prega insieme, vivendo in castità e povertà. Con questa scelta, Lea capovolge modi e ritmi della sua vita. E Girolamo dice di lei: Marcella ha in lei una fiducia totale: tant'è che le affida il compito di formare le giovani nella vita di fede. Sarebbe difficile riconoscere in lei l'aristocratica di un tempo, ora che «ha mutato le vesti delicate nel ruvido sacco» e mangia come mangiano i poveri che soccorre. Questo è il suo stile: agire e tacere. Fa così poco rumore che di lei non si sa altro, se non che, quando Girolamo ne parla, nel 384, Lea è già morta.

23 MARZO

GIOVEDÌ

4ª settimana di Quaresima

viola **4ª sett. salt.**

S. Turibio di Mogrovejo, vescovo (comm)

ANTIFONA D'INGRESSO - Gioisca il cuore di chi cerca il Signore. Cercate il Signore e la sua potenza, cercate sempre il suo volto *(Sal 104,3-4)*.

COLLETTA - Padre buono, supplichiamo la tua misericordia perché, purificati dalla penitenza e santificati dalle buone opere, possiamo camminare fedelmente nella via dei tuoi precetti e giungere rinnovati alle feste pasquali. Per il nostro Signore…

PRIMA LETTURA Es 32,7-14

Dal libro dell'Èsodo

In quei giorni, il Signore disse a Mosè: «Va', scendi, perché il tuo popolo, che hai fatto uscire dalla terra d'Egitto, si è pervertito. Non hanno tardato ad allontanarsi dalla via che io avevo loro indicato! Si sono fatti un vitello di metallo fuso, poi gli si sono prostràti dinanzi, gli hanno offerto sacrifici e hanno detto: "Ecco il tuo Dio, Israele, colui che ti ha fatto uscire dalla terra d'Egitto"». Il Signore disse inoltre a Mosè: «Ho osservato questo popolo: ecco, è un popolo dalla dura cervìce. Ora lascia che la mia ira si accenda contro di loro e li divori. Di te invece farò una grande nazione». Mosè allora supplicò il Signore, suo Dio, e disse: «Perché, Signore, si accenderà la tua ira contro il tuo popolo, che hai fatto uscire dalla terra d'Egitto con grande forza e con mano potente? Perché dovranno dire gli Egiziani: "Con malizia li ha fatti uscire, per farli perire tra le montagne e farli sparire dalla terra"? Desisti dall'ardore della tua ira e abbandona il proposito di fare del male al tuo popolo. Ricòrdati di Abramo, di Isacco, di Israele, tuoi servi, ai quali hai giurato per te stesso e hai detto: "Renderò la vostra posterità numerosa come le stelle del cielo, e tutta questa terra, di cui ho parlato, la darò ai tuoi discendenti e la possederanno per sempre"». Il Signore si pentì del male che aveva minacciato di fare al suo popolo. **Parola di Dio.**

SALMO RESPONSORIALE Dal Salmo 105 (106)

℟. **Ricòrdati di noi, Signore,**
per amore del tuo popolo.

Si fabbricarono un vitello sull'Oreb,

si prostrarono a una statua di metallo;
scambiarono la loro gloria
con la figura di un toro che mangia erba. ℟.

Dimenticarono Dio che li aveva salvati,
che aveva operato in Egitto cose grandi,
meraviglie nella terra di Cam,
cose terribili presso il Mar Rosso. ℟.

Ed egli li avrebbe sterminati,
se Mosè, il suo eletto,
non si fosse posto sulla breccia davanti a lui
per impedire alla sua collera di distruggerli. ℟.

CANTO AL VANGELO Cfr. Gv 3,16

Gloria e lode a te, o Cristo, Verbo di Dio!
Dio ha tanto amato il mondo
da dare il Figlio unigenito;
chiunque crede in lui ha la vita eterna.
Gloria e lode a te, o Cristo, Verbo di Dio!

VANGELO Gv 5,31-47

✠ *Dal Vangelo secondo Giovanni*

In quel tempo, Gesù disse ai Giudei: «Se fossi io a testimoniare di me stesso, la mia testimonianza non sarebbe vera. C'è un altro che dà testimonianza di me, e so che la testimonianza che egli dà di me è vera. Voi avete inviato dei messaggeri a Giovanni ed egli ha dato testimonianza alla verità. Io non ricevo testimonianza da un uomo; ma vi dico queste cose perché siate salvati. Egli era la lampada che arde e risplende, e voi solo per un momento avete voluto rallegrarvi alla sua luce. Io però ho una testimonianza superiore a quella di Giovanni: le opere che il Padre mi ha dato da compiere, quelle stesse opere che io sto facendo, testimoniano di me che il Padre mi ha mandato. E anche il Padre, che mi ha mandato, ha dato testimonianza di me. Ma voi non avete mai ascoltato la sua voce né avete mai visto il suo volto, e la sua parola non rimane in voi; infatti non credete a colui che egli ha mandato. Voi scrutate le Scritture, pensando di avere in esse la vita eterna: sono proprio esse che danno testimonianza di me. Ma voi non volete venire a me per avere vita. Io non ricevo gloria dagli uomini. Ma vi conosco: non avete in voi l'amore di Dio. Io sono venuto nel nome del Padre mio e voi non mi accogliete; se un altro venisse nel proprio nome, lo accogliereste. E come potete credere, voi che ricevete gloria gli uni dagli altri, e non cercate la gloria che viene dall'unico Dio? Non crediate che sarò io ad accusarvi davanti al Padre; vi è già chi vi accusa: Mosè, nel quale riponete la vostra speranza. Se infatti credeste a Mosè, credereste anche a me; perché egli ha scritto di me. Ma se non credete ai suoi scritti, come potrete credere alle mie parole?». **Parola del Signore**.

SULLE OFFERTE - Concedi, Dio onnipotente, che l'offerta di questo sacrificio sostenga la debolezza della nostra fede, ci purifichi dal peccato e ci renda forti nel bene. Per Cristo nostro Signore.

Prefazio di Quaresima.

COMUNIONE - «Porrò la mia legge dentro di loro, la scriverò sul loro cuore; io sarò il loro Dio ed essi il mio popolo», dice il Signore *(Ger 31,33)*.
Oppure: Voi scrutate le Scritture, pensando di avere in esse la vita eterna: sono proprio esse che danno testimonianza di me. Ma voi non volete venire a me per avere vita *(Gv 5,39-40)*.

DOPO LA COMUNIONE - Per la forza del sacramento che abbiamo ricevuto, purificaci, o Padre, e concedi ai tuoi figli, oppressi dalla coscienza del peccato, di essere liberi da ogni colpa, perché gioiscano in eterno della tua salvezza. Per Cristo nostro Signore.

ORAZIONE SUL POPOLO *ad libitum* - O Dio, che proteggi chi spera in te, benedici, salva e difendi il tuo popolo, perché, libero dai peccati e sicuro dalle suggestioni del maligno, cammini sempre nel tuo amore. Per Cristo nostro Signore.

Commenti

1ª LETTURA - Dio ha appena stabilito la sua alleanza con Israele, che l'ha confermata con una solenne promessa. Mosè è ancora sul monte Sinai alla presenza del Signore, dove riceve le tavole della legge. Ma il popolo cede alla tentazione dell'idolatria: si costruisce un vitello d'oro e osa adorarlo come il dio che lo ha liberato dalla schiavitù d'Egitto. Dio si accende d'ira e senza indugio informa Mosè dell'accaduto: l'alleanza è stata spezzata. Il momento è tragico: Dio sta per ripudiare Israele, sorpreso in flagrante adulterio. Mosè, tuttavia, capo del popolo, è rimasto fedele. Il Signore ripudierà anche lui? No, ma la sua fedeltà va messa alla prova. Come? Mentre minaccia di distruggere il popolo, il Signore propone a Mosè di iniziare con lui una nuova storia e gli promette un avvenire ricco di speranza. Mosè non cede alla "tentazione". Ha ricevuto la missione di guidare

Israele verso la terra promessa e non lo abbandona. Si fa intercessore, ponendosi come scudo fra Dio e il popolo peccatore. La sua accorata preghiera, nella quale ricorda al Signore le promesse fatte ai patriarchi, è così ardente che tocca il cuore di Dio.

Vangelo - Nel Vangelo Giovanni il Battista viene descritto con una metafora: una lampada che emanava molta luce, ma che è stata accolta per poco tempo. Gesù, quindi, ci avvisa che se non siamo riusciti a mantenere nel cuore le indicazioni del Battista, allora dobbiamo guardare direttamente alle Sue opere. Il Battista è colui che custodisce una verità più grande di sé stesso, perché è Gesù la luce del mondo. Giovanni, dunque, è la lampada che diffonde questa luce di amore e di verità. Anche intorno a noi ci sono tante lampade che, come il Battista, provano a portare luce nella nostra vita e sulle nostre scelte e a illuminare le ore della prova. Giovanni ci insegna che Cristo lo incontriamo se ci diamo da fare, se diamo retta ai tanti profeti che ancora camminano accanto a noi e che mantengono accesa la fiamma della speranza. In questi giorni che ci separano dalla Pasqua, sforziamoci di riconoscere i profeti che incrociamo nelle nostre vite e che possono aiutarci a incontrare Cristo. Che bello se decidessimo di costruire una strada nel deserto delle nostre vite! Il brano si conclude con una domanda riferita all'esperienza di Mosè, ma che richiede a ciascuno di esaminare l'autenticità e la sincerità della propria fede.

☐ **PROPOSITO DEL GIORNO...** Oggi faccio un attento esame di coscienza in cui mi domando: quali sono gli idoli che mi allontanano da Dio? Forse il denaro, il successo, la ricerca di approvazione a ogni costo? Divido un foglio in due colonne: in una scrivo tutto ciò che mi allontana da Dio, nell'altra tutto ciò che invece mi avvicina a lui.

☐ **PRATICHE E FESTE DEL GIORNO...**

- Pratiche e preghiere di ogni giorno consigliate per il mese di marzo *(pag. 727)*.
- Preghiera a san Turibio di Mogrovejo.
- I quindici giovedì di santa Rita: 8° giovedì (cod. 8036, 8352), secondo lo schema in uso nel santuario di Santa Rita da Cascia.
- Festa Maria Santissima Mater Domini, Laterza (Taranto).

ALTRI SANTI E BEATI DEL GIORNO

S. Rebecca ar-Rayyās da Himlàya • S. Giuseppe Oriol • S. Vittoriano • B. Annunziata Cocchetti • B. Pietro

SAN TURIBIO DI MOGROVEJO: il pastore degli Indios.

Il **segreto della santità** di san Turibio, vescovo di Lima, **è stato il suo essere prossimo a Dio, la sua fedeltà alla preghiera e l'amore verso i bisognosi**: consegnava ai poveri i beni che riusciva a ottenere, donando persino i suoi stessi vestiti e mobili. Turibio era nato da una nobile famiglia a Maiorca (Spagna) nel 1538. A 40 anni era Presidente del Tribunale di Granada quando il papa Gregorio XIII lo nominò arcivescovo di Lima. Il tutto avvenne precipitosamente, quasi da un giorno all'altro. Questi sono i tempi e le vie della Provvidenza, quando decide di realizzare un'opera. Arrivato nell'arcidiocesi di Lima nel 1581, mise un freno agli abusi dei colonizzatori spagnoli, moralizzò i costumi e promosse la riforma del clero. In poco tempo, l'ex giurista si trasformò in un esimio catechista: **percorse tre volte in visita pastorale la sua intera arcidiocesi; entrava nelle capanne miserabili, cercava gli indigeni fuggitivi, sorrideva loro, parlava loro con bontà nella loro lingua e li conquistava a Cristo**. Nel corso della sua ultima visita pastorale, sentì avvicinarsi la morte e allora recitò il salmo 122: «Quale gioia, quando mi dissero: Andremo alla casa del Signore!». Spirò il 23 marzo 1606, un Giovedì Santo.

24 MARZO

VENERDÌ

4ª settimana di Quaresima

viola **4ª sett. salt.**

ANTIFONA D'INGRESSO - Dio, per il tuo nome salvami, per la tua potenza rendimi giustizia. Dio, ascolta la mia preghiera, porgi l'orecchio alle parole della mia bocca *(Sal 53,3-4).*

COLLETTA - O Dio, che per la nostra fragilità hai preparato aiuti efficaci, fa' che, accogliendone con gioia la forza rinnovatrice, la manifestiamo in una degna condotta di vita. Per il nostro Signore...

PRIMA LETTURA Sap 2,1a.12-22

Dal libro della Sapienza

Dicono [gli empi] fra loro sragionando: «Tendiamo insidie al giusto, che per noi è d'incomodo e si oppone alle nostre azioni; ci rimprovera le colpe contro la legge e ci rinfaccia le trasgressioni contro l'educazione ricevuta. Proclama di possedere la conoscenza di Dio e chiama se stesso figlio del Signore. È diventato per noi una condanna dei nostri pensieri; ci è insopportabile solo al vederlo, perché la sua vita non è come quella degli altri, e del tutto diverse sono le sue strade. Siamo stati considerati da lui moneta falsa, e si tiene lontano dalle nostre vie come da cose impure. Proclama beata la sorte finale dei giusti e si vanta di avere Dio per padre. Vediamo se le sue parole sono vere, consideriamo ciò che gli accadrà alla fine. Se infatti il giusto è figlio di Dio, egli verrà in suo aiuto e lo libererà dalle mani dei suoi avversari. Mettiamolo alla prova con violenze e tormenti, per conoscere la sua mitezza e saggiare il suo spirito di sopportazione. Condanniamolo a una morte infamante, perché, secondo le sue parole, il soccorso gli verrà». Hanno pensato così, ma si sono sbagliati; la loro malizia li ha accecati. Non conoscono i misteriosi segreti di Dio, non sperano ricompensa per la rettitudine né credono a un premio per una vita irreprensibile. **Parola di Dio.**

SALMO RESPONSORIALE Dal Salmo 33 (34)

℟. **Il Signore è vicino a chi ha il cuore spezzato.**

Il volto del Signore contro i malfattori,
per eliminarne dalla terra il ricordo.
Gridano i giusti e il Signore li ascolta,

li libera da tutte le loro angosce. ℟.

Il Signore è vicino a chi ha il cuore spezzato,
egli salva gli spiriti affranti.
Molti sono i mali del giusto,
ma da tutti lo libera il Signore. ℟.

Custodisce tutte le sue ossa:
neppure uno sarà spezzato.
Il Signore riscatta la vita dei suoi servi;
non sarà condannato chi in lui si rifugia. ℟.

CANTO AL VANGELO

Cfr. Mt 4,4b

Gloria e lode a te, o Cristo, Verbo di Dio!
Non di solo pane vivrà l'uomo,
ma di ogni parola che esce dalla bocca di Dio.
Gloria e lode a te, o Cristo, Verbo di Dio!

VANGELO

Gv 7,1-2.10.25-30

✠ *Dal Vangelo secondo Giovanni*

In quel tempo, Gesù se ne andava per la Galilea; infatti non voleva più percorrere la Giudea, perché i Giudei cercavano di ucciderlo. Si avvicinava intanto la festa dei Giudei, quella delle Capanne. Quando i suoi fratelli salirono per la festa, vi salì anche lui: non apertamente, ma quasi di nascosto. Alcuni abitanti di Gerusalemme dicevano: «Non è costui quello che cercano di uccidere? Ecco, egli parla liberamente, eppure non gli dicono nulla. I capi hanno forse riconosciuto davvero che egli è il Cristo? Ma costui sappiamo di dov'è; il Cristo invece, quando verrà, nessuno saprà di dove sia». Gesù allora, mentre insegnava nel tempio, esclamò: «Certo, voi mi conoscete e sapete di dove sono. Eppure non sono venuto da me stesso, ma chi mi ha mandato è veritiero, e voi non lo conoscete. Io lo conosco, perché vengo da lui ed egli mi ha mandato». Cercavano allora di arrestarlo, ma nessuno riuscì a mettere le mani su di lui, perché non era ancora giunta la sua ora. **Parola del Signore.**

SULLE OFFERTE - Questo sacrificio, Dio onnipotente, ci purifichi con la sua forza e ci doni di giungere rinnovati alle feste pasquali, principio della nostra salvezza. Per Cristo nostro Signore.

Prefazio di Quaresima.

COMUNIONE - In Cristo, mediante il suo sangue, abbiamo la redenzione, il perdono delle colpe, secondo la ricchezza della sua grazia *(Ef 1,7)*.
Oppure: «Non sono venuto da me stesso, ma chi mi ha mandato è veritiero», dice il Signore *(Gv 7,28)*.

Dopo la Comunione - O Signore, questo sacramento, che segna il passaggio dall'antica alla nuova alleanza, ci spogli dell'uomo vecchio e ci rinnovi nello spirito. Per Cristo nostro Signore.

Orazione sul popolo ***ad libitum*** - Guarda con bontà, o Signore, i tuoi fedeli e proteggi con il tuo benevolo aiuto coloro che confidano nella tua misericordia. Per Cristo nostro Signore.

Commenti

1ª lettura - Dopo aver rivolto l'invito a vivere secondo giustizia, l'autore lascia la parola agli «empi». In un articolato discorso essi espongono la loro "filosofia": la vita va vissuta come ricerca sfrenata del piacere, eliminando – non importa se con la violenza – tutto ciò che crea ostacolo. I due versetti che incorniciano l'esposizione dicono il netto giudizio di condanna: essi sragionano. Gli empi di cui si parla sono verosimilmente gli ebrei apostati della comunità di Gerusalemme che, alleati con i pagani, perseguitano i loro fratelli rimasti fedeli al Dio dell'alleanza. Con la loro condotta di vita, questi «giusti» costituiscono infatti una presenza insopportabile. Quattro netti imperativi mostrano il crescere del rancore nascosto che si scatena in odio aperto: dal tendere insidie si passa all'insulto, per giungere infine al progetto di condanna a morte. È Gesù l'unico vero giusto, il Figlio prediletto, il mite messo alla prova, schernito e condannato a morte. Per i meriti di uno solo, perciò, tutti sono costituiti «giusti», se il cuore è aperto ad accogliere il dono della grazia.

VANGELO - La persona di Gesù suscita interrogativi e inquietudini crescenti fra i suoi contemporanei, mentre l'avversione dei capi dei Giudei giunge all'estremo. Gesù non fa il provocatore e non è un vile: attende l'ora del Padre senza sfuggire né affrettare i tempi. Perciò evita l'ostile Giudea e, quando sale a Gerusalemme per la popolare festa delle Capanne, lo fa «di nascosto». Tuttavia nella città santa viene presto riconosciuto e subito gli animi si dividono sulla sua messianicità. I circoli apocalittici di quell'epoca sostenevano l'origine misteriosa del Messia; perciò Gesù, che proviene da Nàzaret, non può che essere un impostore per loro. Gesù, tuttavia, non ignora questi pettegolezzi sul suo conto e, con sottile ironia, mostra che la sua origine è effettivamente sconosciuta a coloro che credono di conoscerlo bene: essi infatti non vogliono riconoscerlo come l'inviato di Dio; perciò non conoscono il Dio vero e fedele che compie in lui le sue promesse. Le parole di Gesù suonano agli orecchi dei suoi avversari come una bestemmia e per questo cercano di arrestarlo, ma invano: egli resta Signore del tempo e delle circostanze, perché ha sottomesso pienamente sé stesso al disegno del Padre e la sua «ora» non è ancora giunta.

☐ **PROPOSITO DEL GIORNO...** Oggi chiamo una persona che si trova in una situazione di sofferenza per ricordarle che il Signore non l'ha abbandonata e che proprio in questo momento le è particolarmente vicino.

☐ PRATICHE E FESTE DEL GIORNO...

- Pratiche e preghiere di ogni giorno consigliate per il mese di marzo *(pag. 727)*.
- 31ª Giornata nazionale di preghiera e digiuno in memoria dei missionari martiri.
- I tredici venerdì di san Francesco da Paola: 12° venerdì (cod. 8473).
- Preghiera a santa Caterina di Svezia.
- 1° giorno novena a san Francesco da Paola (cod. 8473).

SANTI E BEATI DEL GIORNO

S. Caterina di Svezia • S. Severo di Catania • **Sant'Oscar Arnulfo Romero y Galdámez** • B. Giovanni dal Bastone

SANT'OSCAR ARNULFO ROMERO Y GALDÁMEZ:

un uomo della Chiesa, del Vangelo e dei poveri.

«Nel nome di Dio e del popolo che soffre vi supplico, vi prego, e in nome di Dio vi ordino, cessi la repressione!», grida il 23 marzo **1980** il vescovo di San Salvador, Oscar Romero, in quella che sarà la sua ultima predica in cattedrale.

Il giorno dopo, nel tardo pomeriggio, un sicario si intrufola nella cappella dell'ospedale, dove Romero sta celebrando, e gli spara dritto al cuore, mentre il vescovo alza il calice al momento dell'offertorio. Aveva appena detto: «Che questo corpo immolato e questo sangue sacrificato per gli uomini ci spinga a dare anche il nostro corpo e il nostro sangue al dolore e alla sofferenza come Cristo; non per noi stessi, ma per dare al nostro popolo frutti di giustizia e di pace».

Romero era nato il 15 marzo 1917 a Ciudad Barrios, nello Stato di El Salvador, ed era il terzo degli otto figli di Santos Romero e Guadalupe de Jesús Galdámez, entrambi provenienti da famiglie borghesi.

La sua propensione allo studio e il modo in cui pregava non sfuggirono al sindaco di Ciudad Barrios, Alfonso

Leiva: fu a lui che Oscarito, come lo chiamavano in casa, confidò di voler diventare sacerdote. Ricevuta l'ordinazione a Roma il 4 aprile 1942, torna poi in patria e, nel 1977, diventa a sorpresa arcivescovo di San Salvador.
Di fronte all'oppressione e allo sfruttamento del popolo, osservando gli squadroni della morte che uccidono contadini, poveri e preti impegnati, il vescovo capisce di non poter fare a meno di prendere una posizione chiara: rifiuta la Cadillac fiammante e il sontuoso palazzo di marmi che i proprietari terrieri subito gli offrono; non partecipa alla cerimonia di insediamento del dittatore; istituisce una Commissione per la difesa dei diritti umani; le sue Messe cominciano a diventare affollatissime; memorabili le sue denunce dei crimini di stato che ogni giorno si compiono.
«Non ho la vocazione di martire», confida, anche se predica che «uno non deve mai amarsi al punto da evitare ogni possibile rischio di morte che la storia gli pone davanti. Chi cerca in tutti i modi di evitare un simile pericolo, ha già perso la propria vita».
E lui, infatti, muore da martire, perché non era un rivoluzionario, ma un uomo della Chiesa, del Vangelo e quindi dei poveri.

25 MARZO

SABATO

Annunciazione del Signore (s) *bianco* **propria**

L'*ECCOMI* DI MARIA

Festa del Signore, l'Annunciazione inaugura l'evento in cui il Figlio di Dio s'incarna nel grembo di Maria.
Nella solennità odierna, una delle più importanti dedicate alla Madonna, viene ricordato l'episodio dell'annuncio recato dall'angelo Gabriele a Maria di Nàzaret: «Ecco, concepirai un figlio, lo darai alla luce e verrà chiamato Figlio dell'Altissimo», e Maria, rispondendo, dice: **«Ecco la serva del Signore; avvenga per me secondo la tua parola»**.

Per questo "sì" di Maria, per il suo "Eccomi", il Figlio di Dio si fa uomo ed entra nella storia. I nove mesi tra la concezione e la nascita del Salvatore spiegano la data odierna rispetto alla solennità del 25 dicembre.
Papa Francesco ha definito questa solennità **la festa del sì: la risposta di Maria deve essere anche la risposta di ogni cristiano alla chiamata del Signore**. Chiediamo a lei il coraggio di essere sempre disponibili alla voce di Dio, anche quando ci invita su strade che possono spaventarci. Confidiamo in lei, ripetiamo il suo "Eccomi".

ANTIFONA D'INGRESSO - Entrando nel mondo il Signore disse: «Eccomi, o Dio, io vengo per fare la tua volontà» *(Cfr. Eb 10,5.7).*

Si dice il Gloria *(pag. 12).*

COLLETTA - **Preghiamo:** O Padre, tu hai voluto che il tuo Verbo si facesse carne nel grembo della Vergine Maria: concedi a noi, che professiamo la fede nel nostro redentore, vero Dio e vero uomo, di essere partecipi della sua natura divina. Egli è Dio… **Amen.**

(seduti)

PRIMA LETTURA Is 7,10-14; 8,10c

Dal libro del profeta Isaìa

In quei giorni, il Signore parlò ad Acaz: «Chiedi per te un segno dal Signore, tuo Dio, dal profondo degli inferi oppure dall'alto». Ma Acaz rispose: «Non lo chiederò, non voglio tentare il Signore». Allora Isaìa disse: «Ascoltate, casa di Davide! Non vi basta stancare gli uomini, perché ora vogliate stancare anche il mio Dio? Pertanto il Signore stesso vi darà un segno. Ecco: la vergine concepirà e partorirà un figlio, che chiamerà Emmanuele, perché Dio è con noi». - Parola di Dio. ℟. **Rendiamo grazie a Dio.**

SALMO RESPONSORIALE Dal Salmo 39 (40)

℟. **Ecco, Signore, io vengo per fare la tua volontà.**

Sacrificio e offerta non gradisci,
gli orecchi mi hai aperto,
non hai chiesto olocausto né sacrificio per il peccato.
Allora ho detto: «Ecco, io vengo». ℟.

«Nel rotolo del libro su di me è scritto
di fare la tua volontà:
mio Dio, questo io desidero;

la tua legge è nel mio intimo». R.

Ho annunciato la tua giustizia
nella grande assemblea;
vedi: non tengo chiuse le labbra,
Signore, tu lo sai. R.

Non ho nascosto la tua giustizia
dentro il mio cuore,
la tua verità e la tua salvezza
ho proclamato. R.

SECONDA LETTURA Eb 10,4-10

Dalla lettera agli Ebrei

Fratelli, è impossibile che il sangue di tori e di capri elimini i peccati. Per questo, entrando nel mondo, Cristo dice: «Tu non hai voluto né sacrificio né offerta, un corpo invece mi hai preparato. Non hai gradito né olocausti né sacrifici per il peccato. Allora ho detto: "Ecco, io vengo – poiché di me sta scritto nel rotolo del libro – per fare, o Dio, la tua volontà"». Dopo aver detto: «Tu non hai voluto e non hai gradito né sacrifici né offerte, né olocausti né sacrifici per il peccato», cose che vengono offerte secondo la Legge, soggiunge: «Ecco, io vengo a fare la tua volontà». Così egli abolisce il primo sacrificio per costituire quello nuovo. Mediante quella volontà siamo stati santificati per mezzo dell'offerta del corpo di Gesù Cristo, una volta per sempre. - Parola di Dio. ℟. **Rendiamo grazie a Dio.**

(in piedi)

CANTO AL VANGELO Gv 1,14ab

Lode e onore a te, Signore Gesù.
Il Verbo si fece carne
e venne ad abitare in mezzo a noi;
e noi abbiamo contemplato la sua gloria.
Lode e onore a te, Signore Gesù.

VANGELO Lc 1,26-38

Il Signore sia con voi.
℟. **E con il tuo spirito.**
✠ *Dal Vangelo secondo Luca*
℟. **Gloria a te, o Signore.**

In quel tempo, l'angelo Gabriele fu mandato da Dio in una città della Galilea, chiamata Nàzaret, a una vergine, promessa sposa di un uomo della casa di Davide, di nome Giuseppe. La vergine si chiamava Maria. Entrando da lei, disse: «Rallégrati, piena di grazia: il Signore è con te». A queste parole ella

fu molto turbata e si domandava che senso avesse un saluto come questo. L'angelo le disse: «Non temere, Maria, perché hai trovato grazia presso Dio. Ed ecco, concepirai un figlio, lo darai alla luce e lo chiamerai Gesù. Sarà grande e verrà chiamato Figlio dell'Altissimo; il Signore Dio gli darà il trono di Davide suo padre e regnerà per sempre sulla casa di Giacobbe e il suo regno non avrà fine». Allora Maria disse all'angelo: «Come avverrà questo, poiché non conosco uomo?». Le rispose l'angelo: «Lo Spirito Santo scenderà su di te e la potenza dell'Altissimo ti coprirà con la sua ombra. Perciò colui che nascerà sarà santo e sarà chiamato Figlio di Dio. Ed ecco, Elisabetta, tua parente, nella sua vecchiaia ha concepito anch'essa un figlio e questo è il sesto mese per lei, che era detta sterile: nulla è impossibile a Dio». Allora Maria disse: «**Ecco la serva del Signore: avvenga per me secondo la tua parola**». E l'angelo si allontanò da lei. - Parola del Signore.
℟. **Lode a te o Cristo.**

Si dice il Credo *(pag. 15). Alle parole: «E per opera dello Spirito Santo... e si è fatto uomo», si genuflette.*

(in piedi)

SULLE OFFERTE - Accogli con bontà, Dio onnipotente, l'offerta della tua Chiesa, perché, riconoscendo le sue origini nell'incarnazione del tuo Figlio unigenito, esulti di gioia in questa celebrazione dei suoi misteri. Per Cristo nostro Signore. **Amen.**

PREFAZIO - *Il mistero dell'incarnazione.* È veramente cosa buona e giusta, nostro dovere e fonte di salvezza, rendere grazie sempre e in ogni luogo a te, Signore, Padre santo, Dio onnipotente ed eterno, per Cristo Signore nostro. All'annuncio dell'angelo la Vergine accolse nella fede la tua parola, e per l'azione misteriosa dello Spirito Santo concepì e portò in grembo con ineffabile amore il primogenito dell'umanità nuova, che doveva compiere le promesse d'Israele e rivelarsi al mondo come il Salvatore atteso dalle genti. Per questo mistero, le schiere degli angeli adorano la tua gloria e per l'eternità si allietano al tuo cospetto. Al loro canto concedi, o Signore, che si uniscano le nostre umili voci nell'inno di lode: **Santo...**

COMUNIONE - Ecco, la Vergine concepirà e darà alla luce un Figlio: lo chiamerà Emmanuele, Dio con noi *(Cfr. Is 7,14).*

Dopo la Comunione - Preghiamo: O Padre, che ci hai accolti alla tua mensa, conferma in noi il dono della vera fede, perché, riconoscendo nel Figlio della Vergine il tuo Verbo fatto uomo, per la potenza della sua risurrezione possiamo giungere alla gioia eterna. Per Cristo nostro Signore. **Amen.**

Commenti

1ª lettura - Acaz, giovane re di Gerusalemme, debole, mondano e senza figli, vede vacillare il suo trono a motivo della presenza degli eserciti nemici che premono ai confini del suo regno. Progetta di stringere alleanze umane, mentre il profeta Isaìa propone di affidarsi completamente a Dio. Anzi, in questo frangente, il profeta invita il re a chiedere un «segno» quale concreta conferma dell'assistenza divina. Acaz rifiuta la proposta con motivazioni di falsa religiosità ma, nonostante l'ipocrisia del re, Isaìa annuncia che Dio darà comunque un segno: «La vergine concepirà e partorirà un figlio, che chiamerà Emmanuele, perché Dio è con noi». Nell'immediato, le parole del profeta si riferiscono ad Ezechiele, figlio di Acaz, che la regina sta per dare alla luce e la cui nascita è vista, in quel particolare momento storico, come presenza salvifica di Dio in favore del popolo in difficoltà. Più in profondità, però, le parole di Isaìa sono l'annuncio di un re salvatore; in quest'oracolo di una "vergine partoriente" la tradizione cristiana ha da sempre visto l'annuncio profetico della nascita di Gesù, figlio di Maria.

2ª LETTURA - La pericope scelta dalla Lettera agli Ebrei è ritagliata dal contesto, che intende dimostrare che il sacrificio di Cristo è superiore ai sacrifici dell'Antico Testamento. L'autore della lettera rilegge anzitutto il Salmo 39 come fosse una dichiarazione di intenti di Cristo stesso che, prendendo carne, entrò nel mondo e venne ad abitare in mezzo a noi; si tratta dell'atteggiamento di obbedienza tipico del popolo dell'antica alleanza, cioè di un totale: «Ecco, io vengo a fare la tua volontà». L'incarnazione di Cristo come attitudine di obbedienza si avverte in modo particolare nel giorno dell'annunciazione del Signore a Maria. La Vergine che riceve l'annuncio e Gesù il Cristo che viene annunciato: entrambi pronunciano un "eccomi"; entrambi entrano nella fisionomia di "serva" e di "servo" di Dio. Quel giorno dell'annuncio apre il pellegrinaggio messianico finalizzato alla donazione del corpo di Cristo in sacrificio salvifico, nuovo, unico e indispensabile, che si completa nel "sacrificio della croce". In questo il sacrificio di Cristo è superiore a quelli del passato.

VANGELO - Il racconto dell'incarnazione ci riempie di stupore e di poesia: nella quotidianità Dio chiede a un'adolescente di diventare porta del cielo. Non a una potente nobildonna, ma alla più semplice delle ragazze di paese. Questa è la logica di Dio: innalza sui troni gli umili e abbatte l'orgoglio dei saccenti. Guardatela questa giovane donna di Nàzaret parlare alla pari col principe degli angeli! Guardatela mentre ascolta, si rassicura, chiede informazioni! Sa che la sua vita è a un bivio, che la storia è a un bivio. Tutta la creazione attende la risposta di Maria col fiato sospeso, scrive magnificamente san Bernardo, e alla fine ella rompe gli indugi e pronuncia il suo "sì". Non è stato sicuramente facile perché Maria non vive sulle nuvole, sa bene cosa significa affrontare il futuro. Eppure Maria si fida di Dio e sa dare una risposta concreta alla sua chiamata. È la concretezza che anche noi dobbiamo avere per rendere presente Dio nella nostra quotidianità e nella storia del mondo. Anche noi, se vogliamo, possiamo essere tante porte del cielo, attraverso le quali Dio può raggiunge gli uomini e gli uomini possono avvicinarsi a Dio. Basta pronunciare ogni giorno il nostro "sì" all'amore del Signore.

PROPOSITO DEL GIORNO... Con la prontezza di Maria, oggi voglio aprirmi con abbandono fiducioso alla volontà di Dio e dirgli il mio "Eccomi".

PRATICHE E FESTE DEL GIORNO...

- Pratiche e preghiere di ogni giorno consigliate per il mese di marzo *(pag. 727)*.
- Meditiamo la solennità odierna con sant'Alfonso (cod. 8243).
- 14° sabato di Pompei.
- Festa Santissima Annunziata delle Olivette, Arenzano (Genova).
- Festa Santissima Annunziata, Pontremoli (Massa Carrara).
- Festa Santa Maria de Finibus Terrae, Santa Maria di Leuca (Lecce).

SANTI E BEATI DEL GIORNO

S. Lucia Filippini • S. Margherita Clitherow • S. Quirino di Roma • B. Andrea Zadeja • B. Caterina da Valensasco

26 MARZO

DOMENICA

5ª domenica di Quaresima (A) *viola* **1ª sett. salt.**

ANTIFONA D'INGRESSO - Fammi giustizia, o Dio, difendi la mia causa contro gente spietata; liberami dall'uomo perfido e perverso. Tu sei il Dio della mia difesa *(Sal 42,1-2)*.

Non si dice il Gloria.

COLLETTA - **Preghiamo:** Vieni in nostro aiuto, Padre misericordioso, perché con la tua grazia possiamo camminare sempre in quella carità che spinse il tuo Figlio a consegnarsi alla morte per la vita del mondo. Egli è Dio... **Amen.**

Oppure: Dio dei viventi, che hai manifestato la tua compassione nel pianto di Gesù per l'amico Lazzaro, ascolta con benevolenza il gemito della tua Chiesa, e chiama a vita nuova coloro che stanno nelle tenebre e nell'ombra di morte. Per il nostro Signore Gesù Cristo... **Amen.**

(seduti)

PRIMA LETTURA Ez 37,12-14

Dal libro del profeta Ezechièle

Così dice il Signore Dio: «Ecco, io apro i vostri sepolcri, **vi faccio uscire dalle vostre tombe**, o popolo mio, e vi riconduco nella terra d'Israele. Riconoscerete che io sono il Signore, quando aprirò le vostre tombe e vi farò uscire dai vostri sepolcri, o popolo mio. Farò entrare in voi il mio spirito e rivivrete; vi farò riposare nella vostra terra. Saprete che io sono il Signore. L'ho detto e lo farò». Oracolo del Signore Dio. - Parola di Dio. R. **Rendiamo grazie a Dio.**

SALMO RESPONSORIALE Dal Salmo 129 (130)

R. **Il Signore è bontà e misericordia.**

Dal profondo a te grido, o Signore;

Signore, ascolta la mia voce.
Siano i tuoi orecchi attenti
alla voce della mia supplica. ℟.

Se consideri le colpe, Signore,
Signore, chi ti può resistere?
Ma con te è il perdono:
così avremo il tuo timore. ℟.

Io spero, Signore.
Spera l'anima mia,
attendo la sua parola.
L'anima mia è rivolta al Signore
più che le sentinelle all'aurora. ℟.

Più che le sentinelle l'aurora,
Israele attenda il Signore,
perché con il Signore è la misericordia
e grande è con lui la redenzione.
Egli redimerà Israele
da tutte le sue colpe. ℟.

SECONDA LETTURA Rm 8,8-11

Dalla lettera di san Paolo apostolo ai Romani

Fratelli, quelli che si lasciano dominare dalla carne non possono piacere a Dio. Voi però non siete sotto il dominio della carne, ma dello Spirito, dal momento che lo Spirito di Dio abita in voi. Se qualcuno non ha lo Spirito di Cristo, non gli appartiene. Ora, se Cristo è in voi, il vostro corpo è morto per il peccato, ma lo Spirito è vita per la giustizia. E se lo Spirito di Dio, che ha risuscitato Gesù dai morti, abita in voi, colui che ha risuscitato Cristo dai morti darà la vita anche ai vostri corpi mortali per mezzo del suo Spirito che abita in voi. - Parola di Dio. ℟. **Rendiamo grazie a Dio.**

(in piedi)

CANTO AL VANGELO

Cfr. Gv 11,25a.26

Lode e onore a te, Signore Gesù!
Io sono la risurrezione e la vita, dice il Signore,
chi crede in me non morirà in eterno.
Lode e onore a te, Signore Gesù!

VANGELO

Gv 11,1-45
Forma breve: [ ] Gv 11,3-7.17.20-27.33b-45

Il Signore sia con voi.
℟. **E con il tuo spirito.**
✠ *Dal Vangelo secondo Giovanni*
℟. **Gloria a te, o Signore.**

[In quel tempo], un certo Lazzaro di Betània, il villaggio di Maria e di Marta sua sorella, era malato. Maria era quella che cosparse di profumo il Signore e gli asciugò i piedi con i suoi capelli; suo fratello Lazzaro era malato. [Le sorelle mandarono dunque a dire a Gesù: «Signore, ecco, colui che tu ami è malato». All'udire questo, Gesù disse: «Questa malattia non porterà alla morte, ma è per la gloria di Dio, affinché per mezzo di essa il Figlio di Dio venga glorificato». Gesù amava Marta e sua sorella e Lazzaro. Quando sentì che era malato, rimase per due giorni nel luogo dove si trovava. Poi disse ai discepoli: «Andiamo di nuovo in Giudea!».] I discepoli gli dissero: «Rabbì, poco fa i Giudei cercavano di lapidarti e tu ci vai di nuovo?». Gesù rispose: «Non sono forse dodici le ore del giorno? Se uno cammina di giorno, non inciampa, perché vede la luce di questo mondo; ma se cammina di notte, inciampa, perché la luce non è in lui». Disse queste cose e poi soggiunse loro: «Lazzaro, il nostro amico, s'è addormentato; ma io vado a svegliarlo». Gli dissero allora i discepoli: «Signore, se si è addormentato, si salverà». Gesù aveva parlato della morte di lui; essi invece pensarono che parlasse del riposo del sonno. Allora Gesù disse loro apertamente: «Lazzaro è morto e io sono contento per voi di non essere stato là, affinché voi crediate; ma andiamo da lui!». Allora Tommaso, chiamato Dìdimo, disse agli altri discepoli: «Andiamo anche noi a morire con lui!». [Quando Gesù arrivò, trovò Lazzaro che già da quattro giorni era nel sepolcro.] Betània distava da Gerusalemme meno di tre chilometri e molti Giudei erano venuti da Marta e Maria a consolarle per il fratello. [Marta dunque, come udì che veniva Gesù, gli andò incontro; Maria invece stava seduta in casa. Marta disse a Gesù: «Signore, se tu fossi stato qui, mio fratello non sarebbe morto! Ma anche ora so che qualunque cosa tu chiederai a Dio, Dio te la concederà». Gesù le disse: «Tuo fratello risorgerà». Gli rispose Marta: «So che risorgerà nella risurrezione dell'ultimo giorno». Gesù le disse: «Io sono la risurrezione e la vita; chi crede in me, anche se muore, vivrà; chiunque vive e crede in me, non morirà in eterno. Credi questo?». Gli rispose: «Sì, o Signore, io credo che tu sei il Cristo, il Figlio di Dio, colui che viene nel mondo».] Dette queste parole, andò a chiamare Maria, sua sorella, e di nascosto le disse: «Il Maestro è qui e ti chiama». Udito questo, ella si alzò subito e andò da lui. Gesù non era entrato nel villaggio, ma si trovava ancora là dove Marta gli era andata incontro. Allora i Giudei, che erano in casa con lei a consolarla, vedendo Maria alzarsi in fretta e uscire, la seguirono, pensando che andasse a piangere al sepolcro. Quando Maria giunse dove si trovava Gesù, appena lo vide si gettò ai suoi piedi dicendogli: «Signore, se tu fossi stato qui, mio fratello non sarebbe morto!». [Gesù] allora, quando la vide piangere, e piangere anche i Giudei che erano venuti con lei, [si commosse profondamente e, molto turbato, domandò: «Dove lo avete posto?». Gli dissero: «Signore, vieni a vedere!». Gesù scoppiò in pianto. Dissero allora i Giudei: «Guarda come lo amava!». Ma alcuni di loro dissero: «Lui, che ha aperto gli occhi al cieco, non poteva anche far sì che costui non morisse?». Allora Gesù, ancora una volta commosso profondamente, si recò al sepolcro: era una grotta e contro di essa era posta una pietra. Disse Gesù: «Togliete la pietra!». Gli rispose Marta, la sorella del morto: «Signore, manda già cattivo odore: è lì da quattro giorni». Le disse Gesù: «Non ti ho detto che, se crederai, vedrai la gloria di Dio?». Tolsero dunque la pietra. Gesù allora alzò gli occhi e disse: «Padre, ti rendo grazie perché mi hai ascoltato. Io sapevo che mi dai sempre ascolto, ma l'ho detto per la gente che mi sta attorno, perché credano che tu mi hai mandato». Detto questo, gridò a gran voce: «Lazzaro, vieni fuori!». Il morto uscì, i piedi e le mani legati con bende, e il viso avvolto da un sudario. Gesù disse loro: «Liberàtelo e lasciàtelo andare». Molti dei Giudei che erano venuti da Maria, alla vista di ciò che egli aveva compiuto, credettero in lui.] - Parola del Signore. R. **Lode a te o Cristo.**

Si dice il Credo *(pag. 15).*

(in piedi)

SULLE OFFERTE - Dio onnipotente, esaudisci la nostra preghiera e dona ai tuoi fedeli, che hai illuminato con gli insegnamenti della fede cristiana, di essere purificati dalla forza di questo sacrificio. Per Cristo nostro Signore. **Amen.**

PREFAZIO - *La risurrezione di Lazzaro.* È veramente cosa buona e giusta, nostro dovere e fonte di salvezza, rendere grazie sempre e in ogni luogo a te, Signore, Padre santo, Dio onnipotente ed eterno, per Cristo Signore nostro. Vero uomo come noi, egli pianse l'amico Lazzaro; Dio eterno, lo richiamò dal sepolcro; oggi estende a tutta l'umanità la sua misericordia, e con i santi misteri ci fa passare dalla morte alla vita. Per mezzo di lui ti adorano le schiere degli angeli e dei santi e contemplano la gloria del tuo volto. Al loro canto concedi, o Signore, che si uniscano le nostre voci nell'inno di lode: **Santo...**

COMUNIONE - «Chiunque vive e crede in me non morirà in eterno», dice il Signore *(Gv 11,26).*

DOPO LA COMUNIONE - **Preghiamo:** Dio onnipotente, fa' che rimaniamo sempre membra vive di Cristo, noi che comunichiamo al suo Corpo e al suo Sangue. Egli vive e regna nei secoli dei secoli. **Amen.**

ORAZIONE SUL POPOLO - Benedici, o Signore, il tuo popolo, che attende il dono della tua misericordia, e porta a compimento i desideri che tu stesso hai posto nel suo cuore. Per Cristo nostro Signore. **Amen.**

Commenti

1ª LETTURA - Nella liturgia odierna si parla di risurrezione, in un crescendo che va da questo brano dell'Antico Testamento alla vittoria definitiva di Cristo sulla morte. Dio, attraverso la bocca del profeta Ezechièle, preannuncia la prossima apertura delle tombe. Si tratta del ritorno degli esuli dall'esilio. Dal 586 a.C., infatti, gli Ebrei si trovano deportati a Babilonia e lo scoraggiamento si è impadronito dei loro cuori, ma il Signore fa fare al suo popolo, che in terra straniera si sente come morto, l'esperienza diretta della sua potenza vivificante.

Dio, infatti, è colui che ha il potere di compiere tutto quanto promette. Quel giorno sarà come una nuova creazione. L'immagine adoperata prelude alla futura proclamazione della salvezza integrale dell'umanità nella risurrezione di Gesù. Anche il cuore dell'uomo rientra in quei sepolcri che il Signore intende aprire per ricondurre l'umanità a sé e donargli una nuova vita. In questa Quaresima diamo la possibilità a Dio di entrare lì dove abbiamo sepolto la nostra dignità, in quelle tombe che raccolgono le nostre mortificazioni.

2ª LETTURA - Il brano paolino, tratto dalla lettera ai Romani, è l'attualizzazione del precedente oracolo di Ezechièle: lo Spirito «abita» nell'uomo. Per l'uomo questo è fonte di sicurezza, di pace, di gioia, perché costituisce il fondamento inamovibile della sua appartenenza a Cristo. Essere abitati dallo Spirito significa avere in sé tutto ciò di cui si ha bisogno per vivere secondo gli insegnamenti di Cristo. Perciò la fedeltà al Signore è non solo possibile, ma già in atto: «Non siete (è un presente) sotto il dominio della carne… Il vostro corpo è morto per il peccato, ma lo Spirito è vita». Il duello tra la morte e la vita è stato combattuto storicamente, una volta per tutte, sulla croce. Per ogni singolo cristiano è attualizzato nel rito del Battesimo, quando moriamo alla vita vecchia per rinascere alla vita nuova in Cristo. Ora dunque bisogna crederci, giorno per giorno, momento per momento, soprattutto nei fatti e cioè non vivendo più secondo quello che il mondo chiede, ma seguendo quanto lo Spirito suggerisce, in attesa che la vittoria sulla morte sia definitiva.

VANGELO - Vi è un nesso e una progressione nei grandi testi di Giovanni proposti in queste ultime domeniche di Quaresima. Dopo averci parlato del dono di Dio (l'acqua viva), Gesù, Luce vera, ha aperto gli occhi al cieco nato. Questi gesti simbolici annunciano il Battesimo, vale a dire la rinascita nell'acqua e nello Spirito. Oggi, un'altra azione simbolica ci parla delle conseguenze del Battesimo, ossia una vita nuova. Fra le moltissime considerazioni possibili, fermiamoci sul pianto di Gesù accanto alla tomba dell'amico Lazzaro. Se sapeva che gli avrebbe ridonato la vita, perché piangere? Le sue lacrime, pur realissime, hanno valore di simbolo. È infatti tutta la miseria umana, che culmina nel fenomeno della morte corporea, a strappare a Gesù lacrime di compassione. La risurrezione di Lazzaro provocherà direttamente la condanna a morte di Gesù, che strappa gli altri alla morte proprio a prezzo della sua stessa morte. L'amore è dono. In Gesù vince l'amore, perché egli non salva sé stesso, ma muore per noi. Infatti l'amore, per vincere, deve saper perdere: questa è la legge fondamentale del cristiano. Non possiamo ottenere qualcosa di bene per gli altri senza perdere noi stessi, nell'amore.

PROPOSITO DEL GIORNO... Oggi voglio pregare per tutte quelle persone che sono afflitte da pensieri di morte, perché non riescono a superare un lutto o perché oppresse da pensieri cupi e luttuosi sulla loro vita.

PRATICHE E FESTE DEL GIORNO...

- Pratiche e preghiere di ogni giorno consigliate per il mese di marzo *(pag. 727)*.
- Informiamoci e conosciamo il venerabile Luigi Rocchi (cod. 8138).
- Festa Madonna del Palazzo, Crescentino (Vercelli).

SANTI E BEATI DEL GIORNO

Ss. Baronzio e Desiderio • Ss. Montano e Massima • S. Pietro I di Sebaste • B. Maddalena Caterina Morano

27 MARZO

LUNEDÌ

5ª settimana di Quaresima

viola **1ª sett. salt.**

ANTIFONA D'INGRESSO - Pietà di me, o Dio, perché un uomo mi perseguita, un aggressore tutto il giorno mi opprime *(Sal 55,2)*.

COLLETTA - O Padre, che con il dono del tuo amore ci riempi di ogni benedizione, trasformaci in creature nuove, per essere preparati alla Pasqua gloriosa del tuo regno. Per il nostro Signore…

PRIMA LETTURA Dn 13,1-9.15-17.19-30.33-62
Forma breve: [ ] Dn 13,41c-62

Dal libro del profeta Daniele

[In quei giorni,] abitava a Babilonia un uomo chiamato Ioakìm, il quale aveva sposato una donna chiamata Susanna, figlia di Chelkìa, di rara bellezza e timorata di Dio. I suoi genitori, che erano giusti, avevano educato la figlia secondo la legge di Mosè. Ioakìm era molto ricco e possedeva un giardino vicino a casa, ed essendo stimato più di ogni altro, i Giudei andavano da lui. In quell'anno erano stati eletti giudici del popolo due anziani; erano di quelli di cui il Signore ha detto: «L'iniquità è uscita da Babilonia per opera di anziani e di giudici, che solo in apparenza sono guide del popolo». Questi frequentavano la casa di Ioakìm, e tutti quelli che avevano qualche lite da risolvere si recavano da loro. Quando il popolo, verso il mezzogiorno, se ne andava, Susanna era solita recarsi a passeggiare nel giardino del marito. I due anziani, che ogni giorno la vedevano andare a passeggiare, furono presi da un'ardente passione per lei: persero il lume della ragione, distolsero gli occhi per non vedere il Cielo e non ricordare i giusti giudizi. Mentre aspettavano l'occasione favorevole, Susanna entrò, come al solito, con due sole ancelle, nel giardino per fare il bagno, poiché faceva caldo. Non c'era nessun altro al di fuori dei due anziani, nascosti a spiarla. Susanna disse alle ancelle: «Portatemi l'unguento e i profumi, poi chiudete la porta, perché voglio fare il bagno». Appena partite le ancelle, i due anziani uscirono dal nascondiglio, corsero da lei e le dissero: «Ecco, le porte del giardino sono chiuse, nessuno ci vede e noi bruciamo di passione per te; acconsenti e concediti a noi. In caso contrario ti accuseremo; diremo che un giovane era con te e perciò hai fatto uscire le ancelle».

Susanna, piangendo, esclamò: «Sono in difficoltà da ogni parte. Se cedo, è la morte per me; se rifiuto, non potrò scampare dalle vostre mani. Meglio però per me cadere innocente nelle vostre mani che peccare davanti al Signore!». Susanna gridò a gran voce. Anche i due anziani gridarono contro di lei e uno di loro corse alle porte del giardino e le aprì. I servi di casa, all'udire tale rumore in giardino, si precipitarono dalla porta laterale per vedere che cosa le stava accadendo. Quando gli anziani ebbero fatto il loro racconto, i servi si sentirono molto confusi, perché mai era stata detta una simile cosa di Susanna. Il giorno dopo, quando il popolo si radunò nella casa di Ioakìm, suo marito, andarono là anche i due anziani, pieni di perverse intenzioni, per condannare a morte Susanna. Rivolti al popolo dissero: «Si faccia venire Susanna, figlia di Chelkìa, moglie di Ioakìm». Mandarono a chiamarla ed ella venne con i genitori, i figli e tutti i suoi parenti. Tutti i suoi familiari e amici piangevano. I due anziani si alzarono in mezzo al popolo e posero le mani sulla sua testa. Ella piangendo alzò gli occhi al cielo, con il cuore pieno di fiducia nel Signore. Gli anziani dissero: «Mentre noi stavamo passeggiando soli nel giardino, è venuta con due ancelle, ha chiuso le porte del giardino e poi ha licenziato le ancelle. Quindi è entrato da lei un giovane, che era nascosto, e si è unito a lei. Noi, che eravamo in un angolo del giardino, vedendo quella iniquità ci siamo precipitati su di loro. Li abbiamo sorpresi insieme, ma non abbiamo potuto prendere il giovane perché, più forte di noi, ha aperto la porta ed è fuggito. Abbiamo preso lei e le abbiamo domandato chi era quel giovane, ma lei non ce l'ha voluto dire. Di questo noi siamo testimoni». [La moltitudine] prestò loro fede, poiché erano anziani e giudici del popolo, e [la condannò a morte. Allora Susanna ad alta voce esclamò: «Dio eterno, che conosci i segreti, che conosci le cose prima che accadano, tu lo sai che hanno deposto il falso contro di me! Io muoio innocente di quanto essi iniquamente hanno tramato contro di me». E il Signore ascoltò la sua voce. Mentre Susanna era condotta a morte, il Signore suscitò il santo spirito di un giovanetto, chiamato Daniele, il quale si mise a gridare: «Io sono innocente del sangue di lei!». Tutti si voltarono verso di lui dicendo: «Che cosa vuoi dire con queste tue parole?». Allora Daniele, stando in mezzo a loro, disse: «Siete così stolti, o figli d'Israele? Avete condannato a morte una figlia d'Israele senza indagare né appurare la verità! Tornate al tribunale, perché costoro hanno deposto il falso contro di lei». Il popolo tornò subito indietro e gli anziani dissero a Daniele: «Vieni, siedi in mezzo a noi e facci da maestro, poiché Dio ti ha concesso le prerogative dell'anzianità». Daniele esclamò: «Separàteli bene l'uno dall'altro e io li giudicherò». Separàti che furono, Daniele disse al primo: «O uomo invecchiato nel male! Ecco, i tuoi peccati commessi in passato vengono alla luce, quando davi sentenze ingiuste, opprimendo gli innocenti e assolvendo i malvagi, mentre il Signore ha detto: Non ucciderai il giusto e l'innocente. Ora, dunque, se tu hai visto costei, di': sotto quale albero tu li hai visti stare insieme?». Rispose: «Sotto un lentìsco». Disse Daniele: «In verità, la tua menzogna ti ricadrà sulla testa. Già l'angelo di Dio ha ricevuto da Dio la sentenza e ti squarcerà in due». Allontanato questi, fece venire l'altro e gli disse: «Stirpe di Canaan e non di Giuda, la bellezza ti ha sedotto, la passione ti ha pervertito il cuore! Così facevate con le donne d'Israele ed esse per paura si univano a voi. Ma una figlia di Giuda non ha potuto sopportare la vostra iniquità. Dimmi dunque, sotto quale albero li hai sorpresi insieme?». Rispose: «Sotto un léccio». Disse Daniele: «In verità anche la tua menzogna ti ricadrà sulla testa. Ecco, l'angelo di Dio ti aspetta con la spada in mano, per tagliarti in due e così farti morire». Allora tutta l'assemblea proruppe in grida di gioia e benedisse Dio, che salva coloro che sperano in lui. Poi, insorgendo contro i due anziani, ai quali Daniele aveva fatto confessare con la loro bocca di avere deposto il falso, fece loro subire la medesima pena che avevano tramato contro il prossimo e, applicando la legge di Mosè, li fece morire. In quel giorno fu salvato il sangue innocente.] **Parola di Dio.**

SALMO RESPONSORIALE Sal 22 (23)

℟. **Con te, Signore, non temo alcun male.**

Il Signore è il mio pastore:
non manco di nulla.
Su pascoli erbosi mi fa riposare,
ad acque tranquille mi conduce.
Rinfranca l'anima mia. ℟.

Mi guida per il giusto cammino
a motivo del suo nome.
Anche se vado per una valle oscura,
non temo alcun male, perché tu sei con me.
Il tuo bastone e il tuo vincastro
mi danno sicurezza. ℟.

Davanti a me tu prepari una mensa
sotto gli occhi dei miei nemici.
Ungi di olio il mio capo;

il mio calice trabocca. R.

Sì, bontà e fedeltà mi saranno compagne
tutti i giorni della mia vita,
abiterò ancora nella casa del Signore
per lunghi giorni. R.

CANTO AL VANGELO — Ez 33,11

Lode e onore a te, Signore Gesù!
Io non godo della morte del malvagio, dice il Signore,
ma che si converta dalla sua malvagità e viva.
Lode e onore a te, Signore Gesù!

VANGELO — Gv 8,1-11

✠ *Dal Vangelo secondo Giovanni*

In quel tempo, Gesù si avviò verso il monte degli Ulivi. Ma al mattino si recò di nuovo nel tempio e tutto il popolo andava da lui. Ed egli sedette e si mise a insegnare loro. Allora gli scribi e i farisei gli condussero una donna sorpresa in adultèrio, la posero in mezzo e gli dissero: «Maestro, questa donna è stata sorpresa in flagrante adultèrio. Ora Mosè, nella Legge, ci ha comandato di lapidare donne come questa. Tu che ne dici?». Dicevano questo per metterlo alla prova e per avere motivo di accusarlo. Ma Gesù si chinò e si mise a scrivere col dito per terra. Tuttavia, poiché insistevano nell'interrogarlo, si alzò e disse loro: «Chi di voi è senza peccato, getti per primo la pietra contro di lei». E, chinatosi di nuovo, scriveva per terra. Quelli, udito ciò, se ne andarono uno per uno, cominciando dai più anziani. Lo lasciarono solo, e la donna era là in mezzo. Allora Gesù si alzò e le disse: «Donna, dove sono? Nessuno ti ha condannata?». Ed ella rispose: «Nessuno, Signore». E Gesù disse: «**Neanch'io ti condanno**; va' e d'ora in poi non peccare più». **Parola del Signore.**

SULLE OFFERTE - O Signore, concedi ai tuoi fedeli, riuniti per celebrare i santi misteri, di offrirti come frutto della penitenza una coscienza pura e uno spirito rinnovato. Per Cristo nostro Signore.

Prefazio della Passione del Signore I.

COMUNIONE - «Donna, dove sono? Nessuno ti ha condannata?». «Nessuno, Signore». «Neanch'io ti condanno; va'e d'ora in poi non peccare più» *(Gv 8,10-11).*

DOPO LA COMUNIONE - Rinvigoriti dalla benedizione dei tuoi sacramenti, ti preghiamo, o Signore: la loro forza ci purifichi sempre dal male e la sequela di Cristo affretti i nostri passi verso di te nella gloria. Per Cristo nostro Signore.

Orazione sul popolo *ad libitum* - O Signore, libera dai peccati il popolo che ti supplica, perché conduca una vita santa e non sia oppresso da alcuna avversità. Per Cristo nostro Signore.

Commenti

1ª lettura - La vicenda della giovane e bella Susanna, insidiata da due anziani giudici di Israele al tempo dell'esilio in Babilonia, è una storia edificante messa in appendice nel libro di Daniele. Il profeta stesso vi compare come giovanissimo veggente, capace di mettere in luce l'innocenza di Susanna – il cui nome significa in ebraico "giglio" – smascherando la corruzione dei due anziani. Attraverso di essi vengono messi sotto accusa i capi sadducei del I sec. a.C., apparentemente irreprensibili, ma in realtà guide cieche che sviano il popolo. Per mantenersi fedele a Dio e al marito, Susanna affronta il pericolo della lapidazione, incombente su di lei sia che ceda all'adulterio, sia che decida di non cedere alle viscide proposte dei due anziani, incorrendo così nella calunnia. Susanna sceglie piuttosto di morire innocente, pur di non acconsentire al male. Avendo posto la sua fiducia unicamente nelle mani di Dio, le è dato di sperimentare che egli ascolta la voce dei suoi fedeli e viene in loro aiuto prontamente e potentemente. La fedeltà a Dio e la decisione di Susanna di sacrificarsi sono caratteristiche che ritroveremo in Gesù.

VANGELO - Scribi e farisei interrogano Gesù non per approfondire la verità del cuore del Padre, ma per metterlo alla prova. Conducono da lui una donna sorpresa in adulterio e gli chiedono cosa debbano fare, visto che la legge di Mosè prescrive la lapidazione. Gesù sembra quasi distratto e si comporta come se la questione non lo riguardasse: si china e si mette a scrivere con il dito per terra. Quanto sarebbe stato bello sapere cosa stesse scrivendo! Alle insistenze di scribi e farisei, risponde: «Chi di voi è senza peccato, getti per primo la pietra contro di lei». Ebbene, vanno via tutti. Gesù potrebbe condannarla, potrebbe scagliare la pietra contro di lei perché è senza peccato, è Dio che si è fatto uomo. Tuttavia Gesù è amore eterno, amore infinito: non la condanna, anzi la perdona. La misericordia del

Signore, che è un mare infinito, non va però mai banalizzata. Chi è perdonato non può tornare alla vita di prima, la misericordia è sempre per il pentimento e la conversione, per una vita nuova e redenta. Gesù, che guarda con dolcezza infinita quella donna, ci vuole tutti in Paradiso, ma perché questo avvenga dobbiamo evitare a ogni costo un nemico: l'attaccamento al peccato, alla vita passata.

PROPOSITO DEL GIORNO... Oggi voglio astenermi da qualsiasi tipo di giudizio sugli altri. Cercherò piuttosto di trovare il lato buono di ogni persona con cui entrerò in contatto.

PRATICHE E FESTE DEL GIORNO...

- Pratiche e preghiere di ogni giorno consigliate per il mese di marzo *(pag. 727)*.
- Ore 17:30 (possibilmente): Supplica alla Vergine Maria della Medaglia Miracolosa (cod. 8001, 8332).
- Festa Madonna del Piratello, Imola (Bologna).
- Festa Madonna dei Lavoratori, Torino.

SANTI E BEATI DEL GIORNO

S. Augusta di Serravalle • S. Romolo • B. Andrea da Siena • B. Francesco Faà di Bruno

28 MARZO

MARTEDÌ

5ª settimana di Quaresima

viola **1ª sett. salt.**

ANTIFONA D'INGRESSO - Spera nel Signore, sii forte, si rinsaldi il tuo cuore e spera nel Signore *(Sal 26,14)*.

COLLETTA - Il tuo aiuto, Dio onnipotente, ci renda perseveranti nel tuo servizio, perché anche nel nostro tempo la tua Chiesa si accresca di nuovi membri e si rinnovi sempre nello spirito. Per il nostro Signore…

PRIMA LETTURA Nm 21,4-9

Dal libro dei Numeri

In quei giorni, gli Israeliti si mossero dal monte Or per la via del Mar Rosso, per aggirare il territorio di Edom. Ma il popolo non sopportò il viaggio. Il popolo disse contro Dio e contro Mosè: «Perché ci avete fatto salire dall'Egitto per farci morire in questo deserto? Perché qui non c'è né pane né acqua e siamo nauseati di questo cibo così leggero». Allora il Signore mandò fra il popolo serpenti brucianti i quali mordevano la gente, e un gran numero d'Israeliti morì. Il popolo venne da Mosè e disse: «Abbiamo peccato, perché abbiamo parlato contro il Signore e contro di te; supplica il Signore che allontani da noi questi serpenti». Mosè pregò per il popolo. Il Signore disse a Mosè: «Fatti un serpente e mettilo sopra un'asta; chiunque sarà stato morso e lo guarderà, resterà in vita». Mosè allora fece un serpente di bronzo e lo mise sopra l'asta; quando un serpente aveva morso qualcuno, se questi guardava il serpente di bronzo, restava in vita. **Parola di Dio.**

SALMO RESPONSORIALE Dal Salmo 101 (102)

℟. **Signore, ascolta la mia preghiera.**

Signore, ascolta la mia preghiera,
a te giunga il mio grido di aiuto.
Non nascondermi il tuo volto
nel giorno in cui sono nell'angoscia.
Tendi verso di me l'orecchio,
quando t'invoco, presto, rispondimi! ℟.

Le genti temeranno il nome del Signore
e tutti i re della terra la tua gloria,
quando il Signore avrà ricostruito Sion
e sarà apparso in tutto il suo splendore.

Egli si volge alla preghiera dei derelitti,
non disprezza la loro preghiera. ℟.

Questo si scriva per la generazione futura
e un popolo, da lui creato, darà lode al Signore:
«Il Signore si è affacciato dall'alto del suo santuario,
dal cielo ha guardato la terra,
per ascoltare il sospiro del prigioniero,
per liberare i condannati a morte». ℟.

CANTO AL VANGELO Cfr. Gv 3,16

Lode e onore a te, Signore Gesù!
Il seme è la parola di Dio, il seminatore è Cristo:
chiunque trova lui, ha la vita eterna.
Lode e onore a te, Signore Gesù!

VANGELO Gv 8,21-30

✠ *Dal Vangelo secondo Giovanni*

In quel tempo, Gesù disse ai farisei: «Io vado e voi mi cercherete, ma morirete nel vostro peccato. Dove vado io, voi non potete venire». Dicevano allora i Giudei: «Vuole forse uccidersi, dal momento che dice: "Dove vado io, voi non potete venire"?». E diceva loro: «Voi siete di quaggiù, io sono di lassù; voi siete di questo mondo, io non sono di questo mondo.

Vi ho detto che morirete nei vostri peccati; se infatti non credete che Io Sono, morirete nei vostri peccati». Gli dissero allora: «Tu, chi sei?». Gesù disse loro: «Proprio ciò che io vi dico. Molte cose ho da dire di voi, e da giudicare; ma colui che mi ha mandato è veritiero, e le cose che ho udito da lui, le dico al mondo». Non capirono che egli parlava loro del Padre. Disse allora Gesù: «Quando avrete innalzato il Figlio dell'uomo, allora conoscerete che Io Sono e che non faccio nulla da me stesso, ma parlo come il Padre mi ha insegnato. Colui che mi ha mandato è con me: non mi ha lasciato solo, perché faccio sempre le cose che gli sono gradite». A queste sue parole, molti credettero in lui. **Parola del Signore.**

SULLE OFFERTE - Ti offriamo, o Signore, questo sacrificio di riconciliazione, perché le nostre colpe siano perdonate dalla tua misericordia e i nostri cuori incerti trovino in te guida sicura. Per Cristo nostro Signore.

Prefazio della Passione del Signore I.

COMUNIONE - «Quando sarò innalzato da terra, attirerò tutti a me», dice il Signore *(Gv 12,32)*.
Oppure: Quando avrete innalzato il Figlio dell'uomo, conoscerete che Io Sono *(Gv 8,28)*.

Dopo la Comunione - Concedi, Dio onnipotente, che l'assidua partecipazione ai tuoi misteri ci avvicini sempre più ai beni eterni. Per Cristo nostro Signore.

Orazione sul popolo ***ad libitum*** - O Dio, lento all'ira e grande nella misericordia verso coloro che sperano in te, concedi ai tuoi fedeli di piangere i mali commessi, per ottenere la grazia della tua consolazione. Per Cristo nostro Signore.

Commenti

1ª lettura - Il brano presenta un ulteriore episodio della contestazione del popolo durante l'esodo. Gli Israeliti, stanchi del viaggio, mai soddisfatti dei segni di provvidenza che il Signore rivolge loro, mormorano contro Dio e contro il suo mediatore, Mosè. Ne segue il castigo: il morso dei serpenti velenosi. Esso però subito si trasforma in misericordia: il ricorso al serpente di bronzo innalzato su un'asta, che, guardato con fede, risana dai morsi letali. Attraverso la mediazione di Mosè, Dio ha offerto al suo popolo la possibilità di evitare di cedere ai culti delle nazioni pagane circostanti, che avevano una particolare venerazione per i serpenti. Il serpente elevato sull'asta diventa così un segno che trova il suo seguito e compimento nel Vangelo. Se per il popolo del deserto esso esprime la misericordia di Dio che pone rimedio al castigo, nel Vangelo, Cristo, innalzato sulla croce, mostra congiunti castigo e misericordia. Gesù, l'agnello immolato sulla croce, è il castigo di Dio per il nostro peccato e nello stesso tempo è la più grande manifestazione della potenza divina che guarisce dal peccato.

VANGELO - Il nuovo contrasto con i capi dei Giudei è scandito dalla rivelazione della divinità di Gesù («Io Sono»). Ancora una volta Gesù offre ai Giudei la possibilità di far luce sul mistero del Figlio dell'uomo, ma essi lo rifiutano ostinatamente e fraintendono sia le affermazioni sulla sua identità che quelle sulla sua dipartita. Gesù anticipa la sua morte per crocifissione e utilizza il verbo "innalzare" che, solitamente, fa pensare a un'elevazione, a un portare in trionfo. In effetti la croce, come ci ha insegnato papa Benedetto XVI in un'omelia tenuta il 5 giugno 2010 nella chiesa della Santa Croce, a Nicosia, «è il definitivo trionfo dell'amore di Dio su tutti i mali del mondo». Il cristianesimo sovverte ogni regola. Gesù è re dell'universo, ma per trono si è scelto la croce, di per sé uno strumento di tortura, sofferenza, sconfitta, fallimento. Rispetto a quella croce Gesù non scappa, anzi la accetta e tutto ciò che compie, anche questo, è secondo la volontà del Padre. Molti credettero in lui ascoltando le sue parole. Chi sono? Gli umili di cuore. In una folla non tutti hanno lo stesso cuore, ma tra loro ci sono anche i semplici, i piccoli: sono loro che sanno riconoscere Dio che si rivela.

☐ **PROPOSITO DEL GIORNO...** Oggi voglio ringraziare il Signore per tutte quelle volte in cui mi ha liberato dalle catene dell'egoismo, dell'indifferenza, della mancanza di interesse, delle paure paralizzanti.

☐ **PRATICHE E FESTE DEL GIORNO...**

- Pratiche e preghiere di ogni giorno consigliate per il mese di marzo *(pag. 727)*.
- Festa del Prodigioso Sangue, Ferrara.
- Festa Madonna della Bocciola, Vacciago (Novara).

SANTI E BEATI DEL GIORNO

S. Stefano Harding • B. Renata Maria Feillatreau • B. Cristoforo Wharton • **B. Giuseppe Sebastiano Pelczar**

BEATO GIUSEPPE SEBASTIANO PELCZAR: fare sempre la volontà di Dio.

«Gli ideali terreni impallidiscono, **l'ideale della vita lo vedo nel sacrificio e l'ideale del sacrificio lo vedo nel sacerdozio**»: questo scrive il giovane Giuseppe, nato in un piccolo paese della Polonia nel 1842 da Adalberto e Marianna Mięsowicz, e ordinato sacerdote nel luglio del 1864. È professore e preside della facoltà di teologia e si guadagna la fama di uomo illuminato, di ottimo insegnante, di amico dei giovani. Inoltre, si dedica con passione anche ad attività sociali e caritative: nel 1891 fonda la Confraternita della Santissima Maria Vergine Regina della Polonia, che offre aiuto agli artigiani, ai poveri, agli orfani. Con lo stesso spirito, fonda nel 1894 la Congregazione delle Ancelle del Sacro Cuore di Gesù.

Nominato vescovo di Przemyśl, si dedica con impegno instancabile ad attività religiose e sociali. Per ravvivare nei fedeli lo spirito della fede, visita spesso le parrocchie e invita tutti a partecipare alle funzioni eucaristiche. Si immedesima nei bisogni dei suoi fedeli e ha molta cura degli abitanti più poveri della sua diocesi. Muore la notte tra il 27 e il 28 marzo **1924**, lasciando il ricordo di un uomo di Dio che faceva sempre la volontà del suo Signore.

29 MARZO

MERCOLEDÌ

5ª settimana di Quaresima

viola **1ª sett. salt.**

ANTIFONA D'INGRESSO - Tu mi salvi dai nemici furenti, sui miei avversari mi fai trionfare e mi liberi dall'uomo violento, Signore *(Sal 17,49).*

COLLETTA - Dio misericordioso, che susciti nei tuoi figli la volontà di servirti, illumina i nostri cuori purificati dalla penitenza e nella tua bontà ascolta le nostre invocazioni. Per il nostro Signore…

PRIMA LETTURA Dn 3,14-20.46-50.91-92.95

Dal libro del profeta Daniele

In quei giorni il re Nabucodònosor disse: «È vero, Sadrac, Mesac e Abdènego, che **voi non servite i miei dèi e non adorate la statua d'oro** che io ho fatto erigere? Ora se voi, quando udrete il suono del corno, del flauto, della cetra, dell'arpa, del salterio, della zampogna e di ogni specie di strumenti musicali, sarete pronti a prostrarvi e adorare la statua che io ho fatto, bene; altrimenti, in quel medesimo istante, sarete gettati in mezzo a una fornace di fuoco ardente. Quale dio vi potrà liberare dalla mia mano?». Ma Sadrac, Mesac e Abdènego risposero al re Nabucodònosor: «Noi non abbiamo bisogno di darti alcuna risposta in proposito; sappi però che il nostro Dio, che serviamo, può liberarci dalla fornace di fuoco ardente e dalla tua mano, o re. Ma anche se non ci liberasse, sappi, o re, che noi non serviremo mai i tuoi dèi e non adoreremo la statua d'oro che tu hai eretto». Allora Nabucodònosor fu pieno d'ira e il suo aspetto si alterò nei confronti di Sadrac, Mesac e Abdènego, e ordinò che si aumentasse il fuoco della fornace sette volte più del solito. Poi, ad alcuni uomini fra i più forti del suo esercito, comandò di legare Sadrac, Mesac e Abdènego e gettarli nella fornace di fuoco ardente. I servi del re, che li avevano gettati dentro, non cessarono di aumentare il fuoco nella fornace, con bitume, stoppa, pece e sarmenti. La fiamma si alzava quarantanove cùbiti sopra la fornace e uscendo bruciò quei Caldèi che si trovavano vicino alla fornace. Ma l'angelo del Signore, che era sceso con Azarìa e con i suoi compagni nella fornace, allontanò da loro la fiamma del fuoco della fornace e rese l'interno della fornace come se vi soffiasse dentro un vento pieno di rugiada. Così il fuoco non li toccò affatto, non fece loro alcun male, non diede loro alcuna molestia. Allora il re Nabucodònosor rimase stupito e alzatosi in fretta si rivolse ai suoi ministri: «Non abbiamo noi gettato tre uomini legati in mezzo al fuoco?». «Certo, o re», risposero. Egli soggiunse: «Ecco, io vedo quattro uomini sciolti, i quali camminano in mezzo al fuoco, senza subirne alcun danno; anzi il quarto è simile nell'aspetto a un figlio di dèi». Nabucodònosor prese a dire: «Benedetto il Dio di Sadrac, Mesac e Abdènego, il quale ha mandato il suo angelo e ha liberato i servi che hanno confidato in lui; hanno trasgredito il comando del re e hanno esposto i loro corpi per non servire e per non adorare alcun altro dio all'infuori del loro Dio». **Parola di Dio.**

SALMO RESPONSORIALE Dn 3,52-56

℟. **A te la lode e la gloria nei secoli.**

Benedetto sei tu, Signore, Dio dei padri nostri,
Benedetto il tuo nome glorioso e santo. ℟.

Benedetto sei tu nel tuo tempio santo, glorioso,
Benedetto sei tu sul trono del tuo regno. ℟.

Benedetto sei tu che penetri con lo sguardo gli abissi
e siedi sui cherubini,
Benedetto sei tu nel firmamento del cielo. ℟.

CANTO AL VANGELO Cfr. Lc 8,15

Lode e onore a te, Signore Gesù!
Beati coloro che custodiscono la parola di Dio
con cuore integro e buono
e producono frutto con perseveranza.
Lode e onore a te, Signore Gesù!

VANGELO Gv 8,31-42

✠ *Dal Vangelo secondo Giovanni*

In quel tempo, Gesù disse a quei Giudei che gli avevano creduto: «Se rimanete nella mia parola, siete davvero miei discepoli; conoscerete la verità e la verità vi farà liberi». Gli risposero: «Noi siamo discendenti di Abramo e non siamo mai stati schiavi di nessuno. Come puoi dire: "Diventerete liberi"?». Gesù rispose loro: «In verità, in verità io vi dico: chiunque commette il peccato è schiavo del peccato. Ora, lo schiavo non resta per sempre nella casa; il figlio vi resta per sempre. Se dunque il Figlio vi farà liberi, sarete liberi davvero. So che siete discendenti di Abramo. Ma intanto cercate di uccidermi perché la mia parola non trova accoglienza in voi. Io dico quello che ho visto presso il Padre; anche voi dunque fate quello che avete ascoltato dal padre vostro». Gli risposero: «Il padre nostro è Abramo».

Disse loro Gesù: «Se foste figli di Abramo, fareste le opere di Abramo. Ora invece voi cercate di uccidere me, un uomo che vi ha detto la verità udita da Dio. Questo, Abramo non l'ha fatto. Voi fate le opere del padre vostro». Gli risposero allora: «Noi non siamo nati da prostituzione; abbiamo un solo padre: Dio!». Disse loro Gesù: «Se Dio fosse vostro padre, mi amereste, perché da Dio sono uscito e vengo; non sono venuto da me stesso, ma lui mi ha mandato». **Parola del Signore.**

SULLE OFFERTE - Salga a te, o Signore, questo sacrificio, che ci concedi di offrire in onore del tuo nome e rendilo per noi sorgente di salvezza. Per Cristo nostro Signore.

Prefazio della Passione del Signore I.

COMUNIONE - Dio ci ha fatti entrare nel regno del Figlio, l'amato, per mezzo del quale abbiamo la redenzione, il perdono dei peccati *(Cfr. Col 1,13-14).*
Oppure: «Se rimanete nella mia parola, siete davvero miei discepoli», dice il Signore *(Gv 8,31).*

DOPO LA COMUNIONE - I santi misteri che abbiamo ricevuto, o Signore, siano per noi medicina di salvezza per guarire i vizi del nostro cuore e per confermarci nel tuo eterno amore. Per Cristo nostro Signore.

Orazione sul popolo *ad libitum* - Ascolta le suppliche del tuo popolo, Dio onnipotente, e a quanti concedi di sperare nella tua clemenza dona con bontà il frutto della tua incessante misericordia. Per Cristo nostro Signore.

Commenti

1ª lettura - Il ben noto episodio dei tre fanciulli ebrei rimasti illesi nella fornace ardente contrappone la fede nell'unico Dio agli idoli del politeismo, sia quello babilonese al tempo del re Nabucodònosor che quello giudaico. È bene sapere che, durante la persecuzione di Antioco IV Epifane, questi aveva fatto erigere una statua di Zeus Olimpo proprio sul luogo dell'altare nel tempio di Gerusalemme. Dio è il Signore della vita; servirlo è scegliere la vera vita, anche quando questo comporta sofferenza o addirittura martirio. Tale testimonianza rende perfetta la fede di coloro che pongono tutta la loro fiducia in Dio, ma è anche il modo migliore per farlo conoscere e riconoscere dagli stessi persecutori. La narrazione continua con una dovizia di particolari pittoreschi pur nella loro tragicità: essi coinvolgono il lettore e conferiscono solennità al racconto, esaltando ulteriormente la superiorità del Dio d'Israele. Anche nella privazione assoluta di ogni forma di culto, il Signore è e rimane indiscutibilmente l'unico Dio davanti al quale è vanità anche la più grandiosa liturgia dei culti idolatrici.

Vangelo - Questa Parola emoziona, ci interroga, ci scuote, ci scava. «La verità vi farà liberi» non è utopia, ma l'esigenza che avvertiamo nel cuore e che non riusciamo sempre a concretizzare. Gesù è venuto per liberarci nel profondo: dai nostri pregiudizi, dalle nostre inadempienze, dai nostri peccati; da quelle maschere che siamo costretti a indossare per sopravvivere in questo mondo e che ci impediscono di essere veramente noi stessi. Ma Gesù non si limita solo a questo. Può sembrare paradossale, ma Gesù viene a "liberarci" anche dalla fede quando questa diventa solo blanda appartenenza sociale. Infatti entra in polemica non con i soliti farisei, ma con i Giudei che gli avevano creduto. Sono proprio le persone più "religiose" quelle impermeabili a ogni cambiamento, talmente certe delle proprie posizioni da non ascoltare nemmeno le argomentazioni portate da Gesù. In questo tempo in cui è difficile capire dov'è la verità, accettare la verità di Gesù significa conoscere la verità di sé stessi: siamo figli amati e liberi di amare così come Dio ci ama. Questo tempo di Quaresima ci aiuti a superare le bugie che spesso ci raccontiamo per andare avanti e a scoprire Gesù che è via, verità e vita.

PROPOSITO DEL GIORNO... Nel corso della giornata, pregherò Dio di aiutarmi a rifiutare i falsi dèi: il dio denaro, il dio consumo, il dio piacere, il dio successo.

PRATICHE E FESTE DEL GIORNO...

- Pratiche e preghiere di ogni giorno consigliate per il mese di marzo *(pag. 727)*.
- 1° giorno triduo di ringraziamento a san Giuseppe (cod. 8001, 8115, 8190).
- Festa Madonna della Speranza, Giuliano di Roma (Frosinone).

SANTI E BEATI DEL GIORNO

S. Guglielmo Tempier • S. Marco di Aretusa • Ss. Simplicio e Costantino • B. Bertoldo • B. Giovanni Hambley

30 MARZO

GIOVEDÌ

5ª settimana di Quaresima

viola — **1ª sett. salt.**

ANTIFONA D'INGRESSO - Cristo è mediatore di una nuova alleanza, perché, nella sua morte, coloro che sono stati chiamati ricevano l'eredità eterna *(Cfr. Eb 9,15).*

COLLETTA - Ascolta, o Padre, coloro che ti supplicano e custodisci con amore quanti ripongono ogni speranza nella tua misericordia, perché, purificati dalla corruzione del peccato, permangano in una vita santa e siano fatti eredi della tua promessa. Per il nostro Signore...

PRIMA LETTURA — Gen 17,3-9

Dal libro della Gènesi

In quei giorni Abram si prostrò con il viso a terra e Dio parlò con lui: «Quanto a me, ecco, la mia alleanza è con te: diventerai padre di una moltitudine di nazioni. Non ti chiamerai più Abram, ma ti chiamerai Abramo, perché padre di una moltitudine di nazioni ti renderò. E ti renderò molto, molto fecondo; ti farò diventare nazioni e da te usciranno dei re. Stabilirò la mia alleanza con te e con la tua discendenza dopo di te di generazione in generazione, come alleanza perenne, per essere il Dio tuo e della tua discendenza dopo di te. La terra dove sei forestiero, tutta la terra di Canaan, la darò in possesso per sempre a te e alla tua discendenza dopo di te; sarò il loro Dio». Disse Dio ad Abramo: «Da parte tua devi osservare la mia alleanza, tu e la tua discendenza dopo di te, di generazione in generazione». **Parola di Dio.**

SALMO RESPONSORIALE Dal Salmo 104 (105)

℟. **Il Signore si è sempre ricordato della sua alleanza.**

Cercate il Signore e la sua potenza,
ricercate sempre il suo volto.
Ricordate le meraviglie che ha compiuto,
i suoi prodigi e i giudizi della sua bocca. ℟.

Voi, stirpe di Abramo, suo servo,
figli di Giacobbe, suo eletto.
È lui il Signore, nostro Dio:
su tutta la terra i suoi giudizi. ℟.

Si è sempre ricordato della sua alleanza,
parola data per mille generazioni,
dell'alleanza stabilita con Abramo
e del suo giuramento a Isacco. ℟.

CANTO AL VANGELO Cfr. Sal 94 (95),8ab

Lode e onore a te, Signore Gesù!
Oggi non indurite il vostro cuore,
ma ascoltate la voce del Signore.
Lode e onore a te, Signore Gesù!

VANGELO Gv 8,51-59

✠ *Dal Vangelo secondo Giovanni*

In quel tempo, Gesù disse ai Giudei: «In verità, in verità io vi dico: "**Se uno osserva la mia parola**, non vedrà la morte in eterno"». Gli dissero allora i Giudei: «Ora sappiamo che sei indemoniato. Abramo è morto, come anche i profeti, e tu dici: "Se uno osserva la mia parola, non sperimenterà la morte in eterno". Sei tu più grande del nostro padre Abramo, che è morto? Anche i profeti sono morti. Chi credi di essere?». Rispose Gesù: «Se io glorificassi me stesso, la mia gloria sarebbe nulla. Chi mi glorifica è il Padre mio, del quale voi dite: "È nostro Dio!", e non lo conoscete. Io invece lo conosco. Se dicessi che non lo conosco, sarei come voi: un mentitore. Ma io lo conosco e osservo la sua parola. Abramo, vostro padre, esultò nella speranza di vedere il mio giorno; lo vide e fu pieno di gioia». Allora i Giudei gli dissero: «Non hai ancora cinquant'anni e hai visto Abramo?». Rispose loro Gesù: «In verità, in verità io vi dico: prima che Abramo fosse, Io Sono». Allora raccolsero delle pietre per gettarle contro di lui; ma Gesù si nascose e uscì dal tempio. **Parola del Signore.**

SULLE OFFERTE - Guarda, o Signore, il sacrificio di riconciliazione che ti presentiamo, perché giovi alla nostra conversione e alla salvezza al mondo intero. Per Cristo nostro Signore.

Prefazio della Passione del Signore I.

COMUNIONE - Dio, che non ha risparmiato il proprio Figlio, ma lo ha consegnato per tutti noi, non ci donerà forse ogni cosa, insieme a lui? *(Rm 8,32).*
Oppure: «Abramo, vostro padre, esultò nella speranza di vedere il mio giorno: lo vide e fu pieno di gioia», dice il Signore *(Gv 8,56).*

DOPO LA COMUNIONE - Saziati dal dono di salvezza, invochiamo la tua misericordia, o Signore, perché, con questo sacramento che ci nutre nel tempo, tu ci renda partecipi della vita eterna. Per Cristo nostro Signore.

Orazione sul popolo *ad libitum* - Sii propizio, o Signore, verso il tuo popolo perché, rinunciando di giorno in giorno a ciò che non ti è gradito, trovi la sua gioia nei tuoi comandamenti. Per Cristo nostro Signore.

Commenti

1ª lettura - La vocazione di Abramo viene ripresentata in pochi versetti affinché il popolo ritrovi speranza nella certezza dell'alleanza con Dio. Israele, infatti, è ridotto a un piccolo "resto", privo dei doni promessi ad Abramo, quello stesso Abramo che Dio aveva chiamato «padre di una moltitudine». Dio, però, non può rinnegare l'alleanza, perché non può rinnegare sé stesso: questo è il sicuro fondamento che deve sostenere la speranza del popolo, come già permise ad Abramo di sperare contro ogni speranza. È Dio che ha preso l'iniziativa, si è rivelato e ha rivelato ad Abramo il suo nuovo nome – «padre di una moltitudine di nazioni» –, facendone il protagonista di un disegno divino di salvezza. Da qui, per Abramo, l'esigenza di corrispondere a quella chiamata, che si concretizza nell'imperativo: «Cammina davanti a me e sii integro» (Gen 17,1), cioè: «Sii mio – dice il Signore – perché Io sono il Dio tuo». La risposta di Abramo è la prostrazione: «Si prostrò con il viso a terra», in atteggiamento di adorazione, cioè di gratitudine che si fa ascolto. È questo atteggiamento che permette a Dio di parlargli.

VANGELO - Dio stesso è la Parola, tanto che Giovanni inizia il suo Vangelo così: «In principio era il Verbo, e il Verbo era presso Dio e il Verbo era Dio» (Gv 1,1). La Parola è così potente da riuscire a cambiare finanche le leggi della natura. Chi la mette in pratica, non conoscerà la morte in eterno! Insomma, la Parola è vita. Ed è viva. Le Sacre Scritture sono capaci di parlare all'uomo di oggi così come all'uomo del passato. È lì che si trovano tutte le risposte che si cercano. Nel Vangelo c'è sempre una soluzione. Sarebbe bello abituarsi a leggerne una pagina ogni giorno, così come potrebbe diventare appassionante la lettura dei libri dell'Antico Testamento. Leggere e, magari, subito dopo andare a vedere come i grandi artisti di ogni tempo abbiano interpretato quel passo o come i migliori registi ne abbiano tratto un film. Anche nei secoli dell'analfabetismo diffuso, conoscere la parola di Dio era così importante che gli artisti riempivano delle loro opere le chiese, affinché anche chi non sapeva né leggere né scrivere potesse ascoltare la voce di Dio attraverso le scene raffigurate. Gesù oggi ci dice che chi osserverà la Parola non vedrà la morte, ma per osservare la Parola occorre prima conoscerla.

PROPOSITO DEL GIORNO... Rifletterò sulla mia osservanza della parola di Dio e, se necessario, stabilirò quali impegni concreti prendere per migliorare.

PRATICHE E FESTE DEL GIORNO...

- Pratiche e preghiere di ogni giorno consigliate per il mese di marzo *(pag. 727)*.
- Ultimo giorno del sacro manto.
- 1° giorno triduo a san Francesco da Paola (cod. 8473).
- I quindici giovedì di santa Rita: 9° giovedì (cod. 8036, 8352), secondo lo schema in uso nel santuario di Santa Rita da Cascia.
- Festa Madonna dei Miracoli, Lucca.

SANTI E BEATI DEL GIORNO

S. Leonardo Murialdo • S. Secondo di Asti • B. Gioacchino da Fiore • **B. Amedeo IX di Savoia**

BEATO AMEDEO IX DI SAVOIA: «Amate i poveri e Dio vi garantirà la pace».

Si narra che, quando un ambasciatore chiese al duca Amedeo IX di Savoia se avesse mute di cani di razza diversa da quelle del suo signore, Amedeo gli mostrò una mensa imbandita, alla quale sedevano i poveri della città: «Queste sono le mie mute e i miei cani da caccia. **È con l'aiuto di questa povera gente che inseguo la virtù e vado a caccia del regno dei cieli**». Egli è infatti un duca generoso, oltre a essere un saggio uomo politico a capo dello Stato Sabaudo. Nato il 1° febbraio 1435, sin da bambino viene promesso come sposo a Jolanda di Valois, figlia del re Carlo VII di Francia. Amedeo e Jolanda si sposano nel 1452 e da questo matrimonio felice nascono dieci figli. La vita di Amedeo è turbata da crisi di epilessia che egli accetta «come una grazia del Signore», anche se questa malattia e il suo animo mite rivolto al cielo gli procurano difficoltà: i suoi stessi fratelli si ribellano a lui e i nobili vorrebbero sostituirlo con un sovrano più energico. Infine però **la bontà di Amedeo riesce a prevalere sui suoi nemici**. Quando si rende conto di essere ormai vicino alla morte, pronuncia le sue ultime raccomandazioni: «Siate retti. Amate i poveri e Dio vi garantirà la pace». Muore il 30 marzo 1472.

31 MARZO

VENERDÌ

5ª settimana di Quaresima

viola **1ª sett. salt.**

Antifona d'ingresso - Abbi pietà di me, o Signore, sono nell'affanno. Liberami dalla mano dei miei nemici e dai miei persecutori; Signore, che io non debba vergognarmi per averti invocato *(Sal 30,10.16.18)*.

Colletta - Perdona, o Signore, le colpe del tuo popolo, e, poiché la nostra debolezza ci ha resi schiavi del peccato, la tua misericordia converta a te i nostri cuori. Per il nostro Signore…

Oppure: O Dio, che in questo tempo concedi alla tua Chiesa di imitare la beata Vergine Maria nella contemplazione della passione di Cristo, donaci, per sua intercessione, di conformarci sempre più al tuo Figlio unigenito e di giungere alla pienezza della sua grazia. Egli è Dio…

PRIMA LETTURA Ger 20,10-13

Dal libro del profeta Geremìa

Sentivo la calunnia di molti: «Terrore all'intorno!

Denunciàtelo! Sì, lo denunceremo». Tutti i miei amici aspettavano la mia caduta: «Forse si lascerà trarre in inganno, così noi prevarremo su di lui, ci prenderemo la nostra vendetta». Ma il Signore è al mio fianco come un prode valoroso, per questo i miei persecutori vacilleranno e non potranno prevalere; arrossiranno perché non avranno successo, sarà una vergogna eterna e incancellabile. Signore degli eserciti, che provi il giusto, che vedi il cuore e la mente, possa io vedere la tua vendetta su di loro, poiché a te ho affidato la mia causa! Cantate inni al Signore, lodate il Signore, perché ha liberato la vita del povero dalle mani dei malfattori. **Parola di Dio.**

SALMO RESPONSORIALE — Dal Salmo 17 (18)

℟. **Nell'angoscia t'invoco: salvami, Signore.**

Ti amo, Signore, mia forza,
Signore, mia roccia,
mia fortezza, mio liberatore. ℟.

Mio Dio, mia rupe, in cui mi rifugio;
mio scudo, mia potente salvezza e mio baluardo.
Invoco il Signore, degno di lode,
e sarò salvato dai miei nemici. ℟.

Mi circondavano flutti di morte,

mi travolgevano torrenti infernali;
già mi avvolgevano i lacci degli ínferi,
già mi stringevano agguati mortali. ℟.

Nell'angoscia invocai il Signore,
nell'angoscia gridai al mio Dio:
dal suo tempio ascoltò la mia voce,
a lui, ai suoi orecchi, giunse il mio grido. ℟.

CANTO AL VANGELO — Cfr. Gv 6,63c.68c

Lode e onore a te, Signore Gesù!
Le tue parole, Signore, sono spirito e vita;
tu hai parole di vita eterna.
Lode e onore a te, Signore Gesù!

VANGELO — Gv 10,31-42

✠ *Dal Vangelo secondo Giovanni*

In quel tempo, i Giudei raccolsero delle pietre per lapidare Gesù. Gesù disse loro: «Vi ho fatto vedere molte opere buone da parte del Padre: per quale di esse volete lapidarmi?». Gli risposero i Giudei: «Non ti lapidiamo per un'opera buona, ma per una bestemmia: perché tu, che sei uomo, ti fai Dio». Disse loro Gesù: «Non è forse scritto nella vostra Legge: "Io ho detto: voi siete dèi"? Ora, se essa ha chiamato dèi coloro ai quali fu rivolta la parola di Dio – e la Scrittura non può essere annullata –, a colui che il Padre ha consacrato e mandato nel mondo voi dite: "Tu bestemmi", perché ho detto: "Sono Figlio di Dio"? Se non compio le opere del Padre mio, non credetemi; ma se le compio, anche se non credete a me, credete alle opere, perché sappiate e conosciate che il Padre è in me, e io nel Padre». Allora cercarono nuovamente di catturarlo, ma egli sfuggì dalle loro mani. Ritornò quindi nuovamente al di là del Giordano, nel luogo dove prima Giovanni battezzava, e qui rimase. Molti andarono da lui e dicevano: «Giovanni non ha compiuto nessun segno, ma tutto quello che Giovanni ha detto di costui era vero». E in quel luogo molti credettero in lui. **Parola del Signore.**

SULLE OFFERTE - Donaci, Dio misericordioso, di servire degnamente al tuo altare e di ricevere salvezza dall'assidua partecipazione alla tua mensa. Per Cristo nostro Signore.

Prefazio della Passione del Signore I.

COMUNIONE - Egli portò i nostri peccati nel suo corpo sul legno della croce, perché, non vivendo più per il peccato, vivessimo per la giustizia; dalle sue piaghe siete stati guariti *(1Pt 2,24)*.

Oppure: «Il Padre è in me, e io nel Padre», dice il Signore *(Gv 10,38)*.

Dopo la Comunione - Non ci abbandoni, o Signore, la continua protezione del sacrificio che abbiamo ricevuto, e allontani sempre da noi ogni male. Per Cristo nostro Signore.

Orazione sul popolo ***ad libitum*** - Concedi, Dio onnipotente, ai tuoi fedeli, che invocano la grazia della tua protezione, di essere liberati da ogni male e di servirti con animo fiducioso. Per Cristo nostro Signore.

Commenti

1ª lettura - L'azione profetica di Geremìa non può ormai più consistere nel richiamare il popolo alla conversione. Per lunghi anni la sua voce è rimasta inascoltata. Ora egli, per comando di Dio, deve annunziare che il giudizio divino è irrevocabile. Il castigo sta per abbattersi su Israele: Gerusalemme verrà consegnata nelle mani del re di Babilonia. In questa circostanza, la più sofferta della sua dolorosa esperienza di profeta, sgorga la sua ultima "confessione", brano altamente autobiografico, eppure paradigmatico del destino di ogni autentico credente. In pochi toccanti versetti è evocato il momento della vocazione. Non sono taciuti i momenti di sconforto e di ribellione: persecuzioni, calunnie, tradimento sono il tessuto della sua vita.

Tuttavia, come nuovo Giobbe, anche Geremìa risulta vittorioso nella prova: dopo lo sfogo, esce un puro atto di fede in Dio. Significativa la solenne dichiarazione iniziale: «Il Signore è al mio fianco come un prode valoroso». Essa richiama direttamente le parole che Dio stesso disse al profeta al momento della chiamata: «Io sono con te per salvarti» (Ger 1,19).

VANGELO - Gesù, nel fare appello prima alla parola di Dio, che non può essere smentita, e poi alle opere che ha compiuto, prova per l'ultima volta a far schiudere il cuore dei Giudei alla fede. Purtroppo si tratta di un tentativo fallito, perché i Giudei rispondono muovendo a Gesù l'accusa di essere un uomo che si fa Dio. Eppure, nel momento in cui decretano di ucciderlo, anche loro si vestono da Dio! Si tratta dell'eterna tentazione dell'uomo: quella di desiderare la potenza di Dio per poi ritrovarsi a compiere le opere del male e non, invece, realizzare le opere d'amore per le quali siamo stati creati. Gesù, quando ci dice: «Siate misericordiosi come il Padre vostro è misericordioso», ci ricorda essenzialmente che siamo chiamati a imitare Dio solo nel bene. Non si tratta di uno slogan a effetto, ma di un impegno di vita. Un'opera buona, allora, è un sasso che non lanciamo, ma che conserviamo in tasca per non dimenticare il male di cui siamo capaci, mentre chi vuole essere davvero come Dio, senza diventare l'idolo di sé stesso, deve tenere in considerazione la croce: lo strumento attraverso il quale Dio manifesta la reale potenza del suo amore. È sulla croce che conosciamo il vero Dio e il vero Uomo.

PROPOSITO DEL GIORNO... Oggi mando un messaggio a una persona che vive nell'angoscia per ricordarle che Gesù le è vicino e ascolta le sue suppliche.

PRATICHE E FESTE DEL GIORNO...

- Pratiche e preghiere di ogni giorno consigliate per il mese di marzo *(pag. 727)*.
- Astinenza dalle carni.
- Rosario delle sante piaghe (cod. 8001, 8194).
- Preghiere a Gesù crocifisso (cod. 8001, 8193, 8194).
- Rosario dei sette dolori (cod. 8001, 8140).
- I tredici venerdì di san Francesco da Paola: 13° venerdì (cod. 8473).
- Chiudiamo il mese di marzo con l'atto di consacrazione a san Giuseppe (cod. 8115).

SANTI E BEATI DEL GIORNO

S. Beniamino • S. Guido di Pomposa • B. Giovanna di Tolosa • B. Natalia Tułasiewicz • **Ven. don Giovanni Folci**

VENERABILE DON GIOVANNI FOLCI: «Signore, vorrò lavorare per regalarti vocazioni sacerdotali».

«Sarebbe forse lei il nuovo sventurato parroco di quel disgraziato paese?», si sente chiedere don Giovanni Folci, sacerdote al suo primo incarico nella parrocchia di Valle di Colorina, dal capostazione, l'unico ad accoglierlo. Eppure, è l'inizio di una storia di santità! Don Giovanni – nato a Cagno (Como) il 24 febbraio 1890 – non si perde d'animo e ravviva la comunità. Con lo scoppio della Prima guerra mondiale è chiamato, però, ad essere cappellano al fronte: è un'esperienza umana che lascia nel suo animo una traccia indelebile.

Può tornare alla sua parrocchia solo nel 1919 e da allora non la lascia più fino alla morte. **L'11 luglio 1920 viene posta la prima pietra del santuario del Divin Prigioniero**, legato all'opera del Divin Prigioniero, che doveva contribuire a formare sacerdoti santi. Si realizza così un proposito giovanile che don Giovanni aveva espresso alla vigilia della sua prima Messa: «Signore, specialmente vorrò lavorare per regalarti vocazioni sacerdotali e religiose».

Don Giovanni Folci chiude la sua vita terrena il 31 marzo **1963**; dieci giorni prima aveva scritto: **«Cosa voglio, o Signore, se non questo? Sacerdoti e laici santi»**.

APRILE

Calendario liturgico aprile 2023

1	S	S. Ugo	I Salt
2	**D**	**Domenica delle Palme (A)**	**II Salt**
3	L	Lunedì della Settimana Santa	
4	M	Martedì della Settimana Santa	
5	M	Mercoledì della Settimana Santa	
6	G	Giovedì Santo	
7	V	Venerdì Santo	propria
8	S	Sabato Santo	propria
9	**D**	**Domenica di Pasqua (Risurrezione)**	**propria**
10	L	Lunedì fra l'Ottava di Pasqua	propria
11	M	Martedì fra l'Ottava di Pasqua	propria
12	M	Mercoledì fra l'Ottava di Pasqua	propria
13	G	Giovedì fra l'Ottava di Pasqua	propria
14	V	Venerdì fra l'Ottava di Pasqua	propria
15	S	Sabato fra l'Ottava di Pasqua	propria
16	**D**	**II domenica di Pasqua (Div. Mis.) (A)**	**propria**
17	L	S. Innocenzo	II Salt
18	M	S. Galdino	
19	M	S. Giorgio di Antiochia	
20	G	S. Marcellino	
21	V	S. Anselmo, vescovo e dottore della Chiesa	mf
22	S	S. Leonida	
23	**D**	**III domenica di Pasqua (A)**	**III Salt**
24	L	S. Fedele da Sigmaringen, presbitero e martire	mf
25	M	S. Marco, evangelista	f
26	M	Ss. Guglielmo e Pellegrino	
27	G	S. Zita	
28	V	S. Pietro Chanel, presbitero e martire	mf
		S. Luigi M. Grignion de Montfort, presbitero	mf
29	S	S. Caterina da Siena, vergine e dottore della Chiesa patrona d'Italia e d'Europa	f
30	**D**	**IV domenica di Pasqua (A)**	**IV Salt**

Il rosso indica i giorni di precetto, in cui vi è l'obbligo di partecipare alla S. Messa

MESE DEDICATO ALLA DIVINA MISERICORDIA

La misericordia di Dio dà gioia, una gioia speciale, la gioia di sentirsi perdonati gratuitamente. Quando la sera di Pasqua i discepoli vedono Gesù e si sentono dire per la prima volta: «Pace a voi!», gioiscono [...]. Erano chiusi in casa per la paura; ma erano anche chiusi in sé stessi, abbattuti da un senso di fallimento. [...] C'erano motivi per sentirsi non soltanto impauriti, ma falliti, gente da niente. In passato, certo, avevano fatto scelte coraggiose, avevano seguito il Maestro con entusiasmo, impegno e generosità, ma alla fine tutto era precipitato; la paura aveva prevalso e avevano commesso il grande peccato: lasciare solo Gesù nel momento più tragico. Prima della Pasqua pensavano di essere fatti per grandi cose, discutevano su chi fosse il più grande tra di loro e così via... Ora si trovano proprio a toccare il fondo. In questo clima arriva il primo *pace a voi!* I discepoli avrebbero dovuto provare vergogna, e invece gioiscono. [...] Questa è la gioia di Gesù, la gioia che abbiamo provato anche noi sperimentando il suo perdono. Ci è capitato di assomigliare ai discepoli della Pasqua: dopo una caduta, un peccato, un fallimento. In quei momenti sembra che non ci sia più nulla da fare. Ma proprio lì il Signore fa di tutto per donarci la sua pace: attraverso una Confessione, le parole di una persona che si fa vicina, una consolazione interiore dello Spirito, un avvenimento inaspettato e sorprendente... (Papa Francesco, *Omelia*, 24 aprile 2022).

Intenzioni di preghiera del Santo Padre affidate alla sua Rete Mondiale di Preghiera

Padre infinitamente buono, so che tu sei sempre con me, eccomi in questo nuovo giorno. Metti il mio cuore, una volta ancora, vicino al cuore del tuo Figlio Gesù, che si offre per me e che viene a me nell'Eucaristia. Che lo Spirito Santo faccia di me il suo amico e apostolo, disponibile alla sua missione di compassione. Metto nelle tue mani le mie gioie e le mie speranze, le mie attività e le mie sofferenze, tutto ciò che ho e possiedo, in comunione con i miei fratelli e sorelle di questa Rete Mondiale di Preghiera. Con Maria ti offro questa giornata per la missione della Chiesa e per le intenzioni del Papa e del mio Vescovo in questo mese. Amen.

Per una cultura della nonviolenza

Preghiamo per una maggiore diffusione di una cultura della nonviolenza, che passa per un sempre minore ricorso alle armi, sia da parte degli Stati che dei cittadini.

Intenzione mariana

Perché possiamo sostare con Maria ai piedi della croce e poi, accompagnati da lei, annunciare la gioia della risurrezione di suo Figlio.

Calendario devozionale aprile 2023

2 - 10 aprile	▶ Novena a **santa Gemma Galgani**
3 - 11 aprile	▶ Novena alla **Vergine della Rivelazione** (cod. 8001, 8468, 8625)
4 - 12 aprile	▶ Novena alla **Madonna di Castelmonte**
5 - 13 aprile	▶ Novena alla **venerabile Daniela Zanetta**
6 - 14 aprile	▶ Novena a **san Cesare de Bus**
7 - 15 aprile	▶ Novena alla **Divina Misericordia** *(pag. 743)* ▶ Novena a **santa Bernadette** (cod. 8450, 8980)
8 - 16 aprile	▶ Novena a **santa Caterina Tekakwitha** ▶ Novena al **beato Luciano Botovasoa**
9 - 17 aprile	▶ Novena al **venerabile Mercurio Maria Teresi**
10 - 18 aprile	▶ Novena alla **beata Gaetana (Nuccia) Tolomeo**

12 - 20 aprile ▶ Novena a **sant'Anselmo**

13 - 21 aprile ▶ Novena a **Maria santissima dello Splendore**

16 - 24 aprile ▶ Novena a **san Marco evangelista**

19 - 27 aprile
▶ Novena a **san Luigi Maria Grignion de Montfort**
▶ Novena a **santa Gianna Beretta Molla** (cod. 8475)

20 - 28 aprile ▶ Novena a **santa Caterina da Siena**

21 - 29 aprile ▶ Novena a **san Giuseppe Cottolengo**

22 - 30 aprile ▶ Novena a **san Giuseppe lavoratore** (cod. 8115)

24 aprile 2 maggio ▶ Novena ai **santi Filippo e Giacomo apostoli**

26 aprile 4 maggio ▶ Novena a **san Nunzio Sulprizio** (cod. 8028)

29 aprile 7 maggio ▶ Novena alla **Madonna di Pompei**

1 APRILE

SABATO

5ª settimana di Quaresima
viola **1ª sett. salt.**

PRIMO SABATO DEL MESE

ANTIFONA D'INGRESSO - Tu, Signore, non stare lontano, mia forza, vieni presto in mio aiuto, perché io sono un verme e non un uomo, rifiuto degli uomini, disprezzato dalla gente *(Sal 21,20.7).*

COLLETTA - O Dio, che hai fatto di tutti i rinati in Cristo la stirpe eletta e il sacerdozio regale, donaci il desiderio e la forza di compiere ciò che comandi, perché il tuo popolo, chiamato alla vita eterna, sia concorde nella fede e nelle opere. Per il nostro Signore…

PRIMA LETTURA Ez 37,21-28

Dal libro del profeta Ezechièle

Così dice il Signore Dio: Ecco, io prenderò i figli d'Israele dalle nazioni fra le quali sono andati e li radunerò da ogni parte e li ricondurrò nella loro terra: farò di loro un solo popolo nella mia terra, sui monti d'Israele; un solo re regnerà su tutti loro e non saranno più due popoli, né saranno più divisi in due regni.

Non si contamineranno più con i loro ìdoli, con i loro abomìni e con tutte le loro iniquità; li libererò da tutte le ribellioni con cui hanno peccato, li purificherò e saranno il mio popolo e io sarò il loro Dio. Il mio servo Davide regnerà su di loro e vi sarà un unico pastore per tutti; seguiranno le mie norme, **osserveranno le mie leggi** e le metteranno in pratica. Abiteranno nella terra che ho dato al mio servo Giacobbe. In quella terra su cui abitarono i loro padri, abiteranno essi, i loro figli e i figli dei loro figli, per sempre; il mio servo Davide sarà loro re per sempre. Farò con loro un'alleanza di pace; sarà un'alleanza eterna con loro. Li stabilirò e li moltiplicherò e porrò il mio santuario in mezzo a loro per sempre. In mezzo a loro sarà la mia dimora: io sarò il loro Dio ed essi saranno il mio popolo. Le nazioni sapranno che io sono il Signore che santifico Israele, quando il mio santuario sarà in mezzo a loro per sempre. **Parola di Dio.**

SALMO RESPONSORIALE Ger 31,10-12b.13

℟. **Il Signore ci custodisce**
come un pastore il suo gregge.

Ascoltate, genti, la parola del Signore,
annunciàtela alle isole più lontane e dite:
«Chi ha disperso Israele lo raduna

e lo custodisce come un pastore il suo gregge». ℟.

Perché il Signore ha riscattato Giacobbe,
lo ha liberato dalle mani di uno più forte di lui.
Verranno e canteranno inni sull'altura di Sion,
andranno insieme verso i beni del Signore. ℟.

La vergine allora gioirà danzando
e insieme i giovani e i vecchi.
«Cambierò il loro lutto in gioia,
li consolerò e li renderò felici, senza afflizioni». ℟.

CANTO AL VANGELO Cfr. Ez 18,31a

Lode e onore a te, Signore Gesù!
Liberatevi da tutte le iniquità commesse,
dice il Signore, e formatevi un cuore nuovo
e uno spirito nuovo.
Lode e onore a te, Signore Gesù!

VANGELO Gv 11,45-56

✠ *Dal Vangelo secondo Giovanni*

In quel tempo, molti dei Giudei che erano venuti da Maria, alla vista di ciò che Gesù aveva compiuto, [ossia la risurrezione di Làzzaro,] credettero in lui. Ma alcuni di loro andarono dai farisei e riferirono loro quello che Gesù aveva fatto. Allora i capi dei sacerdoti e i farisei riunirono il sinèdrio e dissero: «Che cosa facciamo? Quest'uomo compie molti segni. Se lo lasciamo continuare così, tutti crederanno in lui, verranno i Romani e distruggeranno il nostro tempio e la nostra nazione». Ma uno di loro, Caifa, che era sommo sacerdote quell'anno, disse loro: «Voi non capite nulla! Non vi rendete conto che è conveniente per voi che un solo uomo muoia per il popolo, e non vada in rovina la nazione intera!». Questo però non lo disse da se stesso, ma, essendo sommo sacerdote quell'anno, profetizzò che Gesù doveva morire per la nazione; e non soltanto per la nazione, ma anche per riunire insieme i figli di Dio che erano dispersi. Da quel giorno dunque decisero di ucciderlo. Gesù dunque non andava più in pubblico tra i Giudei, ma da lì si ritirò nella regione vicina al deserto, in una città chiamata Èfraim, dove rimase con i discepoli. Era vicina la Pasqua dei Giudei e molti dalla regione salirono a Gerusalemme prima della Pasqua per purificarsi. Essi cercavano Gesù e, stando nel tempio, dicevano tra loro: «Che ve ne pare? Non verrà alla festa?». **Parola del Signore.**

SULLE OFFERTE - Accogli, o Signore, i doni che ti presentiamo in questo digiuno quaresimale, perché la loro forza di purificazione ci renda degni della tua grazia e ci conduca all'eternità da te promessa. Per Cristo nostro Signore.

Prefazio della Passione del Signore I.

COMUNIONE - Cristo è stato consegnato alla morte per riunire insieme i figli di Dio che erano dispersi *(Cfr. Gv 11,52).*

DOPO LA COMUNIONE - O Padre, che ci hai nutriti con il Corpo e Sangue del tuo Figlio, per questo sacramento di salvezza fa' che entriamo in comunione con la tua vita divina. Per Cristo nostro Signore.

ORAZIONE SUL POPOLO ***ad libitum*** - Abbi pietà, o Padre, della tua Chiesa in preghiera: guarda con amore i fedeli che volgono a te i loro cuori, e non permettere che siano schiavi del peccato, né oppressi dalle avversità quanti hai redento con la morte del tuo Figlio unigenito. Egli vive e regna nei secoli dei secoli.

Commenti

1ª LETTURA - Nella seconda fase del suo ministero profetico, dopo aver predicato il castigo, Ezechièle annuncia simbolicamente il ritorno di Israele dall'esilio e la riunificazione in un solo popolo sui monti di Israele sotto la guida di un solo re-pastore. Il castigo preannunciato è avvenuto (deportazione del 586 a.C.): esso però è terapeutico e temporaneo, in vista della purificazione dall'idolatria e della guarigione dalla disobbedienza. La promessa di Dio, invece, è un'alleanza di pace eterna: lo Spirito del Signore riposa nel suo popolo e il popolo è chiamato a riposare nella terra del suo Dio, in pace e nella prosperità. Il popolo seguirà i comandamenti del Signore e li metterà in pratica. Dio sarà così in mezzo al suo popolo, per sempre. Questo rivelerà a tutti chi è davvero YHWH: «Il Signore che santifica Israele» e chi è veramente Israele: il popolo santificato dalla presenza del suo Dio. In termini più familiari, come dice Dio stesso per bocca del suo profeta: «Io sarò il loro Dio ed essi saranno il mio popolo», con tutta la carica affettiva che i due possessivi esprimono.

Vangelo - L'ombra della croce comincia ad allungarsi su Gesù. Siamo alla resa dei conti. Come si può sostenere davanti al popolo la risurrezione di Làzzaro? Come nascondere la potenza impressionante del Nazareno e, di conseguenza, non interrogarsi sulla sua vera identità? La tensione è alle stelle e il sommo sacerdote va dritto al nodo del problema. Non importa chi sia veramente Gesù ma che i Romani, che hanno allentato la tensione su Israele e lasciato una certa autonomia, non vengano importunati da novità religiose e da sommosse, così da riprendere il controllo della situazione. Meglio che Gesù muoia al posto degli altri, dice l'opportunista Caifa. Così accadrà, ma non nel senso che intende lui. Lo stesso Giovanni, incredibilmente, ci lascia intravedere l'azione dello Spirito nelle parole di morte pronunciate da Caifa. Infatti, dice l'evangelista, questi non parlò «da se stesso, ma, essendo sommo sacerdote quell'anno, profetizzò». Caifa profetizza nonostante sé stesso! Il ruolo compensa la pochezza della persona. Questo accompagnamento continua anche oggi nelle persone che, malgrado i loro limiti, svolgono un ministero per la comunità, a indicare che tutti siamo utili alla causa del Signore.

PROPOSITO DEL GIORNO... Oggi ripeterò più volte i 10 comandamenti e, se non li ricordo, mi impegno a cercarli e rileggerli con attenzione.

PRATICHE E FESTE DEL GIORNO...

- Pratiche e preghiere di ogni giorno consigliate per il mese di aprile *(pag. 727)*.
- I cinque primi sabati del mese (cod. 8001, 8248, 8155).
- 15° sabato di Pompei.

SANTI E BEATI DEL GIORNO

S. Lodovico Pavoni • S. Maria Egiziaca • S. Ugo di Grenoble • B. Giorgio Raimondo Vargas González

SAN LODOVICO PAVONI:
una vita per i giovani.

Don Lodovico Pavoni – primo dei quattro figli di Lelia Poncarali e Alessandro Pavoni, entrambi nobili – **spese la sua vita per aiutare i giovani che provenivano da famiglie povere**. Fondò quindi a Brescia un oratorio nella chiesetta dedicata a Sant'Orsola, **andando personalmente a cercare i ragazzi più abbandonati**. Comprese però che i suoi giovani, molto spesso, quando iniziavano a lavorare, finivano con l'abbandonare gli insegnamenti che aveva loro impartito e perciò pensò di creare il "Pio Istituto San Barnaba" e la prima scuola tipografica italiana, dove erano presenti dieci profili professionali: tipografo, legatore di libri, cartolaio, fabbro ferraio, falegname, argentiere, intagliatore, tornitore, calzolaio e sarto. Anni dopo, nel 1847, fondò la Congregazione dei Figli di Maria. Durante i moti per l'indipendenza italiana, che toccarono Brescia a partire dal 23 marzo 1849, padre Lodovico cercò di mettere in salvo i suoi ragazzi: la notte del 24 li divise in piccoli gruppi e fece raggiungere loro la collina del Calvario presso Saiano. La sua salute uscì gravemente compromessa da questa fatica, ma fino all'ultimo incoraggiò i presenti: **«Alzate gli occhi al cielo. Abbiate spirito di fede e di carità»**. Morì all'alba del 1° aprile.

SETTIMANA SANTA

La Domenica delle Palme ci introduce nella Settimana Santa, nella quale siamo chiamati a ripercorrere con Cristo, giorno per giorno, i momenti culminanti della sua passione e morte, per giungere con cuore rinnovato alla sua risurrezione. Non è semplicemente un momento importante, è la sorgente di tutte le altre celebrazioni dell'anno liturgico. Tutte, infatti, si riferiscono al mistero della Pasqua da cui scaturisce la salvezza nostra e del mondo.
È la Settimana che racconta la totalità e fedeltà dell'amore del Padre che ci dona il Figlio. Gesù, vivendo la sua passione, non guarda solo la nostra povertà di uomini allo sbando senza l'amore del Padre, ma se ne fa carico per riportarci alla pienezza della vita, attraverso la sua morte in croce, unica via per il dono della risurrezione.

Le grandi celebrazioni della Settimana Santa sono:

- *La* ***Domenica delle Palme****, memoria dell'ingresso di Gesù a Gerusalemme.*
- *La* ***Messa crismale****, celebrata il Giovedì Santo mattina (in cattedrale). Il vescovo, con tutti i sacerdoti della diocesi, benedice gli oli santi che verranno utilizzati, nel corso dell'anno, per la celebrazione dei sacramenti:*
    - *> l'olio dei catecumeni per il Battesimo;*

> l'olio degli infermi per l'Unzione degli infermi;
> il crisma (olio più profumo) per il Battesimo, la Confermazione e il sacramento dell'Ordine.

I colori liturgici di questo tempo sono il rosso nella Domenica delle Palme; il viola nel lunedì, martedì, mercoledì; il bianco nella Messa crismale del Giovedì Santo.
Dal Mercoledì delle Ceneri la parola del Signore, come in un pellegrinaggio spirituale, ci ha preso per mano e ci ha accompagnato perché fossimo pronti ad accogliere la Settimana Santa.
Nei prossimi giorni la parola di Dio si intensificherà affinché i nostri occhi non si stacchino da Gesù, ma lo seguano passo dopo passo per apprendere dai suoi gesti il suo amore per tutti.
Dobbiamo tenere fissi i nostri occhi sul volto di Gesù, che accetta anche la morte pur di salvarci. Solo così potremo incontrare i suoi occhi affranti dal dolore, ma sempre pieni di misericordia e di affetto, che ci guarderanno come guardarono Pietro, che pure lo aveva tradito, e sentiremo nel profondo del nostro essere un sentimento di dolore e insieme di tenerezza. Possa ognuno di noi iniziare a seguirlo con un cuore nuovo.

Valori da vivere

Vivere nel raccoglimento i giorni della Settimana Santa, soffermandosi nella lettura dei Vangeli proposti e partecipando alle celebrazioni liturgiche.

2 APRILE

DOMENICA

Domenica delle Palme: Passione del Signore (A) *rosso*

2ª sett. salt.

STIAMO CON CRISTO O FUGGIAMO?

«La Croce è al centro della liturgia della Domenica delle Palme: la lettura della sua Passione ci pone di fronte a Cristo, vivente nella Chiesa. Il mistero pasquale, che nei giorni della Settimana Santa rivivremo, è sempre attuale. Noi siamo oggi i contemporanei del Signore e, come la gente di Gerusalemme, come i discepoli e le donne, siamo chiamati a decidere se stare con Lui o fuggire o rimanere semplici spettatori della sua morte. Si riapre ogni anno, nella Settimana Santa, la grande scena in cui si decide il dramma definitivo non soltanto per una generazione, ma per l'intera umanità ed ogni singola persona. Il racconto della Passione mette in luce la fedeltà di Cristo, in contrasto con l'infedeltà umana. Nell'ora della prova, mentre tutti, anche i discepoli e persino Pietro, abbandonano Gesù, Egli rimane fedele, pronto a versare il sangue per portare a compimento la missione affidatagli dal Padre. Accanto gli resta Maria, silenziosa e sofferente» (cfr. Giovanni Paolo II, *Omelia*, 24 marzo 2002).

COMMEMORAZIONE DELL'INGRESSO DEL SIGNORE IN GERUSALEMME

PRIMA FORMA: PROCESSIONE

All'ora stabilita, i fedeli, il sacerdote e i ministri si radunano in una chiesa minore o in un altro luogo adatto al di fuori della chiesa verso la quale si dovrà dirigere la processione. I fedeli tengono in mano rami di ulivo o di palma. Il sacerdote e il diacono, indossate le vesti liturgiche di colore rosso richieste per la Messa, si recano insieme agli altri ministri al luogo in cui il popolo è radunato. Il sacerdote, al posto della casula, può utilizzare il piviale, che deporrà al termine della processione per indossare la casula. Intanto si canta la seguente antifona o un altro canto adatto.

ANTIFONA

Osanna al Figlio di Davide! Benedetto colui che viene nel nome del Signore, il re d'Israele! Osanna nell'alto dei cieli! *(Cfr. Mt 21,9).*

Quindi il sacerdote dice:

Nel nome del Padre e del Figlio e dello Spirito Santo, *mentre tutti si fanno il segno della croce. Dopo il saluto liturgico, il sacerdote rivolge al popolo una breve monizione per invitarlo a una celebrazione attiva e consapevole. Lo può fare con queste o con altre simili parole:*

Fratelli e sorelle, fin dall'inizio della Quaresima abbiamo cominciato a preparare i nostri cuori attraverso la penitenza e le opere di carità. Oggi siamo qui radunati affinché con tutta la Chiesa possiamo essere introdotti al mistero pasquale del nostro Signore Gesù Cristo, il quale, per dare reale compimento alla propria passione e risurrezione, entrò nella sua città, Gerusalemme. Seguiamo perciò il Signore, facendo memoria del suo ingresso salvifico con fede e devozione, affinché, resi partecipi per grazia del mistero della croce, possiamo aver parte alla risurrezione e alla vita eterna.

Dopo la monizione, il sacerdote dice una delle seguenti orazioni con le braccia allargate:

Preghiamo: Dio onnipotente ed eterno, benedici ✠ questi rami [di ulivo], e concedi a noi tuoi fedeli, che seguiamo esultanti Cristo, nostro Re e Signore, di giungere con lui alla Gerusalemme del cielo. Egli vive e regna nei secoli dei secoli. **Amen.**

Oppure: Accresci, o Dio, la fede di chi spera in te e concedi a noi tuoi fedeli, che oggi innalziamo questi rami in onore di Cristo trionfante, di rimanere uniti a lui, per portare frutti di opere buone. Per Cristo nostro Signore. **Amen.**

E senza dire nulla, asperge i rami con l'acqua benedetta. Quindi il diacono o, in sua assenza, il sacerdote proclama, nel modo consueto, il Vangelo dell'ingresso del Signore come indicato di seguito. Secondo l'opportunità si può usare l'incenso.

VANGELO — Mt 21,1-11

Il Signore sia con voi.

℟. **E con il tuo spirito.**

✠ *Dal Vangelo secondo Matteo*

℟. **Gloria a te, o Signore.**

Quando furono vicini a Gerusalemme e giunsero presso Bètfage, verso il monte degli Ulivi, Gesù mandò due discepoli, dicendo loro: «Andate nel villaggio di fronte a voi e subito troverete un'asina, legata, e con essa un puledro. Slegateli e conduceteli da me. E se qualcuno vi dirà qualcosa, rispondete: "Il Signore ne ha bisogno, ma li rimanderà indietro subito"». Ora questo avvenne perché si compisse ciò che era stato detto per mezzo del profeta: «Dite alla figlia di Sion: "Ecco, a te viene il tuo re, mite, seduto su un'asina e su un puledro, figlio di una bestia da soma"». I discepoli andarono e fecero quello che aveva ordinato loro Gesù: condussero l'asina e il puledro, misero su di essi i mantelli ed egli vi si pose a sedere. La folla, numerosissima, stese i propri mantelli sulla strada, mentre altri tagliavano rami dagli alberi e li stendevano sulla strada. La folla che lo precedeva e quella che lo seguiva, gridava: «Osanna al figlio di Davide! Benedetto colui che viene nel nome del Signore! Osanna nel più alto dei cieli!». Mentre egli entrava in Gerusalemme, tutta la città fu presa da agitazione e diceva: «Chi è costui?». E la folla rispondeva: «Questi è il profeta Gesù, da Nàzaret di Galilea». - Parola del Signore. ℟. **Lode a te o Cristo.**

Dopo il Vangelo, si può tenere una breve omelia. Per dare inizio alla processione, il sacerdote o il diacono o un ministro laico può fare una monizione con queste o con altre simili parole:

Imitiamo, fratelli e sorelle, le folle che acclamavano Gesù, e procediamo in pace.
Oppure: Procediamo in pace.

E in questo caso tutti rispondono:
℟. **Nel nome di Cristo. Amen.**

Quindi ha inizio, nel modo consueto, la processione verso la chiesa dove si celebrerà la Messa. Se si usa l'incenso, precede il turiferario con il turibolo fumigante, quindi l'accolito o un altro ministro con la croce, ornata con rami di palma o di ulivo secondo le consuetudini locali, in mezzo a due ministri con le candele accese.
Segue il diacono con l'Evangeliario, il sacerdote con i ministri e infine tutti i fedeli con i rami in mano.

Mentre si svolge la processione, possono essere cantati dalla schola *e dal popolo i seguenti canti, o altri adatti, in onore di Cristo Re.*

Antifona 1
Le folle degli Ebrei, portando rami d'ulivo, andavano incontro al Signore e acclamavano a gran voce: Osanna nell'alto dei cieli.

L'antifona si può opportunamente ripetere dopo ogni strofa del seguente Salmo:

SALMO 23 (24)

Del Signore è la terra e quanto contiene:
il mondo, con i suoi abitanti.
È lui che l'ha fondato sui mari
e sui fiumi l'ha stabilito. **Antifona 1**

Chi potrà salire il monte del Signore?
Chi potrà stare nel suo luogo santo?
Chi ha mani innocenti e cuore puro,
chi non si rivolge agli idoli,
chi non giura con inganno. **Antifona 1**

Egli otterrà benedizione dal Signore,
giustizia da Dio sua salvezza.
Ecco la generazione che lo cerca,
che cerca il tuo volto, Dio di Giacobbe. **Antifona 1**

Alzate, o porte, i vostri frontali,
alzatevi, soglie antiche,
ed entri il re della gloria.
Chi è questo re della gloria?
Il Signore forte e valoroso,
il Signore valoroso in battaglia. **Antifona 1**

Alzate, o porte, i vostri frontali,
alzatevi, soglie antiche,
ed entri il re della gloria.

Chi è mai questo re della gloria?
Il Signore degli eserciti è il re della gloria.
Antifona 1

ANTIFONA 2
Le folle degli Ebrei stendevano mantelli sulla strada, e a gran voce acclamavano: Osanna al Figlio di Davide. Benedetto colui che viene nel nome del Signore.

L'antifona si può opportunamente ripetere dopo ogni strofa del seguente Salmo:

SALMO 46 (47)
Popoli tutti, battete le mani!
Acclamate Dio con grida di gioia,
perché terribile è il Signore, l'Altissimo,
grande re su tutta la terra. **Antifona 2**

Egli ci ha sottomesso i popoli,
sotto i nostri piedi ha posto le nazioni.
Ha scelto per noi la nostra eredità,
orgoglio di Giacobbe che egli ama.
Ascende Dio tra le acclamazioni,
il Signore al suono di tromba. **Antifona 2**

Cantate inni a Dio, cantate inni,
cantate inni al nostro re, cantate inni;

perché Dio è re di tutta la terra,
cantate inni con arte. **Antifona 2**

Dio regna sulle genti,
Dio siede sul suo trono santo.
I capi dei popoli si sono raccolti
come popolo del Dio di Abramo.
Sì, a Dio appartengono i poteri della terra:
egli è eccelso. **Antifona 2**

Inno a Cristo re

Il coro canta le strofe; tutti rispondono con il ritornello.

A te la gloria e il canto, o Cristo, redentore:
l'osanna dei fanciulli ti onora, re di Sion.

℟. **A te la gloria e il canto, o Cristo, redentore:**
l'osanna dei fanciulli ti onora, re di Sion.

Tu sei il grande re d'Israele,
il Figlio e la stirpe di David,
il re benedetto che viene
nel nome del Signore. ℟.

Il coro degli angeli in cielo
ti loda e ti canta in eterno:
gli uomini e tutto il creato

inneggiano al tuo nome. ℟.

Il popolo santo di Dio
stendeva al tuo passo le palme:
noi oggi veniamo a te incontro
con cantici e preghiere. ℟.

A te che salivi alla morte
levavano un canto di lode;
a te, nostro re vittorioso,
s'innalza il canto nuovo. ℟.

Quei canti ti furono accetti:
le nostre preghiere ora accogli,
re buono e clemente che ami
qualsiasi cosa buona. ℟.

Mentre la processione entra in chiesa, si canta il seguente responsorio o un altro canto che si riferisca all'ingresso del Signore:

RESPONSORIO

℟. Mentre il Cristo entrava nella città santa, la folla degli Ebrei, preannunciando la risurrezione del Signore della vita, * agitava rami di palma e acclamava: Osanna nell'alto dei cieli.
℣. Quando fu annunciato che Gesù veniva a Gerusa-

lemme, il popolo uscì per andargli incontro; * agitava rami di palma e acclamava: Osanna nell'alto dei cieli.

Il sacerdote, giunto all'altare, lo venera e, secondo l'opportunità, lo incensa. Quindi si reca alla sede, depone il piviale, se lo indossava, e veste la casula. Omessi gli altri riti iniziali della Messa e, secondo l'opportunità, il Kýrie, *dice la colletta della Messa, che prosegue poi nel modo consueto.*

SECONDA FORMA:
INGRESSO SOLENNE *(vedi MR pag. 123)*

TERZA FORMA:
INGRESSO SEMPLICE *(vedi MR pag. 123)*

Nelle Messe nelle quali non è possibile cantare l'antifona d'ingresso o eseguire un altro canto adatto sul medesimo tema, il sacerdote si reca subito all'altare e lo venera, saluta il popolo, legge l'antifona d'ingresso e la Messa prosegue nel modo consueto.

ANTIFONA D'INGRESSO - Sei giorni prima della festa solenne di Pasqua, il Signore entrò in Gerusalemme. I fanciulli gli andarono incontro con i rami di palma nelle mani. A gran voce acclamavano: Osanna nell'alto dei cieli. Benedetto tu che vieni con l'immensa tua misericordia. Alzate, o porte i vostri archi, alzatevi soglie antiche, ed entri il re della gloria. Chi è questo re della gloria? Il Signore degli eserciti è il re della gloria. Osanna nell'alto dei cieli. Benedetto tu che vieni con l'immensa tua misericordia *(Cfr. Gv 12,1.12-13; Sal 23,9-10)*.

MESSA

COLLETTA - **Preghiamo:** Dio onnipotente ed eterno, che hai dato come modello agli uomini il Cristo tuo Figlio, nostro Salvatore, fatto uomo e umiliato fino alla morte di croce, fa' che abbiamo sempre presente il grande insegnamento della sua passione, per partecipare alla gloria della risurrezione. Egli è Dio... **Amen.**

Non si dice il Gloria.

(seduti)

PRIMA LETTURA Is 50,4-7

Dal libro del profeta Isaìa

Il Signore Dio mi ha dato una lingua da discepolo, perché io sappia indirizzare una parola allo sfiduciato. Ogni mattina fa attento il mio orecchio perché io ascolti come i discepoli. Il Signore Dio mi ha aperto l'orecchio e io non ho opposto resistenza, non mi sono tirato indietro. Ho presentato il mio dorso ai flagellatori, le mie guance a coloro che mi strappavano la barba; non ho sottratto la faccia agli insulti e agli sputi. Il Signore Dio mi assiste, per questo non resto svergognato, per questo rendo la mia faccia dura come pietra, sapendo di non restare confuso. - Parola di Dio. ℟. **Rendiamo grazie a Dio.**

SALMO RESPONSORIALE Dal Salmo 21 (22)

℟. **Dio mio, Dio mio, perché mi hai abbandonato?**

Si fanno beffe di me quelli che mi vedono,
storcono le labbra, scuotono il capo:
«Si rivolga al Signore; lui lo liberi,
lo porti in salvo, se davvero lo ama!». ℟.

Un branco di cani mi circonda,
mi accerchia una banda di malfattori;
hanno scavato le mie mani e i miei piedi.
Posso contare tutte le mie ossa. ℟.

Si dividono le mie vesti,
sulla mia tunica gettano la sorte.
Ma tu, Signore, non stare lontano,
mia forza, vieni presto in mio aiuto. ℟.

Annuncerò il tuo nome ai miei fratelli,

ti loderò in mezzo all'assemblea.
Lodate il Signore, voi suoi fedeli,
gli dia gloria tutta la discendenza di Giacobbe,
lo tema tutta la discendenza d'Israele. ℟.

SECONDA LETTURA

Fil 2,6-11

Dalla lettera di san Paolo apostolo ai Filippési

Cristo Gesù, pur essendo nella condizione di Dio, non ritenne un privilegio l'essere come Dio, ma svuotò se stesso **assumendo una condizione di servo**, diventando simile agli uomini. Dall'aspetto riconosciuto come uomo, umiliò se stesso facendosi obbediente fino alla morte e a una morte di croce. Per questo Dio lo esaltò e gli donò il nome che è al di sopra di ogni nome, perché nel nome di Gesù ogni ginocchio si pieghi nei cieli, sulla terra e sotto terra, e ogni lingua proclami: «Gesù Cristo è Signore!», a gloria di Dio Padre. - Parola di Dio. ℟. **Rendiamo grazie a Dio.**

(in piedi)

CANTO AL VANGELO

Fil 2,8-9

Lode e onore a te, Signore Gesù!
Per noi Cristo si è fatto obbediente fino alla morte
e a una morte di croce.
Per questo Dio lo esaltò e gli donò il nome

che è al di sopra di ogni nome.
Lode e onore a te, Signore Gesù!

VANGELO

Mt 26,14 – 27,66
Forma breve: [ ] Mt 27,11-54

(*Indicazioni per la lettura dialogata*: ✠ = Gesù; **C** = Cronista; **D** = Discepoli e amici; **F** = Folla; **A** = Altri personaggi).

C *Passione di nostro Signore Gesù Cristo secondo Matteo*

Quanto volete darmi perché io ve lo consegni?

C In quel tempo, uno dei Dodici, chiamato Giuda Iscariota, andò dai capi dei sacerdoti e disse: **D** «Quanto volete darmi perché io ve lo consegni?». **C** E quelli gli fissarono trenta monete d'argento. Da quel momento cercava l'occasione propizia per consegnare Gesù.

Dove vuoi che prepariamo per te, perché tu possa mangiare la Pasqua?

Il primo giorno degli Ázzimi, i discepoli si avvicinarono a Gesù e gli dissero: **D** «Dove vuoi che prepariamo per te, perché tu possa mangiare la Pasqua?». **C** Ed egli rispose: ✠ «Andate in città da un tale e ditegli: "Il Maestro dice: Il mio tempo è vicino; farò la Pasqua da te con i miei discepoli"». **C** I discepoli fecero come aveva loro ordinato Gesù, e prepararono la Pasqua.

Uno di voi mi tradirà

Venuta la sera, si mise a tavola con i Dodici. Mentre mangiavano, disse: ✠ «In verità io vi dico: uno di voi mi tradirà». **C** Ed essi, profondamente rattristati, cominciarono ciascuno a domandargli: **D** «Sono forse io, Signore?». **C** Ed egli rispose: ✠ «Colui che ha messo con me la mano nel piatto, è quello che mi tradirà. Il Figlio dell'uomo se ne va, come sta scritto di lui; ma guai a quell'uomo dal quale il Figlio dell'uomo viene tradito! Meglio per quell'uomo se non fosse mai nato!». **C** Giuda, il traditore, disse: **D** «Rabbì, sono forse io?». **C** Gli rispose: ✠ «Tu l'hai detto».

Questo è il mio corpo; questo è il mio sangue

C Ora, mentre mangiavano, Gesù prese il pane, recitò la benedizione, lo spezzò e, mentre lo dava ai discepoli, disse: ✠ «Prendete, mangiate: questo è il mio corpo». **C** Poi prese il calice, rese grazie e lo diede loro, dicendo: ✠ «Bevetene tutti, perché questo è il mio sangue dell'alleanza, che è versato per molti per il perdono dei peccati. Io vi dico che d'ora in poi non berrò di questo frutto della vite fino al giorno in cui lo berrò nuovo con voi, nel regno del Padre mio». **C** Dopo aver cantato l'inno, uscirono verso il monte degli Ulivi.

Percuoterò il pastore e saranno disperse le pecore del gregge

Allora Gesù disse loro: ✠ «Questa notte per tutti voi sarò motivo di scandalo. Sta scritto infatti: "Percuoterò il pastore e saranno disperse le pecore del gregge". Ma, dopo che sarò risorto, vi precederò in Galilea». C Pietro gli disse: D «Se tutti si scandalizzeranno di te, io non mi scandalizzerò mai». C Gli disse Gesù: ✠ «In verità io ti dico: questa notte, prima che il gallo canti, tu mi rinnegherai tre volte». C Pietro gli rispose: D «Anche se dovessi morire con te, io non ti rinnegherò». C Lo stesso dissero tutti i discepoli.

Cominciò a provare tristezza e angoscia

Allora Gesù andò con loro in un podere, chiamato Getsèmani, e disse ai discepoli: ✠ «Sedetevi qui, mentre io vado là a pregare». C E, presi con sé Pietro e i due figli di Zebedeo, cominciò a provare tristezza e angoscia. E disse loro: ✠ «La mia anima è triste fino alla morte; restate qui e vegliate con me». C Andò un poco più avanti, cadde faccia a terra e pregava, dicendo: ✠ «Padre mio, se è possibile, passi via da me questo calice! Però non come voglio io, ma come vuoi tu!». C Poi venne dai discepoli e li trovò addormentati. E disse a Pietro: ✠ «Così, non siete stati capaci di vegliare con me una sola ora? Vegliate e pregate, per non entrare in tentazione. Lo spirito è pronto, ma la carne è debole».

C Si allontanò una seconda volta e pregò dicendo: ✠ «Padre mio, se questo calice non può passare via senza che io lo beva, si compia la tua volontà». **C** Poi venne e li trovò di nuovo addormentati, perché i loro occhi si erano fatti pesanti. Li lasciò, si allontanò di nuovo e pregò per la terza volta, ripetendo le stesse parole. Poi si avvicinò ai discepoli e disse loro: ✠ «Dormite pure e riposatevi! Ecco, l'ora è vicina e il Figlio dell'uomo viene consegnato in mano ai peccatori. Alzatevi, andiamo! Ecco, colui che mi tradisce è vicino».

Misero le mani addosso a Gesù e lo arrestarono

C Mentre ancora egli parlava, ecco arrivare Giuda, uno dei Dodici, e con lui una grande folla con spade e bastoni, mandata dai capi dei sacerdoti e dagli anziani del popolo. Il traditore aveva dato loro un segno, dicendo: **D** «Quello che bacerò, è lui; arrestatelo!». **C** Subito si avvicinò a Gesù e disse: **D** «Salve, Rabbì!». **C** E lo baciò. E Gesù gli disse: ✠ «Amico, per questo sei qui!». **C** Allora si fecero avanti, misero le mani addosso a Gesù e lo arrestarono. Ed ecco, uno di quelli che erano con Gesù impugnò la spada, la estrasse e colpì il servo del sommo sacerdote, staccandogli un orecchio. Allora Gesù gli disse: ✠ «Rimetti la tua spada al suo posto, perché tutti quelli che prendono la spada, di spada moriranno. O credi che io non possa pregare il Padre mio, che metterebbe subito a mia disposizione più di dodici legioni di angeli? Ma allora come si compirebbero le Scritture, secondo le quali così deve avvenire?». **C** In quello stesso momento Gesù disse alla folla: ✠ «Come se fossi un ladro siete venuti a prendermi con spade e bastoni. Ogni giorno sedevo nel tempio a insegnare, e non mi avete arrestato. Ma tutto questo è avvenuto perché si compissero le Scritture dei profeti». **C** Allora tutti i discepoli lo abbandonarono e fuggirono.

Vedrete il Figlio dell'uomo seduto alla destra della Potenza

Quelli che avevano arrestato Gesù lo condussero dal sommo sacerdote Caifa, presso il quale si erano riuniti gli scribi e gli anziani. Pietro intanto lo aveva seguito, da lontano, fino al palazzo del sommo sacerdote; entrò e stava seduto fra i servi, per vedere come sarebbe andata a finire. I capi dei sacerdoti e tutto il sinedrio cercavano una falsa testimonianza contro Gesù, per metterlo a morte; ma non la trovarono, sebbene si fossero presentati molti falsi testimoni. Finalmente se ne presentarono due, che affermarono: **A** «Costui ha dichiarato: "Posso distruggere il tempio di Dio e ricostruirlo in tre giorni"». **C** Il sommo sacerdote si alzò e gli disse: **A** «Non rispondi nulla? Che cosa testimoniano costoro contro di te?». **C** Ma Gesù taceva. Allora il sommo sacerdote gli disse: **A** «Ti scongiuro, per il Dio vivente, di dirci se sei tu il Cristo, il Figlio di Dio». **C** Gli rispose Gesù: ✠ «Tu l'hai detto; anzi io vi dico: d'ora innanzi vedrete il Figlio dell'uomo seduto alla destra della Potenza e venire sulle nubi del cielo». **C** Allora il sommo sacerdote si stracciò le vesti dicendo: **A** «Ha bestemmiato! Che bisogno abbiamo ancora di testimoni? Ecco, ora avete udito la bestemmia; che ve ne pare?». **C** E quelli risposero: **F** «È reo di morte!». **C** Allora gli sputarono in faccia e lo percossero; altri lo schiaffeggiarono, dicendo: **F** «Fa' il profeta per noi, Cristo! Chi è che ti ha colpito?».

Prima che il gallo canti, tu mi rinnegherai tre volte

C Pietro intanto se ne stava seduto fuori, nel cortile. Una giovane serva gli si avvicinò e disse: **A** «Anche tu eri con Gesù, il Galileo!». **C** Ma egli negò davanti a tutti dicendo: **D** «Non capisco che cosa dici». **C** Mentre usciva verso l'atrio, lo vide un'altra serva e disse ai presenti: **A** «Costui era con Gesù, il Nazareno». **C** Ma egli negò di nuovo, giurando: **D** «Non conosco quell'uomo!». **C** Dopo un poco, i presenti si avvicinarono e dissero a Pietro: **A** «È vero, anche tu sei uno di loro: infatti il tuo accento ti tradisce!».

C Allora egli cominciò a imprecare e a giurare: **D** «Non conosco quell'uomo!». **C** E subito un gallo cantò. E Pietro si ricordò della parola di Gesù, che aveva detto: «Prima che il gallo canti, tu mi rinnegherai tre volte». E, uscito fuori, pianse amaramente.

Consegnarono Gesù al governatore Pilato

Venuto il mattino, tutti i capi dei sacerdoti e gli anziani del popolo tennero consiglio contro Gesù per farlo morire. Poi lo misero in catene, lo condussero via e lo consegnarono al governatore Pilato. Allora Giuda – colui che lo tradì –, vedendo che Gesù era stato condannato, preso dal rimorso, riportò le trenta monete d'argento ai capi dei sacerdoti e agli anziani, dicendo: **D** «Ho peccato, perché ho tradito sangue innocente». **C** Ma quelli dissero: **A** «A noi che importa? Pensaci tu!». **C** Egli allora, gettate le monete d'argento nel tempio, si allontanò e andò a impiccarsi. I capi dei sacerdoti, raccolte le monete, dissero: **A** «Non è lecito metterle nel tesoro, perché sono prezzo di sangue». **C** Tenuto consiglio, comprarono con esse il "Campo del vasaio" per la sepoltura degli stranieri. Perciò quel campo fu chiamato "Campo di sangue" fino al giorno d'oggi. Allora si compì quanto era stato detto per mezzo del profeta Geremia: «E presero trenta monete d'argento, il prezzo di colui che a tal prezzo fu valutato dai figli d'Israele, e le diedero per il campo del vasaio, come mi aveva ordinato il Signore».

Sei tu il re dei Giudei?

[**C** Gesù intanto comparve davanti al governatore, e il governatore lo interrogò dicendo: **A** «Sei tu il re dei Giudei?». **C** Gesù rispose: ✠ «Tu lo dici». **C** E mentre i capi dei sacerdoti e gli anziani lo accusavano, non rispose nulla. Allora Pilato gli disse: **A** «Non senti quante testimonianze portano contro di te?». **C** Ma non gli rispose neanche una parola, tanto che il governatore rimase assai stupito. A ogni festa, il governatore era solito rimettere in libertà per la folla un carcerato, a loro scelta. In quel momento avevano un carcerato famoso, di nome Barabba. Perciò, alla gente che si era radunata, Pilato disse: **A** «Chi volete che io rimetta in libertà per voi: Barabba o Gesù, chiamato Cristo?». **C** Sapeva bene infatti che glielo avevano consegnato per invidia. Mentre egli sedeva in tribunale, sua moglie gli mandò a dire: **A** «Non avere a che fare con quel giusto, perché oggi, in sogno, sono stata molto turbata per causa sua». **C** Ma i capi dei sacerdoti e gli anziani persuasero la folla a chiedere Barabba e a far morire Gesù. Allora il governatore domandò loro: **A** «Di questi due, chi volete che io rimetta in libertà per voi?». **C** Quelli risposero: **F** «Barabba!». **C** Chiese loro Pilato: **A** «Ma allora, che farò di Gesù, chiamato Cristo?». **C** Tutti risposero: **F** «Sia crocifisso!». **C** Ed egli disse: **A** «Ma che male ha fatto?». **C** Essi allora gridavano più forte: **F** «Sia crocifisso!». **C** Pilato, visto che non otteneva nulla, anzi che il tumulto aumentava, prese dell'acqua e si lavò le mani davanti alla folla, dicendo: **A** «Non sono responsabile di questo sangue. Pensateci voi!». **C** E tutto il popolo rispose: **F** «Il suo sangue ricada su di noi e sui nostri figli». **C** Allora rimise in libertà per loro Barabba e, dopo aver fatto flagellare Gesù, lo consegnò perché fosse crocifisso.

Salve, re dei Giudei!

Allora i soldati del governatore condussero Gesù nel pretorio e gli radunarono attorno tutta la truppa. Lo spogliarono, gli fecero indossare un mantello scarlatto, intrecciarono una corona di spine, gliela posero sul capo e gli misero una canna nella mano destra. Poi, inginocchiandosi davanti a lui, lo deridevano: **F** «Salve, re dei Giudei!». **C** Sputandogli addosso, gli tolsero di mano la canna e lo percuotevano sul capo. Dopo averlo deriso, lo spogliarono del mantello e gli rimisero le sue vesti, poi lo condussero via per crocifiggerlo.

Insieme a lui vennero crocifissi due ladroni

Mentre uscivano, incontrarono un uomo di Cirene, chiamato Simone, e lo costrinsero a portare la sua croce. Giunti al luogo detto Gòlgota, che significa «Luogo del cranio», gli diedero da bere vino mescolato con fiele. Egli lo assaggiò, ma non ne volle bere. Dopo averlo crocifisso, si divisero le sue vesti, tirandole a sorte. Poi, seduti, gli facevano la guardia. Al di sopra del suo capo posero il motivo scritto della sua condanna: «Costui è Gesù, il re dei Giudei». Insieme a lui vennero crocifissi due ladroni, uno a destra e uno a sinistra.

Se tu sei Figlio di Dio, scendi dalla croce!

Quelli che passavano di lì lo insultavano, scuotendo il capo e dicendo: **F** «Tu, che distruggi il tempio e in tre giorni lo ricostruisci, salva te stesso, se tu sei Figlio di Dio, e scendi dalla croce!». **C** Così anche i capi dei sacerdoti, con gli scribi e gli anziani, facendosi beffe di lui dicevano: **F** «Ha salvato altri e non può salvare se stesso! È il re d'Israele; scenda ora dalla croce e crederemo in lui. Ha confidato in Dio; lo liberi lui, ora, se gli vuol bene. Ha detto infatti: "Sono Figlio di Dio"!». **C** Anche i ladroni crocifissi con lui lo insultavano allo stesso modo.

Elì, Elì, lemà sabactàni?

A mezzogiorno si fece buio su tutta la terra, fino alle tre del pomeriggio. Verso le tre, Gesù gridò a gran voce: ✠ «Elì, Elì, lemà sabactàni?», C che significa: ✠ «Dio mio, Dio mio, perché mi hai abbandonato?». C Udendo questo, alcuni dei presenti dicevano: A «Costui chiama Elia». C E subito uno di loro corse a prendere una spugna, la inzuppò di aceto, la fissò su una canna e gli dava da bere. Gli altri dicevano: A «Lascia! Vediamo se viene Elia a salvarlo!». C Ma Gesù di nuovo gridò a gran voce ed emise lo spirito.

(Qui ci si genuflette e si fa una breve pausa)

Ed ecco, il velo del tempio si squarciò in due, da cima a fondo, la terra tremò, le rocce si spezzarono, i sepolcri si aprirono e molti corpi di santi, che erano morti, risuscitarono. Uscendo dai sepolcri, dopo la sua risurrezione, entrarono nella città santa e apparvero a molti. Il centurione, e quelli che con lui facevano la guardia a Gesù, alla vista del terremoto e di quello che succedeva, furono presi da grande timore e dicevano: A «Davvero costui era Figlio di Dio!».] C Vi erano là anche molte donne, che osservavano da lontano; esse avevano seguito Gesù dalla Galilea per servirlo. Tra queste c'erano Maria di Màgdala, Maria madre di Giacomo e di Giuseppe, e la madre dei figli di Zebedèo.

Giuseppe prese il corpo di Gesù e lo depose nel suo sepolcro nuovo

Venuta la sera, giunse un uomo ricco, di Arimatèa, chiamato Giuseppe; anche lui era diventato discepolo di Gesù. Questi si presentò a Pilato e chiese il corpo di Gesù. Pilato allora ordinò che gli fosse consegnato. Giuseppe prese il corpo, lo avvolse in un lenzuolo pulito e lo depose nel suo sepolcro nuovo, che si era fatto scavare nella roccia; rotolata poi una grande pietra all'entrata del sepolcro, se ne andò. Lì, sedute di fronte alla tomba, c'erano Maria di Màgdala e l'altra Maria.

Avete le guardie: andate e assicurate la sorveglianza come meglio credete

Il giorno seguente, quello dopo la Parascève, si riunirono presso Pilato i capi dei sacerdoti e i farisei, dicendo: A «Signore, ci siamo ricordati che quell'impostore, mentre era vivo, disse: "Dopo tre giorni risorgerò". Ordina dunque che la tomba venga vigilata fino al terzo giorno, perché non arrivino i suoi discepoli, lo rubino e poi dicano al popolo: "È risorto dai morti". Così quest'ultima impostura sarebbe peggiore della prima!». C Pilato disse loro: A «Avete le guardie: andate e assicurate la sorveglianza come meglio credete». C Essi andarono e, per rendere sicura la tomba, sigillarono la pietra e vi lasciarono le guardie. - Parola del Signore. R. **Lode a te o Cristo.**

Dopo il racconto della Passione si tiene, secondo l'opportunità, una breve omelia. Si può osservare anche un momento di silenzio.

Si dice il Credo *(pag. 15).*

(in piedi)

SULLE OFFERTE - Dio onnipotente, la passione del tuo unico Figlio affretti il giorno del tuo perdono; non lo meritiamo per le nostre opere, ma l'ottenga dalla tua misericordia questo unico mirabile sacrificio. Per Cristo nostro Signore. **Amen.**

PREFAZIO - *La Passione del Signore.* È veramente cosa buona e giusta, nostro dovere e fonte di salvezza, rendere grazie sempre e in ogni luogo a te, Signore, Padre santo, Dio onnipotente ed eterno, per Cristo Signore nostro. Egli, che era senza peccato, accettò la passione per noi peccatori e, consegnandosi a un'ingiusta condanna, portò il peso dei nostri peccati. Con la sua morte lavò le nostre colpe e con la sua risurrezione ci acquistò la salvezza. E noi, con tutti gli angeli del cielo, innalziamo a te il nostro canto, e proclamiamo insieme la tua lode: **Santo...**

COMUNIONE - Padre mio, se questo calice non può passare via senza che io lo beva, si compia la tua volontà *(Mt 26,42).*

DOPO LA COMUNIONE - Preghiamo: O Padre, che ci hai nutriti con i tuoi santi doni, e con la morte del tuo Figlio ci fai sperare nei beni in cui crediamo, fa' che per la sua risurrezione possiamo giungere alla meta della nostra speranza. Per Cristo nostro Signore. **Amen.**

ORAZIONE SUL POPOLO - Volgi lo sguardo, o Padre, su questa tua famiglia per la quale il Signore nostro Gesù Cristo non esitò a consegnarsi nelle mani dei malfattori e a subire il supplizio della croce. Egli vive e regna nei secoli dei secoli. **Amen.**

Commenti

VANGELO (COMMEMORAZIONE DELL'INGRESSO DEL SIGNORE IN GERUSALEMME) - Iniziamo oggi l'ultimo tratto del nostro cammino verso la Pasqua. Forse sarà quello più impegnativo, perché ci coinvolge direttamente. Siamo accanto a Gesù mentre istituisce l'Eucaristia, nell'ora della sua preghiera angosciata nell'orto degli Ulivi, nel Pretorio e poi sul Golgota, sotto la croce. Nel brano della Passione secondo Matteo incontreremo una serie di personaggi noti nei quali ci immedesimeremo. Peccato che la nostra attenzione si fermi solo su questi e poco sugli altri. Io, ad esempio, mi soffermerei sull'asina che Gesù chiede ai suoi.

Questo personaggio sorregge Gesù, lo accompagna nel suo ultimo tratto di strada con umiltà e semplicità. Mettiamo da parte la nostra autosufficienza così da lasciare spazio a Gesù. Non sottovalutate gli asini, anche loro hanno fierezza e portamento. Non saranno cavalcati da re o regine, da principi o cavalieri, ma la loro nobiltà sta nell'essere l'aiuto del lavoratore, il sostegno del viandante, il nutrimento del povero, la compagnia del semplice. Ecco come dovremmo essere anche noi: asini! Il racconto della Passione di Gesù sovverte l'ordine naturale delle cose: gli asini diventano purosangue e il sangue puro di Gesù diventa oggetto di scherno.

1ª LETTURA - La fedeltà a Dio e agli uomini – alla missione ricevuta in loro favore – rende il Servo di Dio saldo nella sofferenza, nell'ignominia, nell'apparente fallimento. Attento discepolo della Parola, profeta e maestro di sapienza per il popolo, con la sua sorte egli prefigura quella di Cristo, il mite che non ha opposto resistenza alla volontà del Padre e non si è sottratto alla malvagità degli uomini, sicuro – perfino nell'ora suprema dell'abbandono sulla croce – che il disegno di Dio è dono di salvezza offerto a tutti. All'inizio di questa Settimana Santa chiediamo anche noi a Dio di aprirci le orecchie del cuore per ascoltare la sua parola di salvezza. Possa scavare dentro le nostre esistenze e giungere lì dove siamo stati feriti, flagellati e scherniti dalla vita. Offriamo al Signore tutta la nostra sofferenza con la stessa consapevolezza del profeta: «Il Signore Dio mi assiste, per questo non resto svergognato». Così facendo, questi giorni non saranno solo un susseguirsi di riti e celebrazioni, ma un'occasione per sperimentare vivamente l'amore di Dio, sapendo di non restare "confusi".

2ª LETTURA - Siamo di fronte a uno stupendo inno cristologico pre-paolino. Complesso nelle singole espressioni che lo costituiscono, può essere inteso a partire dal sostantivo «privilegio», traduzione di una parola che in greco significa letteralmente: "oggetto di rapina". Quindi quale significato può avere l'affermazione: Cristo, che è di condizione divina, non considerò l'essere come Dio un oggetto di rapina? È qui sottinteso il paragone con il primo uomo, Adamo, colui che non essendo in tale condizione volle rubarla. Paolo offre come esempio alla comunità di Filippi il "nuovo Adamo", cioè Cristo, l'uomo nuovo. Costui accetta di riscattare, mediante l'umiltà e l'obbedienza fino alla morte più obbrobriosa, la superba disobbedienza del primo Adamo, a causa della quale tutto il genere umano precipitò nel peccato. Cristo svuotò sé stesso e assunse la nostra condizione servile fino all'estremo limite. Al suo volontario abbassamento corrisponde l'azione di Dio che lo ha esaltato. Tuttavia l'universo ormai è chiamato a proclamare che Gesù Cristo è "kyrios", Signore, cioè Dio, e questa confessione è a gloria del Padre.

VANGELO - Il cammino quaresimale ci porta alla Domenica delle Palme, giorno in cui ricordiamo l'ingresso solenne di Gesù a Gerusalemme. C'è la folla gioiosa che grida "osanna", eppure, da lì a poco, la festa si tramuterà in una tragedia, perché gli osanna muteranno in "sia crocifisso!", condannando a morte quel Gesù acclamato prima. Tuttavia, non è solo la folla a cambiare posizione: nel Vangelo assistiamo a un gioco di alti e bassi. Gli apostoli, scelti e amati da Gesù, cadono in basso tradendolo, rinnegandolo, fuggendo. Invece Gesù, con la sua morte in croce, cambia radicalmente gli equilibri tra Dio e l'uomo: non è più l'uomo che sacrifica a Dio, ma Dio che si sacrifica per l'uomo. Questo gioco di alti e bassi lo ritroveremo in tutta la Settimana Santa: Gesù prima si abbasserà per lavare i piedi agli apostoli, successivamente sarà innalzato sulla croce dalla quale, poi, sarà deposto per essere messo nel sepolcro e infine si rialzerà in piedi, risorto. È bello pensare che questi alti e bassi di Gesù incrocino quelli della nostra vita. Dio possa capovolgere la nostra storia: ci abbassi lì dove ci siamo innalzati con superbia e ci rialzi dal basso dove siamo caduti a causa delle nostre fragilità.

☐ **PROPOSITO DEL GIORNO...** Come Gesù, oggi assumerò anch'io «una condizione di servo» nei confronti dei miei fratelli, mettendomi a disposizione per qualche servizio.

☐ **PRATICHE E FESTE DEL GIORNO...**

- Pratiche e preghiere di ogni giorno consigliate per il mese di aprile *(pag. 727)*.
- 38ª Giornata mondiale della gioventù.
- Riviviamo la Passione di Gesù (cod. 8671).
- Preghiera a san Francesco da Paola (cod. 8473).
- Informiamoci e conosciamo san Francesco da Paola (cod. 8473).
- 1° giorno novena a santa Gemma Galgani.
- Festa Madonna della Castagna, Ripalta (La Spezia).

SANTI E BEATI DEL GIORNO

S. Francesco da Paola • S. Domenico Tuoc • S. Teodora • B. Elisabetta Vendramini • B. Matteo di Massaccio

3 APRILE

LUNEDÌ

Settimana Santa

viola — **2ª sett. salt.**

ANTIFONA D'INGRESSO - Signore, accusa chi mi accusa, combatti chi mi combatte. Afferra scudo e corazza e sorgi in mio aiuto, Signore mio Dio, forza che mi salva *(Sal 34,1-2; Sal 139,8).*

COLLETTA - Guarda, Dio onnipotente, l'umanità sfinita per la sua debolezza mortale, e fa' che riprenda vita per la passione del tuo unigenito Figlio. Egli è Dio…

PRIMA LETTURA — Is 42,1-7

Dal libro del profeta Isaìa

«Ecco il mio servo che io sostengo, il mio eletto di cui mi compiaccio. Ho posto il mio spirito su di lui; egli porterà il diritto alle nazioni. Non griderà né alzerà il tono, non farà udire in piazza la sua voce, non spezzerà una canna incrinata, non spegnerà uno stoppino dalla fiamma smorta; proclamerà il diritto con verità. Non verrà meno e non si abbatterà, finché non avrà stabilito il diritto sulla terra, e le isole attendono il suo insegnamento». Così dice il Signore Dio, che crea i cieli e li dispiega, distende la terra con ciò che vi nasce, dà il respiro alla gente che la abita e l'alito a quanti camminano su di essa: «Io, il Signore, ti ho chiamato per la giustizia e ti ho preso per mano; ti ho formato e ti ho stabilito come alleanza del popolo e luce delle nazioni, perché tu apra gli occhi ai ciechi e faccia uscire dal carcere i prigionieri, dalla reclusione coloro che abitano nelle tenebre». **Parola di Dio.**

SALMO RESPONSORIALE Dal Salmo 26 (27)

℟. **Il Signore è mia luce e mia salvezza.**

Il Signore è mia luce e mia salvezza:
di chi avrò timore?
Il Signore è difesa della mia vita:
di chi avrò paura? ℟.

Quando mi assalgono i malvagi
per divorarmi la carne,
sono essi, avversari e nemici,
a inciampare e cadere. ℟.

Se contro di me si accampa un esercito,
il mio cuore non teme;
se contro di me si scatena una guerra,

anche allora ho fiducia. ℟.

Sono certo di contemplare la bontà del Signore
nella terra dei viventi.
Spera nel Signore, sii forte,
si rinsaldi il tuo cuore e spera nel Signore. ℟.

CANTO AL VANGELO

Lode e onore a te, Signore Gesù!
Salve, nostro Re:
tu solo hai compassione di noi peccatori.
Lode e onore a te, Signore Gesù!

VANGELO Gv 12,1-11

✠ *Dal Vangelo secondo Giovanni*

Sei giorni prima della Pasqua, Gesù andò a Betània, dove si trovava Làzzaro, che egli aveva risuscitato dai morti. E qui fecero per lui una cena: Marta serviva e Làzzaro era uno dei commensali. Maria allora prese trecento grammi di profumo di puro nardo, assai prezioso, ne cosparse i piedi di Gesù, poi li asciugò con i suoi capelli, e tutta la casa si riempì dell'aroma di quel profumo. Allora Giuda Iscariòta, uno dei suoi discepoli, che stava per tradirlo, disse: «Perché non si è venduto questo profumo per trecento denari e non si sono dati ai poveri?». Disse questo non perché gli importasse dei poveri, ma perché era un ladro e, siccome teneva la cassa, prendeva quello che vi mettevano dentro. Gesù allora disse: «Lasciala fare, perché ella lo conservi per il giorno della mia sepoltura. I poveri infatti li avete sempre con voi, ma non sempre avete me». Intanto una grande folla di Giudei venne a sapere che egli si trovava là e accorse, non solo per Gesù, ma anche per vedere Làzzaro che egli aveva risuscitato dai morti. I capi dei sacerdoti allora decisero di uccidere anche Làzzaro, perché molti Giudei se ne andavano a causa di lui e credevano in Gesù. **Parola del Signore.**

SULLE OFFERTE - Volgi con bontà il tuo sguardo, o Signore, ai santi misteri che celebriamo: il sacrificio, che nella tua misericordia hai disposto per annullare la nostra condanna, produca per noi frutti di vita eterna. Per Cristo nostro Signore.

Prefazio della Passione del Signore II.

COMUNIONE - Non nascondermi il tuo volto nel giorno dell'angoscia. Tendi verso di me l'orecchio; quando t'invoco, presto, rispondimi! *(Cfr. Sal 101,3).*
Oppure: Maria di Betania prese trecento grammi di profumo di puro nardo, assai prezioso, ne cosparse i piedi di Gesù e li asciugò con i suoi capelli *(Cfr. Gv 12,3).*

Dopo la Comunione - Visita, Signore, il tuo popolo consacrato da questi santi misteri, proteggilo con il tuo amore premuroso, perché custodisca con il tuo aiuto i doni che ha ricevuto dalla tua misericordia. Per Cristo nostro Signore.

Orazione sul popolo ***ad libitum*** - La tua protezione, o Signore, soccorra gli umili e sostenga sempre coloro che confidano nella tua misericordia, perché si preparino alla celebrazione delle feste pasquali non solo con la mortificazione del corpo ma, ancor di più, con la purezza dello spirito. Per Cristo nostro Signore.

Commenti

1ª lettura - In questi santi giorni la figura del servo di YHWH si leva silente e maestosa davanti a noi per introdurci nel mistero pasquale: la sua elezione, missione e sofferenza sono profezia della sorte di Cristo. Dio stesso presenta il suo servo: egli lo ha eletto per una missione difficile e per questo lo sostiene. Consacrato con lo spirito profetico, il servo estenderà a tutte le genti il «diritto», cioè la conoscenza pratica dei giudizi di Dio. Il servo è descritto sulla falsariga dell'araldo del re. Nella prassi babilonese costui era incaricato di proclamare nelle piazze delle città i decreti di condanna a morte. Se al termine del suo giro nessun testimone era sorto in difesa del condannato, egli spezzava la canna e spegneva la lampada di cui era munito, per indicare che la condanna ormai era irrevocabile. Ora il servo dell'unico e vero re, Dio, non spezza la canna: portatore del suo giudizio, egli non viene a condannare, ma a salvare. Gesù è insieme servo sofferente e vero liberatore dell'umanità dalla condanna del peccato. È lui la canna spezzata e la luce vera che illumina ogni uomo.

VANGELO - Viene da chiedersi se siamo come Maria o come Giuda. Da un lato c'è questa donna che vive un'intima familiarità con Gesù, ne condivide la missione e gli esprime riconoscenza con il suo silenzioso gesto di amore adorante, senza calcolo e senza misura, andando anche oltre gli stereotipi del suo tempo. Dall'altro lato c'è Giuda, che ha vissuto accanto a Gesù ed è testimone delle sue parole e delle sue opere, eppure non riesce a superare i suoi rigidi schemi mentali né si lascia provocare dall'esempio del suo Maestro. Forse anche per questo gli risulterà così semplice tradirlo. Senza mezze tinte, l'evangelista Giovanni ci presenta due compagni della sequela del Signore, Maria e Giuda: l'amore ha dilatato il cuore dell'una, la meschinità ha irrimediabilmente chiuso quello dell'altro. E noi? Possiamo essere fra quelli che osservano precetti e feste comandate ma non si lasciano incontrare veramente da Gesù; oppure possiamo decidere di mettere la nostra vita al servizio del Signore e del prossimo con lo stile di Maria, immagine della Chiesa sposa di Cristo. In questo tempo santo scegliamo quale profumo deve riempire la nostra vita, se quello inebriante dell'amore o l'olezzo dell'egoismo.

☐ **PROPOSITO DEL GIORNO...** Trascrivo su un foglio il salmo proposto dalla liturgia odierna, sottolineando e meditando le parole che mi danno più forza.

☐ **PRATICHE E FESTE DEL GIORNO...**

- Pratiche e preghiere di ogni giorno consigliate per il mese di aprile *(pag. 727)*.
- Approfondiamo gli episodi evangelici della Settimana Santa (cod. 8364).
- 1° giorno novena alla Vergine della Rivelazione (cod. 8001, 8468, 8625).
- Festa Santa Maria della Croce, Crema (Cremona).

SANTI E BEATI DEL GIORNO

S. Luigi Scrosoppi • S. Riccardo di Chichester • S. Sisto I • B. Giovanni da Penna San Giovanni • **Ven. Bernardo Sartori**

VENERABILE BERNARDO SARTORI:

un uomo che vince stando in ginocchio.

La sua ultima giornata era iniziata verso le 4 del mattino con la preghiera davanti al Santissimo Sacramento. Era il 3 aprile **1983**, giorno di Pasqua. Padre Bernardo si recò davanti al tabernacolo, si mise sui gradini, le braccia aperte e la corona in mano. In quella posizione e in quel luogo fu colto da embolia: **insieme alla Madonna**, che al mattino di Pasqua era andata presso la tomba del Figlio, **andò a celebrare la più bella mattina della sua vita**. Padre Bernardo visse una vita di sfide: alla povertà che gli impediva d'intraprendere gli studi, alla durezza di un padre che non capiva il figlio sacerdote e poi missionario, alla fame, alla guerra e agli odi tribali che dilaniavano l'Uganda… **E ha vinto le sue sfide mettendosi in ginocchio, davanti a Dio e agli uomini**. Era nato il 20 maggio 1897 a Falzè di Trevignano.
Divenuto padre comboniano, era partito per l'Uganda nel 1934. Qui si è speso per quasi 50 anni, durante un periodo delicatissimo della storia dell'Africa. Lo hanno sempre accompagnato **la preghiera assidua, la devozione all'Eucaristia e alla Madonna**, il volto sempre sorridente, il suo amore per tutti e specialmente per gli Africani.

4 APRILE

MARTEDÌ

Settimana Santa

viola **2ª sett. salt.**

ANTIFONA D'INGRESSO - Non gettarmi in preda ai miei avversari. Contro di me si sono alzati falsi testimoni che soffiano violenza *(Sal 26,12)*.

COLLETTA - Concedi a questa tua famiglia, o Padre, di celebrare con fede i misteri della passione del tuo Figlio per gustare la dolcezza del tuo perdono. Per il nostro Signore…

PRIMA LETTURA Is 49,1-6

Dal libro del profeta Isaìa

Ascoltatemi, o isole, udite attentamente, nazioni lontane; il Signore dal seno materno mi ha chiamato, fino dal grembo di mia madre ha pronunciato il mio nome. Ha reso la mia bocca come spada affilata, mi ha nascosto all'ombra della sua mano, mi ha reso freccia appuntita, mi ha riposto nella sua farètra. Mi ha detto: «Mio servo tu sei, Israele, sul quale manifesterò la mia gloria». Io ho risposto:

«Invano ho faticato, per nulla e invano ho consumato le mie forze. Ma, certo, il mio diritto è presso il Signore, la mia ricompensa presso il mio Dio». Ora ha parlato il Signore, che mi ha plasmato suo servo dal seno materno per ricondurre a lui Giacobbe e a lui riunire Israele – poiché ero stato onorato dal Signore e Dio era stato la mia forza –, e ha detto: «È troppo poco che tu sia mio servo per restaurare le tribù di Giacobbe e ricondurre i superstiti d'Israele. Io ti renderò luce delle nazioni, perché porti la mia salvezza fino all'estremità della terra».
Parola di Dio.

SALMO RESPONSORIALE Dal Salmo 70 (71)

℟. **La mia bocca, Signore,**
racconterà la tua salvezza.

Oppure:

℟. **Proclamerò, Signore, la tua salvezza.**

In te, Signore, mi sono rifugiato,
mai sarò deluso.
Per la tua giustizia, liberami e difendimi,
tendi a me il tuo orecchio e salvami. ℟.

Sii tu la mia roccia,
una dimora sempre accessibile;

hai deciso di darmi salvezza:
davvero mia rupe e mia fortezza tu sei!
Mio Dio, liberami dalle mani del malvagio. ℟.

Sei tu, mio Signore, la mia speranza,
la mia fiducia, Signore, fin dalla mia giovinezza.
Su di te mi appoggiai fin dal grembo materno,
dal seno di mia madre sei tu il mio sostegno. ℟.

La mia bocca racconterà la tua giustizia,
ogni giorno la tua salvezza,
che io non so misurare.
Fin dalla giovinezza, o Dio, mi hai istruito
e oggi ancora proclamo le tue meraviglie. ℟.

CANTO AL VANGELO

Lode e onore a te, Signore Gesù!
Salve, nostro Re, obbediente al Padre:
sei stato condotto alla croce,
come agnello mansueto al macello.
Lode e onore a te, Signore Gesù!

VANGELO Gv 13,21-33.36-38

✠ *Dal Vangelo secondo Giovanni*

In quel tempo, [mentre era a mensa con i suoi discepoli,] Gesù fu profondamente turbato e dichiarò:

«In verità, in verità io vi dico: uno di voi mi tradirà». I discepoli si guardavano l'un l'altro, non sapendo bene di chi parlasse. Ora uno dei discepoli, quello che Gesù amava, si trovava a tavola al fianco di Gesù. Simon Pietro gli fece cenno di informarsi chi fosse quello di cui parlava. Ed egli, chinandosi sul petto di Gesù, gli disse: «Signore, chi è?». Rispose Gesù: «È colui per il quale intingerò il boccone e glielo darò». E, intinto il boccone, lo prese e lo diede a Giuda, figlio di Simone Iscariòta. Allora, dopo il boccone, Satana entrò in lui. Gli disse dunque Gesù: «Quello che vuoi fare, fallo presto». Nessuno dei commensali capì perché gli avesse detto questo; alcuni infatti pensavano che, poiché Giuda teneva la cassa, Gesù gli avesse detto: «Compra quello che ci occorre per la festa», oppure che dovesse dare qualche cosa ai poveri. **Egli, preso il boccone, subito uscì**. Ed era notte. Quando fu uscito, Gesù disse: «Ora il Figlio dell'uomo è stato glorificato, e Dio è stato glorificato in lui. Se Dio è stato glorificato in lui, anche Dio lo glorificherà da parte sua e lo glorificherà subito. Figlioli, ancora per poco sono con voi; voi mi cercherete ma, come ho detto ai Giudei, ora lo dico anche a voi: dove vado io, voi non potete venire». Simon Pietro gli disse: «Signore, dove

vai?». Gli rispose Gesù: «Dove io vado, tu per ora non puoi seguirmi; mi seguirai più tardi». Pietro disse: «Signore, perché non posso seguirti ora? Darò la mia vita per te!». Rispose Gesù: «Darai la tua vita per me? In verità, in verità io ti dico: non canterà il gallo, prima che tu non m'abbia rinnegato tre volte».
Parola del Signore.

SULLE OFFERTE - Accetta con bontà, o Signore, l'offerta della tua famiglia: tu, che la rendi partecipe di questi santi doni, fa' che giunga a possederli pienamente nel tuo regno. Per Cristo nostro Signore.

Prefazio della Passione del Signore II.

COMUNIONE - Dio non ha risparmiato il proprio Figlio, ma lo ha consegnato per tutti noi *(Rm 8,32)*.
Oppure: Ora il Figlio dell'uomo è stato glorificato, e Dio è stato glorificato in lui *(Gv 13,31)*.

DOPO LA COMUNIONE - Saziati dal dono di salvezza, invochiamo la tua misericordia, o Signore, perché con questo sacramento che ci nutre nel tempo tu ci renda partecipi della vita eterna. Per Cristo nostro Signore.

ORAZIONE SUL POPOLO *ad libitum* - La tua misericordia, o Dio, liberi dalle insidie dell'antico peccato il popolo a te fedele e lo renda capace della santità di una vita nuova. Per Cristo nostro Signore.

Commenti

1ª LETTURA - Leva la voce il servo di YHWH, chiedendo a tutti un ascolto attento, anche ai più lontani: la sua missione dovrà giungere fino ai confini del mondo. Egli racconta la propria vicenda sintetizzandola in alcuni momenti fondamentali: la vocazione, che sta alle origini della sua vita e rende manifesto il disegno di Dio (questi plasma il suo eletto come strumento adeguato, riservato per un preciso incarico: proclamare con efficacia la Parola); quindi l'oracolo, con cui il Signore lo conferma nell'identità e nella missione. In un primo tempo tale missione si risolve in un insuccesso e l'inutilità della propria fatica pesa sul cuore del servo. Formato fin dal seno materno per radunare e convertire il suo popolo al Signore, egli sperimenta il fallimento e tuttavia sa riconoscere che Dio custodisce la sua causa e ricompensa il suo operato. La stima che il Signore gli manifesta e la forza che gli infonde corroborano il servo, che accoglie e riferisce un nuovo oracolo di Dio su di lui: l'ora della prova e dell'insuccesso non viene per chiudere la sua vicenda profetica, ma per dilatarla senza confini.

VANGELO - Quella sera doveva essere dolcissima e nello stesso tempo amara. Gesù aveva deciso di mangiare con gli amici per l'ultima volta. Aveva delle cose importanti da dire: li voleva salutare. Ma soprattutto voleva dire loro che avrebbe tirato dritto, che non si sarebbe arreso. Noi pensiamo che per tirare dritto, nella vita, bisogna mostrare i muscoli, fare la faccia dura, prepararsi a gesti di forza e – se necessario – di violenza. Ma Lui non poteva: aveva detto che quelli felici sono miti, cercano di costruire la pace, vivono di misericordia. Lassù, sulla montagna, Gesù aveva parlato ai "beati" invitandoli a tenere duro e rianimando la loro fiducia nella vita, educando il desiderio verso ciò che vale la pena. È così che Gesù si prepara a lasciare questo mondo: accettando anche di salutare l'amico Giuda, che esce dalla sala da pranzo per andare a consegnarlo. Gli aveva offerto il boccone intinto, segno di onore e di riguardo, ultima provocazione dell'amore. Gesù «fu profondamente turbato», perché i tradimenti fanno male. Ma è così che mostra la sua forza: consegnandosi, per amore, alla nostra libertà di accoglierlo o di rifiutarlo. Ed è questa grandezza che oggi vogliamo contemplare.

PROPOSITO DEL GIORNO... Oggi pregherò per le coppie in crisi a causa di un tradimento.

PRATICHE E FESTE DEL GIORNO...

- Pratiche e preghiere di ogni giorno consigliate per il mese di aprile *(pag. 727)*.
- Giorno dedicato alle anime del Purgatorio (cod. 8110, 8147, 8477).
- I quindici giovedì di santa Rita: 10º giovedì (si anticipa al martedì perché il 6 aprile è Giovedì Santo; cod. 8036, 8352).
- 1º giorno novena alla Madonna di Castelmonte.
- Festa Beata Vergine Ausiliatrice del Popolo Modenese, Modena.

SANTI E BEATI DEL GIORNO

S. Isidoro di Siviglia • S. Benedetto il Moro • **B. Giuseppe Benedetto Dusmet** • B. Guglielmo Cuffitelli

BEATO GIUSEPPE BENEDETTO DUSMET: "il santo cardinale".

Tutt'ora vivo nella memoria del popolo catanese per l'eroicità della sua carità, a monsignor Giuseppe Benedetto Dusmet si attribuisce la liberazione dalla colata lavica del comune di Nicolosi: tutti riconobbero che la lava si fermò grazie all'intercessione di sant'Agata e alla preghiera del «santo cardinale», come veniva chiamato (fu infatti creato cardinale da papa Leone XIII).

Era nato a Palermo il 15 agosto 1818 dal marchese Luigi Dusmet, di origine belga, e dalla marchesa Maria Dragonetti. Entrato nell'Ordine di San Benedetto, nel 1867 venne nominato vescovo di Catania. La sua azione episcopale fu importante: riorganizzò il seminario, visitò le parrocchie, incontrò i giovani e promosse le associazioni cattoliche per favorire l'educazione cristiana, ma soprattutto **aprì le porte dell'episcopio ai poveri, che in lui vedevano un padre, un fratello, un amico, l'immagine stessa di Gesù**: «Sin quando avremo un panettello, noi lo divideremo col povero. **La nostra porta per ogni misero che soffra sarà sempre aperta**». Stanco e malato, moriva a Catania il 4 aprile 1894, nel suo letto privo di lenzuola: aveva donato ai poveri anche quelle.

5 APRILE

MERCOLEDÌ

Settimana Santa

viola **2ª sett. salt.**

ANTIFONA D'INGRESSO - Nel nome di Gesù ogni ginocchio si pieghi nei cieli, sulla terra e sotto terra, perché Gesù umiliò se stesso facendosi obbediente fino alla morte e a una morte di croce. Per questo Gesù Cristo è Signore a gloria di Dio Padre *(Cfr. Fil 2,10.8.11).*

COLLETTA - Padre misericordioso, tu hai voluto che il Cristo tuo Figlio subisse per noi il supplizio della croce per liberarci dal potere del nemico: donaci di giungere alla gloria della risurrezione. Per il nostro Signore…

PRIMA LETTURA Is 50,4-9a

Dal libro del profeta Isaìa

Il Signore Dio mi ha dato una lingua da discepolo, perché io sappia indirizzare una parola allo sfiduciato. Ogni mattina fa attento il mio orecchio perché io ascolti come i discepoli. Il Signore Dio mi ha aperto l'orecchio e io non ho opposto resistenza, non mi sono tirato indietro. Ho presentato il mio dorso ai flagellatori, le mie guance a coloro che mi strappavano la barba; non ho sottratto la faccia agli insulti e agli sputi. Il Signore Dio mi assiste, per questo non resto svergognato, per questo rendo la mia faccia dura come pietra, sapendo di non restare confuso. È vicino chi mi rende giustizia: chi oserà venire a contesa con me? Affrontiamoci. Chi mi accusa? Si avvicini a me. Ecco, il Signore Dio mi assiste: chi mi dichiarerà colpevole? **Parola di Dio.**

SALMO RESPONSORIALE — Dal Salmo 68 (69)

℟. **O Dio, nella tua grande bontà, rispondimi.**

Oppure:

℟. **Nella tua fedeltà soccorrimi, Signore.**

Per te io sopporto l'insulto
e la vergogna mi copre la faccia;
sono diventato un estraneo ai miei fratelli,
uno straniero per i figli di mia madre.
Perché mi divora lo zelo per la tua casa,
gli insulti di chi ti insulta ricadono su di me. ℟.

Mi sento venir meno.
Mi aspettavo compassione, ma invano,
consolatori, ma non ne ho trovati.
Mi hanno messo veleno nel cibo
e quando avevo sete mi hanno dato aceto. ℟.

Loderò il nome di Dio con un canto,
lo magnificherò con un ringraziamento.
Vedano i poveri e si rallegrino;
voi che cercate Dio, fatevi coraggio,
perché il Signore ascolta i miseri
e non disprezza i suoi che sono prigionieri. ℟.

CANTO AL VANGELO

Lode e onore a te, Signore Gesù!
Salve, nostro Re, obbediente al Padre:
sei stato condotto alla croce,
come agnello mansueto al macello.
Lode e onore a te, Signore Gesù!

VANGELO Mt 26,14-25

✠ *Dal Vangelo secondo Matteo*

In quel tempo, uno dei Dodici, chiamato Giuda Iscariòta, andò dai capi dei sacerdoti e disse: «Quanto volete darmi perché io ve lo consegni?». E quelli gli fissarono trenta monete d'argento. Da quel momento cercava l'occasione propizia per consegnare Gesù. Il primo giorno degli Ázzimi, i discepoli si avvicinarono a Gesù e gli dissero: «Dove vuoi che prepariamo per te, perché tu possa mangiare la Pasqua?». Ed egli rispose: «Andate in città da un tale e ditegli: "Il Maestro dice: Il mio tempo è vicino; farò la Pasqua da te con i miei discepoli"». I discepoli fecero come aveva loro ordinato Gesù, e prepararono la Pasqua. Venuta la sera, si mise a tavola con i Dodici. Mentre mangiavano, disse: «In verità io vi dico: uno di voi mi tradirà». Ed essi, profondamente rattristati, cominciarono ciascuno a domandargli: «Sono forse io, Signore?». Ed egli rispose: «Colui che ha messo con me la mano nel piatto, è quello che mi tradirà. Il Figlio dell'uomo se ne va, come sta scritto di lui; ma guai a quell'uomo dal quale il Figlio dell'uomo viene tradito! Meglio per quell'uomo se non fosse mai nato!». Giuda, il traditore, disse: «Rabbì, sono forse io?». Gli rispose: «Tu l'hai detto». **Parola del Signore.**

SULLE OFFERTE - Accetta questa offerta, o Signore, e nella tua bontà concedi che testimoniamo con la vita la passione del tuo Figlio che celebriamo nei santi misteri. Per Cristo nostro Signore.

Prefazio della Passione del Signore II.

COMUNIONE - Il Figlio dell'uomo non è venuto per essere servito, ma per servire e dare la propria vita in riscatto per molti *(Cfr. Mt 20,28).*

Oppure: «Il mio tempo è vicino; farò la Pasqua da te con i miei discepoli» *(Mt 26,18).*

DOPO LA COMUNIONE - Dona ai tuoi fedeli, Dio onnipotente, la sicura speranza della vita eterna che ci hai dato con la morte del tuo Figlio, celebrata in questi santi misteri. Per Cristo nostro Signore.

ORAZIONE SUL POPOLO *ad libitum* - Concedi ai tuoi figli, o Padre, di gustare senza fine i sacramenti pasquali e di attendere con vivo desiderio i doni promessi, perché, fedeli ai misteri della loro rinascita, siano così condotti a una vita nuova. Per Cristo nostro Signore.

Commenti

1ª LETTURA - Il tema dell'insuccesso del servo, incontrato nel brano di ieri, oggi viene accentuato: il profeta incontra ostilità e persecuzione fino ad arrivare alla violenza. La sua vocazione, che ha tratti anche sapienziali, lo qualifica come un discepolo che, per dono e missione del Signore Dio, trasmette la Parola agli scoraggiati e ai dubbiosi. Solo in quanto resta un discepolo ogni giorno proteso all'ascolto, il profeta può essere ritenuto un vero maestro: egli non dispone della Parola a suo piacimento, ma ne è servo. Consapevole fin dall'inizio delle esigenze della chiamata, il servo non oppone resistenza a Dio e il pieno consenso datogli lo rende forte e mansueto di fronte ai persecutori: non si è sottratto alla Parola e non indietreggia di fronte all'ingiuria e alla violenza di coloro che vorrebbero zittirla, riducendo il suo servo al silenzio. La sofferenza non lo piega e non lo disorienta, perché il profeta confida nell'aiuto di Dio; egli stesso lo giustificherà davanti agli avversari: nessuno potrà dimostrare la colpevolezza del suo servo, testimone fedele e verace della Parola.

VANGELO - «Dove vuoi che prepariamo per te?». La cura con cui è tradizionalmente preparato il rito pasquale assume un significato più profondo. In questi giorni santi, nella preghiera chiediamo al Signore dove vuole stare insieme con noi, in quale luogo della nostra storia o del nostro cuore vuole vivere la sua Pasqua. Non dobbiamo aver timore di presentare a Gesù quelle parti di noi delle quali ci vergogniamo. Egli stesso mangerà insieme con Giuda, pur sapendo che da lì a poco lo avrebbe tradito. Gesù ci ama pur conoscendo fin dall'inizio i nostri sbagli, i nostri tradimenti. Continua anche a chiamarci amici, così come fa con Giuda. Anche quando questi gli domanda: «Rabbì, sono forse io?», Gesù non gli punta il dito contro ma risponde, così come dirà a Pilato e al Sommo Sacerdote: «Tu l'hai detto», a sottolineare che non è lui a giudicare l'operato dell'uomo, ma è l'uomo che si giudica da solo attraverso le sue opere. Giuda «andò» liberamente dai sommi sacerdoti per consegnargli Gesù, ma ciascuno dei Dodici, ferito nel cuore, comincia a diffidare di sé stesso e poi dei compagni. Che ognuno trovi la forza e il coraggio di ammettere i propri tradimenti senza scappare o vendersi all'egoismo.

PROPOSITO DEL GIORNO... Oggi, nella preghiera, unisco tutte le mie sofferenze alle sofferenze di Cristo sulla croce, perché il mio dolore sia fecondo.

PRATICHE E FESTE DEL GIORNO...

- Pratiche e preghiere di ogni giorno consigliate per il mese di aprile *(pag. 727)*.
- Primo mercoledì del mese dedicato a san Giuseppe: atto di riparazione e ringraziamento al suo cuore castissimo (cod. 8001, 8115).
- Preghiera a san Vincenzo Ferrer.

SANTI E BEATI DEL GIORNO

S. Vincenzo Ferrer • S. Giuliana • S. Irene • **B. Caterina di Maria** • B. Mariano de la Mata Aparicio

BEATA CATERINA DI MARIA: due amori: il cuore di Gesù e l'umanità.

La vita di Caterina la portò alla realizzazione del suo "sogno dorato", ma per arrivarci dovette affrontare una strada piena di curve: questi sono i misteriosi disegni di Dio. Nata a Córdoba il 27 novembre 1823, terzogenita di Hilario Rodríguez Orduña e Catalina Montenegro y Olmos, Saturnina (nome di Battesimo) avrebbe voluto abbracciare la vita religiosa, ma dovette accettare invece di sposarsi: la chiedeva in moglie Manuel Antonio Zavalía, colonnello dell'esercito, che era rimasto vedovo con due figli, Benito e Deidamia.

Di fronte al netto rifiuto della ragazza, padre Tiburcio Lopez, suo confessore, la fece riflettere sul fatto che, se non avesse acconsentito, avrebbe rovinato l'anima dello spasimante. Saturnina ubbidì allora al direttore spirituale, ma cadde svenuta ai suoi piedi. Il matrimonio fu celebrato il 13 agosto 1852. Col tempo, Saturnina imparò ad accettare la sua nuova condizione come parte del volere di Dio su di lei e amò molto i figli acquisiti.

Rimasta improvvisamente vedova, pianse la morte del suo sposo e pregò per lui. Sentì poi riaffiorare il desiderio della vita religiosa: il 15 settembre 1865, ebbe un'intuizione, rafforzata da una visione: **avrebbe dovuto fondare una comunità femminile che si dedicasse alla cura degli esercizi spirituali e all'educazione dei bambini e delle ragazze**.

Quello che in seguito chiamò il suo "sogno dorato" iniziò a prendere corpo quasi subito: nel 1872 si formò la prima comunità e nell'aprile dell'anno seguente Saturnina divenne superiora, prendendo il nome di Caterina di Maria. Con l'occasione, lei e le compagne iniziarono a vestire una divisa, sulla quale spiccava un tondo con l'immagine del Cuore di Gesù e il nome della comunità: Ancelle del Cuore di Gesù. Caterina e le altre cominciarono il loro servizio, insegnando la domenica il catechismo ai bambini. Accolsero anche alcune allieve interne gratuitamente, per via della loro povertà.

Caterina, ormai considerata la fondatrice della comunità, **era la prima nei servizi più umili: apparecchiava, sparecchiava, lavava i piatti**. In tutta la sua vita, fu mossa da due passioni: quella per il Cuore di Gesù, che chiamava «il nostro Sposo», e quella per l'umanità.

Nel corso della Settimana Santa del 1896, la sua salute ebbe un tracollo: il 4 aprile, Sabato Santo, lasciò il suo testamento spirituale alle suore: **«Vi raccomando la pace, l'obbedienza e la santa carità»**. Si spense quindi il 5 aprile 1896, giorno di Pasqua.

6 APRILE

GIOVEDÌ

Settimana Santa - Messa del Crisma

bianco **2ª sett. salt.**

CHE GRAN COSA ESSERE SACERDOTE!

La Messa del Crisma è chiamata in questo modo perché è una Messa in cui il vescovo consacra gli Oli santi: il Crisma, l'Olio dei Catecumeni e l'Olio degli Infermi. Sono gli oli che si useranno durante tutto il corso dell'anno liturgico. Questa Messa è celebrata in cattedrale dal vescovo insieme a tutti i sacerdoti della Diocesi. È per questo che, spesso, in questa celebrazione si riflette sul sacerdozio, sul legame tra Gesù, il Sommo Sacerdote e buon Pastore, e i sacerdoti. «Se avessimo fede, vedremmo Dio nascosto nel sacerdote come una luce dietro al vetro, come il vino mescolato all'acqua», diceva il Santo Curato d'Ars, e ancora: «Che gran cosa essere sacerdote! Se il sacerdote stesso lo capisse, ne morirebbe». **Questo dono inestimabile va conservato** cercando di aderire sempre di più a Cristo, **fissando gli occhi su Gesù**, come invita a fare papa Francesco, per poter andare verso i fratelli testimoniando Cristo con gioia e coraggio. E **la comunità cristiana è chiamata ad accompagnare i sacerdoti**, dono grande per la Chiesa, pregando per i propri pastori e sostenendoli.

ANTIFONA D'INGRESSO - Gesù Cristo ha fatto di noi un regno, sacerdoti per il suo Dio e Padre; a lui gloria e potenza nei secoli dei secoli. Amen *(Cfr. Ap 1,6)*.

Si dice il Gloria.

COLLETTA - **Preghiamo:** O Padre, che hai consacrato il tuo unigenito Figlio con l'unzione dello Spirito Santo e lo hai costituito Messia e Signore, concedi a noi, resi partecipi della sua consacrazione, di essere testimoni nel mondo della sua opera di salvezza. Per il nostro Signore... **Amen.**

(seduti)

PRIMA LETTURA

Is 61,1-3a.6a.8b-9

Dal libro del profeta Isaìa

Lo spirito del Signore Dio è su di me, perché il Signore **mi ha consacrato con l'unzione**; mi ha mandato a portare il lieto annuncio ai miseri, a fasciare le piaghe dei cuori spezzati, a proclamare la libertà degli schiavi, la scarcerazione dei prigionieri, a promulgare l'anno di grazia del Signore, il giorno di vendetta del nostro Dio, per consolare tutti gli afflitti, per dare agli afflitti di Sion una corona invece della cenere, olio di letizia invece dell'abito da lutto, veste di lode invece di uno spirito mesto. Voi sarete chiamati sacerdoti del Signore, ministri del nostro Dio sarete detti. Io darò loro fedelmente il salario, concluderò con loro un'alleanza eterna. Sarà famosa tra le genti la loro stirpe, la loro discendenza in mezzo ai popoli. Coloro che li vedranno riconosceranno che essi sono la stirpe benedetta dal Signore. - Parola di Dio. ℟. **Rendiamo grazie a Dio.**

SALMO RESPONSORIALE Dal Salmo 88 (89)

℟. **Canterò per sempre l'amore del Signore.**

Ho trovato Davide, mio servo,
con il mio santo olio l'ho consacrato;
la mia mano è il suo sostegno,
il mio braccio è la sua forza. ℟.

La mia fedeltà e il mio amore saranno con lui
e nel mio nome s'innalzerà la sua fronte.
Egli mi invocherà: «Tu sei mio padre,
mio Dio e roccia della mia salvezza». ℟.

SECONDA LETTURA Ap 1,4.5-8

Dal libro dell'Apocalisse di san Giovanni apostolo

Grazia a voi e pace da Gesù Cristo, il testimone fedele, il primogenito dei morti e il sovrano dei re della terra. A Colui che ci ama e ci ha liberati dai nostri peccati con il suo sangue, che ha fatto di noi un regno, sacerdoti per il suo Dio e Padre, a lui la gloria e la potenza nei secoli dei secoli. Amen. Ecco, viene con le nubi e ogni occhio lo vedrà, anche quelli che lo trafissero, e per lui tutte le tribù della terra si batteranno il petto. Sì, Amen! Dice il Signore Dio: io sono l'Alfa e l'Omèga, Colui che ệ, che era e che viene, l'Onnipotente! - Parola di Dio. R. **Rendiamo grazie a Dio.**

(in piedi)

CANTO AL VANGELO Is 61,1 (cit. in Lc 4,18)

Gloria e lode a te, Cristo Signore!
Lo Spirito del Signore è sopra di me:
mi ha mandato a portare ai poveri il lieto annuncio.
Gloria e lode a te, Cristo Signore!

VANGELO Lc 4,16-21

Il Signore sia con voi.
R. **E con il tuo spirito.**
✠ *Dal Vangelo secondo Luca*
R. **Gloria a te, o Signore.**

In quel tempo, Gesù venne a Nàzaret, dove era cresciuto, e secondo il suo solito, di sabato, entrò nella sinagoga e si alzò a leggere. Gli fu dato il rotolo del profeta Isaìa; aprì il rotolo e trovò il passo dove era scritto: «Lo Spirito del Signore è sopra di me; per questo mi ha consacrato con l'unzione e mi ha mandato a portare ai poveri il lieto annuncio, a proclamare ai prigionieri la liberazione e ai ciechi la vista; a rimettere in libertà gli oppressi e proclamare l'anno di grazia del Signore». Riavvolse il rotolo, lo riconsegnò all'inserviente e sedette. Nella sinagoga, gli occhi di tutti erano fissi su di lui. Allora cominciò a dire loro: «Oggi si è compiuta questa Scrittura che voi avete ascoltato». - Parola del Signore. ℟. **Lode a te o Cristo.**

RINNOVO DELLE PROMESSE SACERDOTALI

Terminata l'omelia, il vescovo, con queste o con altre simili parole, si rivolge ai presbiteri:

Vescovo: Figli carissimi, nella memoria annuale del giorno in cui Cristo Signore comunicò agli apostoli e a noi il suo sacerdozio, volete rinnovare le promesse a suo tempo fatte davanti al vostro vescovo e al popolo santo di Dio?

Insieme, i presbiteri rispondono: Sì, lo voglio.

Vescovo: Volete unirvi e conformarvi intimamente al Signore Gesù, rinunciando a voi stessi e rinnovando i sacri impegni che, spinti dall'amore di Cristo, avete assunto con gioia verso la sua Chiesa nel giorno della vostra ordinazione sacerdotale?

I presbiteri: Sì, lo voglio.

Vescovo: Volete essere fedeli dispensatori dei misteri di Dio per mezzo della santa Eucaristia e delle altre azioni liturgiche, e adempiere fedelmente il ministero della parola di salvezza, sull'esempio di Cristo, capo e pastore, lasciandovi guidare non da interessi umani, ma dall'amore per i vostri fratelli?

I presbiteri: Sì, lo voglio.

Quindi, il vescovo prosegue, rivolgendosi al popolo:
Vescovo: E voi, figli carissimi, pregate per i vostri sacerdoti. Il Signore effonda su di loro l'abbondanza dei suoi doni perché siano fedeli ministri di Cristo, Sommo Sacerdote, e vi conducano a lui, unica fonte di salvezza.

Il diacono: Per tutti i nostri sacerdoti, preghiamo.

Tutti: Ascoltaci, Signore.

Vescovo: E pregate anche per me, perché sia fedele al servizio apostolico, affidato alla mia umile persona, e tra voi io diventi ogni giorno di più immagine viva e autentica di Cristo sacerdote, buon pastore, maestro e servo di tutti.

Il diacono: Per il nostro vescovo N., preghiamo.

Tutti: Ascoltaci, Signore.

Vescovo: Il Signore ci custodisca nel suo amore e conduca tutti noi, pastori e gregge, alla vita eterna.

Tutti: Amen.

Non si dice il Credo *e si omette la preghiera universale.*

Liturgia della benedizione degli oli

In conformità con la tradizione latina, la benedizione dell'olio degli infermi si fa prima della conclusione della Preghiera eucaristica; la benedizione dell'olio dei catecumeni e del crisma si fa dopo la Comunione.
È tuttavia consentito, per ragioni pastorali, compiere tutto il rito di benedizione dopo la liturgia della Parola, conservando però l'ordine indicato nel rito stesso.

Benedizione dell'olio degli infermi

I ministri incaricati presentano al vescovo le ampolle con l'olio degli infermi e le aprono. Il vescovo in piedi e senza mitra, con le braccia allargate dice l'orazione seguente:
O Dio, Padre di consolazione, che per mezzo del tuo Figlio hai voluto recare sollievo alle sofferenze degli infermi, ascolta la preghiera della nostra fede: man-

da dal cielo il tuo Spirito Santo Paràclito su quest'olio, frutto dell'olivo, nutrimento e sollievo del nostro corpo; effondi la tua santa benedizione ✠ perché quanti riceveranno l'unzione ottengano conforto nel corpo, nell'anima e nello spirito, e siano liberati da ogni malattia, angoscia e dolore. Questo dono della tua creazione diventi olio santo da te benedetto per noi, nel nome del nostro Signore Gesù Cristo che vive e regna con te per tutti i secoli dei secoli.
Tutti: Amen.

Benedizione dell'olio dei catecumeni

I ministri incaricati presentano al vescovo le ampolle con l'olio dei catecumeni e le aprono. Il vescovo con le braccia allargate dice l'orazione seguente:
O Dio, sostegno e difesa del tuo popolo, benedici ✠ quest'olio nel quale hai voluto donarci un segno della tua forza divina; concedi energia e vigore ai catecumeni che ne riceveranno l'unzione, perché illuminati dalla tua sapienza, comprendano più profondamente il Vangelo di Cristo; sostenuti dalla tua potenza, assumano con generosità gli impegni della vita cristiana; fatti degni dell'adozione a figli, gustino la gioia di rinascere e vivere nella tua Chiesa. Per Cristo nostro Signore.
Tutti: Amen.

BENEDIZIONE DEL CRISMA

I ministri incaricati aprono e presentano al vescovo le ampolle con l'olio per il crisma ed eventualmente il vasetto con le sostanze profumate. Quindi il vescovo senza dire nulla, infonde le sostanze profumate nell'olio e prepara il crisma, a meno che non sia stato già fatto in precedenza e se necessario si lava le mani. Poi invita tutti alla preghiera con queste parole o con altre simili:

Fratelli carissimi, rivolgiamo la nostra preghiera a Dio Padre onnipotente, perché benedica e santifichi quest'olio misto a profumo, e coloro che ne riceveranno l'unzione siano interiormente consacrati e resi partecipi della missione di Cristo redentore.

Tutti pregano per breve tempo in silenzio. Quindi il Vescovo alita sull'ampolla del crisma e pronuncia o canta una delle orazioni seguenti:

O Dio, fonte prima di ogni vita e autore di ogni crescita nello spirito, accogli il gioioso canto di lode che la Chiesa ti innalza con la nostra voce. Tu in principio facesti spuntare dalla terra alberi fruttiferi e tra questi l'olivo, perché dall'olio fluente venisse a noi il dono del crisma. Il profeta Davide, misticamente presago dei sacramenti futuri, cantò quest'olio, che fa splendere di gioia il nostro volto. Dopo il diluvio, lavacro espiatore dell'iniquità del mondo, la colomba portò il ramoscello d'olivo, simbolo dei beni messianici, e annunziò che sulla terra era tornata la pace. Nella pienezza dei tempi si sono avverate le figure antiche quando, distrutti i peccati nelle acque del Battesimo, l'unzione dell'olio ha fatto riapparire sul volto dell'uomo la tua luce gioiosa. Mosè, tuo servo, per la tua volontà purificò con l'acqua il fratello Aronne e con la santa unzione lo consacrò sacerdote. Il valore di tutti questi segni si rivelò pienamente in Gesù Cristo tuo Figlio e nostro Signore. Quando egli chiese il battesimo a Giovanni nelle acque del fiume Giordano, allora tu hai mandato dal cielo in forma di colomba lo Spirito Santo e hai testimoniato con la sua stessa voce che in lui, tuo Figlio unigenito, dimora tutta la tua compiacenza. Su di lui a preferenza di tutti gli altri uomini, hai effuso l'olio di esultanza profeticamente cantato da Davide.

I concelebranti, senza dir nulla, stendono la mano destra verso il crisma e la tengono così sino al termine dell'orazione.

Ora ti preghiamo, o Padre: santifica con la tua benedizione ✠ quest'olio, dono della tua provvidenza; impregnalo della forza del tuo Spirito e della potenza che emana dal Cristo dal cui santo nome è chiamato

crisma l'olio che consacra i sacerdoti, i re, i profeti e i martiri. Confermalo come segno sacramentale di salvezza e vita perfetta per i tuoi figli rinnovati nel lavacro spirituale del Battesimo. Questa unzione li penetri e li santifichi, perché liberi dalla nativa corruzione, e consacrati tempio della tua gloria, spandano il profumo di una vita santa. Si compia in essi il disegno del tuo amore e la loro vita integra e pura sia in tutto conforme alla grande dignità che li riveste come re, sacerdoti e profeti. Quest'olio sia crisma di salvezza per tutti i rinati dall'acqua e dallo Spirito Santo; li renda partecipi della vita eterna e commensali al banchetto della tua gloria. Per Cristo nostro Signore.
Tutti: Amen.

Oppure:

O Dio, principio e fonte di ogni bene, che nei segni sacramentali ci comunichi la tua stessa vita, noi rendiamo grazie al tuo paterno amore. Nelle figure dell'antica alleanza, tu annunziasti profeticamente il mistero della santa unzione e quando venne la pienezza dei tempi lo facesti splendere di nuova luce nel tuo amatissimo Figlio. Il Cristo nostro Signore, compiuta la redenzione nel mistero pasquale, riempì di Spirito Santo la tua Chiesa e l'arricchì di una mirabile varietà di doni e carismi, perché divenisse per tutto il mondo segno e strumento di salvezza. Padre santo, nel segno sacramentale del crisma tu offri agli uomini i tesori della tua grazia, perché i tuoi figli, rinati nell'acqua del Battesimo e resi più somiglianti al Cristo con l'unzione dello Spirito Santo, diventino partecipi della sua missione profetica, sacerdotale e regale.

I concelebranti, senza dir nulla, stendono la mano destra verso il crisma e la tengono così sino al termine dell'orazione.

Ora ti preghiamo, o Padre, fa' che quest'olio misto a profumo diventi con la tua forza santificatrice segno sacramentale della tua ✠ benedizione; effondi i doni dello Spirito Santo sui nostri fratelli che riceveranno l'unzione del crisma. Dio di eterna luce, splenda la tua santità nei luoghi e nelle cose segnate da questo santo olio; con il tuo Spirito operante nel mistero dell'unzione espandi e perfeziona la tua Chiesa, finché raggiunga la pienezza della misura di Cristo e tu, trino e unico Signore, sarai tutto in tutti nei secoli dei secoli.

Tutti: Amen.

La Messa prosegue nel modo solito.

(in piedi)

SULLE OFFERTE - La potenza di questo sacrificio, o Signore, cancelli l'antica schiavitù del peccato e faccia germogliare in noi novità di vita e salvezza. Per Cristo nostro Signore. **Amen.**

PREFAZIO - *Il sacerdozio di Cristo e il ministero dei sacerdoti.* È veramente cosa buona e giusta, nostro dovere e fonte di salvezza, rendere grazie sempre e in ogni luogo a te, Signore, Padre santo, Dio onnipotente ed eterno. Con l'unzione dello Spirito Santo hai costituito il tuo Figlio unigenito mediatore della nuova ed eterna alleanza, e con disegno mirabile hai voluto che il suo unico sacerdozio fosse perpetuato nella Chiesa. Egli comunica il sacerdozio regale a tutto il popolo dei redenti. Nel suo amore per i fratelli sceglie alcuni che, mediante l'imposizione delle mani, rende partecipi del suo ministero di salvezza, perché rinnovino nel suo nome il sacrificio redentore e preparino ai tuoi figli il convito pasquale. Servi premurosi del tuo popolo, lo nutrano con la Parola e lo santifichino con i sacramenti; donando la vita per te e per la salvezza dei fratelli, si conformino all'immagine di Cristo, e ti rendano sempre testimonianza di fede e di amore. E noi, o Signore, insieme con tutti gli angeli e i santi, cantiamo con esultanza l'inno della tua lode: **Santo...**

Comunione - Canterò in eterno l'amore del Signore, di generazione in generazione farò conoscere con la mia bocca la tua fedeltà *(Sal 88,2)*.
Oppure: Lo Spirito del Signore è sopra di me; mi ha mandato a portare ai poveri il lieto annuncio *(Lc 4,18)*.

Dopo la Comunione - **Preghiamo:** Concedi, Dio onnipotente, che, rinnovati dai santi misteri, diffondiamo nel mondo il buon profumo di Cristo. Egli vive e regna nei secoli dei secoli. **Amen.**

Commenti

1ª lettura - Si tratta di un chiaro esempio del modo con cui le stesse immagini vanno acquistando contenuti diversi a misura della progressiva rivelazione del Messia. La liberazione dei prigionieri e dei carcerati, che faceva pensare a quelli che erano prigionieri in Babilonia, acquista qui un ampio senso di liberazione dalle difficoltà e dalle ingiustizie della vita. Una liberazione divina in netto contrasto con le varie schiavitù dettate dagli imprevisti della vita. Il giorno della vendetta e l'anno di misericordia ricordano, invece, la prigionia e la liberazione del popolo giudaico, anche se il profeta va ben oltre questi eventi storici. Non è ancora giunta la felicità autentica ed egli, rivolgendo lo sguardo al futuro, annuncia un tempo nel quale i segni di tristezza e di afflizione saranno trasformati in profumo e in corona di gloria. Tuttavia, il profeta si lascia andare a un trionfalismo che vede i Giudei come un popolo sacerdotale, ma sappiamo bene che, quando tutto quanto è stato annunciato si compirà in Gesù, questo stesso popolo sarà incapace di riconoscere l'avverarsi della profezia.

2ª LETTURA - La profezia dell'ultimo libro della Bibbia è pronunziata nel nome di Gesù Cristo, «il testimone (= martire) fedele, il primogenito dei morti e il sovrano dei re della terra». Questa è una caratteristica cristiana in mezzo alle religioni tollerate nell'Impero Romano: Gesù Cristo, il fondatore di quelle comunità cristiane, è riconosciuto come l'unico «Signore». Un'altra osservazione importante: Cristo è presentato come Dio. Potrebbe sembrare che si tratti, come nella mitologia greca, di alcuni eroi che, dopo la morte, furono divinizzati. No. Il Dio cristiano è «l'Alfa e l'Omèga, Colui che è, che era e che viene». L'elemento specificamente cristiano è considerare la presenza o la "rivelazione" di Dio nella storia non assolutamente esaurita. I sacerdoti celebrano «nell'attesa della sua venuta» e i cristiani devono sempre stare all'erta, poiché Dio sarà sempre per essi un mistero e una sorpresa. La sovranità di Dio potrebbe essere manipolata dagli uomini, così da ridurla all'ambito puramente passato o presente, ma la sorpresa di un futuro a opera di Dio impedisce ogni arroganza umana.

VANGELO - È un momento importante per la vita pubblica di Gesù. C'è la potenza dello Spirito Santo, l'entusiasmo della gente che lo avvicina, la sua fama che si diffonde ovunque. Gesù è il Messia atteso dal popolo, ma non riconosciuto da tutti. Nella stessa Nàzaret, dove egli è cresciuto e dove oggi il Vangelo lo colloca, ci sarà chi avrà dei dubbi, tanto da impedirgli di compiere prodigi. Tuttavia nella sinagoga egli legge e interpreta la profezia di Isaìa, applicandola alla sua persona e facendone il manifesto programmatico di tutta la sua attività messianica. Con Gesù inizia, infatti, l'anno di grazia, con lui è sceso lo Spirito di Dio sulla terra che porterà la salvezza all'umanità, in modo particolare ai poveri, agli oppressi, ai prigionieri, ai ciechi; a quelli, cioè, che riconoscono la propria debolezza poiché costoro sono aperti più degli altri all'annuncio della salvezza e all'azione dello Spirito. La parola di Gesù è una "lieta notizia" di vita nuova, è una parola esigente che comprende croce e risurrezione. Tutti siamo chiamati a testimoniarla con la coerenza della nostra vita, soprattutto i presbiteri che oggi rinnovano le promesse fatte nel giorno della loro ordinazione sacerdotale.

PROPOSITO DEL GIORNO... Questa mattina, se posso, partecipo alla Messa del Crisma. Se non riesco, mi unisco alla preghiera di tutti i sacerdoti, invocando la benedizione di Dio su di loro e pregando per la loro santificazione.

PRATICHE E FESTE DEL GIORNO...

- Pratiche e preghiere di ogni giorno consigliate per il mese di aprile *(pag. 727)*.
- Rosario eucaristico (cod. 8001, 8183).

SANTI E BEATI DEL GIORNO

S. Guglielmo di Eskill • S. Pietro da Verona • **B. Michele Rua** • B. Pierina Morosini • B. Zefirino Agostini

BEATO MICHELE RUA: amico e primo collaboratore di don Bosco.

La vita di Michele Rua – nato a Torino nel 1837 e presto orfano di padre – è segnata da un incontro: tra i banchi di scuola conosce don Bosco che intuisce, negli occhi del giovane, qualcosa di speciale. Porgendogli la mano, gli dice: **«Noi due faremo tutto a metà»**. Il 26 gennaio 1854, don Bosco raduna nella sua camera quattro giovani compagni, tra cui Michele Rua, dando vita alla congregazione salesiana. Michele diventa il principale collaboratore di don Bosco: si reca all'oratorio San Luigi, dove, facendo catechismo e insegnando, conosce infinite storie di miseria.

Il 28 luglio 1860 viene ordinato sacerdote e, quando la salute di don Bosco comincia a declinare, viene nominato vicario con diritto di successione. Nella notte tra il 30 e il 31 gennaio 1888, accompagna la mano del Santo nel dare l'ultima benedizione. Michele è un missionario instancabile: **percorrendo centinaia di chilometri visita le case della congregazione sparse per il mondo**. Spesso avrà ripensato alle parole di don Bosco: **«Avrai molto lavoro da fare»**. Muore nella notte tra il 5 e il 6 aprile **1910**, mormorando una giaculatoria insegnatagli da don Bosco: «Cara Madre, Vergine Maria, fate ch'io salvi l'anima mia».

TRIDUO PASQUALE

I prossimi tre giorni, comunemente chiamati Triduo pasquale, ci riconducono al cuore della fede cristiana: la passione, la morte e la risurrezione di Gesù Cristo, facendoci rivivere l'evento centrale della nostra redenzione.
Le celebrazioni liturgiche del Triduo sono organizzate come un'unica grande liturgia; infatti, la Messa in Coena Domini non termina con il saluto finale: «Andate in pace», bensì in silenzio; l'azione liturgica del Venerdì Santo non comincia con l'usuale saluto e con il segno della croce e termina anch'essa senza saluto, in silenzio; infine la solenne Veglia comincia in silenzio e termina con il saluto finale.
I colori liturgici sono il bianco per il Giovedì Santo e per la Veglia pasquale, il rosso per il Venerdì Santo. I suggestivi riti del Giovedì Santo, del Venerdì Santo, il silenzio ricco di preghiera del Sabato Santo e la solenne Veglia pasquale ci offrono l'opportunità di approfondire il senso e il valore della nostra vocazione cristiana, che scaturisce dal mistero pasquale, e di renderla concreta ogni giorno nella fedele sequela di Cristo, sino al dono generoso della nostra esistenza.

Valori da vivere

Viviamo intensamente il Triduo accostandoci al sacramento della Riconciliazione, partecipando alle celebrazioni liturgiche e ricevendo l'Eucaristia.

6 APRILE

GIOVEDÌ

Triduo pasquale - Giovedì Santo «Cena del Signore» *bianco*

propria

GESÙ CI INSEGNA LA BELLEZZA DEL SERVIRE

«Tutti i Giovedì Santo leggiamo questo brano del Vangelo: è una cosa semplice. Gesù, con i suoi amici, i suoi discepoli è a cena, la cena della Pasqua; Gesù che lava i piedi ai suoi discepoli – cosa strana quella che ha fatto: a quel tempo i piedi li lavavano gli schiavi all'entrata della casa. E poi, Gesù – con un gesto che anche tocca il cuore – lava i piedi al traditore, quello che lo vende. Così è Gesù e ci insegna questo, semplicemente: fra voi, dovete lavare i piedi. È il simbolo: tra voi, dovete servirvi; uno serve l'altro, senza interessi. È importante fare tutto senza interesse: uno serve l'altro, uno è fratello dell'altro, uno fa crescere l'altro, uno corregge l'altro, e così bisogna fare andare avanti le cose. Servire!» (cfr. Papa Francesco, *Omelia*, 14 aprile 2022).

MESSA VESPERTINA

ANTIFONA D'INGRESSO - Non ci sia per noi altro vanto che nella croce del Signore nostro Gesù Cristo. Egli è nostra salvezza, vita e risurrezione; per mezzo di lui siamo stati salvati e liberati *(Cfr. Gal 6,14).*

Si dice il Gloria *(pag. 12). Mentre si canta l'inno, si suonano le campane che, una volta terminato, non si suoneranno più fino al* Gloria *della Veglia pasquale, a meno che il vescovo diocesano, secondo l'opportunità, non stabilisca diversamente. Inoltre, durante questo stesso tempo, l'organo o altri strumenti musicali possono essere utilizzati soltanto per sostenere il canto.*

COLLETTA - Preghiamo: O Dio, che ci hai riuniti per celebrare la santa Cena nella quale il tuo unico Figlio, prima di consegnarsi alla morte, affidò alla Chiesa il nuovo ed eterno sacrificio, convito nuziale del suo amore, fa' che dalla partecipazione a così grande mistero attingiamo pienezza di carità e di vita. Per il nostro Signore… **Amen.**

(seduti)

PRIMA LETTURA — Es 12,1-8.11-14

Dal libro dell'Èsodo

In quei giorni, il Signore disse a Mosè e ad Aronne in terra d'Egitto: «Questo mese sarà per voi l'inizio dei mesi, sarà per voi il primo mese dell'anno. Parlate a tutta la comunità d'Israele e dite: "Il dieci di questo mese ciascuno si procuri un agnello per famiglia, un agnello per casa. Se la famiglia fosse troppo piccola per un agnello, si unirà al vicino, il più prossimo alla sua casa, secondo il numero delle persone; calcolerete come dovrà essere l'agnello secondo quanto ciascuno può mangiarne. Il vostro agnello sia senza difetto, maschio, nato nell'anno; potrete sceglierlo tra le pecore o tra le capre e lo conserverete fino al quattordici di questo mese: allora tutta l'assemblea della comunità d'Israe-

le lo immolerà al tramonto. Preso un po' del suo sangue, lo porranno sui due stipiti e sull'architrave delle case nelle quali lo mangeranno. In quella notte ne mangeranno la carne arrostita al fuoco; la mangeranno con àzzimi e con erbe amare. Ecco in qual modo lo mangerete: con i fianchi cinti, i sandali ai piedi, il bastone in mano; lo mangerete in fretta. È la Pasqua del Signore! In quella notte io passerò per la terra d'Egitto e colpirò ogni primogenito nella terra d'Egitto, uomo o animale; così farò giustizia di tutti gli dèi dell'Egitto. Io sono il Signore! Il sangue sulle case dove vi troverete servirà da segno in vostro favore: io vedrò il sangue e passerò oltre; non vi sarà tra voi flagello di sterminio quando io colpirò la terra d'Egitto. Questo giorno sarà per voi un memoriale; lo celebrerete come festa del Signore: di generazione in generazione lo celebrerete come un rito perenne"». - Parola di Dio.
℟. **Rendiamo grazie a Dio.**

SALMO RESPONSORIALE Dal Salmo 115 (116)

℟. **Il tuo calice, Signore, è dono di salvezza.**

Che cosa renderò al Signore,
per tutti i benefici che mi ha fatto?

Alzerò il calice della salvezza
e invocherò il nome del Signore. ℟.

Agli occhi del Signore è preziosa
la morte dei suoi fedeli.
Io sono tuo servo, figlio della tua schiava:
tu hai spezzato le mie catene. ℟.

A te offrirò un sacrificio di ringraziamento
e invocherò il nome del Signore.
Adempirò i miei voti al Signore
davanti a tutto il suo popolo. ℟.

SECONDA LETTURA 1Cor 11,23-26

Dalla prima lettera di san Paolo apostolo ai Corìnzi

Fratelli, io ho ricevuto dal Signore quello che a mia volta vi ho trasmesso: il Signore Gesù, nella notte in cui veniva tradito, prese del pane e, dopo aver reso grazie, lo spezzò e disse: «**Questo è il mio corpo**, che è per voi; fate questo in memoria di me». Allo stesso modo, dopo aver cenato, prese anche il calice, dicendo: «Questo calice è **la Nuova Alleanza nel mio sangue**; fate questo, ogni volta che ne bevete, in memoria di me». Ogni volta infatti che mangiate questo pane e bevete al calice, voi annunciate la morte del Signore, finché egli venga. - Parola di Dio. ℟. **Rendiamo grazie a Dio.**

(in piedi)

CANTO AL VANGELO Cfr. Gv 13,34

Gloria e lode e onore a te, Cristo Signore!
Vi do un comandamento nuovo, dice il Signore:
come io ho amato voi,
così amatevi anche voi gli uni gli altri.
Gloria e lode e onore a te, Cristo Signore!

VANGELO Gv 13,1-15

Il Signore sia con voi.
℟. **E con il tuo spirito.**
✠ *Dal Vangelo secondo Giovanni*
℟. **Gloria a te, o Signore.**

Prima della festa di Pasqua, Gesù, sapendo che era venuta la sua ora di passare da questo mondo al Padre, avendo amato i suoi che erano nel mondo, li amò fino alla fine. Durante la cena, quando il diavolo aveva già messo in cuore a Giuda, figlio di Simone Iscariota, di tradirlo, Gesù, sapendo che il Padre gli aveva dato tutto nelle mani e che era venuto da Dio e a Dio ritornava, si alzò da tavola, depose le vesti, prese un asciugamano e se lo cinse attorno alla vita. Poi versò dell'acqua nel catino e cominciò a lavare i piedi dei discepoli e ad asciugarli con l'asciugamano di cui si era cinto. Venne dunque da Simon Pietro e questi gli disse: «Signore, tu lavi i piedi a me?». Rispose Gesù: «Quello che io faccio, tu ora non lo capisci; lo capirai dopo». Gli disse Pietro: «Tu non mi laverai i piedi in eterno!». Gli rispose Gesù: «Se non ti laverò, non avrai parte con me». Gli disse Simon Pietro: «Signore, non solo i miei piedi, ma anche le mani e il capo!». Soggiunse Gesù: «Chi ha fatto il bagno, non ha bisogno di lavarsi se non i piedi ed è tutto puro; e voi siete puri, ma non tutti». Sapeva infatti chi lo tradiva; per questo disse: «Non tutti siete puri». Quando ebbe lavato loro i piedi, riprese le sue vesti, sedette di nuovo e disse loro: «Capite quello che ho fatto per voi? Voi mi chiamate il Maestro e il Signore, e dite bene, perché lo sono. Se dunque io, il Signore e il Maestro, ho lavato i piedi a voi, anche voi dovete lavare i piedi gli uni agli altri. Vi ho dato un esempio, infatti, perché anche voi facciate come io ho fatto a voi». - Parola del Signore. ℟. **Lode a te o Cristo.**

LAVANDA DEI PIEDI

Una volta terminata l'omelia, dove lo consigliano motivi pastorali, si procede alla lavanda dei piedi. Coloro che tra il popolo di Dio sono stati scelti per questo rito vengono accompagnati dai ministri alle sedie preparate in un luogo adatto. Il sacerdote (deposta, se necessario, la casula) si porta davanti a ciascuno di essi e, aiutato dai ministri, versa dell'acqua sui loro piedi e li asciuga. Nel frattempo si cantano alcune delle seguenti antifone o altri canti adatti.

ANTIFONA 1 - Il Signore si alzò da tavola, versò dell'acqua nel catino e cominciò a lavare i piedi dei discepoli: a loro volle lasciare questo esempio *(Cfr. Gv 13,4.5.15)*.

ANTIFONA 2 - Il Signore Gesù, durante la cena con i suoi discepoli, lavò loro i piedi e disse: «Capite quello che ho fatto per voi io, il Signore e il Maestro? Vi ho dato un esempio perché anche voi facciate come io ho fatto a voi» *(Cfr. Gv 13,12.13.15)*.

ANTIFONA 3 - «Signore, tu lavi i piedi a me?». Rispose Gesù: «Se non ti laverò, non avrai parte con me». Venne dunque da Simon Pietro, e questi gli disse:
- «Signore, tu lavi i piedi a me?».
«Quello che io faccio, tu ora non lo capisci, lo comprenderai dopo».
- «Signore, tu lavi i piedi a me?» *(Cfr. Gv 13,6.7.8)*.

Antifona 4 - Se io, il Signore e il Maestro, ho lavato i piedi a voi, anche voi dovete lavare i piedi gli uni agli altri *(Gv 13,14)*.

Antifona 5 - «Da questo tutti sapranno che siete miei discepoli: se avete amore gli uni per gli altri».
Gesù disse ai suoi discepoli:
- «Da questo tutti sapranno che siete miei discepoli: se avete amore gli uni per gli altri» *(Gv 13,35)*.

Antifona 6 - «Vi do un comandamento nuovo: che vi amiate gli uni gli altri, come io ho amato voi», dice il Signore *(Gv 13,34)*.

Antifona 7 - Rimangano in voi la fede, la speranza e la carità. Ma più grande di tutte è la carità!
Ora rimangono queste tre cose: la fede, la speranza e la carità.
Ma più grande di tutte è la carità!
- Rimangano in voi la fede, la speranza e la carità *(Cfr. 1Cor 13,13)*.

Dopo la lavanda dei piedi, il sacerdote lava e asciuga le mani, indossa di nuovo la casula e torna alla sede, da dove guida la Preghiera universale.

Non si dice il Credo.

Liturgia eucaristica

All'inizio della Liturgia Eucaristica, si può disporre la processione dei fedeli, durante la quale possono essere presentati, con il pane e il vino, doni per i poveri. Nel frattempo si esegue il canto seguente o un altro canto adatto.

Antifona - **Dov'è carità e amore, lì c'è Dio.**

Ci ha riuniti tutti insieme Cristo, amore.
Rallegriamoci, esultiamo nel Signore!
Temiamo e amiamo il Dio vivente,
e amiamoci tra noi con cuore sincero. Ant.

Noi formiamo qui riuniti un solo corpo:
evitiamo di dividerci tra noi;
via le lotte maligne, via le liti,
e regni in mezzo a noi Cristo Dio. Ant.

Fa' che un giorno contempliamo il tuo volto
nella gloria dei beati, Cristo Dio.
E sarà gioia immensa, gioia vera:
durerà per tutti i secoli senza fine. Ant.

(in piedi)

Sulle offerte - Concedi a noi tuoi fedeli, o Padre, di partecipare con viva fede ai santi misteri, poiché, ogni volta che celebriamo questo memoriale del sacrificio del tuo Figlio, si compie l'opera della nostra redenzione. Per Cristo nostro Signore. **Amen.**

Prefazio - *L'Eucaristia memoriale del sacrificio di Cristo.* È veramente cosa buona e giusta, nostro dovere e fonte di salvezza, rendere grazie sempre e in ogni luogo a te, Signore, Padre santo, Dio onnipotente ed eterno, per Cristo Signore nostro. Sacerdote vero ed eterno, egli istituì il rito del sacrificio perenne; a te per primo si offrì vittima di salvezza, e comandò a noi di compiere l'offerta in sua memoria. Il suo Corpo per noi immolato è nostro cibo e ci dà forza, il suo Sangue per noi versato è la bevanda che ci redime da ogni colpa. Per questo mistero di salvezza, il cielo e la terra si uniscono in un cantico nuovo di adorazione e di lode, e noi, con tutti gli angeli del cielo, proclamiamo senza fine la tua gloria: **Santo...**

Comunione - «Questo è il mio Corpo, che è per voi; questo calice è la nuova alleanza nel mio Sangue», dice il Signore. «Ogni volta che ne mangiate e ne bevete, fate questo in memoria di me» *(Cfr. I Cor 11,24-25).*
Oppure: Il Signore Gesù, sapendo che era venuta la sua ora di passare da questo mondo al Padre, avendo amato i suoi che erano nel mondo, li amò fino alla fine *(Gv 13,1).*

Terminata la distribuzione dell'Eucaristia, si lascia sull'altare la pisside con le particole consacrate per la Comunione del giorno seguente. Il sacerdote, stando alla sede dice l'orazione dopo la Comunione.

DOPO LA COMUNIONE - **Preghiamo:** Padre onnipotente, che nella vita terrena ci nutri alla Cena del tuo Figlio, accoglici come tuoi commensali al banchetto glorioso del cielo. Per Cristo nostro Signore. **Amen.**

REPOSIZIONE DEL SANTISSIMO SACRAMENTO

Detta l'orazione dopo la Comunione, il sacerdote, stando in piedi, infonde e benedice l'incenso nel turibolo e, genuflesso, per tre volte incensa il Santissimo Sacramento. Quindi, indossato il velo omerale di colore bianco, si alza, prende la pisside e la ricopre con le estremità del velo.

Si ordina la processione con la quale il Santissimo Sacramento è portato attraverso la chiesa con torce e incenso al luogo della reposizione, preparato in una cappella della chiesa o in un'altra sua parte convenientemente ornata. Apre la processione un ministro laico con la croce tra due ceri accesi. Seguono poi altri ministri con delle candele accese. Davanti al sacerdote che porta il Santissimo Sacramento procede il turiferario con il turibolo fumigante. Intanto si canta l'inno Pange, lingua *(eccetto le due ultime strofe) o un altro canto eucaristico.*

Pange, lingua

Pange, lingua, glorióisi
Córporis mystérium,
Sanguinísque pretiósi,
Quem in mundi prétium
fructus ventris generósi
Rex effúdit géntium.

Nobis datus, nobis natus
ex intácta Virgine,
et in mundo conversátus,
sparso verbi sémine,
sui moras incolátus
miro clausit órdine.
In suprémae nocte cenae,
recúmbens cum frátribus,
observáta lege plene
cibis in legálibus,
cibum turbae duodénae
se dat suis mánibus.

Verbum caro, panem verum,
verbo carnem éfficit,
fitque sanguis Christi merum;
et si sensus déficit,
ad firmándum cor sincérum
sola fides súfficit.

Genti tutte

Genti tutte, proclamate
il mistero del Signor,
del suo Corpo e del suo Sangue
che la Vergine donò
e fu sparso in sacrificio
per salvar l'umanità.

Dato a noi da madre pura,
per noi tutti s'incarnò.
La feconda sua parola
tra le genti seminò;
con amore generoso
la sua vita consumò.
Nella notte della Cena
coi fratelli si trovò.
Del pasquale sacro rito
ogni regola compì
e agli apostoli ammirati
come cibo si donò.

La parola del Signore
pane e vino trasformò:
pane in carne, vino in sangue,
in memoria consacrò.
Non i sensi, ma la fede
prova questa verità.

Quando la processione è giunta al luogo della reposizione, il sacerdote, con l'aiuto del diacono se è necessario, depone la pisside nel tabernacolo, la cui porta rimane aperta. Quindi, infuso l'incenso, in ginocchio incensa il Santissimo Sacramento, mentre si canta il Tantum ergo sacraméntum *o un altro canto eucaristico. Quindi il diacono o lo stesso sacerdote chiude la porta del tabernacolo.*

Tantum ergo sacraméntum

Tantum ergo sacraméntum
venerémur cérnui;
et antíquum documéntum
novo cedat rítui;
praestet fides suppleméntum
sénsuum deféctui.
Genitóri, Genitóque
laus et iubilátio;
salus, honor, virtus quoque
sit et benedíctio;
procedénti ab utróque
compar sit laudátio.
Amen.

Adoriamo il Sacramento

Adoriamo il Sacramento
che Dio Padre ci donò.
Nuovo patto, nuovo rito
nella fede si compì.
Al mistero è fondamento
la parola di Gesù.
Gloria al Padre onnipotente,
gloria al Figlio Redentor,
lode grande, sommo onore
all'eterna Carità.
Gloria immensa, eterno
amore alla santa Trinità!
Amen.

Dopo alcuni istanti di adorazione silenziosa, il sacerdote e i ministri, fatta la genuflessione, ritornano in sacrestia. Al momento opportuno si spoglia l'altare e, se è possibile, si rimuovono le croci dalla chiesa. È bene che si velino le croci che rimangono in chiesa. Coloro che hanno partecipato alla Messa vespertina «Cena del Signore» non sono tenuti alla celebrazione dei Vespri. Tenendo conto dei luoghi e delle circostanze, si esortino i fedeli a rimanere in adorazione per un congruo tempo della notte davanti al Santissimo Sacramento riposto nel tabernacolo, a condizione che, dopo la mezzanotte, questa adorazione avvenga senza alcuna solennità. Nelle chiese in cui il Venerdì Santo non si celebra la Passione del Signore, si concluda la Messa come di consueto e il Santissimo Sacramento sia riposto nel tabernacolo.

Commenti

1ª LETTURA - Questo testo ha un carattere prescrittivo: l'evento storico dell'ultima cena degli Ebrei in Egitto, in attesa del passaggio del Signore che libera dalla schiavitù, è rievocato qui in chiave liturgica per divenire un «rito perenne». La memoria cioè si fa memoriale: l'efficacia salvifica di quanto Dio ha compiuto una volta per tutte è resa attuale mediante la liturgia per ogni generazione. Di qui la preoccupazione di dare norme concrete e dettagliate per la celebrazione. Il rito ebraico fonde elementi originariamente distinti e li storicizza. Il sacrificio rituale dell'agnello con l'aspersione del sangue diventa per gli Israeliti segno della protezione del Signore. L'offerta delle primizie posta in riferimento alla liberazione dall'Egitto ricorda ora la partenza frettolosa da quel paese di schiavitù. In un momento preciso della storia di un popolo oppresso, Dio interviene con potenza: quel momento, dunque, non appartiene solo al fluire dei tempi, ma alla dimensione di Dio. Perciò è un "oggi" sempre offerto a chi vuole entrare in quella storia di salvezza mediante la celebrazione del memoriale.

2ª LETTURA - Al memoriale della liberazione dalla schiavitù d'Egitto di cui ci ha parlato la lettura precedente, Gesù sostituisce il suo memoriale celebrato nell'Ultima Cena in questa terra d'esilio. Compimento della Legge e dei Profeti, egli porta alla pienezza l'antico rito con il suo sacrificio d'amore. «Per noi» suo popolo si è lasciato consegnare alla morte dove il termine "consegnare" allude a tutto il mistero pasquale e non solo al momento del tradimento. «Nuova» è dunque l'alleanza con Dio: sancita nel sangue del vero Agnello che con la sua immolazione ci libera dalla schiavitù del male. Questa alleanza viene consumata nella comunione del pane dell'offerta che, spezzato nella morte, dona a noi la vita vera. Dunque nuova deve diventare anche la condotta di quanti seguono Cristo: ogni volta che il cristiano mangia di questo pane e beve di questo calice egli iscrive nella propria esistenza la straordinaria ricchezza della Pasqua di Cristo e ne diviene testimone nel tempo, attraverso l'attualizzazione che ogni discepolo ne fa nella sua vita, fino al giorno della venuta gloriosa del Signore.

Vangelo - Gesù è inginocchiato e guarda negli occhi i suoi a partire dai piedi. Dall'altro lato c'è l'imbarazzo di chi non si aspettava che un rabbì si inginocchiasse ribaltando ogni logica di potere. L'esempio, dunque, che ci lascia Gesù è fatto di umiltà e servizio. Dobbiamo abbassare la nostra arroganza, la nostra profonda convinzione di valere più degli altri e rialzare chi è caduto a causa della miseria, dell'ingiustizia, della malattia o delle tante croci che vengono messe sulle spalle di tanti poveri cristi. Varrà più l'esempio della nostra vita che le tante parole belle, ma incoerenti. Chiediamo che, attraverso il dono dell'Eucaristia, la nostra vita sia sempre più conforme all'esempio di Cristo. Allora sii pane. Non è certo facile farsi pane. Significa che non puoi più vivere per te, ma per gli altri. Significa che devi essere disponibile a tempo pieno. Significa che devi avere pazienza e mitezza, come il pane che si lascia impastare, cuocere e spezzare. Significa che devi essere umile, come il pane, che non figura nella lista delle specialità, ma è sempre lì per accompagnare. Significa che devi coltivare la tenerezza e la bontà, perché così è il pane: tenero e buono. Nulla c'è come il pane.

☐ **PROPOSITO DEL GIORNO...** Dopo cena mi reco in chiesa per fare un momento di adorazione. Se sono impossibilitato a recarmi in chiesa, faccio un momento di intensa preghiera in casa, in cui ringrazio con tutto il cuore Gesù per il dono dell'Eucaristia.

7 APRILE

VENERDÌ

Triduo pasquale - Venerdì Santo «Passione del Signore»

rosso **propria**

IL MISTERO DELLA CROCE

La passione di Cristo passa oggi per le case di tanti che soffrono: dei disoccupati, di coloro che pensano all'avvenire con crescente timore. Ma passa anche per le case degli anziani, spremuti delle loro energie e messi da parte, in solitudine; passa per le case di coloro che attendono giustizia senza riuscire ad ottenerla, di quanti hanno dovuto abbandonare una patria, senza riuscire a trovarne una nuova o a sentirsi accolti. Il mistero della croce si rinnova in tutti coloro che si sentono esclusi e che la nostra società fa sentire come tali. Passa, infine, questa passione e questa sofferenza, per il cuore di tutti coloro che pensano che il loro sacrificio e la loro fedeltà al dovere quotidiano sia inutile, incompresa, e di questo dovere cadono vittime. La passione del Signore ci insegna non solo ad accorgerci anche di chi soffre, non solo a soccorrerlo, ma anche ad uscire dalla logica della violenza che sembra perpetuarsi nel cuore dell'uomo e della storia dell'umanità. Un gesto di perdono e di preghiera come quello di Cristo morente è una buona novella che ci aiuta a credere che il mistero del Venerdì Santo conosce ancora e sempre l'alba del giorno di Pasqua e che il Cristo non vuole avere oggi altre mani che le nostre per avere cura dei nostri fratelli (cardinale Carlo Maria Martini).

Il libro della Croce

Il frate cappuccino san Bernardo da Corleone non sapeva né leggere né scrivere e i suoi confratelli volevano istruirlo. Il Santo si mise davanti al Crocifisso per farsi consigliare e Gesù dalla croce gli rispose: «... Ecco, io sono il tuo libro, dove sempre puoi leggere l'amore che ti ho portato». San Tommaso d'Aquino un giorno chiese a san Bonaventura di quale libro si fosse servito per registrare tante belle dottrine che egli aveva scritto. San Bonaventura gli mostrò l'immagine del Crocifisso, tutta consumata dai baci che vi aveva impresso, e disse: «Ecco il mio libro da cui ricevo tutto ciò che scrivo: Egli mi ha insegnato tutto quel poco che ho saputo».

In questo giorno e nel seguente, la Chiesa, per antichissima tradizione, non celebra nessun sacramento, a eccezione della Penitenza e dell'Unzione degli infermi. Oggi la santa Comunione si distribuisce ai fedeli solo durante la celebrazione della Passione del Signore; ai malati, che non possono partecipare a questa celebrazione, si può portare a qualunque ora del giorno. L'altare sia interamente spoglio: senza croce, senza candelieri e senza tovaglie.

CELEBRAZIONE DELLA PASSIONE DEL SIGNORE

La celebrazione è costituita da tre parti: Liturgia della Parola, Adorazione della Santa Croce e Santa Comunione. Il sacerdote e, se è presente, il diacono, indossate le vesti di colore rosso come per la Messa, si recano in silenzio all'altare e, fatta la riverenza, si prostrano a terra o, secondo l'opportunità, si inginocchiano e, ancora in silenzio, pregano per alcuni istanti. Tutti gli altri si mettono in ginocchio. Quindi, il sacerdote con i ministri va alla sede da dove, rivolto al popolo, omettendo l'invito Preghiamo, *dice, con le braccia allargate, una delle seguenti orazioni.*

ORAZIONE (Non si dice *Preghiamo*).
Ricordati, o Padre, della tua misericordia e santifica con eterna protezione i tuoi fedeli, per i quali Cristo, tuo Figlio, ha istituito nel suo sangue il mistero pasquale. Egli vive e regna nei secoli dei secoli. **Amen.**

Oppure: O Dio, che nella passione di Cristo nostro Signore ci hai liberati dalla morte, eredità dell'antico peccato trasmessa a tutto il genere umano, rinnovaci a somiglianza del tuo Figlio; e come abbiamo portato in noi, per la nostra nascita, l'immagine dell'uomo terreno, così per l'azione del tuo Spirito fa' che portiamo l'immagine dell'uomo celeste. Per Cristo nostro Signore. **Amen.**

(seduti)

I. Liturgia della Parola

PRIMA LETTURA Is 52,13 – 53,12

Dal libro del profeta Isaìa

Ecco, il mio servo avrà successo, sarà onorato, esaltato e innalzato grandemente. Come molti si stupirono di lui – tanto era sfigurato per essere d'uomo il suo aspetto e diversa la sua forma da quella dei figli dell'uomo –, così si meraviglieranno di lui molte nazioni; i re davanti a lui si chiuderanno la bocca, poiché vedranno un fatto mai a essi raccontato e comprenderanno ciò che mai avevano udito. Chi avrebbe creduto al nostro annuncio? A chi sarebbe stato manifestato il braccio del Signore? È cresciuto come un virgulto davanti a lui e come una radice in terra arida. Non ha apparenza né bellezza per attirare i nostri sguardi, non splendore per poterci piacere. Disprezzato e reietto dagli uomini, uomo dei dolori che ben conosce il patire, come uno davanti al quale ci si copre la faccia; era disprezzato e non ne avevamo alcuna stima. Eppure egli si è caricato delle nostre sofferenze, si è addossato i nostri dolori; e noi lo giudicavamo castigato, percosso da Dio e umiliato. Egli è stato trafitto per le nostre colpe, schiacciato per le nostre iniquità. Il castigo che ci dà salvezza si è abbattuto su di lui; per le sue piaghe noi siamo stati guariti. Noi tutti eravamo sperduti come un gregge, ognuno di noi seguiva la sua strada; il Signore fece ricadere su di lui l'iniquità di noi tutti. Maltrattato, si lasciò umiliare e non aprì la sua bocca; era come agnello condotto al macello, come pecora muta di fronte ai suoi tosatori, e non aprì la sua bocca. Con oppressione e ingiusta sentenza fu tolto di mezzo; chi si affligge per la sua posterità? Sì, fu eliminato dalla terra dei viventi, per la colpa del mio popolo fu percosso a morte. Gli si diede sepoltura con gli empi, con il ricco fu il suo tumulo, sebbene non avesse commesso violenza né vi fosse inganno nella sua bocca. Ma al Signore è piaciuto prostrarlo con dolori. Quando offrirà se stesso in sacrificio di riparazione, vedrà una discendenza, vivrà a lungo, si compirà per mezzo suo la volontà del Signore. Dopo il suo intimo tormento vedrà la luce e si sazierà della sua conoscenza; il giusto mio servo giustificherà molti, egli si addosserà le loro iniquità. Perciò io gli darò in premio le moltitudini, dei potenti egli farà bottino, perché ha spogliato se stesso fino alla morte ed è stato annoverato fra gli empi, mentre egli portava il peccato di molti e intercedeva per i colpevoli. - Parola di Dio. ℟. **Rendiamo grazie a Dio.**

SALMO RESPONSORIALE Dal Salmo 30 (31)

℟. **Padre, nelle tue mani consegno il mio spirito.**

In te, Signore, mi sono rifugiato,
mai sarò deluso;
difendimi per la tua giustizia.
Alle tue mani affido il mio spirito;
tu mi hai riscattato, Signore, Dio fedele. ℟.

Sono il rifiuto dei miei nemici
e persino dei miei vicini,
il terrore dei miei conoscenti;
chi mi vede per strada mi sfugge.
Sono come un morto, lontano dal cuore;
sono come un coccio da gettare. ℟.

Ma io confido in te, Signore;
dico: «Tu sei il mio Dio,

i miei giorni sono nelle tue mani».
Liberami dalla mano dei miei nemici
e dai miei persecutori. R.

Sul tuo servo fa' splendere il tuo volto,
salvami per la tua misericordia.
Siate forti, rendete saldo il vostro cuore,
voi tutti che sperate nel Signore. R.

SECONDA LETTURA Eb 4,14-16;5,7-9

Dalla lettera agli Ebrei

Fratelli, poiché abbiamo un sommo sacerdote grande, che è passato attraverso i cieli, Gesù il Figlio di Dio, manteniamo ferma la professione della fede. Infatti non abbiamo un sommo sacerdote che non sappia prendere parte alle nostre debolezze: egli stesso è stato messo alla prova in ogni cosa come noi, escluso il peccato. Accostiamoci dunque con piena fiducia al trono della grazia per ricevere misericordia e trovare grazia, così da essere aiutati al momento opportuno. [Cristo, infatti,] nei giorni della sua vita terrena, offrì preghiere e suppliche, con forti grida e lacrime, a Dio che poteva salvarlo da morte e, per il suo pieno abbandono a lui, venne esaudito. Pur essendo Figlio, imparò l'obbedienza da ciò che patì e, reso perfetto, divenne causa di salvezza eterna per tutti coloro che gli obbediscono. - Parola di Dio. ℟. **Rendiamo grazie a Dio.**

(in piedi)

CANTO AL VANGELO

Cfr. Fil 2,8-9

Gloria e lode a te, Cristo Signore!
Per noi Cristo si è fatto obbediente fino alla morte
e a una morte di croce.
Per questo Dio lo esaltò
e gli donò il nome che è al di sopra di ogni nome.
Gloria e lode a te, Cristo Signore!

VANGELO

Gv 18,1 – 19,42

(*Indicazioni per la lettura dialogata*: ✠ = Gesù; **C** = Cronista; **D** = Discepoli e amici; **F** = Folla; **A** = Altri personaggi).

C *Passione di nostro Signore Gesù Cristo secondo Giovanni*

Catturarono Gesù e lo legarono

C In quel tempo, Gesù uscì con i suoi discepoli al di là del torrente Cèdron, dove c'era un giardino, nel quale entrò con i suoi discepoli. Anche Giuda, il traditore, conosceva quel luogo, perché Gesù spesso si era trovato là con i suoi discepoli. Giuda dunque vi andò, dopo aver preso un gruppo di soldati e alcune guardie fornite dai capi dei sacerdoti e dai farisei, con lanterne, fiaccole e armi. Gesù allora, sapendo tutto quello che doveva accadergli, si fece innanzi e disse loro: ✠ «Chi cercate?». **C** Gli risposero: **F** «Gesù, il Nazareno». **C** Disse loro Gesù: ✠ «Sono io!». **C** Vi era con loro anche Giuda, il traditore. Appena disse loro «Sono io», indietreggiarono e caddero a terra. Domandò loro di nuovo: ✠ «Chi cercate?». **C** Risposero: **F** «Gesù, il Nazareno». **C** Gesù replicò: ✠ «Vi ho detto: sono io. Se dunque cercate me, lasciate che questi se ne vadano», **C** perché si compisse la parola che egli aveva detto: «Non ho perduto nessuno di quelli che mi hai dato». Allora Simon Pietro, che aveva una spada, la trasse fuori, colpì il servo del sommo sacerdote e gli tagliò l'orecchio destro. Quel servo si chiamava Malco. Gesù allora disse a Pietro: ✠ «Rimetti la spada nel fodero: il calice che il Padre mi ha dato, non dovrò berlo?».

Lo condussero prima da Anna

C Allora i soldati, con il comandante e le guardie dei Giudei, catturarono Gesù, lo legarono e lo condussero prima da Anna: egli infatti era suocero di Caifa, che era sommo sacerdote quell'anno. Caifa era quello che aveva consigliato ai Giudei: «È conveniente che un solo uomo muoia per il popolo». Intanto Simon Pietro seguiva Gesù insieme a un altro discepolo. Questo discepolo era conosciuto dal sommo sacerdote ed entrò con Gesù nel cortile del sommo sacerdote. Pietro invece si fermò fuori, vicino alla porta. Allora quell'altro discepolo, noto al sommo sacerdote, tornò fuori, parlò alla portinaia e fece entrare Pietro. E la giovane portinaia disse a Pietro: **A** «Non sei anche tu uno dei discepoli di quest'uomo?». **C** Egli rispose: **D** «Non lo sono». **C** Intanto i servi e le guardie avevano acceso un fuoco, perché faceva freddo, e si scaldavano; anche Pietro stava con loro e si scaldava. Il sommo sacerdote, dunque, interrogò Gesù riguardo ai suoi discepoli e al suo insegnamento. Gesù gli rispose: ✠ «Io ho parlato al mondo apertamente; ho sempre insegnato nella sinagoga e nel tempio, dove tutti i Giudei si riuniscono, e non ho mai detto nulla di nascosto. Perché interroghi me? Interroga quelli che hanno udito ciò che ho detto loro; ecco, essi sanno che cosa ho detto». **C** Appena detto questo, una delle guardie presenti diede uno schiaffo a Gesù, dicendo: **A** «Così rispondi al sommo sacerdote?». **C** Gli rispose Gesù: ✠ «Se ho parlato male, dimostrami dov'è il male. Ma se ho parlato bene, perché mi percuoti?». C Allora Anna lo mandò, con le mani legate, a Caifa, il sommo sacerdote.

Non sei anche tu uno dei suoi discepoli? Non lo sono!

C Intanto Simon Pietro stava lì a scaldarsi. Gli dissero: A «Non sei anche tu uno dei suoi discepoli?». C Egli lo negò e disse: D «Non lo sono». C Ma uno dei servi del sommo sacerdote, parente di quello a cui Pietro aveva tagliato l'orecchio, disse: A «Non ti ho forse visto con lui nel giardino?». C Pietro negò di nuovo, e subito un gallo cantò.

Il mio regno non è di questo mondo

C Condussero poi Gesù dalla casa di Caifa nel pretorio. Era l'alba ed essi non vollero entrare nel pretorio, per non contaminarsi e poter mangiare la Pasqua. Pilato dunque uscì verso di loro e domandò: A «Che accusa portate contro quest'uomo?». C Gli risposero: F «Se costui non fosse un malfattore, non te l'avremmo consegnato». C Allora Pilato disse loro: A «Prendetelo voi e giudicatelo secondo la vostra Legge!». C Gli risposero i Giudei: F «A noi non è consentito mettere a morte nessuno». C Così si compivano le parole che Gesù aveva detto, indicando di quale morte doveva morire. Pilato allora rientrò nel pretorio, fece chiamare Gesù e gli disse: A «Sei tu il re dei Giudei?». **C** Gesù rispose: ✠ «Dici questo da te, oppure altri ti hanno parlato di me?». **C** Pilato disse: **A** «Sono forse io Giudeo? La tua gente e i capi dei sacerdoti ti hanno consegnato a me. Che cosa hai fatto?». **C** Rispose Gesù: ✠ «Il mio regno non è di questo mondo; se il mio regno fosse di questo mondo, i miei servitori avrebbero combattuto perché non fossi consegnato ai Giudei; ma il mio regno non è di quaggiù». **C** Allora Pilato gli disse: **A** «Dunque tu sei re?». **C** Rispose Gesù: ✠ «Tu lo dici: io sono re. Per questo io sono nato e per questo sono venuto nel mondo: per dare testimonianza alla verità. Chiunque è dalla verità, ascolta la mia voce». **C** Gli dice Pilato: **A** «Che cos'è la verità?». **C** E, detto questo, uscì di nuovo verso i Giudei e disse loro: **A** «Io non trovo in lui colpa alcuna. Vi è tra voi l'usanza che, in occasione della Pasqua, io rimetta uno in libertà per voi: volete dunque che io rimetta in libertà per voi il re dei Giudei?». **C** Allora essi gridarono di nuovo: **F** «Non costui, ma Barabba!». **C** Barabba era un brigante.

Salve, re dei Giudei!

C Allora Pilato fece prendere Gesù e lo fece flagellare. E i soldati, intrecciata una corona di spine, gliela posero sul capo e gli misero addosso un mantello di porpora. Poi gli si avvicinavano e dicevano: F «Salve, re dei Giudei!». C E gli davano schiaffi. Pilato uscì fuori di nuovo e disse loro: A «Ecco, io ve lo conduco fuori, perché sappiate che non trovo in lui colpa alcuna». C Allora Gesù uscì, portando la corona di spine e il mantello di porpora. E Pilato disse loro: A «Ecco l'uomo!». C Come lo videro, i capi dei sacerdoti e le guardie gridarono: F «Crocifiggilo! Crocifiggilo!». C Disse loro Pilato: A «Prendetelo voi e crocifiggetelo; io in lui non trovo colpa». C Gli risposero i Giudei: F «Noi abbiamo una Legge e secondo la Legge deve morire, perché si è fatto Figlio di Dio». C All'udire queste parole, Pilato ebbe ancor più paura. Entrò di nuovo nel pretorio e disse a Gesù: A «Di dove sei tu?». C Ma Gesù non gli diede risposta. Gli disse allora Pilato: A «Non mi parli? Non sai che ho il potere di metterti in libertà e il potere di metterti in croce?». C Gli rispose Gesù: ✠ «Tu non avresti alcun potere su di me, se ciò non ti fosse stato dato dall'alto. Per questo chi mi ha consegnato a te ha un peccato più grande».

Via! Via! Crocifiggilo!

C Da quel momento Pilato cercava di metterlo in libertà. Ma i Giudei gridarono: F «Se liberi costui, non sei amico di Cesare! Chiunque si fa re si mette contro Cesare». C Udite queste parole, Pilato fece condurre fuori Gesù e sedette in tribunale, nel luogo chiamato Litòstroto, in ebraico Gabbatà. Era la Parascève della Pasqua, verso mezzogiorno. Pilato disse ai Giudei: A «Ecco il vostro re!». C Ma quelli gridarono: F «Via! Via! Crocifiggilo!». C Disse loro Pilato: A «Metterò in croce il vostro re?». C Risposero i capi dei sacerdoti: F «Non abbiamo altro re che Cesare». C Allora lo consegnò loro perché fosse crocifisso.

Lo crocifissero e con lui altri due

C Essi presero Gesù ed egli, portando la croce, si avviò verso il luogo detto del Cranio, in ebraico Gòlgota, dove lo crocifissero e con lui altri due, uno da una parte e uno dall'altra, e Gesù in mezzo. Pilato compose anche l'iscrizione e la fece porre sulla croce; vi era scritto: «Gesù il Nazareno, il re dei Giudei». Molti Giudei lessero questa iscrizione, perché il luogo dove Gesù fu crocifisso era vicino alla città; era scritta in ebraico, in latino e in greco. I capi dei sacerdoti dei Giudei dissero allora a Pilato: F «Non scrivere: "Il re dei Giudei", ma: "Costui ha detto: Io sono il re dei Giudei"». C Rispose Pilato: A «Quel che ho scritto, ho scritto».

Si sono divisi tra loro le mie vesti

C I soldati poi, quando ebbero crocifisso Gesù, presero le sue vesti, ne fecero quattro parti – una per ciascun soldato –, e la tunica. Ma quella tunica era senza cuciture, tessuta tutta d'un pezzo da cima a fondo. Perciò dissero tra loro: «Non stracciamola, ma tiriamo a sorte a chi tocca». Così si compiva la Scrittura, che dice: «Si sono divisi tra loro le mie vesti e sulla mia tunica hanno gettato la sorte». E i soldati fecero così.

Ecco tuo figlio! Ecco tua madre!

C Stavano presso la croce di Gesù sua madre, la sorella di sua madre, Maria madre di Clèopa e Maria di Màgdala. Gesù allora, vedendo la madre e accanto a lei il discepolo che egli amava, disse alla madre: ✠ «Donna, ecco tuo figlio!». C Poi disse al discepolo: ✠ «Ecco tua madre!». C E da quell'ora il discepolo l'accolse con sé. Dopo questo, Gesù, sapendo che ormai tutto era compiuto, affinché si compisse la Scrittura, disse: ✠ «Ho sete». C Vi era lì un vaso pieno di aceto; posero perciò una spugna, imbevuta di aceto, in cima a una canna e gliela accostarono alla bocca. Dopo aver preso l'aceto, Gesù disse: ✠ «È compiuto!». C E, **chinato il capo, consegnò lo spirito**.

(Qui ci si genuflette e si fa una breve pausa)

E subito ne uscì sangue e acqua

C Era il giorno della Parascève e i Giudei, perché i corpi non rimanessero sulla croce durante il sabato – era infatti un giorno solenne quel sabato –, chiesero a Pilato che fossero spezzate loro le gambe e fossero portati via. Vennero dunque i soldati e spezzarono le gambe all'uno e all'altro che erano stati crocifissi insieme con lui. Venuti però da Gesù, vedendo che era già morto, non gli spezzarono le gambe, ma uno dei soldati con una lancia gli colpì il fianco, e subito ne uscì sangue e acqua. Chi ha visto ne dà testimonianza e la sua testimonianza è vera; egli sa che dice il vero, perché anche voi crediate. Questo infatti avvenne perché si compisse la Scrittura: «Non gli sarà spezzato alcun osso». E un altro passo della Scrittura dice ancora: «Volgeranno lo sguardo a colui che hanno trafitto».

Presero il corpo di Gesù e lo avvolsero con teli insieme ad aromi

C Dopo questi fatti Giuseppe di Arimatèa, che era discepolo di Gesù, ma di nascosto, per timore dei Giudei, chiese a Pilato di prendere il corpo di Gesù. Pilato lo concesse. Allora egli andò e prese il corpo di Gesù. Vi andò anche Nicodèmo – quello che in precedenza era andato da lui di notte – e portò circa trenta chili di una mistura di mirra e di áloe. Essi presero allora il corpo di Gesù e lo avvolsero con teli, insieme ad aromi, come usano fare i Giudei per preparare la sepoltura. Ora, nel luogo dove era stato crocifisso, vi era un giardino e nel giardino un sepolcro nuovo, nel quale nessuno era stato ancora posto. Là dunque, poiché era il giorno della Parascève dei Giudei e dato che il sepolcro era vicino, posero Gesù. - Parola del Signore. R. **Lode a te o Cristo.**

PREGHIERA UNIVERSALE

La Liturgia della Parola si conclude con la Preghiera universale, che deve essere fatta in questo modo: il diacono, se presente, o, in sua assenza, un ministro laico, stando all'ambone, pronuncia l'esortazione con la quale si indica l'intenzione. Quindi tutti pregano in silenzio per alcuni istanti; infine il sacerdote, stando alla sede, o, secondo l'opportunità, all'altare, con le braccia allargate, dice l'orazione. I fedeli, per tutto il tempo delle preghiere, possono mettersi in ginocchio o rimanere in piedi. Prima dell'orazione del sacerdote, secondo la tradizione, il diacono può invitare tutti a genuflettersi per pregare in silenzio, dicendo: Mettiamoci in ginocchio – Alzatevi.

I. Per la santa Chiesa

Preghiamo, fratelli e sorelle, per la santa Chiesa di Dio. Il Signore le conceda unità e pace, la protegga su tutta la terra, e doni a noi, in una vita serena e sicura, di rendere gloria a Dio Padre onnipotente.

Dio onnipotente ed eterno, che hai rivelato in Cristo la tua gloria a tutte le genti, custodisci l'opera della tua misericordia, perché la tua Chiesa, diffusa su tutta la terra, perseveri con fede salda nella confessione del tuo nome. Per Cristo nostro Signore. **Amen.**

II. Per il Papa

Preghiamo per il nostro santo padre il papa N. Il Signore Dio nostro, che lo ha scelto nell'ordine episcopale, gli conceda vita e salute e lo conservi alla sua santa Chiesa come guida e pastore del popolo santo di Dio.

Dio onnipotente ed eterno, sapienza che regge l'universo, ascolta la tua famiglia in preghiera, e custodisci con la tua bontà il papa che tu hai scelto per noi, perché il popolo cristiano, da te affidato alla sua guida pastorale, progredisca sempre nella fede. Per Cristo nostro Signore. **Amen.**

III. Per tutti i fedeli di ogni ordine e grado
Preghiamo per il nostro vescovo N., per tutti i vescovi, i presbiteri e i diaconi, e per tutto il popolo dei fedeli.

Dio onnipotente ed eterno, che con il tuo Spirito guidi e santifichi tutto il corpo della Chiesa, accogli le preghiere che ti rivolgiamo, perché secondo il dono della tua grazia tutti i membri della comunità nel loro ordine e grado ti possano fedelmente servire. Per Cristo nostro Signore. **Amen.**

IV. Per i catecumeni
Preghiamo per i [nostri] catecumeni. Il Signore Dio nostro apra i loro cuori all'ascolto e dischiuda la porta della misericordia, perché mediante il lavacro di rigenerazione ricevano il perdono di tutti i peccati e siano incorporati in Cristo Gesù, Signore nostro.

Dio onnipotente ed eterno, che rendi la tua Chiesa sempre feconda di nuovi figli, aumenta nei [nostri] catecumeni l'intelligenza della fede, perché, nati a vita nuova nel fonte battesimale, siano accolti tra i tuoi figli di adozione. Per Cristo nostro Signore. **Amen.**

V. Per l'unità dei cristiani
Preghiamo per tutti i fratelli e le sorelle che credono

in Cristo. Il Signore Dio nostro raduni e custodisca nell'unica sua Chiesa quanti testimoniano la verità con le loro opere.

Dio onnipotente ed eterno, che raduni i tuoi figli ovunque dispersi e li custodisci nell'unità, volgi lo sguardo al gregge del tuo Figlio, perché coloro che sono stati consacrati da un solo Battesimo siano una cosa sola nell'integrità della fede e nel vincolo dell'amore. Per Cristo nostro Signore. **Amen.**

VI. Per gli Ebrei

Preghiamo per gli Ebrei. Il Signore Dio nostro, che a loro per primi ha rivolto la sua parola, li aiuti a progredire sempre nell'amore del suo nome e nella fedeltà alla sua alleanza.

Dio onnipotente ed eterno, che hai affidato le tue promesse ad Abramo e alla sua discendenza, esaudisci con bontà le preghiere della tua Chiesa, perché il popolo primogenito della tua alleanza possa giungere alla pienezza della redenzione. Per Cristo nostro Signore. **Amen.**

VII. Per coloro che non credono in Cristo

Preghiamo per coloro che non credono in Cristo. Illuminati dallo Spirito Santo, possano anch'essi entrare nella via della salvezza.

Dio onnipotente ed eterno, dona a coloro che non credono in Cristo di trovare la verità camminando alla tua presenza con cuore sincero, e concedi a noi di essere nel mondo testimoni più autentici della tua carità, progredendo nell'amore vicendevole e nella piena conoscenza del mistero della tua vita. Per Cristo nostro Signore. **Amen.**

VIII. Per coloro che non credono in Dio

Preghiamo per coloro che non credono in Dio. Praticando la giustizia con cuore sincero, giungano alla conoscenza del Dio vero.

Dio onnipotente ed eterno, tu hai messo nel cuore degli uomini una così profonda nostalgia di te che solo quando ti trovano hanno pace: fa' che, tra le difficoltà della vita, tutti riconoscano i segni della tua bontà e, stimolati dalla nostra testimonianza, abbiano la gioia di credere in te, unico vero Dio e Padre di tutti gli uomini. Per Cristo nostro Signore. **Amen.**

IX. Per i governanti

Preghiamo per coloro che sono chiamati a governare la comunità civile. Il Signore Dio nostro illumini la loro mente e il loro cuore a cercare il bene comune nella vera libertà e nella vera pace.

Dio onnipotente ed eterno, nelle tue mani sono le speranze degli uomini e i diritti di ogni popolo: assisti con la tua sapienza coloro che ci governano, perché, con il tuo aiuto, promuovano su tutta la terra una pace duratura, la prosperità dei popoli e la libertà religiosa. Per Cristo nostro Signore. **Amen.**

X. Per quanti sono nella prova

Preghiamo, fratelli e sorelle, Dio Padre onnipotente, perché purifichi il mondo dagli errori, allontani le malattie, vinca la fame, renda la libertà ai prigionieri, spezzi le catene, conceda sicurezza a chi viaggia, il ritorno ai lontani da casa, la salute agli ammalati e ai morenti la salvezza eterna.

Dio onnipotente ed eterno, consolazione degli afflitti, sostegno dei sofferenti, ascolta il grido di coloro che sono nella prova, perché tutti nelle loro necessità sperimentino la gioia di aver trovato il soccorso della tua misericordia. Per Cristo nostro Signore. **Amen.**

II. Adorazione della Santa Croce

Conclusa la Preghiera universale, si fa l'adorazione solenne della Santa Croce. Tra le due forme di ostensione proposte si scelga la più adatta, a seconda delle esigenze pastorali.

Ostensione della Santa Croce

Prima forma

Il diacono con i ministri, o un altro ministro idoneo, si reca nella sacrestia, dalla quale, attraverso la chiesa, accompagnato da due ministri con le candele accese, porta processionalmente la Croce, coperta da un velo violaceo, fino al centro del presbiterio. Il sacerdote, davanti all'altare, rivolto verso il popolo, riceve la Croce, la scopre alquanto nella parte superiore e la eleva, intonando Ecco il legno della Croce, *aiutato nel canto dal diacono o, se è il caso, dalla* schola. *Tutti rispondono:* Venite, adoriamo. *Finito il canto, tutti si inginocchiano e in silenzio si fermano in adorazione per alcuni istanti, mentre il sacerdote, in piedi, tiene elevata la Croce.*

Ecco il legno della Croce, al quale fu appeso il Cristo, Salvatore del mondo.
℟. **Venite, adoriamo.**

Quindi il sacerdote scopre il braccio destro della Croce ed elevandola intona per la seconda volta Ecco il legno della Croce. *Tutto si svolge nel modo indicato sopra. Infine, scopre totalmente la Croce ed elevandola introduce per la terza volta l'invito* Ecco il legno della Croce. *Tutto si svolge come la prima volta.*

Seconda forma

Il sacerdote o il diacono con i ministri, o un altro ministro idoneo, si reca all'ingresso della chiesa, dove prende la Croce non velata. I ministri portano le candele accese. Si ordina quindi la processione attraverso la chiesa fino al presbiterio. Vicino all'ingresso, in mezzo alla chiesa e prima di accedere al presbiterio, chi porta la Croce la eleva, cantando Ecco il legno della Croce, *e tutti rispondono:* Venite, adoriamo, *e dopo ogni risposta si inginocchiano e adorano in silenzio per alcuni istanti, come descritto precedentemente.*

Adorazione della Santa Croce

Quindi, insieme a due ministri con le candele accese, il sacerdote o il diacono porta la Croce all'ingresso del presbiterio o in un altro luogo adatto e qui la depone, oppure la consegna ai ministri perché, collocate le candele alla destra e alla sinistra della Croce, la sostengano. Per l'adorazione della Croce, tolte la casula e le scarpe secondo l'opportunità, si avvicina per primo il solo sacerdote celebrante. Quindi avanzano processionalmente il clero, i ministri laici e i fedeli, facendo riverenza alla Croce con una semplice genuflessione o un altro segno adatto, secondo l'uso della regione, come per esempio baciando la Croce. Per l'adorazione si presenta un'unica Croce. Se a causa della partecipazione del popolo non tutti potessero accostarsi personalmente, il sacerdote, dopo che una parte del clero e dei fedeli ha compiuto l'adorazione, prende la Croce e, stando in mezzo, davanti all'altare, con brevi parole invita l'assemblea all'adorazione della Santa Croce e poi, per qualche istante, tiene elevata la Croce, perché possa essere adorata in silenzio dai fedeli.

Canti per l'adorazione della Santa Croce

ANTIFONA - **Adoriamo la tua Croce, o Signore, lodiamo e glorifichiamo la tua santa risurrezione. Dal legno della Croce è venuta la gioia in tutto il mondo.**

Dio abbia pietà di noi e ci benedica: su di noi faccia splendere il suo volto e abbia misericordia di noi *(Cfr. Sal 66,2).*

Adoriamo la tua croce, Signore…

Lamenti del Signore I

Popolo mio che male ti ho fatto?

In che ti ho provocato? Dammi risposta.

Io ti ho guidato fuori dall'Egitto,
e tu hai preparato la Croce al tuo Salvatore.

Hágios o Theós.
Sanctus Deus.

Hágios Ischyrós.
Sanctus Fortis.

Hágios Athánatos, eléison himás.
Sanctus Immortális, miserére nobis.

Io ti ho guidato quarant'anni nel deserto,
ti ho sfamato con manna,
ti ho introdotto in un paese fecondo,
e tu hai preparato la Croce al tuo Salvatore.

Hágios o Theós...

Che altro avrei dovuto fare e non ti ho fatto?
Io ti ho piantato, mia scelta e florida vigna,
ma tu mi sei divenuta aspra e amara:
poiché mi hai spento la sete con aceto
e hai piantato una lancia nel petto del tuo Salvatore.

Hágios o Theós...

LAMENTI DEL SIGNORE II

Io per te ho flagellato l'Egitto e i suoi primogeniti,
e tu mi hai consegnato per esser flagellato.

Popolo mio, che male ti ho fatto?
In che ti ho provocato? Dammi risposta.

Io ti ho guidato fuori dall'Egitto
e ho sommerso il faraone nel Mar Rosso,
e tu mi hai consegnato ai capi dei sacerdoti.
Popolo mio...

Io ho aperto davanti a te il mare,
e tu mi hai aperto con la lancia il costato.
Popolo mio...

Io ti ho fatto strada con la nube luminosa,
e tu mi hai condotto al pretorio di Pilato. **Popolo mio…**

Io ti ho nutrito con manna nel deserto,
e tu mi hai colpito con schiaffi e flagelli. **Popolo mio…**

Io ti ho dissetato dalla rupe con acqua di salvezza,
e tu mi hai dissetato con fiele e aceto. **Popolo mio…**

Io per te ho colpito i re dei Cananei,
e tu con la canna hai colpito il mio capo. **Popolo mio…**

Io ti ho posto in mano uno scettro regale,

e tu hai posto sul mio capo una corona di spine.
Popolo mio...

Io ti ho esaltato con grande potenza,
e tu mi hai sospeso al patibolo della croce.
Popolo mio...

Inno

O Croce fedele e gloriosa
o albero nobile e santo,
un altro non v'è nella selva,
di rami e di fronde a te uguale:

tu sei il dolce legno che porta
appeso il Signore del mondo.

Esalti ogni lingua nel canto
lo scontro e la grande vittoria,
e sopra il trofeo della Croce
proclami quel grande trionfo,
poiché il redentore del mondo
fu ucciso e ha vinto la morte. **O Croce...**

Pietoso il Signore rivolse
lo sguardo al peccato di Adamo:
quando egli del frutto proibito
gustò e la morte lo colse,

un albero scelse a rimedio
del male dell'albero antico. **Tu sei il dolce legno...**

La nostra salvezza
doveva venire nel corso dei tempi,
doveva divina sapienza
domare l'antico nemico,
e trarci a salvezza là dove
a noi era giunto l'inganno. **O Croce...**

E quando il momento fu giunto
del tempo fissato da Dio,
ci venne mandato dal Padre
il Figlio, creatore del mondo;
tra gli uomini venne, incarnato
nel grembo di Vergine Madre. **Tu sei il dolce legno...**

Vagisce il Bambino, adagiato
in umile, misera stalla;
la Vergine Madre ravvolge
e copre le piccole membra,
ne cinge le mani e i piedi,
legati con candida fascia. **O Croce...**

Compiuti trent'anni e conclusa la vita terrena,
il Signore offriva se stesso alla morte per noi,
redentore del mondo;

in croce l'Agnello è innalzato,
e viene immolato per tutti. **Tu sei il dolce legno...**

Ed ecco l'aceto e il fiele,
gli sputi, la lancia e i chiodi;
il corpo del Giusto è trafitto
e l'acqua fluisce col sangue,
torrente che lava la terra,
il mare e il cielo e il mondo. **O Croce...**

O albero, piega i tuoi rami,
distendi le rigide fibre,
s'allenti quel legno che duro
in te la natura ha creato;
accogli su un morbido tronco
le membra del Cristo Signore. **Tu sei il dolce legno...**

Tu solo sei l'albero degno
di reggere il nostro riscatto;
per te è preparato un rifugio,
un'arca che porta salvezza
al mondo, nel sangue che sgorga
dal Corpo del Cristo immolato. **O Croce...**

La seguente conclusione non si deve mai omettere

Al Padre e al Figlio sia gloria,
e gloria allo Spirito Santo:

eterna la lode s'innalzi
all'Unico e Trino Signore
che il mondo ha creato e redento
e tutti noi salva per grazia. **Amen.**

Finita l'adorazione, un diacono o un ministro porta la Croce al suo posto, presso l'altare. Le candele accese vengono collocate vicino all'altare o sopra di esso o presso la Croce.

III. Santa Comunione

Sopra l'altare si stende una tovaglia e vi si pongono il corporale e il Messale. Nel frattempo il diacono o, in sua assenza, lo stesso sacerdote, indossato il velo omerale, riporta il Santissimo Sacramento dal luogo della reposizione all'altare per la via più breve. Tutti rimangono in silenzio. Due ministri accompagnano il Santissimo Sacramento con le candele accese, che depongono vicino all'altare o sopra di esso. Quando il diacono, se presente, ha deposto sopra l'altare il Santissimo Sacramento e ha scoperto la pisside, il sacerdote si avvicina all'altare e genuflette. Quindi, il sacerdote, introduce il Padre nostro *e lo continua insieme a tutti i presenti. Il sacerdote prosegue con le altre preghiere come di solito. Dopo essersi comunicato procede alla distribuzione della Comunione ai fedeli. Durante la Comunione si può cantare il salmo 21 o un altro canto adatto. Terminata la distribuzione della Comunione, la pisside viene portata dal diacono o da un altro ministro idoneo nel luogo preparato al di fuori della chiesa o, se le circostanze lo richiedono, viene riposta nel tabernacolo. Quindi il sacerdote dice:* Preghiamo, *e osservato, secondo l'opportunità, un breve spazio di sacro silenzio, dice la seguente orazione:*

DOPO LA COMUNIONE - **Preghiamo:** Dio onnipotente ed eterno, che ci hai rinnovati con la gloriosa morte e risurrezione del tuo Cristo, custodisci in noi l'opera della tua misericordia, perché la partecipazione a questo grande mistero ci consacri sempre al tuo servizio. Per Cristo nostro Signore. **Amen.**

All'orazione sul popolo, il diacono o, in sua assenza, lo stesso sacerdote può premettere l'invito: Inchinatevi per la benedizione. *Quindi il sacerdote, rivolto al popolo, con le mani stese sopra di esso, dice la seguente orazione:*

ORAZIONE SUL POPOLO - Scenda, o Padre, la tua benedizione su questo popolo che ha celebrato la morte del tuo Figlio nella speranza di risorgere con lui; venga il perdono e la consolazione, si accresca la fede, si rafforzi la certezza nella redenzione eterna. Per Cristo nostro Signore. **Amen.**

E tutti, fatta la genuflessione alla Croce, se ne vanno in silenzio. Dopo la celebrazione, l'altare viene spogliato. Vi rimane sopra la Croce con due o quattro candelieri. Coloro che hanno partecipato all'azione liturgica pomeridiana non sono tenuti alla celebrazione dei Vespri.

Commenti

1ª LETTURA - Oltre agli oracoli che introducono e concludono il testo, a parlarci del servo sofferente c'è la comunità di cui il profeta si fa voce, confessando l'incomprensione totale nella quale si è consumato il dolore del servo, ma questi tace. Non attira l'attenzione con lo splendore dell'aspetto, né con la luminosità della dottrina: «Ben conosce il patire». Silenzioso nell'umiliazione, nell'oppressione, nella condanna a morte, fino a una sepoltura infame. Solo quando il suo sacrificio di espiazione è consumato, la comunità – da esso purificata – comprende l'inconcepibile disegno di Dio. Il castigo, quale sofferenza purificatrice, presuppone una colpa; ma qui, per la prima volta, viene mostrato apertamente qualcosa di diverso: il mistero della "sofferenza vicaria". Il peccato è nostro (ci riconosciamo senza difficoltà nel «noi» del testo), ma chi soffre per espiarlo non siamo noi, bensì il servo innocente. Questa è la volontà di Dio che si compie nel servo. È la giustizia divina che prende il nome di “misericordia”. È la promessa della luce e della glorificazione, dopo le tenebre e l’umiliazione.

2ª LETTURA - La pericope, di importanza centrale nella lettera agli Ebrei, ci invita a considerare il valore infinito del sacrificio di Cristo, che egli compie come grande sommo sacerdote, e che egli è, in quanto vera vittima, pura e santa. La figura di Cristo emerge così in tutta la sua maestà. Questo tuttavia non lo allontana in una sfera inaccessibile. Anzi, proprio perché ha condiviso in tutto le nostre prove, egli sa compatire la nostra debolezza. Si è fatto a noi vicino perché potessimo avvicinarci con piena fiducia al Padre. Dio di misericordia e di grazia, che ci dona l’aiuto necessario in ogni tribolazione, affinché ogni prova divenga luogo dove sommamente risplende la sua sapiente provvidenza. La sofferta adesione di Cristo al disegno del Padre ottiene così un esaudimento che supera infinitamente i nostri orizzonti: la sua obbedienza filiale, che lo ha portato a consegnare sé stesso alla morte, lo ha reso «causa di salvezza eterna» per tutti coloro che obbediscono alla sua parola, diventando così quella discendenza sterminata promessa al servo di YHWH: nuova prole di figli di Dio, rinati dal sangue di Cristo.

Vangelo - Guardando oggi Gesù sulla croce ci verrebbe da usare un'espressione molto diffusa nella nostra vita: «Ma chi te l'ha fatto fare!». Questo rischio o apparente fallimento, invece, è il luogo dove incontriamo Gesù, crocifisso anche per noi. Egli riempie anche quegli anfratti oscuri dove tante volte passiamo molto tempo della nostra vita. Sono gli angoli cupi di certe famiglie, di certe malattie, di certe storie, di certe circostanze. Gesù ha sancito un cambiamento radicale. Quello che prima appariva come un fallimento, oggi, in questo Venerdì Santo è diventato il luogo della sua presenza e, se si trova il coraggio di non scappare, di non disertare la fatica di quell'istante, di quelle circostanze, allora si può vincere, così come Gesù che ha vinto la morte. Ma la vittoria passa sempre attraverso la prostrazione della sconfitta. A volte, per paura di perdere, evitiamo persino di vivere. Gesù ci insegna ad avere il coraggio di perdere, ma alla sua maniera: con fiducia, rischiando in estremo di lanciarsi nelle mani di un Padre, anche se in quel momento lo si avverte lontano: si può fare come Gesù che sente la sua assenza ma dice: «Nelle tue mani, Padre, consegno il mio Spirito».

PROPOSITO DEL GIORNO... Oggi mi fermo a pregare davanti al Crocifisso, con le parole della seguente preghiera: «Eccomi, o mio amato e buon Gesù, che alla santissima tua presenza prostrato, ti prego col fervore più vivo di stampare nel mio cuore sentimenti di fede, di speranza, di carità, di dolore dei miei peccati e di proponimento di non più offenderti; mentre io, con tutto l'amore e con tutta la compassione, vado considerando le tue cinque piaghe, cominciando da ciò che disse di Te, o mio Gesù, il santo profeta Davide: "Hanno forato le mie mani e i miei piedi; hanno contato tutte le mie ossa"».

PRATICHE E FESTE DEL GIORNO...

- Pratiche e preghiere di ogni giorno consigliate per il mese di aprile *(pag. 727)*.
- Digiuno e astinenza.
- Giornata mondiale per le opere della Terra Santa.
- Rosario delle sante piaghe (cod. 8001, 8194).
- Preghiere a Gesù crocifisso (cod. 8001, 8193, 8194).
- Rosario dei sette dolori (cod. 8001, 8140).
- 1° giorno novena alla Divina misericordia *(pag. 743)*.
- 1° giorno novena a santa Bernadette (cod. 8450, 8980).

8 APRILE

SABATO

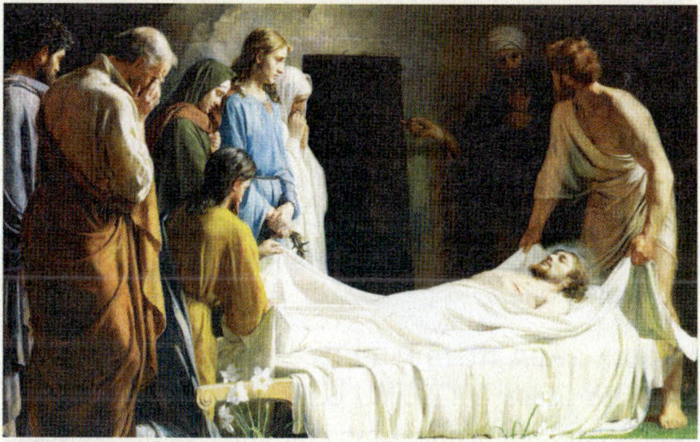

Triduo pasquale - Sabato Santo *viola* **propria**

UN GIORNO DI SILENZIO

Dopo la straziante morte di Gesù sulla croce, il buio e il silenzio avvolgono la terra, come il lenzuolo e le pietre del sepolcro avvolgono il suo corpo. Ma l'azione salvatrice di Cristo non si ferma e oltrepassa le soglie dell'oltretomba. La liturgia, infatti, e le icone orientali ci invitano a contemplare il mistero della discesa agli inferi, come preludio della sua risurrezione e di quella di tutti coloro che sono uniti alla sua vittoria. Per i santi Padri la ragione più importante per cui Cristo scende negli inferi è per continuare il dialogo che si era interrotto tra Dio e Adamo nel paradiso terrestre. È nel silenzio che il Signore Gesù scende negli inferi di ogni uomo per prendere su di sé il peccato e la sofferenza; per depositare il bacio del perdono, il balsamo curativo delle ferite prodotte dal peccato, la forza misteriosa che dalla morte fa passare alla vita. Perseveriamo nella preghiera come Maria e insieme a Maria, condividendone gli stessi sentimenti di fiducia in Dio. Se non l'abbiamo già fatto, approfittiamo per accostarci al sacramento della Riconciliazione.

LA DISCESA AGLI INFERI

Il Sabato Santo è il giorno del nascondimento di Dio. Nel Credo, noi professiamo che Gesù Cristo «discese agli inferi».

Che cosa significa questa espressione? Vuole dire che Dio, fattosi uomo, è arrivato fino al punto di entrare nella solitudine estrema e assoluta dell'uomo, dove non arriva alcun raggio d'amore, dove regna l'abbandono totale senza alcuna parola di conforto: gli inferi.

Gesù Cristo, rimanendo nella morte, ha oltrepassato la porta di questa solitudine ultima per guidare anche noi a oltrepassarla con lui. Tutti abbiamo sentito qualche volta una sensazione spaventosa di abbandono, e ciò che della morte ci fa più paura è proprio questo.

Nel Sabato Santo nel regno della morte è risuonata la

voce di Dio. È successo l'impensabile: che cioè l'amore è penetrato "negli inferi". Anche nel buio estremo della solitudine umana più assoluta noi possiamo ascoltare una voce che ci chiama e trovare una mano che ci prende e ci conduce fuori. L'essere umano vive per il fatto che è amato e può amare; e se anche nello spazio della morte è penetrato l'amore, allora anche là è arrivata la vita. Questo è il mistero del Sabato Santo! Proprio di là, dal buio della morte del Figlio di Dio, è spuntata la luce di una speranza nuova: la luce della risurrezione.

PRATICHE E FESTE DEL GIORNO...

- Pratiche e preghiere di ogni giorno consigliate per il mese di aprile *(pag. 727)*.
- Giorno dedicato a Maria che scioglie i nodi (cod. 8558).
- 16° sabato di Pompei.
- 1° giorno novena a santa Caterina Tekakwitha.
- 1° giorno triduo a santa Gemma Galgani.
- 1° giorno novena al beato Luciano Botovasoa.
- Anniversario prima apparizione della Madonna, Basella di Urgnano (Bergamo).

DOMENICA DI PASQUA

«Risurrezione del Signore»

Triduo pasquale - Veglia Pasquale nella notte santa *bianco*

propria

IL DIO VIVO VUOLE TRASFORMARE NOI E IL MONDO

Ascoltiamo anche noi la domanda rivolta alle donne: «Perché cercate tra i morti colui che è vivo?». Non possiamo fare Pasqua se continuiamo a rimanere nella morte; se restiamo prigionieri del passato; se nella vita non abbiamo il coraggio di lasciarci perdonare da Dio, che perdona tutto, il coraggio di cambiare, di rompere con le opere del male, di deciderci per Gesù e per il suo amore;

se continuiamo a ridurre la fede a un amuleto, facendo di Dio un bel ricordo di tempi passati, invece che incontrarlo oggi come il Dio vivo che vuole trasformare noi e il mondo. Un cristianesimo che cerca il Signore tra i relitti del passato e lo rinchiude nel sepolcro dell'abitudine è un cristianesimo senza Pasqua. Ma il Signore è risorto! Non attardiamoci attorno ai sepolcri, ma andiamo a riscoprire Lui, il Vivente! E non abbiamo paura di cercarlo anche nel volto dei fratelli, nella storia di chi spera e di chi sogna, nel dolore di chi piange e soffre: Dio è lì! (Papa Francesco, *Omelia* Veglia Pasquale nella notte santa, 16 aprile 2022).

I. Solenne inizio della Veglia o Lucernario

Benedizione del fuoco e preparazione del cero

Si spengono le luci della chiesa. In un luogo adatto, fuori dalla chiesa, si prepara un fuoco che divampi. Quando il popolo è radunato, viene il sacerdote con i ministri, uno dei quali porta il cero pasquale. Non si portano né la croce astile né i ceri. Dove invece non si può accendere il fuoco fuori dalla chiesa, il rito si svolge come indicato al n. 13 pag. 171 MR.

Il sacerdote intoduce brevemente la veglia notturna con queste o con altre simili parole:

Fratelli e sorelle, in questa santissima notte, nella quale il Signore nostro Gesù Cristo è passato dalla morte alla vita, la Chiesa invita i suoi figli sparsi nel mondo a raccogliersi per vegliare e pregare. Rivivremo la Pasqua del Signore nell'ascolto della Parola e nella partecipazione ai Sacramenti: Cristo risorto confermerà in noi la speranza di partecipare alla sua vittoria sulla morte e di vivere con lui in Dio Padre.

Quindi il sacerdote, con le braccia allargate, benedice il fuoco, dicendo:

Preghiamo: O Padre, che per mezzo del tuo Figlio ci hai comunicato la fiamma viva del tuo fulgore, benedici ✠ questo fuoco nuovo e, mediante le feste pasquali, accendi in noi il desiderio del cielo, perché, rinnovati nello spirito, possiamo giungere alla festa dello splendore eterno. Per Cristo nostro Signore. **Amen.**

Il sacerdote incide una croce sul cero pasquale per configurarlo a Gesù Cristo. Quindi traccia al di sopra di essa in alto la lettera greca A (alfa), sotto in basso la lettera Ω (omega), per indicare Cristo principio e fine di tutte le cose, e tra i bracci della croce le quattro cifre per indicare l'anno corrente, per significare che Gesù – Signore del tempo e della storia – vive oggi per noi. Nel compiere tali riti il sacerdote dice:

Il Cristo ieri e oggi
Principio e Fine
Alfa
e Omega.
A lui appartengono il tempo
e i secoli.
A lui la gloria e il potere
per tutti i secoli dei secoli. **Amen.**

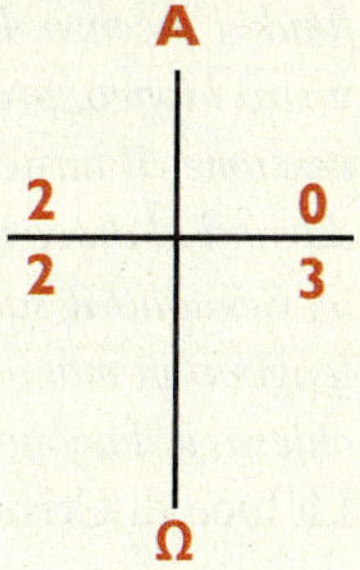

Poi il sacerdote può infiggere cinque grani d'incenso nel cero, in forma di croce, mentre dice:

1. Per mezzo delle sue sante piaghe 1
2. gloriose
3. ci protegga 4 2 5
4. e ci custodisca
5. Cristo Signore. **Amen.** 3

Dal nuovo fuoco il sacerdote accende il cero pasquale, dicendo:

La luce di Cristo che risorge glorioso disperda le tenebre del cuore e dello spirito.

Processione

Acceso il cero, uno dei ministri prende dei carboni ardenti dal fuoco e li pone nel turibolo; il sacerdote, dunque, in-

fonde l'incenso. Il diacono o, in sua assenza, un altro ministro idoneo, prende il cero pasquale e si ordina la processione. Il turiferario con il turibolo fumigante procede davanti al diacono o al ministro che porta il cero pasquale. Seguono il sacerdote con i ministri e i fedeli, i quali tengono in mano delle candele spente. All'ingresso della chiesa, il diacono, fermandosi e alzando il cero, canta:

La luce di Cristo. Oppure: Cristo luce del mondo.

Tutti rispondono:

R. **Rendiamo grazie a Dio.**

Il canto viene ripetuto a metà della chiesa e davanti all'altare. Intanto, il sacerdote e poi tutti i fedeli accendono la loro candela dal cero pasquale e avanzano. Il diacono depone il cero pasquale sopra un grande candeliere preparato vicino all'ambone o in mezzo al presbiterio mentre si accendono le luci della chiesa, ad eccezione delle candele dell'altare.

Preconio pasquale

Il sacerdote, giunto all'altare, si reca alla sede. Il diacono o, in sua assenza, lo stesso sacerdote, dopo aver incensato il libro e il cero, proclama il preconio pasquale dall'ambone o dal pulpito: tutti i presenti stanno in piedi e tengono in mano la candela accesa.

Forma breve: [ ]
Parte da omettere nel caso in cui il testo venga proclamato per necessità da un laico: [ ]

[Esulti il coro degli angeli, esulti l'assemblea celeste: un inno di gloria saluti il trionfo del Signore risorto. Gioisca la terra inondata da così grande splendore: la luce del Re eterno ha vinto le tenebre del mondo. Gioisca la madre Chiesa, splendente della gloria del suo Signore, e questo tempio tutto risuoni per le acclamazioni del popolo in festa]. [E voi, fratelli carissimi, qui radunati nella solare chiarezza di questa nuova luce, invocate con me la misericordia di Dio onnipotente. Egli che mi ha chiamato, senza alcun merito, nel numero dei suoi ministri, irradi il suo mirabile fulgore, perché sia piena e perfetta la lode di questo cero.]

[[℣. Il Signore sia con voi.
℟. **E con il tuo spirito.**]

℣. In alto i nostri cuori.
℟. **Sono rivolti al Signore.**

℣. Rendiamo grazie al Signore, nostro Dio.
℟. **È cosa buona e giusta.**

È veramente cosa buona e giusta esprimere con il canto l'esultanza dello spirito, e inneggiare al Dio invisibile, Padre onnipotente, e al suo unico Figlio, Gesù Cristo nostro Signore. Egli ha pagato per noi all'eterno Padre il debito di Adamo, e con il sangue sparso per la nostra salvezza ha cancellato la condanna della colpa antica. Questa è la vera Pasqua, in cui è ucciso il vero Agnello, che con il suo sangue consacra le case dei fedeli. Questa è la notte in cui hai liberato i figli di Israele, nostri padri, dalla schiavitù dell'Egitto, e li hai fatti passare illesi attraverso il Mar Rosso. Questa è la notte in cui hai vinto le tenebre del peccato con lo splendore della colonna di fuoco. Questa è la notte che salva su tutta la terra i credenti nel Cristo dall'oscurità del peccato e dalla corruzione del mondo, li consacra all'amore del Padre e li unisce nella comunione dei santi. Questa è la notte in cui Cristo, spezzando i vincoli della morte, risorge vincitore dal sepolcro.] Nessun vantaggio per noi essere nati, se lui non ci avesse redenti. [O immensità del tuo amore per noi! O inestimabile segno di bontà: per riscattare lo schiavo, hai sacrificato il tuo Figlio! Davvero era necessario il peccato di Adamo, che è stato distrutto con la morte del Cristo. Felice colpa, che meritò di avere un così grande redentore!] O notte beata, tu sola hai meritato di conoscere il tempo e l'ora in cui Cristo è risorto dagli inferi. Di questa notte è stato scritto: la notte splenderà come il giorno, e sarà fonte di luce per la mia delizia. [Il santo mistero di questa notte sconfigge il male, lava le colpe, restituisce l'innocenza ai peccatori, la gioia agli afflitti.] Dissipa l'odio, piega la durezza dei potenti, promuove la concordia e la pace. [O notte veramente gloriosa, che ricongiunge la terra al cielo e l'uomo al suo creatore! In questa notte di grazia accogli, Padre santo, il sacrificio di lode, che la Chiesa ti offre per mano dei suoi ministri nella solenne liturgia del cero, frutto del lavoro delle api, simbolo della nuova luce.] Riconosciamo nella colonna dell'Esodo gli antichi presagi di questo lume pasquale che un fuoco ardente ha acceso in onore di Dio. Pur diviso in tante fiammelle non estingue il suo vivo splendore, ma si accresce nel consumarsi della cera che l'ape madre ha prodotto per alimentare questa preziosa lampada. [Ti preghiamo dunque, o Signore, che questo cero, offerto in onore del tuo nome per illuminare l'oscurità di questa notte, risplenda di luce che mai si spegne. Salga a te come profumo soave, si confonda con le stelle del cielo. Lo trovi acceso la stella del mattino, quella stella che non conosce tramonto: Cristo, tuo Figlio, che risuscitato dai morti fa risplendere sugli uomini la sua luce serena e vive e regna nei secoli dei secoli.] R. **Amen.**

II. Liturgia della Parola

In questa Veglia, «madre di tutte le veglie» (Agostino, Sermo 219*), vengono proposte nove letture: sette dall'Antico Testamento e due dal Nuovo (Epistola e Vangelo). Se gravi circostanze pastorali lo richiedono, si può diminuire il numero delle letture dell'Antico Testamento; tuttavia si tenga sempre presente che la lettura della parola di Dio è parte fondamentale della Veglia Pasquale. Si leggano almeno tre letture tratte dall'Antico Testamento, sia dalla Legge che dai Profeti, e si cantino i rispettivi Salmi responsoriali. Non si ometta mai la lettura del capitolo 14 dell'Èsodo con il suo cantico. Deposte le candele, tutti si siedono. Prima di iniziare le letture, il sacerdote esorta il popolo con queste o con altre simili parole:*

Fratelli e sorelle, dopo il solenne inizio della Veglia, ascoltiamo con cuore sereno la parola di Dio. Meditiamo come nell'antica alleanza Dio ha salvato il suo popolo e nella pienezza dei tempi ha mandato a noi il suo Figlio come redentore. Preghiamo perché Dio, nostro Padre, porti a compimento quest'opera di salvezza realizzata nella Pasqua.

Seguono le letture. Il lettore si reca all'ambone e proclama la lettura. Quindi il salmista o il cantore esegue il salmo, mentre il popolo risponde con il ritornello. Poi tutti si alzano, il sacerdote dice: Preghiamo *e, dopo che tutti hanno pregato per qualche momento in silenzio, dice l'orazione corrispondente alla lettura. Al posto del salmo responsoriale si può osservare un momento di sacro silenzio, tralasciando, in questo caso, la pausa dopo* Preghiamo.

(seduti)

PRIMA LETTURA Gen 1,1 – 2,2

Forma breve: [ ] Gen 1,1.26-31a

Dal libro della Gènesi

[In principio Dio creò il cielo e la terra.] La terra era informe e deserta e le tenebre ricoprivano l'abisso e lo spirito di Dio aleggiava sulle acque. Dio disse: «Sia la luce!». E la luce fu. Dio vide che la luce era cosa buona e Dio separò la luce dalle tenebre. Dio chiamò la luce giorno, mentre chiamò le tenebre notte. E fu sera e fu mattina: giorno primo. Dio disse: «Sia un firmamento in mezzo alle acque per separare le acque dalle acque». Dio fece il firmamento e separò le acque che sono sotto il firmamento dalle acque che sono sopra il firmamento. E così avvenne. Dio chiamò il firmamento cielo. E fu sera e fu mattina: secondo giorno. Dio disse: «Le acque che sono sotto il cielo si raccolgano in un unico luogo e appaia l'asciutto». E così avvenne.

Dio chiamò l'asciutto terra, mentre chiamò la massa delle acque mare. Dio vide che era cosa buona. Dio disse: «La terra produca germogli, erbe che producono seme e alberi da frutto, che fanno sulla terra frutto con il seme, ciascuno secondo la propria specie». E così avvenne. E la terra produsse germogli, erbe che producono seme, ciascuna secondo la propria specie, e alberi che fanno ciascuno frutto con il seme, secondo la propria specie. Dio vide che era cosa buona. E fu sera e fu mattina: terzo giorno. Dio disse: «Ci siano fonti di luce nel firmamento del cielo, per separare il giorno dalla notte; siano segni per le feste, per i giorni e per gli anni e siano fonti di luce nel firmamento del cielo per illuminare la terra». E così avvenne. E Dio fece le due fonti di luce grandi: la fonte di luce maggiore per governare il giorno e la fonte di luce minore per governare la notte, e le stelle. Dio le pose nel firmamento del cielo per illuminare la terra e per governare il giorno e la notte e per separare la luce dalle tenebre. Dio vide che era cosa buona. E fu sera e fu mattina: quarto giorno. Dio disse: «Le acque brùlichino di esseri viventi e uccelli volino sopra la terra, davanti al firmamento del cielo». Dio creò i grandi mostri marini e tutti gli esseri viventi che guizzano e brùlicano nelle acque, secondo la loro specie, e tutti gli uccelli alati, secondo la loro specie. Dio vide che era cosa buona. Dio li benedisse: «Siate fecondi e moltiplicatevi e riempite le acque dei mari; gli uccelli si moltìplichino sulla terra». E fu sera e fu mattina: quinto giorno. Dio disse: «La terra produca esseri viventi secondo la loro specie: bestiame, rettili e animali selvatici, secondo la loro specie». E così avvenne. Dio fece gli animali selvatici, secondo la loro specie, il bestiame, secondo la propria specie, e tutti i rettili del suolo, secondo la loro specie. Dio vide che era cosa buona. [Dio disse: «Facciamo l'uomo a nostra immagine, secondo la nostra somiglianza: dòmini sui pesci del mare e sugli uccelli del cielo, sul bestiame, su tutti gli animali selvatici e su tutti i rettili che strisciano sulla terra». E Dio creò l'uomo a sua immagine; a immagine di Dio lo creò: maschio e femmina li creò. Dio li benedisse e Dio disse loro: «Siate fecondi e moltiplicatevi, riempite la terra e soggiogatela, dominate sui pesci del mare e sugli uccelli del cielo e su ogni essere vivente che striscia sulla terra». Dio disse: «Ecco, io vi do ogni erba che produce seme e che è su tutta la terra, e ogni albero fruttifero che produce seme: saranno il vostro cibo. A tutti gli animali selvatici, a tutti gli uccelli del cielo e a tutti gli esseri che strisciano sulla terra e nei quali è alito di vita, io do in cibo ogni erba verde». E così avvenne. Dio vide quanto aveva fatto, ed ecco, era cosa molto buona.] E fu sera e fu mattina: sesto giorno. Così furono portati a compimento il cielo e la terra e tutte le loro schiere. Dio, nel settimo giorno, portò a compimento il lavoro che aveva fatto e cessò nel settimo giorno da ogni suo lavoro che aveva fatto. - Parola di Dio. ℟. **Rendiamo grazie a Dio.**

SALMO RESPONSORIALE Dal Salmo 103 (104)

℟. **Manda il tuo Spirito, Signore,**
a rinnovare la terra.

Benedici il Signore, anima mia!
Sei tanto grande, Signore, mio Dio!
Sei rivestito di maestà e di splendore,
avvolto di luce come di un manto. ℟.

Egli fondò la terra sulle sue basi:
non potrà mai vacillare.
Tu l'hai coperta con l'oceano come una veste;
al di sopra dei monti stavano le acque. ℟.

Tu mandi nelle valli acque sorgive
perché scorrano tra i monti.
In alto abitano gli uccelli del cielo
e cantano tra le fronde. ℟.

Dalle tue dimore tu irrighi i monti,

e con il frutto delle tue opere si sazia la terra.
Tu fai crescere l'erba per il bestiame
e le piante che l'uomo coltiva
per trarre cibo dalla terra. ℟.

Quante sono le tue opere, Signore!
Le hai fatte tutte con saggezza;
la terra è piena delle tue creature.
Benedici il Signore, anima mia. ℟.

Oppure: Dal Salmo 32 (33)

℟. **Dell'amore del Signore è piena la terra.**

Retta è la parola del Signore
e fedele ogni sua opera.
Egli ama la giustizia e il diritto;
dell'amore del Signore è piena la terra. ℟.

Dalla parola del Signore furono fatti i cieli,
dal soffio della sua bocca ogni loro schiera.
Come in un otre raccoglie le acque del mare,
chiude in riserve gli abissi. ℟.

Beata la nazione che ha il Signore come Dio,
il popolo che egli ha scelto come sua eredità.
Il Signore guarda dal cielo:
egli vede tutti gli uomini. ℟.

L'anima nostra attende il Signore:
egli è nostro aiuto e nostro scudo.
Su di noi sia il tuo amore, Signore,
come da te noi speriamo. R.

(in piedi)

Orazione - **Preghiamo:** Dio onnipotente ed eterno, ammirabile in tutte le opere del tuo amore, illumina i figli da te redenti perché comprendano che, se fu grande all'inizio la creazione del mondo, ben più grande, nella pienezza dei tempi, fu l'opera della nostra redenzione, nel sacrificio pasquale di Cristo Signore. Egli vive e regna nei secoli dei secoli. **Amen.**
Oppure, dopo la lettura breve: O Dio, che in modo mirabile ci hai creati a tua immagine e in modo più mirabile ci hai rinnovati e redenti, fa' che resistiamo con la forza dello Spirito alle seduzioni del peccato, per giungere alla gioia eterna. Per Cristo nostro Signore. **Amen.**

(seduti)

SECONDA LETTURA Gen 22,1-18

Forma breve: [ ] Gen 22,1-2.9a.10-13.15-18

Dal libro della Gènesi

[In quei giorni, Dio mise alla prova Abramo e gli disse: «Abramo!». Rispose: «Eccomi!». Riprese: «Prendi tuo figlio, il tuo unigenito che ami, Isacco, va' nel territorio di Mòria e offrilo in olocausto su di un monte che io ti indicherò».] Abramo si alzò di buon mattino, sellò l'asino, prese con sé due servi e il figlio Isacco, spaccò la legna per l'olocausto e si mise in viaggio verso il luogo che Dio gli aveva indicato. Il terzo giorno Abramo alzò gli occhi e da lontano vide quel luogo. Allora Abramo disse ai suoi servi: «Fermatevi qui con l'asino; io e il ragazzo andremo fin lassù, ci prostreremo e poi ritorneremo da voi». Abramo prese la legna dell'olocausto e la caricò sul figlio Isacco, prese in mano il fuoco e il coltello, poi proseguirono tutti e due insieme. Isacco si rivolse al padre Abramo e disse: «Padre mio!». Rispose: «Eccomi, figlio mio». Riprese: «Ecco qui il fuoco e la legna, ma dov'è l'agnello per l'olocausto?». Abramo rispose: «Dio stesso si provvederà l'agnello per l'olocausto, figlio mio!». Proseguirono tutti e due insieme. [Così arrivarono al luogo che Dio gli aveva indicato; qui Abramo costruì l'altare, collocò la legna,] legò suo figlio Isacco e lo depose sull'altare, sopra la legna. [Poi Abramo stese la mano e prese il coltello per immolare suo figlio. Ma l'angelo del Signore lo chiamò dal cielo e gli disse: «Abramo, Abramo!». Rispose: «Eccomi!». L'angelo disse: «Non stendere la mano contro il ragazzo e non fargli niente! Ora so che tu temi Dio e non mi hai rifiutato tuo figlio, il tuo unigenito». Allora Abramo alzò gli occhi e vide un ariete, impigliato con le corna in un cespuglio. Abramo andò a prendere l'ariete e lo offrì in olocausto invece del figlio.] Abramo chiamò quel luogo «Il Signore vede»; perciò oggi si dice: «Sul monte il Signore si fa vedere». [L'angelo del Signore chiamò dal cielo Abramo per la seconda volta e disse: «Giuro per me stesso, oracolo del Signore: perché tu hai fatto questo e non hai risparmiato tuo figlio, il tuo unigenito, io ti colmerò di benedizioni e renderò molto numerosa la tua discendenza, come le stelle del cielo e come la sabbia che è sul lido del mare; la tua discendenza si impadronirà delle città dei nemici. Si diranno benedette nella tua discendenza tutte le nazioni della terra, perché tu hai obbedito alla mia voce».] - Parola di Dio. ℟. **Rendiamo grazie a Dio.**

SALMO RESPONSORIALE Dal Salmo 15 (16)

℟. **Proteggimi, o Dio: in te mi rifugio.**

Il Signore è mia parte di eredità e mio calice:
nelle tue mani è la mia vita.
Io pongo sempre davanti a me il Signore,
sta alla mia destra, non potrò vacillare. ℟.

Per questo gioisce il mio cuore
ed esulta la mia anima;
anche il mio corpo riposa al sicuro,
perché non abbandonerai la mia vita negli inferi,
né lascerai che il tuo fedele veda la fossa. ℟.

Mi indicherai il sentiero della vita,
gioia piena alla tua presenza,
dolcezza senza fine alla tua destra. ℟.

(in piedi)

ORAZIONE - **Preghiamo:** O Dio, Padre dei credenti, che estendendo a tutti gli uomini il dono dell'adozione filiale moltiplichi in tutta la terra i tuoi figli, e nel sacramento pasquale del Battesimo adempi la promessa fatta ad Abramo di renderlo padre di tutte le nazioni, concedi al tuo popolo di rispondere degnamente alla grazia della tua chiamata. Per Cristo nostro Signore. **Amen.**

(seduti)

TERZA LETTURA — Es 14,15 – 15,1

Dal libro dell'Èsodo

In quei giorni, il Signore disse a Mosè: «Perché gridi verso di me? Ordina agli Israeliti di riprendere il cammino. Tu intanto alza il bastone, stendi la mano sul mare e dividilo, perché gli Israeliti entrino nel mare all'asciutto. Ecco, io rendo ostinato il cuore degli Egiziani, così che entrino dietro di loro e io dimostri la mia gloria sul faraone e tutto il suo esercito, sui suoi carri e sui suoi cavalieri. Gli Egiziani sapranno che io sono il Signore, quando dimostrerò la mia gloria contro il faraone, i suoi carri e i suoi cavalieri». L'angelo di Dio, che precedeva l'accampamento d'Israele, cambiò posto e passò indietro. Anche la colonna di nube si mosse e dal davanti passò dietro. Andò a porsi tra l'accampamento degli Egiziani e quello d'Israele. La nube era tenebrosa per gli uni, mentre per gli altri illuminava la notte; così gli uni non poterono avvicinarsi agli altri durante tutta la notte. Allora Mosè stese la mano sul mare. E il Signore durante tutta la notte risospinse il mare con un forte vento d'oriente, rendendolo asciutto; le acque si divisero. Gli Israeliti entrarono nel mare sull'asciutto, mentre le acque erano per loro un muro a destra e a sinistra. Gli Egiziani li inseguirono, e tutti i cavalli del faraone, i suoi carri e i suoi cavalieri entrarono dietro di loro in mezzo al mare. Ma alla veglia del mattino il Signore, dalla colonna di fuoco e di nube, gettò uno sguardo sul campo degli Egiziani e lo mise in rotta. Frenò le ruote dei loro carri, così che a stento riuscivano a spingerle. Allora gli Egiziani dissero: «Fuggiamo di fronte a Israele, perché il Signore combatte per loro contro gli Egiziani!». Il Signore disse a Mosè: «Stendi la mano sul mare: le acque si riversino sugli Egiziani, sui loro carri e i loro cavalieri». Mosè stese la mano sul mare e il mare, sul far del mattino, tornò al suo livello consueto, mentre gli Egiziani, fuggendo, gli si dirigevano contro. Il Signore li travolse così in mezzo al mare. Le acque ritornarono e sommersero i carri e i cavalieri di tutto l'esercito del faraone, che erano entrati nel mare dietro a Israele: non ne scampò neppure uno. Invece gli Israeliti avevano camminato sull'asciutto in mezzo al mare, mentre le acque erano per loro un muro a destra e a sinistra. In quel giorno il Signore salvò Israele dalla mano degli Egiziani, e Israele vide gli Egiziani morti sulla riva del mare; Israele vide la mano potente con la quale il Signore aveva agito contro l'Egitto, e il popolo temette il Signore e credette in lui e in Mosè suo servo. Allora Mosè e gli Israeliti cantarono questo canto al Signore e dissero:

SALMO RESPONSORIALE — Da Es 15,1-18

℟. **Cantiamo al Signore: stupenda è la sua vittoria.**

«Voglio cantare al Signore,

perché ha mirabilmente trionfato:
cavallo e cavaliere
ha gettato nel mare.
Mia forza e mio canto è il Signore,
egli è stato la mia salvezza.
È il mio Dio: lo voglio lodare,
il Dio di mio padre: lo voglio esaltare! ℟.

Il Signore è un guerriero,
Signore è il suo nome.
I carri del faraone e il suo esercito
li ha scagliati nel mare;
i suoi combattenti scelti
furono sommersi nel Mar Rosso. ℟.

Gli abissi li ricoprirono,
sprofondarono come pietra.
La tua destra, Signore,
è gloriosa per la potenza,
la tua destra, Signore,
annienta il nemico. ℟.

Tu lo fai entrare e lo pianti
sul monte della tua eredità,
luogo che per tua dimora,
Signore, hai preparato,

santuario che le tue mani,
Signore, hanno fondato.
Il Signore regni
in eterno e per sempre!». R.

(in piedi)

ORAZIONE - Preghiamo: O Dio, anche ai nostri giorni vediamo risplendere i tuoi antichi prodigi: ciò che hai fatto con la tua mano potente per liberare un solo popolo dall'oppressione del faraone, ora lo compi attraverso l'acqua del Battesimo per la salvezza di tutti i popoli; concedi che l'umanità intera sia accolta tra i figli di Abramo e partecipi alla dignità del popolo eletto. Per Cristo nostro Signore. **Amen.**

Oppure: O Dio, che hai rivelato nella luce della nuova alleanza il significato degli antichi prodigi così che il Mar Rosso fosse l'immagine del fonte battesimale e il popolo liberato dalla schiavitù prefigurasse il popolo cristiano, concedi che tutti gli uomini, mediante la fede, siano resi partecipi del privilegio dei figli d'Israele e siano rigenerati dal dono del tuo Spirito. Per Cristo nostro Signore. **Amen.**

(seduti)

QUARTA LETTURA — Is 54,5-14

Dal libro del profeta Isaìa

Tuo sposo è il tuo creatore, Signore degli eserciti è il suo nome; tuo redentore è il Santo d'Israele, è chiamato Dio di tutta la terra. Come una donna abbandonata e con l'animo afflitto, ti ha richiamata il Signore. Viene forse ripudiata la donna sposata in gioventù? – dice il tuo Dio. Per un breve istante ti ho abbandonata, ma ti raccoglierò con immenso amore. In un impeto di collera ti ho nascosto per un poco il mio volto; ma con affetto perenne ho avuto pietà di te, dice il tuo redentore, il Signore. Ora è per me come ai giorni di Noè, quando giurai che non avrei più riversato le acque di Noè sulla terra; così ora giuro di non più adirarmi con te e di non più minacciarti. Anche se i monti si spostassero e i colli vacillassero, non si allontanerebbe da te il mio affetto, né vacillerebbe la mia alleanza di pace, dice il Signore che ti usa misericordia. Afflitta, percossa dal turbine, sconsolata, ecco io pongo sullo stibio le tue pietre e sugli zaffiri pongo le tue fondamenta. Farò di rubini la tua merlatura, le tue porte saranno di berilli, tutta la tua cinta sarà di pietre preziose. Tutti i tuoi figli saranno discepoli del Signore, grande sarà la prosperità dei tuoi figli; sarai fondata sulla giustizia. Tieniti lontana dall'oppressione, perché non dovrai temere, dallo spavento, perché non ti si accosterà. - Parola di Dio. ℟. **Rendiamo grazie a Dio.**

SALMO RESPONSORIALE Dal Salmo 29 (30)

℟. **Ti esalterò, Signore, perché mi hai risollevato.**

Ti esalterò, Signore, perché mi hai risollevato,
non hai permesso ai miei nemici di gioire su di me.
Signore, hai fatto risalire la mia vita dagli inferi,
mi hai fatto rivivere perché non scendessi nella fossa.
℟.

Cantate inni al Signore, o suoi fedeli,
della sua santità celebrate il ricordo,
perché la sua collera dura un istante,
la sua bontà per tutta la vita.
Alla sera ospite è il pianto
e al mattino la gioia. ℟.

Ascolta, Signore, abbi pietà di me,
Signore, vieni in mio aiuto!
Hai mutato il mio lamento in danza;
Signore, mio Dio, ti renderò grazie per sempre. ℟.

(in piedi)

ORAZIONE - **Preghiamo:** Dio onnipotente ed eterno, moltiplica a gloria del tuo nome la discendenza promessa alla fede dei patriarchi e aumenta il numero dei tuoi figli, perché la Chiesa veda realizzato il disegno universale di salvezza, nel quale i nostri padri avevano fermamente sperato. Per Cristo nostro Signore. **Amen.**

(seduti)

QUINTA LETTURA Is 55,1-11

Dal libro del profeta Isaìa

Così dice il Signore: «O voi tutti assetati, venite all'acqua, voi che non avete denaro, venite; comprate e mangiate; venite, comprate senza denaro, senza pagare, vino e latte. Perché spendete denaro per ciò che non è pane, il vostro guadagno per ciò che non sazia? Su, ascoltatemi e mangerete cose buone e gusterete cibi succulenti. Porgete l'orecchio e venite a me, ascoltate e vivrete. Io stabilirò per voi un'alleanza eterna, i favori assicurati a Davide. Ecco, l'ho costituito testimone fra i popoli, principe e sovrano sulle nazioni. Ecco, tu chiamerai gente che non conoscevi; accorreranno a te nazioni che non ti conoscevano a causa del Signore, tuo Dio, del Santo d'Israele, che ti onora. Cercate il Signore, mentre si fa trovare, invocàtelo, mentre è vicino. L'empio abbandoni la sua via e l'uomo iniquo i suoi pensieri; ritorni al Signore che avrà misericordia di lui e al nostro Dio che largamente perdona. Perché i miei pensieri non sono i vostri pensieri, le vostre vie non sono le mie vie. Oracolo del Signore. Quanto il cielo sovrasta la terra, tanto le mie vie sovrastano le vostre vie, i miei pensieri sovrastano i vostri pensieri. Come infatti la pioggia e la neve scendono dal cielo e non vi ritornano senza avere irrigato la terra, senza averla fecondata e fatta germogliare, perché dia il seme a chi semina e il pane a chi mangia, così sarà della mia parola uscita dalla mia bocca: non ritornerà a me senza effetto, senza aver operato ciò che desidero e senza aver compiuto ciò per cui l'ho mandata». - Parola di Dio. ℟. **Rendiamo grazie a Dio.**

SALMO RESPONSORIALE

Da Is 12,2-6

℟. **Attingeremo con gioia**
alle sorgenti della salvezza.

Ecco, Dio è la mia salvezza;
io avrò fiducia, non avrò timore,
perché mia forza e mio canto è il Signore;
egli è stato la mia salvezza. ℟.

Attingerete acqua con gioia
alle sorgenti della salvezza.
Rendete grazie al Signore e invocate il suo nome,
proclamate fra i popoli le sue opere,

fate ricordare che il suo nome è sublime. ℟.

Cantate inni al Signore, perché ha fatto cose eccelse,
le conosca tutta la terra.
Canta ed esulta, tu che abiti in Sion,
perché grande in mezzo a te è il Santo d'Israele. ℟.

(in piedi)

ORAZIONE - **Preghiamo:** Dio onnipotente ed eterno, unica speranza del mondo, che mediante l'annuncio dei profeti hai rivelato i misteri che oggi celebriamo, ravviva la nostra sete di te, perché soltanto con l'azione del tuo Spirito possiamo progredire nelle vie del bene. Per Cristo nostro Signore. **Amen.**

(seduti)

SESTA LETTURA Bar 3,9-15.32 – 4,4

Dal libro del profeta Baruc

Ascolta, Israele, i comandamenti della vita, porgi l'orecchio per conoscere la prudenza. Perché, Israele? Perché ti trovi in terra nemica e sei diventato vecchio in terra straniera? Perché ti sei contaminato con i morti e sei nel numero di quelli che scendono negli inferi? Tu hai abbandonato la fonte della sapienza! Se tu avessi camminato nella via di Dio, avresti abitato per sempre nella pace. Impara dov'è la prudenza, dov'è la forza, dov'è l'intelligenza, per comprendere anche dov'è la longevità e la vita, dov'è la luce degli occhi e la pace. Ma chi ha scoperto la sua dimora, chi è penetrato nei suoi tesori? Ma colui che sa tutto, la conosce e l'ha scrutata con la sua intelligenza, colui che ha formato la terra per sempre e l'ha riempita di quadrupedi, colui che manda la luce ed essa corre, l'ha chiamata, ed essa gli ha obbedito con tremore. Le stelle hanno brillato nei loro posti di guardia e hanno gioito; egli le ha chiamate ed hanno risposto: «Eccoci!», e hanno brillato di gioia per colui che le ha create. Egli è il nostro Dio, e nessun altro può essere confrontato con lui. Egli ha scoperto ogni via della sapienza e l'ha data a Giacobbe, suo servo, a Israele, suo amato. Per questo è apparsa sulla terra e ha vissuto fra gli uomini. Essa è il libro dei decreti di Dio e la legge che sussiste in eterno; tutti coloro che si attengono ad essa avranno la vita, quanti l'abbandonano moriranno. Ritorna, Giacobbe, e accoglila, cammina allo splendore della sua luce. Non dare a un altro la tua gloria né i tuoi privilegi a una nazione straniera. Beati siamo noi, o Israele, perché ciò che piace a Dio è da noi conosciuto. - Parola di Dio. ℟. **Rendiamo grazie a Dio.**

SALMO RESPONSORIALE Dal Salmo 18 (19)

℟. **Signore, tu hai parole di vita eterna.**

La legge del Signore è perfetta,
rinfranca l'anima;
la testimonianza del Signore è stabile,
rende saggio il semplice. ℟.

I precetti del Signore sono retti,
fanno gioire il cuore;
il comando del Signore è limpido,
illumina gli occhi. ℟.

Il timore del Signore è puro,
rimane per sempre;
i giudizi del Signore sono fedeli,
sono tutti giusti. ℟.

Più preziosi dell'oro,
di molto oro fino,
più dolci del miele
e di un favo stillante. ℟.

(in piedi)

ORAZIONE - **Preghiamo:** O Dio, che accresci sempre la tua Chiesa chiamando nuovi figli da tutte le genti, custodisci nella tua protezione coloro che fai rinascere dall'acqua del Battesimo. Per Cristo nostro Signore. **Amen.**

(seduti)

SETTIMA LETTURA Ez 36,16-17a.18-28

Dal libro del profeta Ezechièle

Mi fu rivolta questa parola del Signore: «Figlio dell'uomo, la casa d'Israele, quando abitava la sua terra, la rese impura con la sua condotta e le sue azioni. Perciò ho riversato su di loro la mia ira per il sangue che avevano sparso nel paese e per gli idoli con i quali l'avevano contaminato. Li ho dispersi fra le nazioni e sono stati dispersi in altri territori: li ho giudicati secondo la loro condotta e le loro azioni. Giunsero fra le nazioni dove erano stati spinti e profanarono il mio nome santo, perché di loro si diceva: "Costoro sono il popolo del Signore e tuttavia sono stati scacciati dal suo paese". Ma io ho avuto riguardo del mio nome santo, che la casa d'Israele aveva profanato fra le nazioni presso le quali era giunta. Perciò annuncia alla casa d'Israele: "Così dice il Signore Dio: Io agisco non per riguardo a voi, casa d'Israele, ma per amore del mio nome santo, che voi avete profanato fra le nazioni presso le quali siete giunti. Santificherò il mio nome grande, profanato fra le nazioni, profanato da voi in mezzo a loro. Allora le nazioni sapranno che io sono il Signore – oracolo del Signore Dio –, quando mostrerò la mia santità in voi davanti ai loro occhi. Vi prenderò dalle nazioni, vi radunerò da ogni terra e vi condurrò sul vostro suolo. Vi aspergerò con acqua pura e sarete purificati; io vi purificherò da tutte le vostre impurità e da tutti i vostri idoli; vi darò un cuore nuovo, metterò dentro di voi uno spirito nuovo, toglierò da voi il cuore di pietra e vi darò un cuore di carne. Porrò il mio spirito dentro di voi e vi farò vivere secondo le mie leggi e vi farò osservare e mettere in pratica le mie norme. Abiterete nella terra che io diedi ai vostri padri; voi sarete il mio popolo e io sarò il vostro Dio"». - Parola di Dio. ℟. **Rendiamo grazie a Dio.**

SALMO RESPONSORIALE

Dai Salmi 41 – 42 (42 – 43)

℟. **Come la cerva anela ai corsi d'acqua,**
così l'anima mia anela a te, o Dio.

L'anima mia ha sete di Dio,
del Dio vivente:
quando verrò e vedrò
il volto di Dio? ℟.

Avanzavo tra la folla,

la precedevo fino alla casa di Dio,
fra canti di gioia e di lode
di una moltitudine in festa. ℟.

Manda la tua luce e la tua verità:
siano esse a guidarmi,
mi conducano alla tua santa montagna,
alla tua dimora. ℟.

Verrò all'altare di Dio,
a Dio, mia gioiosa esultanza.
A te canterò sulla cetra,
Dio, Dio mio. ℟.

Oppure (quando si celebra il Battesimo): Da Is 12,2-6

℟. **Attingeremo con gioia
alle sorgenti della salvezza.**

Ecco, Dio è la mia salvezza;
io avrò fiducia, non avrò timore,
perché mia forza e mio canto è il Signore;
egli è stato la mia salvezza. ℟.

Attingerete acqua con gioia
alle sorgenti della salvezza.
Rendete grazie al Signore e invocate il suo nome,
proclamate fra i popoli le sue opere,

fate ricordare che il suo nome è sublime. ℟.

Cantate inni al Signore, perché ha fatto cose eccelse,
le conosca tutta la terra.
Canta ed esulta, tu che abiti in Sion,
perché grande in mezzo a te è il Santo d'Israele. ℟.

Oppure: Dal Salmo 50 (51)

℟. **Crea in me, o Dio, un cuore puro.**

Crea in me, o Dio, un cuore puro,
rinnova in me uno spirito saldo.
Non scacciarmi dalla tua presenza
e non privarmi del tuo santo spirito. ℟.

Rendimi la gioia della tua salvezza,
sostienimi con uno spirito generoso.
Insegnerò ai ribelli le tue vie
e i peccatori a te ritorneranno. ℟.

Tu non gradisci il sacrificio;
se offro olocausti, tu non li accetti.
Uno spirito contrito è sacrificio a Dio;
un cuore contrito e affranto tu, o Dio, non disprezzi. ℟.

(in piedi)

ORAZIONE - **Preghiamo:** O Dio, potenza immutabile e luce che non tramonta, guarda con amore al mirabile sacramento di tutta la Chiesa e compi nella pace l'opera dell'umana salvezza secondo il tuo disegno eterno; tutto il mondo riconosca e veda che quanto è distrutto si ricostruisce, quanto è invecchiato si rinnova, e tutto ritorna alla sua integrità, per mezzo di Cristo, che è principio di ogni cosa. Egli vive e regna nei secoli dei secoli. **Amen.**

Oppure: O Dio, che nelle pagine dell'Antico e Nuovo Testamento ci insegni a celebrare il mistero pasquale, fa' che comprendiamo l'opera della tua misericordia, perché i doni che oggi riceviamo confermino in noi la speranza dei beni futuri. Per Cristo nostro Signore. **Amen.**

Si accendono le candele dell'altare e il sacerdote intona l'inno Gloria a Dio *(pag. 12), che viene cantato da tutti, mentre si suonano le campane, secondo gli usi locali.*

COLLETTA - **Preghiamo:** O Dio, che illumini questa santissima notte con la gloria della risurrezione del Signore, ravviva nella tua Chiesa lo spirito di adozione filiale, perché, rinnovati nel corpo e nell'anima, siamo sempre fedeli al tuo servizio. Per il nostro Signore… **Amen.**

(seduti)

EPISTOLA Rm 6,3-11

Dalla lettera di san Paolo apostolo ai Romani

Fratelli, non sapete che quanti siamo stati battezzati in Cristo Gesù, siamo stati battezzati nella sua morte? Per mezzo del battesimo dunque siamo stati sepolti insieme a lui nella morte affinché, come Cristo fu risuscitato dai morti per mezzo della gloria del Padre, così anche noi possiamo camminare in una vita nuova. Se infatti siamo stati intimamente uniti a lui a somiglianza della sua morte, lo saremo anche a somiglianza della sua risurrezione. Lo sappiamo: l'uomo vecchio che è in noi è stato crocifisso con lui, affinché fosse reso inefficace questo corpo di peccato, e noi non fossimo più schiavi del peccato. Infatti chi è morto, è liberato dal peccato. Ma se siamo morti con Cristo, crediamo che anche vivremo con lui, sapendo che Cristo, risorto dai morti, non muore più; la morte non ha più potere su di lui. Infatti egli morì, e morì per il peccato una volta per tutte; ora invece vive, e vive per Dio. Così anche voi consideratevi morti al peccato, ma viventi per Dio, in Cristo Gesù. - Parola di Dio. ℟. **Rendiamo grazie a Dio.**

*Letta l'epistola, tutti si alzano e il sacerdote intona solennemente per tre volte l'*Alleluia*, che tutti ripetono.*

SALMO RESPONSORIALE Dal Salmo 117 (118)

℟. **Alleluia, alleluia, alleluia.**

Rendete grazie al Signore perché è buono,
perché il suo amore è per sempre.
Dica Israele:
«Il suo amore è per sempre». ℟.

La destra del Signore si è innalzata,
la destra del Signore ha fatto prodezze.
Non morirò, ma resterò in vita
e annuncerò le opere del Signore. ℟.

La pietra scartata dai costruttori
è divenuta la pietra d'angolo.
Questo è stato fatto dal Signore:
una meraviglia ai nostri occhi. ℟.

VANGELO Mt 28,1-10

Il Signore sia con voi.

℟. **E con il tuo spirito.**

✠ *Dal Vangelo secondo Matteo*

℟. **Gloria a te, o Signore.**

Dopo il sabato, all'alba del primo giorno della settimana, Maria di Màgdala e l'altra Maria andarono a visitare la tomba. Ed ecco, vi fu un gran terremoto. Un angelo del Signore, infatti, sceso dal cielo, si avvicinò, rotolò la pietra e si pose a sedere su di essa. Il suo aspetto era come folgore e il suo vestito bianco come neve. Per lo spavento che ebbero di lui, le guardie furono scosse e rimasero come morte. L'angelo disse alle donne: «Voi non abbiate paura! So che cercate Gesù, il crocifisso. Non è qui. È risorto, infatti, come aveva detto; venite, guardate il luogo dove era stato deposto. Presto, andate a dire ai suoi discepoli: "È risorto dai morti, ed ecco, vi precede in Galilea; là lo vedrete". Ecco, io ve l'ho detto». Abbandonato in fretta il sepolcro con timore e gioia grande, le donne corsero a dare l'annuncio ai suoi discepoli. Ed ecco, Gesù venne loro incontro e disse: «Salute a voi!». Ed esse si avvicinarono, gli abbracciarono i piedi e lo adorarono. Allora Gesù disse loro: «Non temete; andate ad annunciare ai miei fratelli che vadano in Galilea: là mi vedranno». - Parola del Signore. ℟. **Lode a te o Cristo.**

III. Liturgia battesimale

Il sacerdote con i ministri si reca al fonte battesimale. Se non è possibile, si pone un decoroso bacile con l'acqua nel presbiterio. Se vi sono dei catecumeni, vengono chiamati per nome e presentati dai loro padrini; i bambini vengono portati dai genitori e dai padrini alla presenza della comunità riunita. Quindi, se si fa la processione al battistero o al fonte, si ordina in questo modo: precede il ministro con il cero pasquale, lo seguono i battezzandi con i padrini, quindi i ministri, il diacono e il sacerdote. Durante la processione si cantano le litanie. Terminate le litanie, il sacerdote pronuncia la monizione. Se la Liturgia battesimale ha luogo nel presbiterio, il sacerdote pronuncia subito la monizione introduttiva, con queste o con altre simili parole.

Se ci sono battezzandi:
Fratelli e sorelle, accompagniamo con preghiera unanime la gioiosa speranza dei nostri catecumeni, perché Dio Padre onnipotente nella sua grande misericordia li guidi al fonte della rigenerazione.

Se si benedice il fonte, ma non ci sono battezzandi:
Fratelli e sorelle, invochiamo la benedizione di Dio Padre onnipotente su questo fonte battesimale, perché coloro che da esso rinasceranno siano resi in Cristo figli adottivi.

Litanie dei santi

Le litanie sono cantate da due cantori, mentre tutti stanno in piedi (come è tradizione per il Tempo Pasquale) e rispondono. Se invece si svolge la processione al battistero, le litanie si cantano durante il percorso; in questo caso i battezzandi sono chiamati prima della processio-

ne, durante la quale dopo il cero pasquale seguono i catecumeni con i padrini, quindi i ministri, il diacono e il sacerdote. La monizione si farà prima della benedizione dell'acqua. Se non ci sono battezzandi e non si benedice il fonte, omesse le litanie, subito si procede alla benedizione dell'acqua. Nelle litanie si possono aggiungere alcuni nomi di santi, in particolare il titolare della chiesa o il patrono del luogo e di coloro che devono essere battezzati.

Kýrie, eléison. **Kýrie, eléison.**

Oppure:

Signore, pietà. **Signore, pietà.**

Christe, eléison. **Christe, eléison.**

Oppure:

Cristo, pietà. **Cristo, pietà.**

Kýrie, eléison. **Kýrie, eléison.**

Oppure:

Signore, pietà. **Signore, pietà.**

Santa Maria, Madre di Dio, **prega per noi.**
San Michele, **"**
Santi angeli di Dio, **pregate per noi.**
San Giovanni Battista, **prega per noi.**
San Giuseppe, **"**
Santi Pietro e Paolo, **pregate per noi.**
Sant'Andrea, **prega per noi.**

San Giovanni, **prega per noi.**
Santi apostoli ed evangelisti, **pregate per noi.**
Santa Maria Maddalena, **prega per noi.**
Santi discepoli del Signore, **pregate per noi.**
Santo Stefano, **prega per noi.**
Sant'Ignazio di Antiochia, **"**
San Lorenzo, **"**
Sante Perpetua e Felicita, **pregate per noi.**
Sant'Agnese, **prega per noi.**
Santi martiri di Cristo, **pregate per noi.**
San Gregorio, **prega per noi.**
Sant'Agostino, **"**
Sant'Atanasio, **"**
San Basilio, **"**
San Martino, **"**
Santi Cirillo e Metodio, **pregate per noi.**
San Benedetto, **prega per noi.**
San Francesco, **"**
San Domenico, **"**
San Francesco [Saverio], **"**
San Giovanni Maria [Vianney], **"**
Santa Caterina [da Siena], **"**
Santa Teresa di Gesù, **"**
Santi e sante di Dio, **pregate per noi.**

Nella tua misericordia, **salvaci, Signore.**
Da ogni male, **"**

Da ogni peccato, **salvaci, Signore.**
Dalla morte eterna, **"**
Per la tua incarnazione, **"**
Per la tua morte e risurrezione, **"**
Per il dono dello Spirito Santo, **"**

Noi peccatori, ti preghiamo, **ascoltaci, Signore.**

Se ci sono dei battezzandi:
Dona la grazia
della vita nuova nel Battesimo
a questi tuoi eletti, **ascoltaci, Signore.**

Se non ci sono battezzandi:
Benedici e santifica
con la grazia del tuo Spirito
questo fonte battesimale
da cui nascono i tuoi figli, **ascoltaci, Signore.**

Gesù, Figlio del Dio vivente,
ascolta la nostra supplica.
Gesù, Figlio del Dio vivente,
ascolta la nostra supplica.

Se ci sono dei battezzandi, il sacerdote, con le braccia allargate, dice l'orazione seguente:
Dio onnipotente ed eterno, manifesta la tua presenza nei sacramenti del tuo grande amore e manda lo

Spirito di adozione a ricreare nuovi figli dal fonte battesimale, perché l'azione del nostro umile ministero sia resa efficace dalla tua potenza. Per Cristo nostro Signore. **Amen.**

Benedizione dell'acqua battesimale

Quindi il sacerdote, con le braccia allargate, benedice l'acqua battesimale dicendo la seguente orazione:

O Dio, per mezzo dei segni sacramentali, tu operi con invisibile potenza le meraviglie della salvezza, e in molti modi, attraverso i tempi, hai preparato l'acqua, tua creatura, a essere segno del Battesimo. Fin dalle origini il tuo Spirito si librava sulle acque perché contenessero in germe la forza di santificare; e anche nel diluvio hai prefigurato il Battesimo, perché, oggi come allora, l'acqua segnasse la fine del peccato e l'inizio della vita nuova. Tu hai liberato dalla schiavitù i figli di Abramo, facendoli passare illesi attraverso il Mar Rosso, perché fossero immagine del futuro popolo dei battezzati. Infine, nella pienezza dei tempi, il tuo Figlio, battezzato da Giovanni nell'acqua del Giordano, fu consacrato dallo Spirito Santo; innalzato sulla croce, egli versò dal suo fianco sangue e acqua, e, dopo la sua risurrezione, comandò ai discepoli: «Andate, annunciate il Vangelo a tutti i popoli, e battezzateli nel nome del Padre e del Figlio e dello Spirito Santo». Ora, Padre, guarda con amore la tua Chiesa e fa' scaturire per lei la sorgente del Battesimo. Infondi in quest'acqua, per opera dello Spirito Santo, la grazia del tuo unico Figlio, perché con il sacramento del Battesimo l'uomo, fatto a tua immagine, sia lavato dalla macchia del peccato, e dall'acqua e dallo Spirito Santo rinasca come nuova creatura.

Immergendo, secondo l'opportunità, il cero pasquale nell'acqua, una o tre volte, continua:
Discenda, Padre, in quest'acqua, per opera del tuo Figlio, la potenza dello Spirito Santo.

Tenendo il cero nell'acqua, prosegue:
Tutti coloro che in essa riceveranno il Battesimo, sepolti insieme con Cristo nella morte, con lui risorgano alla vita immortale. Egli è Dio, e vive e regna con te, nell'unità dello Spirito Santo, per tutti i secoli dei secoli. **Amen.**

Mentre toglie il cero dall'acqua, il popolo acclama:
Sorgenti delle acque, benedite il Signore:
lodatelo ed esaltatelo nei secoli.

Il sacerdote amministra il Battesimo (e la Confermazione) secondo il rituale proprio.

Benedizione dell'acqua lustrale

Se non ci sono battezzandi, né si deve benedire il fonte battesimale, il sacerdote introduce i fedeli al rito di benedizione dell'acqua, dicendo:

Fratelli e sorelle, supplichiamo il Signore Dio nostro perché benedica quest'acqua da lui creata, con la quale saremo aspersi in memoria del nostro Battesimo. Il Signore ci rinnovi interiormente, per essere sempre fedeli allo Spirito Santo che ci è stato dato in dono.

E dopo una breve pausa di silenzio, con le braccia allargate, dice la seguente orazione:

Signore Dio nostro, sii presente in mezzo al tuo popolo che veglia in preghiera in questa santissima notte: memori dell'opera mirabile della nostra creazione e dell'opera ancor più mirabile della nostra salvezza, ti preghiamo di benedire ✠ quest'acqua. Tu l'hai creata perché donasse fecondità alla terra e offrisse sollievo e freschezza ai nostri corpi. Di questo dono della creazione hai fatto un segno della tua misericordia: attraverso l'acqua del Mar Rosso hai liberato il tuo popolo dalla schiavitù e nel deserto hai placato la sua sete con acqua dalla roccia. Con l'immagine dell'acqua viva i profeti hanno preannunciato la nuova alleanza che tu intendevi offrire agli uomini. Infine con l'acqua, santificata da Cristo nel Giordano, hai rinnovato la nostra umanità peccatrice nel lavacro battesimale. Ravviva in noi, o Signore, nel segno di quest'acqua benedetta, il ricordo del nostro Battesimo e donaci di essere uniti nella gioia ai nostri fratelli che sono stati battezzati nella Pasqua di Cristo Signore. Egli vive e regna nei secoli dei secoli. **Amen.**

RINNOVO DELLE PROMESSE BATTESIMALI

Se non è stato celebrato il rito del Battesimo (e della Confermazione), dopo la benedizione dell'acqua, tutti, in piedi e con in mano le candele accese, rinnovano le promesse della fede battesimale. Il sacerdote si rivolge ai fedeli con queste o con altre simili parole:

Fratelli e sorelle, per la grazia del mistero pasquale siamo stati sepolti insieme con Cristo nel Battesimo, per camminare con lui in una vita nuova. Ora, portato a termine il cammino quaresimale, rinnoviamo le promesse del santo Battesimo, con le quali un giorno abbiamo rinunciato a satana e alle sue opere, e ci siamo impegnati a servire Dio nella santa Chiesa cattolica.

Sacerdote: Rinunciate a satana?
Tutti: **Rinuncio.**

Sacerdote: E a tutte le sue opere?

Tutti: **Rinuncio.**

Sacerdote: E a tutte le sue seduzioni?
Tutti: **Rinuncio.**

Oppure:

Sacerdote: Rinunciate al peccato, per vivere nella libertà dei figli di Dio?
Tutti: **Rinuncio.**

Sacerdote: Rinunciate alle seduzioni del male, per non lasciarvi dominare dal peccato?
Tutti: **Rinuncio.**

Sacerdote: Rinunciate a satana, origine e causa di ogni peccato?
Tutti: **Rinuncio.**

Quindi prosegue:

Sacerdote: Credete in Dio Padre onnipotente, creatore del cielo e della terra?
Tutti: **Credo.**

Sacerdote: Credete in Gesù Cristo, suo unico Figlio, nostro Signore, che nacque da Maria Vergine, morì e fu sepolto, è risuscitato dai morti e siede alla destra del Padre?
Tutti: **Credo.**

Sacerdote: Credete nello Spirito Santo, la santa Chiesa cattolica, la comunione dei santi, la remissione dei peccati, la risurrezione della carne e la vita eterna?
Tutti: **Credo.**

Sacerdote: Dio onnipotente, Padre del nostro Signore Gesù Cristo, che ci ha liberati dal peccato e ci ha fatti rinascere dall'acqua e dallo Spirito Santo, ci custodisca con la sua grazia per la vita eterna, in Cristo Gesù, nostro Signore.
Tutti: **Amen.**

Il sacerdote asperge il popolo con l'acqua benedetta, mentre tutti cantano:

ANTIFONA - **Ecco l'acqua che sgorga dal tempio santo di Dio, alleluia; e a quanti giungerà quest'acqua, porterà salvezza ed essi canteranno: alleluia, alleluia.**

Fatta l'aspersione, il sacerdote ritorna alla sede e guida la preghiera universale. Non si dice il Credo.

IV. LITURGIA EUCARISTICA

La Liturgia eucaristica procede nel modo consueto.

(in piedi)

SULLE OFFERTE - Con queste offerte accogli, o Signore, le preghiere del tuo popolo, perché i sacramenti, scaturiti dal mistero pasquale, per tua grazia ci ottengano la salvezza eterna. Per Cristo nostro Signore. **Amen.**

Prefazio pasquale I.

COMUNIONE - Cristo, nostra Pasqua, è stato immolato! Alleluia. Celebriamo dunque la festa con azzimi di sincerità e di verità *(I Cor 5,7-8).* Alleluia, alleluia.

DOPO LA COMUNIONE - **Preghiamo:** Infondi in noi, o Signore, lo Spirito della tua carità, perché saziati dai sacramenti pasquali viviamo concordi nel tuo amore. Per Cristo nostro Signore. **Amen.**

BENEDIZIONE SOLENNE *(vedi MR pag. 190)*

Nel congedare l'assemblea, il diacono o, in sua assenza, lo stesso sacerdote, canta o dice:

Andate in pace. Alleluia, alleluia.

Oppure:

La Messa è finita: andate in pace. Alleluia, alleluia.

Oppure:

Portate a tutti la gioia del Signore risorto. Andate in pace. Alleluia, alleluia.

℟. **Rendiamo grazie a Dio. Alleluia, alleluia.**

9 APRILE

DOMENICA DI PASQUA

Triduo pasquale - «Risurrezione del Signore» *bianco*

propria

È POSSIBILE RICOMINCIARE SEMPRE

Le donne pensavano di trovare la salma da ungere, invece hanno trovato una tomba vuota. Erano andate a piangere un morto, invece hanno ascoltato un annuncio di vita. Per questo, dice il Vangelo, quelle donne «erano piene di spavento e di stupore» (Mc 16,8), piene di spavento, timorose e piene di stupore. [...] Stupore: in questo caso è un timore misto a gioia, che sorprende il loro cuore nel vedere la grande pietra del sepolcro rotolata via e dentro un giovane con una veste bianca. È la meraviglia di ascoltare quelle parole: «Non abbiate paura! Voi cercate Gesù Nazareno, il crocifisso. È risorto» (v. 6). E poi quell'invito: «Egli vi precede in Galilea, là lo vedrete» (v. 7). Accogliamo anche noi questo invito, l'invito di Pasqua: andiamo in Galilea dove il Signore Risorto ci precede. Ma cosa significa "andare in Galilea"? Andare in Galilea significa, anzitutto, ricominciare. [...] È possibile ricominciare sempre, perché sempre c'è una vita nuova che Dio è capace di far ripartire in noi al di là di tutti i nostri fallimenti. Anche dalle macerie del nostro cuore – ognuno di noi sa, conosce le macerie del proprio cuore – anche dalle macerie del nostro cuore Dio può costruire un'opera d'arte, anche dai frammenti rovinosi della nostra umanità Dio prepara una storia nuova. Egli ci precede sempre: nella croce della sofferenza, della desolazione e della morte, così come nella gloria di una vita che risorge, di una storia che cambia, di una speranza che rinasce. [...] Il Signore risorto ci invita a ricominciare, a non perdere mai la speranza (cfr. papa Francesco, *Omelia* Veglia pasquale nella notte santa, 3 aprile 2021).

MESSA DEL GIORNO E VESPERTINA

Antifona d'ingresso - Sono risorto, o Padre, e sono sempre con te. Alleluia. Hai posto su di me la tua mano. Alleluia. È stupenda per me la tua saggezza *(Cfr. Sal 138,18.5-6).* Alleluia, alleluia.

Oppure: Il Signore è veramente risorto. Alleluia. A lui gloria e potenza nei secoli eterni *(Cfr. Lc 24,34; Ap 1,6).* Alleluia, alleluia.

Si dice il Gloria *(pag. 12).*

COLLETTA - **Preghiamo:** O Padre, che in questo giorno, per mezzo del tuo Figlio unigenito, hai vinto la morte e ci hai aperto il passaggio alla vita eterna, concedi a noi, che celebriamo la risurrezione del Signore, di rinascere nella luce della vita, rinnovati dal tuo Spirito. Per il nostro Signore... **Amen.**

(seduti)

PRIMA LETTURA At 10,34a.37-43

Dagli Atti degli Apostoli

In quei giorni, Pietro prese la parola e disse: «Voi sapete ciò che è accaduto in tutta la Giudea, cominciando dalla Galilea, dopo il battesimo predicato da Giovanni; cioè come Dio consacrò in Spirito Santo e potenza Gesù di Nàzaret, il quale passò beneficando e risanando tutti coloro che stavano sotto il potere del diavolo, perché Dio era con lui. E noi siamo testimoni di tutte le cose da lui compiute nella regione dei Giudei e in Gerusalemme. Essi lo uccisero appendendolo a una croce, ma Dio lo ha risuscitato al terzo giorno e volle che si manifestasse, non a tutto il popolo, ma a testimoni prescelti da Dio, a noi che abbiamo mangiato e bevuto con lui dopo la sua risurrezione dai morti. E ci ha ordinato di annunciare al popolo e di testimoniare che egli è il giudice dei vivi e dei morti, costituito da Dio. A lui tutti i profeti danno questa testimonianza: chiunque crede in lui riceve il perdono dei peccati per mezzo del suo nome». - Parola di Dio. ℟. **Rendiamo grazie a Dio.**

SALMO RESPONSORIALE — Dal Salmo 117 (118)

℟. **Questo è il giorno che ha fatto il Signore: rallegriamoci ed esultiamo.**

Oppure:

℟. **Alleluia, alleluia, alleluia.**

Rendete grazie al Signore perché è buono,
perché il suo amore è per sempre.
Dica Israele:
«Il suo amore è per sempre». ℟.

La destra del Signore si è innalzata,
la destra del Signore ha fatto prodezze.
Non morirò, ma resterò in vita

e annuncerò le opere del Signore. ℟.

La pietra scartata dai costruttori
è divenuta la pietra d'angolo.
Questo è stato fatto dal Signore:
una meraviglia ai nostri occhi. ℟.

SECONDA LETTURA Col 3,1-4

Dalla lettera di san Paolo apostolo ai Colossési

Fratelli, se siete risorti con Cristo, cercate le cose di lassù, dove è Cristo, seduto alla destra di Dio; rivolgete il pensiero alle cose di lassù, non a quelle della terra. Voi infatti siete morti e la vostra vita è nascosta con Cristo in Dio! Quando Cristo, vostra vita, sarà manifestato, allora anche voi apparirete con lui nella gloria. - Parola di Dio. ℟. **Rendiamo grazie a Dio.**

Oppure: 1Cor 5,6b-8

Dalla prima lettera di san Paolo apostolo ai Corìnzi

Fratelli, non sapete che un po' di lievito fa fermentare tutta la pasta? Togliete via il lievito vecchio, per essere pasta nuova, poiché siete àzzimi. E infatti Cristo, nostra Pasqua, è stato immolato! Celebriamo dunque la festa non con il lievito vecchio, né con lievito di malizia e di perversità, ma con àzzimi di sincerità e di verità. - Parola di Dio. ℟. **Rendiamo grazie a Dio.**

(in piedi)

SEQUENZA

Alla vittima pasquale,
s'innalzi oggi il sacrificio di lode.
L'Agnello ha redento il suo gregge,
l'Innocente ha riconciliato
noi peccatori col Padre.

Morte e Vita si sono affrontate
in un prodigioso duello.
Il Signore della vita era morto;
ma ora, vivo, trionfa.

«Raccontaci, Maria:
che hai visto sulla via?».
«La tomba del Cristo vivente,
la gloria del Cristo risorto,
e gli angeli suoi testimoni,
il sudario e le sue vesti.
Cristo, mia speranza, è risorto:
e precede i suoi in Galilea».

Sì, ne siamo certi:
Cristo è davvero risorto.
Tu, Re vittorioso,
abbi pietà di noi.

CANTO AL VANGELO Cfr. 1Cor 5,7-8

Alleluia, alleluia.

Cristo, nostra Pasqua, è stato immolato:
facciamo festa nel Signore.

Alleluia.

VANGELO Gv 20,1-9

Il Signore sia con voi.

℟. **E con il tuo spirito.**

✠ *Dal Vangelo secondo Giovanni*

℟. **Gloria a te, o Signore.**

Il primo giorno della settimana, Maria di Màgdala si recò al sepolcro di mattino, quando era ancora buio, e vide che la pietra era stata tolta dal sepolcro. Corse allora e andò da Simon Pietro e dall'altro discepolo, quello che Gesù amava, e disse loro: «Hanno portato via il Signore dal sepolcro e non sappiamo dove l'hanno posto!». Pietro allora uscì insieme all'altro discepolo e si recarono al sepolcro. Correvano insieme tutti e due, ma l'altro discepolo corse più veloce di Pietro e giunse per primo al sepolcro. Si chinò, vide i teli posati là, ma non entrò. Giunse intanto anche Simon Pietro, che lo seguiva, ed entrò nel sepolcro e osservò i teli posati là, e il sudario – che era stato sul suo capo – non posato là con i teli, ma avvolto in un luogo a parte. Allora entrò anche l'altro discepolo, che era giunto per primo al sepolcro, e vide e credette. Infatti non avevano ancora compreso la Scrittura, che cioè egli doveva risorgere dai morti. - Parola del Signore. ℟. **Lode a te o Cristo.**

Invece di questo Vangelo si può utilizzare quello proclamato nella Veglia pasquale (pag. 509). Dove si celebra la Messa vespertina si può proclamare il Vangelo seguente:

VANGELO Lc 24,13-35

Il Signore sia con voi.
℟. **E con il tuo spirito.**
✠ *Dal Vangelo secondo Luca*
℟. **Gloria a te, o Signore.**

Ed ecco, in quello stesso giorno, [il primo della settimana,] due [dei discepoli] erano in cammino per un villaggio di nome Èmmaus, distante circa undici chilometri da Gerusalemme, e conversavano tra loro di tutto quello che era accaduto. Mentre conversavano e discutevano insieme, Gesù in persona si avvicinò e camminava con loro. Ma i loro occhi erano impediti a riconoscerlo. Ed egli disse loro: «Che cosa sono questi discorsi che state facendo tra voi lungo il cammino?». Si fermarono, col volto triste; uno di loro, di nome Clèopa, gli rispose: «Solo tu sei forestiero a Gerusalemme! Non sai ciò che vi è accaduto in questi giorni?». Domandò loro: «Che cosa?». Gli risposero: «Ciò che riguarda Gesù, il Nazareno, che fu profeta potente in opere e in parole, davanti a Dio e a tutto il popolo; come i capi dei sacerdoti e le nostre autorità lo hanno consegnato per farlo condannare a morte e lo hanno crocifisso. Noi speravamo che egli fosse colui che avrebbe liberato Israele; con tutto ciò, sono passati tre giorni da quando queste cose sono accadute. Ma alcune donne, delle nostre, ci hanno sconvolti; si sono recate al mattino alla tomba e, non avendo trovato il suo corpo, sono venute a dirci di aver avuto anche una visione di angeli, i quali affermano che egli è vivo. Alcuni dei nostri sono andati alla tomba e hanno trovato come avevano detto le donne, ma lui non l'hanno visto». Disse loro: «Stolti e lenti di cuore a credere in tutto ciò che hanno detto i profeti! Non bisognava che il Cristo patisse queste sofferenze per entrare nella sua gloria?». E, cominciando da Mosè e da tutti i profeti, spiegò loro in tutte le Scritture ciò che si riferiva a lui. Quando furono vicini al villaggio dove erano diretti, egli fece come se dovesse andare più lontano. Ma essi insistettero: «Resta con noi, perché si fa sera e il giorno è ormai al tramonto». Egli entrò per rimanere con loro. Quando fu a tavola con loro, prese il pane, recitò la benedizione, lo spezzò e lo diede loro. Allora si aprirono loro gli occhi e lo riconobbero. Ma egli sparì dalla loro vista. Ed essi dissero l'un l'altro: «Non ardeva forse in noi il nostro cuore mentre egli conversava con noi lungo la via, quando ci spiegava le Scritture?». Partirono senza indugio e fecero ritorno a Gerusalemme, dove trovarono riuniti gli Undici e gli altri che erano con loro, i quali dicevano: «Davvero il Signore è risorto ed è apparso a Simone!». Ed essi narravano ciò che era accaduto lungo la via e come l'avevano riconosciuto nello spezzare il pane. - Parola del Signore. ℟. **Lode a te o Cristo.**

Si dice il Credo *(pag. 15).*

(in piedi)

SULLE OFFERTE - Esultanti per la gioia pasquale, ti offriamo, o Signore, questo sacrificio nel quale mirabilmente rinasce e si nutre la tua Chiesa. Per Cristo nostro Signore. **Amen.**

Prefazio pasquale I.

COMUNIONE - Cristo, nostra Pasqua, è stato immolato! Alleluia. Celebriamo dunque la festa con azzimi di sincerità e di verità *(I Cor 5,7-8).* Alleluia, alleluia.

Oppure: Il primo giorno della settimana, Maria di Màgdala si recò al sepolcro di mattino, e vide che la pietra era stata rimossa dal sepolcro *(Gv 20,1).* Alleluia.

Oppure: Gesù, il crocifisso, è risorto, come aveva predetto *(Cfr. Mt 28,5.6; Mc 16,6; Lc 24,6).* Alleluia.

Alla sera, se si legge il Vangelo dei discepoli di Èmmaus:

Oppure: Resta con noi, Signore, perché si fa sera e il giorno è ormai al tramonto *(Lc 24,29).* Alleluia.

Dopo la Comunione - **Preghiamo:** Proteggi sempre la tua Chiesa, Dio onnipotente, con l'inesauribile forza del tuo amore, perché, rinnovata dai sacramenti pasquali, giunga alla gloria della risurrezione. Per Cristo nostro Signore. **Amen.**

Benedizione solenne *(vedi MR pag. 190)*

Per tutta l'Ottava, nel congedare l'assemblea, il diacono, o lo stesso celebrante, canta o dice:

Andate in pace. Alleluia, alleluia.

Oppure:

La Messa è finita: andate in pace. Alleluia, alleluia.

Oppure:

Portate a tutti la gioia del Signore risorto. Andate in pace. Alleluia, alleluia.

℟. **Rendiamo grazie a Dio. Alleluia, alleluia.**

Commenti

1ª LETTURA - Ricolmo di Spirito, Pietro, in un denso discorso, riassume tutta la vicenda di Gesù di Nàzaret. Per mezzo di Pietro, che ormai ha lasciato cadere le barriere della stretta osservanza giudaica, l'annuncio della salvezza raggiunge per la prima volta i pagani, molti dei quali giungono alla fede perché il loro cuore è aperto all'ascolto. Nel riferirci questo discorso, Luca ci trasmette dei frammenti autentici del ministero di "prima evangelizzazione" della Chiesa nascente. Unico è il tema della predicazione: la persona stessa di Gesù di Nàzaret, il Messia consacrato da Dio in Spirito Santo. Gli apostoli possono testimoniare come nella sua vita terrena egli abbia operato miracoli, guarito malati, liberato dal maligno coloro che ha incontrato. Tuttavia, lo slancio missionario e la gioia incontenibile dei suoi discepoli provengono dall'esperienza del mistero pasquale, dall'incontro con il Cristo Risorto, che essi credevano morto per sempre. Di ciò rendono testimonianza. Quel Gesù che, respinto, è morto crocifisso, «Dio lo ha risuscitato», suggellando così la verità della sua predicazione.

2ª LETTURA - Nella lettera ai Colossési la riflessione di Paolo, muovendo come sempre dall'evento pasquale, arriva a cogliere le dimensioni cosmiche del mistero di Cristo, denominato con alcuni attributi fondamentali. Egli è creatore insieme con il Padre, primogenito della creazione e nuovo Adamo, capo del corpo che è la Chiesa e redentore del mondo. Mediante il Battesimo, che lo rende partecipe della morte e della risurrezione del Signore, e mediante una vita di fede, che porta a pieno sviluppo il germe battesimale, il cristiano diventa membro vivo di Cristo. Questo comporta non solo l'impegno di rinunciare al peccato per camminare in una vita nuova, ma anche un deciso orientamento alle realtà celesti, sostenuto dalla consapevolezza della propria identità di figlio di Dio, pellegrino verso la città eterna, alla quale per un aspetto tende, mentre per un altro – in Cristo risorto – già si trova. Di qui la necessità di operare scelte sagge e perseguire «le cose di lassù», conformi a una vita risorta, celeste. Di qui l'invito a lasciar cadere tutto ciò che rende troppo esteriore l'esistenza.

Oppure - L'incontro con il Cristo risorto e vivente determina la condotta morale del cristiano, ormai libero da un sistema di norme più o meno severe e dettagliate. Senza alcuna forzatura, quindi, Paolo può richiamarsi al mistero pasquale, mentre si trova a dover intervenire con autorevole fermezza in certe situazioni incresciose verificatesi nella comunità di Corinto. Rifacendosi al rito della Pasqua ebraica, che Gesù ha portato a compimento come memoriale della propria morte salvifica, Paolo richiama l'uso di bruciare prima della festa tutto il lievito vecchio, in quanto segno di corruzione che non deve contaminare la vita nuova. Voi stessi – dice ai Corinzi – dovete essere pane puro, nuovo, che Cristo consacra con l'offerta di sé stesso. Egli è la vera Pasqua, l'Agnello immolato, il cui sangue ci protegge dallo sterminatore. Consapevole della portata di tale sacrificio, il cristiano è chiamato a vivere nella novità, eliminando dal cuore il fermento di vecchie abitudini, di piccoli o grandi vizi con cui è connivente, così da presentarsi a Dio nella purezza, come il pane nuovo della Pasqua.

VANGELO - Giovanni, il più giovane, arriva per primo ma non entra nel sepolcro di Gesù perché è bloccato dalla paura del vuoto. Quel sepolcro vuoto che non ha senso – ma che dà un senso a tutto –, lui non riesce a comprenderlo. È quella paura che abbiamo di entrare nei vuoti che non hanno senso e che incontriamo lungo la vita. Il vuoto di una perdita, di una malattia, di una delusione, di una felicità distrutta, di una scelta sbagliata, di un sogno infranto.

È la paura di tanti giovani che vedono il loro futuro sempre più vuoto o, per meglio dire, svuotato di certezze e di opportunità. Tanti vuoti che, pian piano, ci svuotano perché non sempre riusciamo a spiegarceli e quindi ci spaventano. Giovanni, che pur era stato l'unico a stare sotto la croce, ora non riesce a entrare nella risurrezione. La sua è la fede di chi ha imparato a soffrire, ma non riesce ancora a risorgere perché non sa portare quel vuoto dalla parte giusta: oltre la pietra rotolata. Grazie alla fede di Pietro, Giovanni riempie la sua lacuna e anche noi possiamo dire che risorgere significa permettere a Gesù di abitare il nostro vuoto affinché, rotolate tutte le pietre che ci portiamo dentro, possiamo rinascere a vita nuova.

Oppure - Il brano dei discepoli di Èmmaus è un'immagine del cammino della vita, perché si alternano sogni e delusioni, andate e ritorni, dubbio e fede, sconforto e consolazione, tranquillità e corsa, morte e vita nuova. Ma c'è una cosa che unisce tutta l'esperienza dei discepoli di Èmmaus: l'amicizia. I due camminano insieme, si confrontano, hanno una meta comune e inizialmente avevano anche una stessa speranza che però, ora, sembra infranta. Condividono perciò anche la delusione e cercano di superarla tornando insieme sui loro passi. Scriveva Antoine de Saint-Exupéry: «Amico mio, accanto a te non ho nulla di cui scusarmi, nulla da cui difendermi, nulla da dimostrare: trovo la pace… Al di là delle mie parole maldestre tu riesci a vedere in me semplicemente l'uomo». L'amico Gesù si avvicina a loro e, anche se non lo riconoscono, il Risorto vede in loro semplicemente l'uomo, con tutte le sue fragilità e cecità d'amore. L'amicizia con Gesù ci aiuta a rialzarci, quando le altre persone neanche sanno che siamo caduti. Viviamo la nostra pasqua ed è subito pace. Un pensiero oggi ai nostri amici, a quelli che condividono la strada con noi e ci aiutano ad aprire gli occhi, soprattutto quelli del cuore.

PROPOSITO DEL GIORNO… Al Signore risorto domando di alleviare le sofferenze di coloro che patiscono le conseguenze dei conflitti e prego di avere il coraggio del perdono e della pace.

PRATICHE E FESTE DEL GIORNO…

- Pratiche e preghiere di ogni giorno consigliate per il mese di aprile *(pag. 727)*.
- Approfondiamo gli episodi evangelici della risurrezione (cod. 8364, 8642, 8451).

TEMPO DI PASQUA

«Cristo è risorto! È veramente risorto!». Ciò che questo augurio, che si scambiano i cristiani, afferma è, per tutti noi, non solo una professione di fede, ma anche e soprattutto un impegno a portare nella vita di tutti i giorni la luce del Risorto. La Quaresima ci ha preparati a questa celebrazione e la notte pasquale ha inaugurato il Tempo di Pasqua, che dura cinquanta giorni, vissuti intensamente come se fossero un'unica grande domenica.

Questo periodo si compone di sette settimane, che formano una settimana di settimane, di cui il giorno seguente, l'ottavo giorno, il giorno che non conosce tramonto, è simbolo del riposo senza fine in Dio Trinità. Il numero sette è un'immagine della pienezza, l'unità che si aggiunge a questa pienezza moltiplicata apre sull'eterna beatitudine dove l'uomo vive compiutamente l'intimità con Dio e in Dio. È così che il Tempo di Pasqua, con la gioia prolungata del trionfo del Risorto, è divenuto per i Padri della Chiesa l'immagine dell'eternità e del raggiungimento del mistero di Cristo.

Poiché un solo giorno è troppo breve per celebrare un tale mistero, la Chiesa gli dedica cinquanta giorni, che sono un'estensione della gioia pasquale. Il digiuno è stato sempre bandito in questo periodo, anche dai più austeri asceti.

Il giorno di Pentecoste è la pienezza di tutto quello che abbiamo celebrato nel Triduo pasquale e che trova il compimento nel dono dello Spirito Santo.
*I primi otto giorni di questo tempo costituiscono l'*Ottava di Pasqua, *che si celebra come solennità del Signore. Ha un carattere più pronunciato di gioia e ci fa meditare sulla risurrezione di Cristo. Ma tutta la cinquantina ha più o meno questo carattere: vi si canta continuamente l'*Alleluia.
Nel quarantesimo giorno si celebra l'Ascensione di Cristo al cielo e i giorni che seguono sono una lunga preghiera per la venuta dello Spirito, in unione con i discepoli e Maria santissima.
Il colore liturgico di questo tempo è il bianco, il colore della festa, della gioia, della vittoria e della risurrezione. Nelle domeniche del Tempo di Pasqua si dice il Gloria *e si fa la professione di fede con il* Credo.
Accogliamo la grazia della risurrezione di Cristo! Lasciamoci rinnovare, lasciamoci amare da Gesù, lasciamo che la potenza del suo amore trasformi anche la nostra vita e diventiamo canali attraverso i quali Dio possa irrigare la terra, custodire tutto il creato e far fiorire la giustizia.

Valori da vivere

Vivere la gioia che promana dal Risorto
e testimoniarla nella vita di ogni giorno.

10 APRILE

LUNEDÌ

Ottava di Pasqua
bianco **propria**

ANTIFONA D'INGRESSO - Il Signore vi ha fatto entrare in una terra dove scorrono latte e miele; la legge del Signore sia sempre sulla vostra bocca *(Cfr. Es 13,5.9).* Alleluia.
Oppure: Il Signore è risorto, come aveva predetto; rallegriamoci ed esultiamo: egli regna in eterno. Alleluia.

Si dice il Gloria *(pag. 12).*

COLLETTA - O Padre, che fai crescere la tua Chiesa donandole sempre nuovi figli, concedi ai tuoi fedeli di custodire nella vita il sacramento che hanno ricevuto nella fede. Per il nostro Signore…

PRIMA LETTURA At 2,14.22-33

Dagli Atti degli Apostoli

[Nel giorno di Pentecoste,] Pietro con gli Undici

si alzò in piedi e a voce alta parlò così: «Uomini di Giudea, e voi tutti abitanti di Gerusalemme, vi sia noto questo e fate attenzione alle mie parole: Gesù di Nàzaret – uomo accreditato da Dio presso di voi per mezzo di miracoli, prodigi e segni, che Dio stesso fece tra voi per opera sua, come voi sapete bene –, consegnato a voi secondo il prestabilito disegno e la prescienza di Dio, voi, per mano di pagani, l'avete crocifisso e l'avete ucciso. Ora Dio lo ha risuscitato, liberandolo dai dolori della morte, perché non era possibile che questa lo tenesse in suo potere. Dice infatti Davide a suo riguardo: "Contemplavo sempre il Signore innanzi a me; egli sta alla mia destra, perché io non vacilli. Per questo si rallegrò il mio cuore ed esultò la mia lingua, e anche la mia carne riposerà nella speranza, perché tu non abbandonerai la mia vita negli ínferi né permetterai che il tuo Santo subisca la corruzione. Mi hai fatto conoscere le vie della vita, mi colmerai di gioia con la tua presenza". Fratelli, mi sia lecito dirvi francamente, riguardo al patriarca Davide, che egli morì e fu sepolto e il suo sepolcro è ancora oggi fra noi. Ma poiché era profeta e sapeva che Dio gli aveva giurato solennemente di far sedere sul suo trono un suo discendente, previde la risurrezione di Cristo e ne parlò: questi non fu abbandonato negli ínferi, né la sua carne subì la corruzione. Questo Gesù, Dio lo ha risuscitato e noi tutti ne siamo testimoni. Innalzato dunque alla destra di Dio e dopo aver ricevuto dal Padre lo Spirito Santo promesso, lo ha effuso, come voi stessi potete vedere e udire». **Parola di Dio.**

SALMO RESPONSORIALE Dal Salmo 15 (16)

℟. **Proteggimi, o Dio: in te mi rifugio.**

Oppure:

℟. **Alleluia, alleluia, alleluia.**

Proteggimi, o Dio: in te mi rifugio.
Ho detto al Signore: «Il mio Signore sei tu,
solo in te è il mio bene».
Il Signore è mia parte di eredità e mio calice:
nelle tue mani è la mia vita. ℟.

Benedico il Signore che mi ha dato consiglio;
anche di notte il mio animo mi istruisce.
Io pongo sempre davanti a me il Signore,
sta alla mia destra, non potrò vacillare. ℟.

Per questo gioisce il mio cuore
ed esulta la mia anima;

anche il mio corpo riposa al sicuro,
perché non abbandonerai la mia vita negli ínferi,
né lascerai che il tuo fedele veda la fossa. R.

Mi indicherai il sentiero della vita,
gioia piena alla tua presenza,
dolcezza senza fine alla tua destra. R.

Sequenza facoltativa (pag. 527).

CANTO AL VANGELO

Sal 117 (118),24

Alleluia, alleluia.
Questo è il giorno fatto dal Signore:
rallegriamoci ed esultiamo.
Alleluia.

VANGELO

Mt 28,8-15

✠ *Dal Vangelo secondo Matteo*

In quel tempo, abbandonato in fretta il sepolcro con timore e gioia grande, le donne corsero a dare l'annuncio ai suoi discepoli. Ed ecco, Gesù venne loro incontro e disse: «Salute a voi!». Ed esse si avvicinarono, gli abbracciarono i piedi e lo adorarono. Allora Gesù disse loro: «Non temete; **andate ad**

annunciare ai miei fratelli che vadano in Galilea: là mi vedranno». Mentre esse erano in cammino, ecco, alcune guardie giunsero in città e annunciarono ai capi dei sacerdoti tutto quanto era accaduto. Questi allora si riunirono con gli anziani e, dopo essersi consultati, diedero una buona somma di denaro ai soldati, dicendo: «Dite così: "I suoi discepoli sono venuti di notte e l'hanno rubato, mentre noi dormivamo". E se mai la cosa venisse all'orecchio del governatore, noi lo persuaderemo e vi libereremo da ogni preoccupazione». Quelli presero il denaro e fecero secondo le istruzioni ricevute. Così questo racconto si è divulgato fra i Giudei fino a oggi.
Parola del Signore.

SULLE OFFERTE - Accogli con bontà, o Signore, i doni del tuo popolo: tu, che lo hai chiamato alla fede e rigenerato nel Battesimo, guidalo alla beatitudine eterna. Per Cristo nostro Signore.

Prefazio pasquale I.

COMUNIONE - Cristo risorto dai morti non muore più; la morte non ha più potere su di lui *(Rm 6,9)*. Alleluia.

Oppure: Le donne si avvicinarono a Gesù, gli abbracciarono i piedi e lo adorarono *(Cfr. Mt 28,9).* Alleluia.

DOPO LA COMUNIONE - La grazia di questo sacramento pasquale, o Signore, ricolmi i nostri cuori, perché coloro che hai fatto entrare nella via della salvezza eterna siano resi degni dei tuoi doni. Per Cristo nostro Signore.

Congedo come nel giorno di Pasqua (pag. 532).

Commenti

1ª LETTURA - Il discorso di Pietro a Pentecoste presenta il *kerygma*, l'annuncio fondamentale: Gesù, uomo accreditato da Dio in vita con miracoli d'ogni genere, è stato respinto dagli uomini. Ma Dio ha confermato la giustezza della sua causa e ha espresso la sua accettazione esaltandolo con la risurrezione. Il sigillo di Dio su Gesù, sia in vita che in morte, è completo: tutto anzi era previsto dal piano di Dio, come si può ricavare dal Salmo 15, dove Davide esprime la speranza di non essere abbandonato alla corruzione della morte. Quello che non si è realizzato in Davide, si realizza ora in Gesù di Nàzaret, che Dio ha resuscitato dai morti. «E noi tutti ne siamo testimoni». Pietro annuncia dei fatti reali, quali la vita esemplare di Gesù, la sua morte, la sua risurrezione, la testimonianza degli apostoli. Il tutto fa parte del piano di Dio delineato nelle Scritture. Il brano offre dunque un esempio della prima predicazione apostolica, centrata su Gesù di Nàzaret, sulla sua vicenda umana straordinaria, sulla responsabilità di chi l'ha rifiutato, sulla completa presenza di Dio nella sua vita.

VANGELO - Nel giorno in cui ci ritroviamo con gli amici per trascorrere insieme la tradizionale "pasquetta", il Vangelo ci presenta il Risorto che va incontro alle sue amiche con queste parole: «Non temete; andate ad annunciare ai miei fratelli che vadano in Galilea: là mi vedranno». Questa settimana è detta anche *in albis* perché le persone battezzate la notte di Pasqua camminavano per le strade con l'alba, cioè il camice bianco ricevuto durante il Battesimo. Allora, giocando un po' con le parole, se vogliamo essere fedeli all'invito di Gesù, siamo chiamati a portare l'alba lì dove sappiamo che c'è la notte, nel cuore e nella vita di chi è nelle tenebre. C'è sempre un istante nella notte in cui rinasce il giorno. «Là mi vedranno», dice Gesù, dove siamo capaci di portare la sua luce. E quando questa testimonianza di gioia diventa difficile o il buio tenta il nostro cuore, allora «non temete», dice ancora il Risorto. Parola che ritorna nella Bibbia 365 volte, come i giorni di un anno: ogni giorno il Signore è la nostra forza. Per ogni uomo la risurrezione rimane sempre un "segno di contraddizione": per coloro che sono aperti alla fede e all'amore è fonte di vita, per coloro che la rifiutano diventa motivo di condanna.

PROPOSITO DEL GIORNO... La gioia della Pasqua è da condividere con gli altri, da annunciare e testimoniare con la vita. Se non sono ancora pronto a farlo nella quotidianità, chiederò aiuto a Gesù risorto.

PRATICHE E FESTE DEL GIORNO...

- Pratiche e preghiere di ogni giorno consigliate per il mese di aprile *(pag. 727)*.
- 1° giorno novena alla beata Gaetana (Nuccia) Tolomeo.

SANTI E BEATI DEL GIORNO

S. Maddalena di Canossa • B. Marco Fantuzzi da Bologna • B. Pedro María Ramírez Ramos

S. MADDALENA DI CANOSSA: servire i poveri con il cuore di Cristo!

Maddalena, ascoltando la voce dello Spirito Santo, non ha paura di percorrere una strada del tutto nuova per imparare la bellezza di lasciarsi amare da Gesù e di essere disponibile per i fratelli poveri. Attraverso tappe dolorose, come la morte del padre, le seconde nozze della madre, la malattia... il Signore la guida: a 17 anni tenta l'esperienza del Carmelo, ma non è quella la sua strada. Torna a casa e nel 1801 arrivano a palazzo Canossa due povere ragazze, che lei accoglie: questa è la novità rivelatrice della sua vocazione.

Non "regnerà" nel palazzo di famiglia – la sua è tra le più illustri famiglie dell'Italia del tempo –, **perché la sua vocazione sono i poveri: «Per il fatto di essere nata marchesa, non posso forse aver l'onore di servire Gesù Cristo nei suoi poveri?»**. Desidera che i poveri abbiano una casa propria dove sentirsi padroni, istruirsi e realizzarsi al fianco delle maestre e accanto a lei, la fondatrice, che nel 1808 otterrà l'ex convento delle Agostiniane veronesi, iniziandovi la vita comune. **Nascono le Figlie della Carità: le suore educatrici dei poveri**. Maddalena chiude la sua intensa e feconda giornata terrena a soli 61 anni. Muore a Verona assistita dalle sue Figlie il 10 aprile 1835.

11 APRILE

MARTEDÌ

Ottava di Pasqua

bianco **propria**

ANTIFONA D'INGRESSO - L'acqua della sapienza li ha dissetati, li ha resi saldi e non verrà mai meno: a loro sarà data gloria eterna *(Cfr. Sir 15,3-4).* Alleluia.

Si dice il Gloria *(pag. 12).*

COLLETTA - O Dio, che ci hai donato i sacramenti pasquali, assisti questo popolo con la tua grazia, perché, raggiunta la libertà perfetta, possa godere in cielo quella gioia che ora pregusta sulla terra. Per il nostro Signore…

PRIMA LETTURA At 2,36-41

Dagli Atti degli Apostoli

[Nel giorno di Pentecoste,] Pietro diceva ai Giudei: «Sappia dunque con certezza tutta la casa di Israele che Dio ha costituito Signore e Cristo quel Gesù che voi avete crocifisso». All'udire queste cose si sentirono trafiggere il cuore e dissero a Pietro e agli altri apostoli: «Che cosa dobbiamo fare, fratelli?». E Pietro disse loro: «Convertitevi e ciascuno di voi si faccia battezzare nel nome di Gesù Cristo, per il perdono dei vostri peccati, e riceverete il dono dello Spirito Santo. Per voi infatti è la promessa e per i vostri figli e per tutti quelli che sono lontani, quanti ne chiamerà il Signore Dio nostro». Con molte altre parole rendeva testimonianza e li esortava: «Salvatevi da questa generazione perversa!». Allora coloro che accolsero la sua parola furono battezzati e quel giorno furono aggiunte circa tremila persone. **Parola di Dio.**

SALMO RESPONSORIALE Dal Salmo 32 (33)

℟. **Dell'amore del Signore è piena la terra.**

Oppure:

℟. **Alleluia, alleluia, alleluia.**

Retta è la parola del Signore
e fedele ogni sua opera.
Egli ama la giustizia e il diritto;
dell'amore del Signore è piena la terra. ℟.

Ecco, l'occhio del Signore è su chi lo teme,
su chi spera nel suo amore,
per liberarlo dalla morte

e nutrirlo in tempo di fame. R.

L'anima nostra attende il Signore:
egli è nostro aiuto e nostro scudo.
Su di noi sia il tuo amore, Signore,
come da te noi speriamo. R.

Sequenza facoltativa (pag. 527).

CANTO AL VANGELO Sal 117 (118),24

Alleluia, alleluia.
Questo è il giorno fatto dal Signore:
rallegriamoci ed esultiamo.
Alleluia.

VANGELO Gv 20,11-18

✠ *Dal Vangelo secondo Giovanni*

In quel tempo, Maria stava all'esterno, vicino al sepolcro, e piangeva. Mentre piangeva, si chinò verso il sepolcro e vide due angeli in bianche vesti, seduti l'uno dalla parte del capo e l'altro dei piedi, dove era stato posto il corpo di Gesù. Ed essi le dissero: «Donna, perché piangi?». Rispose loro: «Hanno portato via il mio Signore e non so dove l'hanno posto». Detto questo, si voltò indietro e vide Gesù, in piedi;

ma non sapeva che fosse Gesù. Le disse Gesù: «Donna, **perché piangi?** Chi cerchi?». Ella, pensando che fosse il custode del giardino, gli disse: «Signore, se l'hai portato via tu, dimmi dove l'hai posto e io andrò a prenderlo». Gesù le disse: «Maria!». Ella si voltò e gli disse in ebraico: «Rabbunì!» – che significa: «Maestro!». Gesù le disse: «Non mi trattenere, perché non sono ancora salito al Padre; ma va' dai miei fratelli e di' loro: "Salgo al Padre mio e Padre vostro, Dio mio e Dio vostro"». Maria di Màgdala andò ad annunciare ai discepoli: «Ho visto il Signore!» e ciò che le aveva detto. **Parola del Signore.**

SULLE OFFERTE - Accogli, Padre misericordioso, le offerte di questa famiglia, perché con l'aiuto della tua protezione custodisca i doni ricevuti e raggiunga quelli eterni. Per Cristo nostro Signore.

Prefazio pasquale I.

COMUNIONE - Se siete risorti con Cristo, cercate le cose di lassù, dove Cristo siede alla destra di Dio; gustate le cose di lassù *(Cfr. Col 3,1-2)*. Alleluia.
Oppure: Maria di Màgdala andò ad annunciare ai discepoli: «Ho visto il Signore!» *(Gv 20,18)*. Alleluia.

DOPO LA COMUNIONE - Esaudisci, Dio onnipotente, le nostre preghiere e guida alla beatitudine eterna questa tua famiglia che hai ricolmato della grazia del Battesimo. Per Cristo nostro Signore.

Congedo come nel giorno di Pasqua (pag. 532).

Commenti

1ª LETTURA - Pietro conclude il suo discorso con una certa enfasi: la casa d'Israele deve sapere con sicurezza che Gesù è Signore e Cristo. La fede cristiana si fonda sulla testimonianza apostolica che riguarda la risurrezione. Luca usa qui proprio i due titoli dell'annuncio della buona notizia fatta dagli angeli ai pastori, titoli che si sono ora pienamente realizzati. La testimonianza di Pietro tocca i cuori e inizia la lunga catena delle conversioni. L'Apostolo richiede il cambiamento di mentalità e di comportamento, il Battesimo «nel nome di Gesù» chiamato semplicemente «Cristo» (senza articolo): oramai è lui l'Inviato, il Messia, il Salvatore. Il Battesimo è segno della conversione ed è apertura alla vita nuova, fatta di distruzione del passato di morte e di pienezza di vita che viene dallo Spirito Santo.

Così si realizzano le promesse, a partire dai presenti sino ai "lontani", cioè a coloro che sono fuori dal giudaismo. C'è infine l'invito a «salvarsi da questa generazione perversa», cioè da coloro che con la loro religiosità legalistica non sono stati capaci di accogliere la novità di Gesù.

VANGELO - Sono le donne le vere protagoniste della risurrezione. Sarà perché in loro nasce la vita, sarà perché hanno coraggio da vendere, Gesù le sceglie per portare il lieto annuncio ai discepoli paurosi e sconfortati. Sono le donne che seguono Gesù sulla via dolorosa e stanno con lui sotto la croce. Oggi è la Maddalena, colei che aveva già ricevuto una vita nuova, a recarsi nel giardino dove avevano posto il corpo di Gesù. Con la risurrezione tutto torna: nel primo giardino, l'Eden, l'uomo aveva introdotto la morte nel mondo; ora, in quest'ultimo giardino, Cristo sconfigge la morte. In entrambi i casi le donne restano protagoniste ma, se nella Genesi leggiamo che la donna da quel momento in poi soffrirà, adesso Gesù chiede alla Maddalena il motivo del suo pianto. In questo giorno preghiamo per tutte quelle donne che soffrono, che sono offese nella loro dignità, che vengono usate e abusate. Sappiano che

Gesù è accanto a loro e, come per la Maddalena, è sempre pronto a donare loro una nuova possibilità di vita. Il Vangelo di oggi contiene un grande messaggio per il discepolo di ogni tempo: il Signore è vivo e ognuno deve cercarlo con la certezza che egli non tarderà a venirgli incontro e farsi riconoscere.

PROPOSITO DEL GIORNO... Oggi mi accosterò a una situazione di sofferenza (fisica, psicologica, spirituale...) portando una presenza e una parola di conforto e di speranza.

PRATICHE E FESTE DEL GIORNO...

- Pratiche e preghiere di ogni giorno consigliate per il mese di aprile *(pag. 727)*.
- Preghiera a san Stanislao.
- Preghiera a santa Gemma Galgani (cod. 8001).
- Informiamoci e conosciamo santa Gemma Galgani (cod. 8581).
- Festa Madonna delle Vergini, Macerata.

SANTI E BEATI DEL GIORNO

S. Filippo di Gortina • **S. Gemma Galgani** • S. Stanislao • B. Elena Guerra • B. Giorgio Gervase

SANTA GEMMA GALGANI: una vita unita a Cristo.

«Se tutti gli uomini si studiassero di amare e conoscere il vero Iddio, questo mondo si cangerebbe in un paradiso», scrive Gemma. E questo è stato effettivamente il suo paradiso, in **una vita intrisa di sofferenza, ma che lei ha saputo vivere unita a Cristo**. Nata il 12 marzo 1878 in provincia di Lucca, rimane presto orfana di madre e vive poi una serie di lutti fino a rimanere sola e sul lastrico. La sua esistenza è inoltre segnata dalla malattia, che la costringe a letto semiparalizzata. È in questo periodo che legge la biografia di san Gabriele dell'Addolorata, il Santo del sorriso, dalla quale rimane molto colpita. Invoca allora santa Maria Margherita Alacoque e, dopo una novena, guarisce.

La giovane Gemma sente il desiderio di consacrarsi al Signore, ma non può condurre la vita claustrale. Tuttavia, si immerge nella contemplazione di Gesù Crocifisso. L'8 giugno 1899, riceve le stimmate. Forte espressione della sua vita mistica sono anche **i colloqui con Gesù, Maria, l'angelo custode e san Gabriele dell'Addolorata**, attestati nel *Diario* e nell'*Autobiografia*. La sua morte avviene l'11 aprile **1903**, Sabato Santo, quando già le campane hanno annunciato la risurrezione di Cristo.

12 APRILE

MERCOLEDÌ

Ottava di Pasqua
bianco **propria**

ANTIFONA D'INGRESSO - Venite, benedetti del Padre mio, ricevete in eredità il regno preparato per voi fin dalla creazione del mondo *(Mt 25,34).* Alleluia.

Si dice il Gloria *(pag. 12).*

COLLETTA - O Dio, che ci dai la gioia di rivivere ogni anno la risurrezione del Signore, fa' che mediante la liturgia pasquale che celebriamo nel tempo possiamo giungere alla gioia eterna. Per il nostro Signore…

PRIMA LETTURA At 3,1-10

Dagli Atti degli Apostoli

In quei giorni, Pietro e Giovanni salivano al tempio per la preghiera delle tre del pomeriggio. Qui di solito veniva portato un uomo, storpio fin dalla nascita; lo ponevano ogni giorno presso la porta del tempio detta Bella, per chiedere l'elemosina a coloro che entravano nel tempio. Costui, vedendo Pietro e Giovanni che stavano per entrare nel tempio, li pregava per avere un'elemosina. Allora, fissando lo sguardo su di lui, Pietro insieme a Giovanni disse: «Guarda verso di noi». Ed egli si volse a guardarli, sperando di ricevere da loro qualche cosa. Pietro gli disse: «Non possiedo né argento né oro, ma quello che ho te lo do: nel nome di Gesù Cristo, il Nazareno, àlzati e cammina!». Lo prese per la mano destra e lo sollevò. Di colpo i suoi piedi e le caviglie si rinvigorirono e, balzato in piedi, si mise a camminare; ed entrò con loro nel tempio camminando, saltando e lodando Dio. Tutto il popolo lo vide camminare e lodare Dio e riconoscevano che era colui che sedeva a chiedere l'elemosina alla porta Bella del tempio, e furono ricolmi di meraviglia e stupore per quello che gli era accaduto. **Parola di Dio.**

SALMO RESPONSORIALE Dal Salmo 104 (105)

℟. **Gioisca il cuore di chi cerca il Signore.**

Oppure:

℟. **Alleluia, alleluia, alleluia.**

Rendete grazie al Signore e invocate il suo nome,
proclamate fra i popoli le sue opere.
A lui cantate, a lui inneggiate,
meditate tutte le sue meraviglie. ℟.

Gloriatevi del suo santo nome:
gioisca il cuore di chi cerca il Signore.
Cercate il Signore e la sua potenza,
ricercate sempre il suo volto. R.

Voi, stirpe di Abramo, suo servo,
figli di Giacobbe, suo eletto.
È lui il Signore, nostro Dio:
su tutta la terra i suoi giudizi. R.

Si è sempre ricordato della sua alleanza,
parola data per mille generazioni,
dell'alleanza stabilita con Abramo
e del suo giuramento a Isacco. R.

Sequenza facoltativa (pag. 527).

CANTO AL VANGELO Sal 117 (118),24

Alleluia, alleluia.
Questo è il giorno fatto dal Signore:
rallegriamoci ed esultiamo.
Alleluia.

VANGELO Lc 24,13-35

✠ *Dal Vangelo secondo Luca*

Ed ecco, in quello stesso giorno, [il primo della settimana], due [dei discepoli] erano in cammino per un villaggio di nome Èmmaus, distante circa undici chilometri da Gerusalemme, e conversavano tra loro di tutto quello che era accaduto. Mentre conversavano e discutevano insieme, Gesù in persona si avvicinò e camminava con loro. Ma **i loro occhi erano impediti a riconoscerlo**. Ed egli disse loro: «Che cosa sono questi discorsi che state facendo tra voi lungo il cammino?». Si fermarono, col volto triste; uno di loro, di nome Clèopa, gli rispose: «Solo tu sei forestiero a Gerusalemme! Non sai ciò che vi è accaduto in questi giorni?». Domandò loro: «Che cosa?». Gli risposero: «Ciò che riguarda Gesù, il Nazareno, che fu profeta potente in opere e in parole, davanti a Dio e a tutto il popolo; come i capi dei sacerdoti e le nostre autorità lo hanno consegnato per farlo condannare a morte e lo hanno crocifisso. Noi speravamo che egli fosse colui che avrebbe liberato Israele; con tutto ciò, sono passati tre giorni da quando queste cose sono accadute. Ma alcune donne, delle nostre, ci hanno sconvolti; si sono recate al mattino alla tomba e, non avendo trovato il suo corpo, sono venute a dirci di aver avuto anche una visione di angeli, i quali affermano che egli è vivo. Alcuni dei nostri sono andati alla tomba e hanno trovato come avevano detto le donne, ma lui non l'hanno visto». Disse loro: «Stolti e lenti di cuore a credere in tutto ciò che hanno detto i profeti! Non bisognava che il Cristo patisse queste sofferenze per entrare nella sua gloria?». E, cominciando da Mosè e da tutti i profeti, spiegò loro in tutte le Scritture ciò che si riferiva a lui. Quando furono vicini al villaggio dove erano diretti, egli fece come se dovesse andare più lontano. Ma essi insistettero: «Resta con noi, perché si fa sera e il giorno è ormai al tramonto». Egli entrò per rimanere con loro. Quando fu a tavola con loro, prese il pane, recitò la benedizione, lo spezzò e lo diede loro. Allora si aprirono loro gli occhi e lo riconobbero. Ma egli sparì dalla loro vista. Ed essi dissero l'un l'altro: «Non ardeva forse in noi il nostro cuore mentre egli conversava con noi lungo la via, quando ci spiegava le Scritture?». Partirono senza indugio e fecero ritorno a Gerusalemme, dove trovarono riuniti gli Undici e gli altri che erano con loro, i quali dicevano: «Davvero il Signore è risorto ed è apparso a Simone!». Ed essi narravano ciò che era accaduto lungo la via e come l'avevano riconosciuto nello spezzare il pane. **Parola del Signore.**

SULLE OFFERTE - Accogli, o Signore, il sacrificio della nostra redenzione e nella tua misericordia opera in noi la salvezza del corpo e dello spirito. Per Cristo nostro Signore.

Prefazio pasquale I.

Comunione - I discepoli riconobbero Gesù, il Signore, nello spezzare il pane *(Cfr. Lc 24,35)*. Alleluia.

Dopo la Comunione - O Dio, nostro Padre, questa partecipazione al mistero pasquale del tuo Figlio ci liberi dai fermenti dell'antico peccato e ci trasformi in nuove creature. Per Cristo nostro Signore.

Congedo come nel giorno di Pasqua *(pag. 532).*

Commenti

1ª lettura - Pietro continua la pratica liberatrice di Gesù non solo con l'annuncio, ma anche con le opere miracolose, le quali manifestano che la salvezza è arrivata nel mondo. Il miracolo darà occasione a un nuovo annuncio. Anche Pietro, grazie al nome di Gesù, appare «accreditato da Dio [...] per mezzo di miracoli, prodigi e segni» (At 2,22) e quindi autorizzato ad annunciare la novità cristiana. Il racconto è vivace: il tempio è ancora il centro della pietà della prima comunità cristiana, che non ha ancora rotto con le consuetudini giudaiche. Davanti a una delle sue porte più famose, Pietro incontra un mendicante storpio dalla nascita e, non avendo «né oro né argento», gli ordina di alzarsi e di camminare «nel nome di Gesù Cristo, il Nazareno». Quello che segue è un racconto "di risurrezione": lo storpio entra finalmente nel tempio – dal quale la sua infermità lo aveva escluso – «camminando, saltando e lodando Dio». È un uomo "ricostruito" fisicamente e spiritualmente, che Pietro restituisce alla vita. Anche noi possiamo imitare l'Apostolo nelle nostre azioni in favore di quanti sono esclusi o emarginati.

VANGELO - I discepoli di Èmmaus aspettavano Gesù da tre giorni, ma quando lo incontrano «i loro occhi erano impediti a riconoscerlo». Che significa? Forse quando ci si abitua a vedere solo il male è più difficile riconoscere il bene; se vediamo, negli altri e nel mondo, solo l'odio, la violenza, l'egoismo, quando poi incontriamo l'amore non sempre siamo capaci di riconoscerlo. I discepoli di Emmaus avevano gli occhi impediti dalla disperazione del fallimento e perciò hanno camminato con la Speranza senza accorgersene. Quante volte non ci accorgiamo della presenza di Gesù nella nostra esperienza umana! Gridiamo: «Dio, dove sei?», per poi non riconoscerlo quotidianamente nei piccoli o grandi segni del suo amore per noi. Anche chi ci sta accanto, che sia un amico o un perfetto sconosciuto, può essere trasparenza di Dio. Tuttavia c'è un modo per allenare gli occhi a riconoscere l'azione di Dio nella nostra vita ed è lo stesso Gesù a insegnarlo ai discepoli di Èmmaus; infatti «spiegò loro in tutte le Scritture ciò che si riferiva a lui». Tuttavia i discepoli riconoscono veramente Gesù solo quando spezza il pane. Una conoscenza piena di Gesù parte dalle Scritture e trova il suo compimento nell'Eucaristia.

PROPOSITO DEL GIORNO... Oggi cercherò di riconoscere la presenza di Gesù in tutte le persone; anche in quelle con cui non ho un buon rapporto.

PRATICHE E FESTE DEL GIORNO...

- Pratiche e preghiere di ogni giorno consigliate per il mese di aprile *(pag. 727)*.
- Informiamoci e conosciamo la Vergine della Rivelazione nel giorno del 76º anniversario dell'apparizione alle Tre Fontane a Roma (cod. 8001, 8468).

SANTI DEL GIORNO

S. Damiano di Pavia • S. Davide Uribe • San Giulio I • **S. Teresa di Gesù delle Ande**

IMITIAMO LA VITA DEI SANTI, *che siano di esempio*

SANTA TERESA DI GESÙ DELLE ANDE: vivere, credere, amare.

Teresa di Gesù, nata il 13 luglio 1900 a Santiago del Cile, muore come novizia carmelitana scalza il 12 aprile **1920**. Una vita breve la sua, ma nella quale ha saputo vivere, credere, amare. Familiarmente chiamata Juanita, vive la sua infanzia in una famiglia che gode una buona posizione economica e custodisce la fede cristiana. Fin da piccola sente accanto a sé la presenza di Dio. La sua natura era orgogliosa ed egoista, come accade a tutti. Lei, però, dichiara battaglia a ogni impulso che non nasca dall'amore e a 10 anni è una creatura nuova. Quando sta per ricevere la Prima Comunione, infatti, s'impegna per accogliere questa grazia e in brevissimo tempo trasforma il suo carattere. Quattro anni dopo, ha l'intima rivelazione che determina l'orientamento della sua vita: **Gesù le dice che la vuole carmelitana e che la sua meta deve essere la santità**. La santità della sua vita brilla negli atti quotidiani e negli ambienti dove vive: la famiglia, il collegio, le amiche... Il 7 maggio 1919 entra in convento. Da molto tempo sapeva che sarebbe morta giovane: il Signore glielo aveva rivelato. Accoglie questa realtà con gioia e serenità, sicura che nell'eternità avrebbe continuato **la sua missione: far conoscere e amare Dio**.

13 APRILE

GIOVEDÌ

Ottava di Pasqua
bianco **propria**

ANTIFONA D'INGRESSO - Si leva un coro di lodi alla tua vittoria, o Signore, perché la sapienza ha aperto la bocca dei muti e ha reso eloquente la voce dei piccoli *(Cfr. Sap 10,20-21).* Alleluia.

Si dice il Gloria *(pag. 12).*

COLLETTA - O Padre, che da ogni parte della terra hai riunito i popoli nella confessione del tuo nome, concedi che tutti i tuoi figli, nati a nuova vita nelle acque del Battesimo e animati dall'unica fede, esprimano nelle opere l'unico amore. Per il nostro Signore…

PRIMA LETTURA At 3,11-26

Dagli Atti degli Apostoli

In quei giorni, mentre lo storpio guarito tratteneva Pietro e Giovanni, tutto il popolo, fuori di sé per lo stupore, accorse verso di loro al portico detto di Salomone. Vedendo ciò, Pietro disse al popolo: «Uomini d'Israele, perché vi meravigliate di questo e perché continuate a fissarci come se per nostro potere o per la nostra religiosità avessimo fatto camminare quest'uomo? Il Dio di Abramo, il Dio di Isacco, il Dio di Giacobbe, il Dio dei nostri padri ha glorificato il suo servo Gesù, che voi avete consegnato e rinnegato di fronte a Pilato, mentre egli aveva deciso di liberarlo; voi invece avete rinnegato il Santo e il Giusto, e avete chiesto che vi fosse graziato un assassino. Avete ucciso l'autore della vita, ma Dio l'ha risuscitato dai morti: noi ne siamo testimoni. E per la fede riposta in lui, il nome di Gesù ha dato vigore a quest'uomo che voi vedete e conoscete; la fede che viene da lui ha dato a quest'uomo la perfetta guarigione alla presenza di tutti voi. Ora, fratelli, io so che voi avete agito per ignoranza, come pure i vostri capi. Ma Dio ha così compiuto ciò che aveva preannunciato per bocca di tutti i profeti, che cioè il suo Cristo doveva soffrire. **Convertitevi dunque e cambiate vita**, perché siano cancellati i vostri peccati e così possano giungere i tempi della consolazione da parte del Signore ed egli mandi colui che vi aveva destinato come Cristo, cioè Gesù. Bisogna che il cielo lo accolga fino ai tempi della ricostituzione di tutte le cose, delle quali Dio ha parlato per bocca dei suoi santi profeti fin dall'antichità. Mosè infatti disse: "Il Signore vostro Dio farà sorgere per voi, dai vostri fratelli, un profeta come me; voi lo ascolterete in tutto quello che egli vi dirà. E avverrà: chiunque non ascolterà quel profeta, sarà estirpato di mezzo al popolo". E tutti i profeti, a cominciare da Samuèle e da quanti parlarono in seguito, annunciarono anch'essi questi giorni. Voi siete i figli dei profeti e dell'alleanza che Dio stabilì con i vostri padri, quando disse ad Abramo: "Nella tua discendenza saranno benedette tutte le nazioni della terra". Dio, dopo aver risuscitato il suo servo, l'ha mandato prima di tutto a voi per portarvi la benedizione, perché ciascuno di voi si allontani dalle sue iniquità». **Parola di Dio.**

SALMO RESPONSORIALE — Dal Salmo 8

℟. **O Signore, Signore nostro,**
quanto è mirabile il tuo nome su tutta la terra!

Oppure:

℟. **Alleluia, alleluia, alleluia.**

O Signore, Signore nostro,
quanto è mirabile il tuo nome su tutta la terra!
Che cosa è mai l'uomo perché di lui ti ricordi,
il figlio dell'uomo, perché te ne curi? ℟.

Davvero l'hai fatto poco meno di un dio,
di gloria e di onore lo hai coronato.

Gli hai dato potere sulle opere delle tue mani,
tutto hai posto sotto i suoi piedi. R.

Tutte le greggi e gli armenti
e anche le bestie della campagna,
gli uccelli del cielo e i pesci del mare,
ogni essere che percorre le vie dei mari. R.

Sequenza facoltativa (pag. 527).

CANTO AL VANGELO Sal 117 (118),24

Alleluia, alleluia.
Questo è il giorno fatto dal Signore:
rallegriamoci ed esultiamo.
Alleluia.

VANGELO Lc 24,35-48

✠ *Dal Vangelo secondo Luca*

In quel tempo, [i due discepoli che erano ritornati da Èmmaus] narravano ciò che era accaduto lungo la via e come l'avevano riconosciuto nello spezzare il pane. Mentre essi parlavano di queste cose, Gesù in persona stette in mezzo a loro e disse: «Pace a voi!». Sconvolti e pieni di paura, credevano di vedere un fantasma. Ma egli disse loro: «Perché siete turbati, e perché sorgono dubbi nel vostro cuore? Guardate le mie mani e i miei piedi: sono proprio io! Toccatemi e guardate; un fantasma non ha carne e ossa, come vedete che io ho». Dicendo questo, mostrò loro le mani e i piedi. Ma poiché per la gioia non credevano ancora ed erano pieni di stupore, disse: «Avete qui qualche cosa da mangiare?». Gli offrirono una porzione di pesce arrostito; egli lo prese e lo mangiò davanti a loro. Poi disse: «Sono queste le parole che io vi dissi quando ero ancora con voi: bisogna che si compiano tutte le cose scritte su di me nella legge di Mosè, nei Profeti e nei Salmi». Allora aprì loro la mente per comprendere le Scritture e disse loro: «Così sta scritto: il Cristo patirà e risorgerà dai morti il terzo giorno, e nel suo nome saranno predicati a tutti i popoli la conversione e il perdono dei peccati, cominciando da Gerusalemme. Di questo voi siete testimoni». **Parola del Signore.**

SULLE OFFERTE - Accogli, o Signore, nella tua bontà il sacrificio che ti offriamo per coloro che sono nati a vita nuova e per noi che siamo bisognosi del tuo sollecito aiuto. Per Cristo nostro Signore.

Prefazio pasquale I.

COMUNIONE - Voi, popolo che Dio si è acquistato, proclamate le sue opere meravigliose: dalle tenebre vi ha chiamati alla sua ammirabile luce *(Cfr. 1Pt 2,9)*. Alleluia.

Oppure: Così sta scritto: «Il Cristo patirà e risorgerà dai morti il terzo giorno» *(Lc 24,46)*. Alleluia.

DOPO LA COMUNIONE - Esaudisci, o Signore, le nostre preghiere, perché la partecipazione al mistero della redenzione sia per noi aiuto nella vita presente e ci ottenga la gioia eterna. Per Cristo nostro Signore.

Congedo come nel giorno di Pasqua (pag. 532).

Commenti

1ª LETTURA - Nel suo discorso, assai articolato, Pietro vuole convincere del loro errore coloro che hanno rifiutato Cristo, offrendo loro la possibilità di ravvedimento. Pietro fa una distinzione importante: prima della risurrezione era il tempo dell'ignoranza, tempo che ha permesso a Dio di realizzare le profezie. Ma dopo il fatto clamoroso della risurrezione l'ignoranza non è più ammessa, perché colui che è stato crocifisso dagli uomini è stato risuscitato da Dio e coloro che lo rifiutano meritano d'essere esclusi dal popolo di Dio come recidivi. Il pentimento e l'accettazione di Gesù possono inoltre affrettare i tempi delle benedizioni messianiche, quando, alla fine del mondo, Dio invierà

Gesù per la seconda venuta affinché anche i suoi nemici e gli increduli lo riconoscano come Messia. Ora egli è in cielo, dalla sua ascensione fino alla restaurazione finale. Pietro afferma infine che i suoi ascoltatori fanno parte del patto tramite il quale tutte le nazioni saranno benedette nella discendenza di Abramo. Con la risurrezione, insomma, Gesù porta la benedizione ai Giudei e l'opportunità della conversione.

VANGELO - Si può credere in tanti modi, ma non si può mai credere alla paura. I discepoli sono impauriti e sconvolti nel vedere Gesù risorto in mezzo a loro, tanto da crederlo un fantasma. Trasformiamo Gesù in un fantasma quando lo evochiamo nei momenti di difficoltà oppure pensiamo che non esista perché non ci ha accontentati, perché non è intervenuto quando glielo abbiamo chiesto. Così credendo, rendiamo Gesù un fantasma, uno spirito del passato da temere. Ma uno che dice: «Pace a voi!» non può far paura! Forse è questo l'annuncio che sconvolge i discepoli: che dopo la morte si possa incontrare la pace. Dopo una rinuncia, dietro una mortificazione, passata la delusione, si può incontrare la pace. Ma bisogna crederci. I discepoli di Èmmaus parlano con il cuore del loro incontro con Gesù e il Risorto appare, in carne e ossa, si lascia toccare e mangia con loro. La nostra fede, perciò, è innanzitutto testimonianza di qualcosa di concreto, che si può toccare con mano, anche attraverso le nostre azioni, la nostra vita. Tutto dipende da quanto spazio lasciamo alla paura e da che posto diamo a Gesù, venuto a portarci la pace interiore, la profonda riconciliazione con noi stessi e con gli altri.

☐ **PROPOSITO DEL GIORNO...** Oggi faccio un esame di coscienza e, se posso, vado a confessarmi.

☐ **PRATICHE E FESTE DEL GIORNO...**

- Pratiche e preghiere di ogni giorno consigliate per il mese di aprile *(pag. 727)*.
- I quindici giovedì di santa Rita: 11° giovedì (cod. 8036, 8352) secondo lo schema in uso nel santuario di Santa Rita da Cascia.
- Preghiera alla Madonna di Castelmonte.
- 1° giorno novena a Maria santissima dello Splendore.

SANTI E BEATI DEL GIORNO

S. Albertino da Montone • **S. Margherita da Città di Castello** • S. Martino I • B. Ida di Boulogne

SANTA MARGHERITA DA CITTÀ DI CASTELLO: la forza della debolezza.

«Quello che è debole per il mondo, Dio lo ha scelto per confondere i forti» (1Cor 1,27): questa frase di san Paolo descrive bene la vita di Margherita. Nata cieca e storpia, era però ricca di tesori di grazia. Tuttavia, per i nobili genitori questa figlioletta era un peso troppo grave e umiliante. Così, quando la bimba ha 5 anni, dopo averla condotta alla vicina Città di Castello per implorare la guarigione per l'intercessione di fra Giacomo da Città di Castello, l'abbandonano in chiesa. Margherita non si dispera, ma confida in Dio. Vive mendicando per le vie della città, finché viene accolta prima da alcune monache della comunità di Santa Margherita e poi da una coppia di genitori cristiani, Grigia e Venturino, che hanno già due figli. Le riservano una piccola cella nella parte superiore della propria casa, affinché possa dedicarsi alla preghiera e alla contemplazione.
Con sua grande gioia, riceve l'abito del Terz'Ordine di San Domenico e fa, senza rumore, un gran bene alle anime: tutti ricercano la sua santa compagnia. Dopo la morte, avvenuta il 13 aprile 1320, **le sono state trovate nel cuore tre perle, sulle quali erano scolpite l'immagine di Gesù, della Madonna e di san Giuseppe**.

14 APRILE

VENERDÌ

Ottava di Pasqua

bianco **propria**

ANTIFONA D'INGRESSO - Il Signore li condusse sicuri e diede loro speranza. I loro nemici li sommerse il mare *(Cfr. Sal 77,53).* Alleluia.

Si dice il Gloria *(pag. 12).*

COLLETTA - Dio onnipotente ed eterno, che nel mistero pasquale hai offerto all'umanità il patto della riconciliazione, donaci di testimoniare nelle opere il mistero che celebriamo nella fede. Per il nostro Signore…

PRIMA LETTURA At 4,1-12

Dagli Atti degli Apostoli

In quei giorni, Pietro e Giovanni stavano parlando al popolo, [dopo la guarigione dello storpio,] quando sopraggiunsero i sacerdoti, il comandante delle guardie del tempio e i sadducèi, irritati per il fatto che essi insegnavano al popolo e annunciavano in Gesù la risurrezione dai morti. Li arrestarono e li misero in prigione fino al giorno dopo, dato che ormai era sera. Molti però di quelli che avevano ascoltato la Parola credettero e il numero degli uomini raggiunse circa i cinquemila. Il giorno dopo si riunirono in Gerusalemme i loro capi, gli anziani e gli scribi, il sommo sacerdote Anna, Càifa, Giovanni, Alessandro e quanti appartenevano a famiglie di sommi sacerdoti. Li fecero comparire davanti a loro e si misero a interrogarli: «Con quale potere o in quale nome voi avete fatto questo?». Allora Pietro, colmato di Spirito Santo, disse loro: «Capi del popolo e anziani, visto che oggi veniamo interrogati sul beneficio recato a un uomo infermo, e cioè per mezzo di chi egli sia stato salvato, sia noto a tutti voi e a tutto il popolo d'Israele: nel nome di Gesù Cristo il Nazareno, che voi avete crocifisso e che Dio ha risuscitato dai morti, costui vi sta innanzi risanato. Questo Gesù è la pietra, che è stata scartata da voi, costruttori, e che è diventata la pietra d'angolo. In nessun altro c'è salvezza; non vi è infatti, sotto il cielo, altro nome dato agli uomini, nel quale è stabilito che noi siamo salvati». **Parola di Dio.**

SALMO RESPONSORIALE Dal Salmo 117 (118)

℟. **La pietra scartata dai costruttori**
è divenuta la pietra d'angolo.

Oppure:

℟. **Alleluia, alleluia, alleluia.**

Rendete grazie al Signore perché è buono,
perché il suo amore è per sempre.
Dica Israele: «Il suo amore è per sempre».
Dicano quelli che temono il Signore:
«Il suo amore è per sempre». ℟.

La pietra scartata dai costruttori
è divenuta la pietra d'angolo.
Questo è stato fatto dal Signore:
una meraviglia ai nostri occhi.
Questo è il giorno che ha fatto il Signore:
rallegriamoci in esso ed esultiamo! ℟.

Ti preghiamo, Signore: Dona la salvezza!
Ti preghiamo, Signore: Dona la vittoria!
Benedetto colui che viene nel nome del Signore.
Vi benediciamo dalla casa del Signore.
Il Signore è Dio, egli ci illumina. ℟.

Sequenza facoltativa (pag. 527).

CANTO AL VANGELO Sal 117 (118),24

Alleluia, alleluia.
Questo è il giorno fatto dal Signore:
rallegriamoci ed esultiamo.
Alleluia.

VANGELO Gv 21,1-14

✠ *Dal Vangelo secondo Giovanni*

In quel tempo, Gesù si manifestò di nuovo ai discepoli sul mare di Tiberìade. E si manifestò così: si trovavano insieme Simon Pietro, Tommaso detto Dìdimo, Natanaèle di Cana di Galilea, i figli di Zebedèo e altri due discepoli. Disse loro Simon Pietro: «Io vado a pescare». Gli dissero: «Veniamo anche noi con te». Allora uscirono e salirono sulla barca; ma quella notte non presero nulla. Quando già era l'alba, Gesù stette sulla riva, ma i discepoli non si erano accorti che era Gesù. Gesù disse loro: «Figlioli, non avete nulla da mangiare?». Gli risposero: «No». Allora egli disse loro: «Gettate la rete dalla parte destra della barca e troverete». La gettarono e non riuscivano più a tirarla su per la grande quantità di pesci. Allora quel discepolo che Gesù amava disse a Pietro:

«È il Signore!». Simon Pietro, appena udì che era il Signore, si strinse la veste attorno ai fianchi, perché era svestito, e si gettò in mare. Gli altri discepoli invece vennero con la barca, trascinando la rete piena di pesci: non erano infatti lontani da terra se non un centinaio di metri. Appena scesi a terra, videro un fuoco di brace con del pesce sopra, e del pane. Disse loro Gesù: «Portate un po' del pesce che avete preso ora». Allora Simon Pietro salì nella barca e trasse a terra la rete piena di centocinquantatré grossi pesci. E benché fossero tanti, la rete non si spezzò. Gesù disse loro: «Venite a mangiare». E nessuno dei discepoli osava domandargli: «Chi sei?», perché sapevano bene che era il Signore. Gesù si avvicinò, prese il pane e lo diede loro, e così pure il pesce. Era la terza volta che Gesù si manifestava ai discepoli, dopo essere risorto dai morti. **Parola del Signore.**

SULLE OFFERTE - Nella tua bontà, o Signore, porta a compimento in noi questo santo scambio dei doni pasquali, perché dall'amore per le realtà terrene siamo condotti al desiderio delle realtà del cielo. Per Cristo nostro Signore.

Prefazio pasquale I.

COMUNIONE - Gesù disse ai suoi discepoli: «Venite a mangiare». Prese il pane e lo diede loro *(Gv 21,12-13)*. Alleluia.

DOPO LA COMUNIONE - Custodisci con instancabile amore, o Padre, il popolo che hai salvato, perché coloro che sono stati redenti dalla passione del tuo Figlio partecipino alla gioia della sua risurrezione. Egli vive e regna nei secoli dei secoli.

Congedo come nel giorno di Pasqua (pag. 532).

Commenti

1ª LETTURA - Sono due i temi principali di questo brano: la reazione dei capi d'Israele al successo degli apostoli e le importanti affermazioni del discorso di Pietro. Il primo: con sorpresa il "caso Gesù" non è stato chiuso con la crocifissione. I suoi seguaci predicano nel tempio, facendosi maestri del popolo, e annunciano la risurrezione dei morti. I capi del popolo, sorpresi ed esasperati, piombano loro addosso e li gettano in prigione. È la prima persecuzione, alla quale fa seguito un ulteriore incremento numerico dei discepoli. Il secondo tema è il breve e forte discorso di Pietro, il quale, «colmato di Spirito Santo», come aveva promesso Gesù, parla con audacia e coraggio inaudito, tenendo testa ai capi del popolo. Egli parte dalla vicenda della guarigione dell'uomo infermo per annunciare la salvezza «nel nome di Gesù». Le affermazioni di Pietro sono solenni e nette: colui che voi avete messo a morte è stato risuscitato da Dio e la pietra che voi avete scartata, Dio l'ha resa pietra fondamentale del nuovo edificio che intende costruire. Gesù è colui che è stato scelto da Dio per portare a compimento le sue promesse.

Vangelo - Pietro è deluso perché il Maestro non ha mantenuto la sua promessa. È tutto finito. «Io vado a pescare» vuol dire ritornare alla vecchia vita, chiudere l'esperienza degli anni trascorsi insieme a Gesù e tornare lì dove tutto era cominciato. Quando siamo delusi dal Signore, dagli amici, dalla vita, anche noi facciamo un passo indietro, dimenticando tutto quello che di buono e di bello abbiamo vissuto finora. Però, tanto per Pietro quanto per noi, questo atteggiamento non porta a nulla. La rete resta vuota. Arriva Gesù. Come al solito non lo riconoscono se non dalle sue azioni. «Nessuno dei discepoli osava domandargli: "Chi sei?", perché sapevano bene che era il Signore». È bello pensare che il Risorto non abbia un volto riconoscibile, ma possa avere il volto di tutti e tutti lo possano riconoscere da quello che fa e che dice. Allora siamo chiamati a testimoniare Cristo nelle nostre azioni perché, come recita un antico testo, «noi siamo l'unica Bibbia che i popoli leggono ancora, siamo l'ultimo messaggio di Dio scritto in opere e parole». Ognuno può essere la forza di cui l'altro ha bisogno per decidere di rialzarsi. Non lasciamoci prendere dallo scoraggiamento e ritorniamo a gettare le reti!

☐ **PROPOSITO DEL GIORNO...** Se lo scoraggiamento vuole prendere il mio cuore scelgo di sorridere e alimentare, così, la speranza in Gesù risorto.

☐ **PRATICHE E FESTE DEL GIORNO...**

- Pratiche e preghiere di ogni giorno consigliate per il mese di aprile *(pag. 727)*.
- Via Lucis (cod. 8001, 8527).

SANTI E BEATI DEL GIORNO

S. Alfonso da Siviglia • S. Benedetto di Hermillon • B. Isabella Calduch Rovira • **Ven. Daniela Zanetta**

VENERABILE DANIELA ZANETTA:
la vita è sacra e bella.

«Io vorrei urlare a tutti che la vita di ogni creatura è sacra e bella... Ho una malattia della pelle, che mi procura piaghe in tutto il corpo, ho perso i capelli, le unghie di mani e piedi... **Non è semplice trascorrere ventidue anni sulla croce, ma credo in Dio, lo amo intensamente e lo ringrazio**». A scrivere queste parole è Daniela Zanetta, nata il 15 dicembre 1962 a Maggiora. Nonostante la malattia, gusta la bellezza della vita, aiutata dall'amore dei genitori, Lucia e Carlo, e dei fratelli. Nel 1973 incontra la spiritualità del Movimento dei Focolari di Chiara Lubich e questo la rinforza nell'affrontare il suo cammino. Dopo l'ultimo intervento è costretta a restare in casa e può dedicarsi completamente a Dio e alla preghiera. Scrive: «Tu, Padre, mi hai affidato questo compito, questa croce, un sigillo impresso nella mia carne fin dal mio primo vagito, come se tu volessi essere sicuro di non smarrirmi». Daniela si aggrava a partire dal febbraio del **1986**: la sua stanza diventa un luogo di incontro e di speranza. **È una ragazza che trasforma la malattia in un dono, convertendo il dolore in amore**. Domenica 13 aprile, ricevuta l'Eucaristia, prima di entrare in coma dice: «Grazie, grazie di tutto». Muore il giorno dopo.

15 APRILE

SABATO

Ottava di Pasqua
bianco **propria**

ANTIFONA D'INGRESSO - Il Signore ha liberato il suo popolo con esultanza, i suoi eletti con canti di gioia *(Cfr. Sal 104,43).* Alleluia.

Si dice il Gloria *(pag. 12).*

COLLETTA - O Padre, che nella tua immensa bontà estendi a tutti i popoli il dono della fede, guarda i tuoi figli di elezione, perché coloro che sono rinati nel Battesimo siano rivestiti dell'immortalità beata. Per il nostro Signore…

PRIMA LETTURA At 4,13-21

Dagli Atti degli Apostoli

In quei giorni, i capi, gli anziani e gli scribi, vedendo la franchezza di Pietro e di Giovanni e rendendosi conto che erano persone semplici e senza istruzione, rimanevano stupiti e li riconoscevano come quelli che erano stati con Gesù. Vedendo poi in piedi, vicino a loro, l'uomo che era stato guarito, non sapevano che cosa replicare. Li fecero uscire dal sinedrio e si misero a consultarsi fra loro dicendo: «Che cosa dobbiamo fare a questi uomini? Un segno evidente è avvenuto per opera loro; esso è diventato talmente noto a tutti gli abitanti di Gerusalemme che non possiamo negarlo. Ma perché non si divulghi maggiormente tra il popolo, proibiamo loro con minacce di parlare ancora ad alcuno in quel nome». Li richiamarono e ordinarono loro di non parlare in alcun modo né di insegnare nel nome di Gesù. Ma Pietro e Giovanni replicarono: «Se sia giusto dinanzi a Dio obbedire a voi invece che a Dio, giudicatelo voi. Noi non possiamo tacere quello che abbiamo visto e ascoltato». Quelli allora, dopo averli ulteriormente minacciati, non trovando in che modo poterli punire, li lasciarono andare a causa del popolo, perché tutti glorificavano Dio per l'accaduto. **Parola di Dio.**

SALMO RESPONSORIALE Dal Salmo 117 (118)

℟. **Ti rendo grazie, Signore, perché mi hai risposto.**

Oppure:

℟. **Alleluia, alleluia, alleluia.**

Rendete grazie al Signore perché è buono,
perché il suo amore è per sempre.

Mia forza e mio canto è il Signore,
egli è stato la mia salvezza.
Grida di giubilo e di vittoria nelle tende dei giusti:
la destra del Signore ha fatto prodezze. R.

La destra del Signore si è innalzata,
la destra del Signore ha fatto prodezze.
Non morirò, ma resterò in vita
e annuncerò le opere del Signore.
Il Signore mi ha castigato duramente,
ma non mi ha consegnato alla morte. R.

Apritemi le porte della giustizia:
vi entrerò per ringraziare il Signore.
È questa la porta del Signore:
per essa entrano i giusti.
Ti rendo grazie, perché mi hai risposto,
perché sei stato la mia salvezza. R.

Sequenza facoltativa (pag. 527).

CANTO AL VANGELO Sal 117 (118),24

Alleluia, alleluia.
Questo è il giorno fatto dal Signore:
rallegriamoci ed esultiamo.
Alleluia.

VANGELO Mc 16,9-15

✠ *Dal Vangelo secondo Marco*

Risorto al mattino, il primo giorno dopo il sabato, Gesù apparve prima a Maria di Màgdala, dalla quale aveva scacciato sette demòni. Questa andò ad annunciarlo a quanti erano stati con lui ed erano in lutto e in pianto. Ma essi, udito che era vivo e che era stato visto da lei, non credettero. Dopo questo, apparve sotto altro aspetto a due di loro, mentre erano in cammino verso la campagna. Anch'essi ritornarono ad annunciarlo agli altri; ma non credettero neppure a loro. Alla fine apparve anche agli Undici, mentre erano a tavola, e li rimproverò per la loro incredulità e durezza di cuore, perché non avevano creduto a quelli che lo avevano visto risorto. E disse loro: **«Andate in tutto il mondo e proclamate il Vangelo a ogni creatura»**. **Parola del Signore.**

SULLE OFFERTE - O Dio, che in questi santi misteri compi l'opera della nostra redenzione, fa' che questa celebrazione pasquale sia per noi fonte di perenne letizia. Per Cristo nostro Signore.

Prefazio pasquale I.

COMUNIONE - Quanti siete stati battezzati in Cristo vi siete rivestiti di Cristo *(Gal 3,27)*. Alleluia.

Oppure: Andate in tutto il mondo e proclamate il Vangelo a ogni creatura *(Mc 16,15)*. Alleluia.

DOPO LA COMUNIONE - Guarda con bontà, o Signore, il tuo popolo che hai rinnovato con i sacramenti pasquali, e guidalo al giorno della risurrezione, nel quale la nostra carne mortale sarà glorificata. Per Cristo nostro Signore.

Congedo come nel giorno di Pasqua (pag. 532).

Commenti

1ª LETTURA - Pietro e Giovanni hanno ricevuto davvero, secondo la promessa di Gesù, «bocca profetica e sapienza a cui non potranno opporsi o contraddire tutti i loro oppositori» (cfr. Lc 21,15), i quali sono palesemente in difficoltà. Il brano è dominato dalla forza dei fatti che si impongono e dalla volontà di occultarli. I fatti sono la guarigione, constatabile e clamorosa, unita a tutto quello che Pietro e Giovanni hanno visto e udito. Dall'altra parte c'è il potere che vuole difendersi dall'irrompere dei fatti, con il loro potenziale destabilizzante. I fatti sono testimoniati da uomini senza istruzione e popolani, i quali da accusati diventano accusatori. Di fronte all'unica idea di proibire di insegnare nel nome di Gesù, la risposta di Pietro e Giovanni è l'appello all'evidenza: essi non possono tacere. È la consapevolezza che il parlare di queste cose era volontà di Dio, un mandato divino, di fronte al quale i precetti umani perdono la loro consistenza. Nessuna minaccia umana può opporsi alla forza della testimonianza degli apostoli, perché con loro c'è la forza irresistibile di Dio.

VANGELO - Dopo aver incontrato il Signore non si può fare a meno di dire anche agli altri che oltre il dolore c'è un amore immenso che ci custodisce, oltre la morte c'è una vita autentica che ci attende. Il mondo aspetta sempre la parola di Dio, aspetta chi l'annuncia, aspetta te e me. Ad aspettarla è soprattutto quel nostro piccolo mondo lavorativo, familiare, i nostri amici. L'annuncio non è roba solo da missionari, ma impegno di ogni battezzato, di ciascun discepolo. Il Vangelo è perciò dinamismo, non "divanismo". Non possiamo pensare di evangelizzare seduti comodamente a casa o sui banchi delle nostre chiese. Ma proclamare il Vangelo vuol dire innanzitutto conoscerlo per poi annunciarlo a chi ha bisogno di una Parola che libera, consola, guarisce, ridona vita. C'è chi impone il suo modo di vedere come se fosse Vangelo oppure chi annuncia una versione riveduta e corretta del Vangelo secondo le proprie esigenze. Chiediamo al Signore che la nostra vita sia Vangelo e che il Vangelo sia tutta la nostra vita. Riconosciamo il Risorto che incrocia la nostra esistenza e facciamo in modo che, attraverso di noi, tutti possano incontrare Gesù e sperimentare quella dolcezza di cui il mondo ha bisogno.

PROPOSITO DEL GIORNO... Sento rivolto anche a me l'invito di Gesù e nella semplicità della mia vita quotidiana testimonio la mia fede attraverso gesti di gentilezza e attenzione agli altri.

PRATICHE E FESTE DEL GIORNO...

- Pratiche e preghiere di ogni giorno consigliate per il mese di aprile *(pag. 727)*.
- 17° sabato di Pompei.

SANTI E BEATI DEL GIORNO

S. Abbondio • **S. Cesare De Bus** • S. Crescente di Mira • S. Damiano de Veuster • B. Lorenzino Sossio

SAN CESARE DE BUS: dobbiamo essere un catechismo vivente.

«Bisogna che tutto quello che è in noi catechizzi e che il nostro comportamento faccia di noi un catechismo vivente… **Vorrei che il mio corpo fosse tagliato in una infinità di pezzettini se potesse sorgere da ognuno di essi un catechista**». Queste parole racchiudono il senso profondo della missione sacerdotale di Cesare De Bus: egli vuole trasmettere agli altri la sua conoscenza intima di Cristo e nel 1590, colpito dall'ignoranza religiosa nelle campagne, fonda una società di sacerdoti catechisti. Due anni dopo, con i suoi primi cinque compagni, dà vita alla congregazione dei Preti della Dottrina Cristiana.

La sua santità, che oggi risplende, è frutto di un cammino lungo e difficile, attraversato da diverse crisi e che conosce un punto di svolta. Cesare nasce infatti il 3 febbraio 1544, a Cavaillon (oggi in Provenza) da Jean-Baptiste de Bus, console della città, e da Anne de la Marche; è il settimo di tredici figli.

All'inizio del regno di Carlo IX, la Provenza è in preda a disordini causati dagli intrighi dei protestanti e allora lui, diciottenne, si arruola per la difesa della Chiesa e della

fede. Concepisce la campagna come una crociata e, prima del combattimento, la preparazione che ritiene più urgente è una confessione generale dei suoi peccati; partecipa ogni giorno alla Messa, prega con fervore mattina e sera. Al ritorno però, abbagliato dallo spirito mondano, viene introdotto dal fratello alla corte del re.
Cade in una profonda crisi spirituale, finché la morte di suo padre e quella di suo fratello lo inducono a riflettere. Egli ritorna quindi a Cavaillon, dove due sante e umili persone lo aiutano nel suo cammino di conversione.
Ad Aix-en-Provence accade il fatto che lo riavvicina definitivamente al Signore: si trova infatti di fronte a una grave occasione di peccato, quando passa davanti a un convento di Clarisse che cantano l'ufficio del Mattutino. Fermatosi per ascoltarle, viene colmato di vergogna e di confusione al punto di perdere conoscenza.
Questo evento segna una svolta decisiva nella sua vita: Cesare intensifica la preghiera, medita spesso i novissimi, fa penitenza al punto di ammalarsi; si dedica alle opere di misericordia: elemosine, visite agli afflitti e ai malati, finché, nell'agosto del 1582, viene ordinato sacerdote.
Come aveva predetto, muore ad Avignone, il 15 aprile 1607, all'età di 63 anni, la mattina di Pasqua: **«Sarà per me doppiamente Pasqua, vale a dire il passaggio del Signore e il mio accanto a lui»**.

INDULGENZA PLENARIA NELLA FESTA DELLA DIVINA MISERICORDIA

«Desidero – ha detto Gesù – *che la festa della Misericordia sia di riparo e rifugio per tutte le anime e specialmente per i poveri peccatori»* (Santa Faustina Kowalska, *Diario*, 699).

Giovanni Paolo II, il 13 giugno 2002, ha arricchito la festa della Divina Misericordia concedendo l'indulgenza plenaria al fedele che, con l'animo totalmente distaccato dall'affetto verso qualunque peccato, anche veniale, adempie le consuete tre condizioni, cioè:

1. Confessione sacramentale
2. Comunione eucaristica (meglio nella santa Messa)
3. Preghiera secondo le intenzioni del Papa (per esempio: *Padre nostro, Ave Maria, Gloria al Padre* o altra preghiera)

e che la domenica della Divina Misericordia (la seconda di Pasqua), in qualunque chiesa o oratorio, partecipi a pratiche di pietà svolte in onore della Divina Misericordia, o almeno reciti, alla presenza del Santissimo Sacramento dell'Eucaristia, pubblicamente esposto o custodito nel tabernacolo, il *Padre nostro* e il *Credo*, con l'aggiunta di una pia invocazione al Signore Gesù misericordioso (per esempio: «Gesù misericordioso, confido in te»).

Alcuni importanti chiarimenti sull'indulgenza

La Confessione sacramentale, la Comunione eucaristica e le preghiere secondo le intenzioni del Sommo Pontefice possano essere adempiute parecchi giorni precedenti o seguenti al giorno dell'indulgenza. È però preferibile che la Comunione e la preghiera secondo le intenzioni del Papa siano fatte lo stesso giorno in cui si compie l'opera indulgenziata. Inoltre, sebbene per ottenere l'indulgenza sia sufficiente la Comunione, è certamente meglio riceverla partecipando alla santa Messa.

Per quanto riguarda il sacramento della Penitenza, l'ideale sarebbe riceverlo prima dell'indulgenza, poiché ci ristabilisce nella piena comunione d'amore con Dio, donandoci la sua stessa vita e santità. Ben lo sapevano i tanti santi e beati che a esso facevano ricorso settimanalmente (come san Giovanni Paolo II) o anche quotidianamente (come san Carlo Borromeo, san Filippo Neri, sant'Alfonso Maria de Liguori).

Un altro motivo, più pratico, per non rimandare la Confessione è determinato dal fatto che, presi da una moltitudine di impegni, corriamo il rischio di non riuscire più a trovare il tempo per la Confessione, vanificando così quel prezioso dono di grazia che la Chiesa ci ha offerto con l'indulgenza.

16 APRILE

DOMENICA

2ª domenica di Pasqua o della Divina Misericordia (A)

Ottava di Pasqua *bianco* **propria**

ANTIFONA D'INGRESSO - Come bambini appena nati desiderate il genuino latte spirituale: vi farà crescere verso la salvezza *(Cfr. 1Pt 2,2).* Alleluia.

Oppure: Entrate nella gioia e nella gloria e rendete grazie a Dio, che vi ha chiamato al regno dei cieli *(Cfr. 4Esd 2,36-37,Volg.).* Alleluia.

Si dice il Gloria *(pag. 12).*

COLLETTA - **Preghiamo:** Dio di eterna misericordia, che ogni anno nella festa di Pasqua ravvivi la fede del tuo popolo santo, accresci in noi la grazia che ci hai donato, perché tutti comprendiamo l'inestimabile ricchezza del Battesimo che ci ha purificati, dello Spirito che ci ha rigenerati, del Sangue che ci ha redenti. Per il nostro Signore... **Amen.**

Oppure: Signore Dio nostro, che nella tua grande misericordia ci hai rigenerati a una speranza viva, accresci in noi la fede nel Cristo risorto, perché credendo in lui abbiamo la vita nel suo nome. Egli è Dio... **Amen.**

(seduti)

PRIMA LETTURA

At 2,42-47

Dagli Atti degli Apostoli

[Quelli che erano stati battezzati] **erano perseveranti** nell'insegnamento degli apostoli e nella comunione, nello spezzare il pane e nelle preghiere. Un senso di timore era in tutti, e prodigi e segni avvenivano per opera degli apostoli. Tutti i credenti stavano insieme e avevano ogni cosa in comune; vendevano le loro proprietà e sostanze e le dividevano con tutti, secondo il bisogno di ciascuno. Ogni giorno erano perseveranti insieme nel tempio e, spezzando il pane nelle case, prendevano cibo con letizia e semplicità di cuore, lodando Dio e godendo il favore di tutto il popolo. Intanto il Signore ogni giorno aggiungeva alla comunità quelli che erano salvati. - Parola di Dio. ℟. **Rendiamo grazie a Dio.**

SALMO RESPONSORIALE Dal Salmo 117 (118)

℟. **Rendete grazie al Signore perché è buono:**
il suo amore è per sempre.

Oppure:

℟. **Alleluia, alleluia, alleluia.**

Dica Israele:
«Il suo amore è per sempre».
Dica la casa di Aronne:
«Il suo amore è per sempre».
Dicano quelli che temono il Signore:
«Il suo amore è per sempre». ℟.

Mi avevano spinto con forza per farmi cadere,
ma il Signore è stato il mio aiuto.
Mia forza e mio canto è il Signore,
egli è stato la mia salvezza.
Grida di giubilo e di vittoria
nelle tende dei giusti:
la destra del Signore ha fatto prodezze. ℟.

La pietra scartata dai costruttori
è divenuta la pietra d'angolo.

Questo è stato fatto dal Signore:
una meraviglia ai nostri occhi.
Questo è il giorno che ha fatto il Signore:
rallegriamoci in esso ed esultiamo! R.

SECONDA LETTURA — 1Pt 1,3-9

Dalla prima lettera di san Pietro apostolo

Sia benedetto Dio e Padre del Signore nostro Gesù Cristo, che nella sua grande misericordia ci ha rigenerati, mediante la risurrezione di Gesù Cristo dai morti, per una speranza viva, per un'eredità che non si corrompe, non si macchia e non marcisce. Essa è conservata nei cieli per voi, che dalla potenza di Dio siete custoditi mediante la fede, in vista della salvezza che sta per essere rivelata nell'ultimo tempo. Perciò siete ricolmi di gioia, anche se ora dovete essere, per un po' di tempo, afflitti da varie prove, affinché la vostra fede, messa alla prova, molto più preziosa dell'oro – destinato a perire e tuttavia purificato con fuoco –, torni a vostra lode, gloria e onore quando Gesù Cristo si manifesterà. Voi lo amate, pur senza averlo visto e ora, senza vederlo, credete in lui. Perciò esultate di gioia indicibile e gloriosa, mentre raggiungete la mèta della vostra fede: la salvezza delle anime. - Parola di Dio. R. **Rendiamo grazie a Dio.**

(in piedi)

Sequenza facoltativa (pag. 527).

CANTO AL VANGELO Gv 20,29

Alleluia, alleluia.
Perché mi hai veduto, Tommaso, tu hai creduto;
beati quelli che non hanno visto e hanno creduto!
Alleluia.

VANGELO Gv 20,19-31

Il Signore sia con voi.
℟. **E con il tuo spirito.**
✠ *Dal Vangelo secondo Giovanni*
℟. **Gloria a te, o Signore.**

La sera di quel giorno, il primo della settimana, mentre erano chiuse le porte del luogo dove si trovavano i discepoli per timore dei Giudei, venne Gesù, stette in mezzo e disse loro: «Pace a voi!». Detto questo, mostrò loro le mani e il fianco. E i discepoli gioirono al vedere il Signore. Gesù disse loro di nuovo: «Pace a voi! Come il Padre ha mandato me, anche io mando voi». Detto questo, soffiò e disse loro: «Ricevete lo Spirito Santo. A coloro a cui perdonerete i peccati, saranno perdonati; a coloro a cui non perdonerete, non saranno perdonati». Tommaso, uno dei Dodici, chiamato Dìdimo, non era con loro quando venne Gesù.

Gli dicevano gli altri discepoli: «Abbiamo visto il Signore!». Ma egli disse loro: «Se non vedo nelle sue mani il segno dei chiodi e non metto il mio dito nel segno dei chiodi e non metto la mia mano nel suo fianco, io non credo». Otto giorni dopo i discepoli erano di nuovo in casa e c'era con loro anche Tommaso. Venne Gesù, a porte chiuse, stette in mezzo e disse: «Pace a voi!». Poi disse a Tommaso: «Metti qui il tuo dito e guarda le mie mani; tendi la tua mano e mettila nel mio fianco; e non essere incredulo, ma credente!». Gli rispose Tommaso: «Mio Signore e mio Dio!». Gesù gli disse: «Perché mi hai veduto, tu hai creduto; beati quelli che non hanno visto e hanno creduto!». Gesù, in presenza dei suoi discepoli, fece molti altri segni che non sono stati scritti in questo libro. Ma questi sono stati scritti perché crediate che Gesù è il Cristo, il Figlio di Dio, e perché, credendo, abbiate la vita nel suo nome. - Parola del Signore. ℟. **Lode a te o Cristo.**

Si dice il Credo *(pag. 15).*

(in piedi)

SULLE OFFERTE - Accogli, o Signore, i doni del tuo popolo [e di questi nuovi battezzati]: tu che ci hai chiamati alla fede e rigenerati nel Battesimo, guidaci alla beatitudine eterna. Per Cristo nostro Signore. **Amen.**

Prefazio pasquale I.

COMUNIONE - Metti qui il tuo dito e guarda le mie mani; tendi la tua mano e mettila nel mio fianco, e non essere incredulo, ma credente! (Gv 20,27). Alleluia.

DOPO LA COMUNIONE - **Preghiamo:** Dio onnipotente, la forza del sacramento pasquale che abbiamo ricevuto sia sempre operante nei nostri cuori. Per Cristo nostro Signore. **Amen.**

Congedo come nel giorno di Pasqua (pag. 532).

Commenti

1ª LETTURA - Secondo la sua promessa, Cristo risorto e asceso al cielo resta tuttavia con gli uomini sino alla fine dei tempi. Diversa è però la sua presenza nel tempo della Chiesa da quella della sua vita terrena. Ora è lo Spirito Santo, primo dono del Risorto ai credenti, a continuare sulla terra la sua opera e a manifestare la potenza della sua risurrezione nella storia. Per questo Luca, negli Atti, trasmette come parte essenziale della "buona novella" il racconto dei primi passi della comunità cristiana, animata e sospinta dallo Spirito di Gesù. Nel primo dei cosiddetti "sommari" che ritraggono la Chiesa nascente, emergono le linee portanti della vita ecclesiale. Per questo tale pagina è diventata paradigmatica per tutte le comunità cristiane. Quattro sono i tratti che contraddistinguono i credenti: l'assiduità dell'insegnamento degli apostoli, la comunione, la frazione del pane e infine la preghiera. Così la prima comunità cristiana è totalmente aperta al dono dello Spirito che in essa, «per opera» degli apostoli può compiere prodigi. Lo stile di vita della comunità è una testimonianza per il mondo.

2ª LETTURA - Nel suo immenso amore il Padre ci ha fatti ri-nascere, rendendoci suoi figli, attraverso la morte-risurrezione del Figlio unigenito. Questa nuova nascita non ha davanti la prospettiva della morte, ma «una speranza viva», una promessa non condizionata dalla corruttibilità delle cose di questo mondo. Il suo pieno possesso è in serbo per noi «nei cieli», ma fin d'ora ne abbiamo un "anticipo", una "caparra", nella misura in cui ci trasformiamo interiormente, da esseri carnali a esseri spirituali, mediante una vita conforme alla fede professata nel Battesimo. Rivolgendosi a comunità cristiane provate dalla persecuzione, Pietro offre conforto e luce per leggere dentro le dolorose situazioni il compiersi del disegno di salvezza. Le sofferenze non devono diventare motivo di scandalo, pietra di inciampo, ma crogiuolo purificatore, dove la fede viene purificata per essere resa sempre più salda. Essa infatti sarà il documento con cui, nell'ultimo giorno, si testimonierà il nostro amore a Cristo, mentre fin d'ora essa dona esultanza ineffabile al cuore e ci conduce alla meta: la salvezza eterna.

Vangelo - Nel Vangelo di Giovanni, il dono dello Spirito è legato al dono della pace, entrambi simboli pasquali ed entrambi connessi al perdono. La pace nasce dalla consapevolezza che, attraverso la morte e la risurrezione di Gesù, Dio ha perdonato e continua a perdonare i nostri peccati. Lo Spirito, soffiando instancabilmente dentro di noi, non solo ci mostra questo amore di Dio, ma ci spinge a imitarlo. Ecco perché questa domenica è detta anche della "Divina Misericordia": c'è una vita nuova che ci attende fuori dalla paura di non essere amati. Ma fuori c'è pure Tommaso: quello che ricordiamo sempre come l'apostolo incredulo è in realtà l'apostolo coraggioso. Tommaso ha il coraggio di stare fuori, anche a rischio della vita, pur di non arrendersi all'evidenza, pur di cercare il suo Maestro. Gesù rispetta i tempi di Tommaso e, invece di imporsi, si propone:

metti, guarda, tocca. Grazie al coraggio di Tommaso abbiamo ricevuto da Gesù la nona beatitudine: «Beati quelli che non hanno visto e hanno creduto!». A differenza delle altre otto, più impegnative, questa beatitudine è alla portata di tutti: per chi fa fatica, per chi cerca a tentoni, per chi non vede, per chi ricomincia; ogni volta.

PROPOSITO DEL GIORNO... Oggi chiedo a Dio il dono di essere perseverante: recito una preghiera affidando al Signore i miei progetti, senza scoraggiarmi.

PRATICHE E FESTE DEL GIORNO...

- Pratiche e preghiere di ogni giorno consigliate per il mese di aprile *(pag. 727)*.
- Si consiglia la lettura dei libri: "Gesù confido in te" (cod. 8130); "Santa Faustina e la Divina Misericordia" (cod. 8423).
- Preghiera a santa Bernadette Soubirous.
- Informiamoci e conosciamo santa Bernadette Soubirous (cod. 8450).

SANTI E BEATI DEL GIORNO

S. Bernadette Soubirous • B. Arcangelo Canetoli • B. Gioacchino da Siena • B. Ugo de Mataplana

S. BERNADETTE SOUBIROUS:
la grandezza dei piccoli e degli umili.

L'11 febbraio del 1858 faceva tanto freddo a Lourdes e in casa Soubirous non c'era più legna da ardere. Bernadette, che allora aveva 14 anni, era andata con la sorella a cercare dei rami secchi nei dintorni del paese per poter accendere il fuoco. Rimasta sola nei pressi della rupe di Massabielle, udì un rumore: vide che la quercia abbarbicata al masso di pietra si agitava violentemente, poi la grotta fu piena di una nube d'oro e una splendida Signora apparve sulla roccia.

Nell'apparizione del 25 marzo 1858, ella le rivelò il suo nome: **«Io sono l'Immacolata Concezione»**. Terminate le apparizioni, Bernadette varcò la soglia della casa madre della Congregazione delle Suore della Carità: **«Sono venuta qui per nascondermi»**, disse con umiltà. Nei tredici anni successivi fu infermiera, a volte sacrestana, ma spesso ammalata lei stessa... Svolse tutte le sue mansioni con delicatezza e generosità: **«Non vivrò un solo istante senza amare»**. Ma la malattia avanzava implacabile. L'11 dicembre 1878 fu definitivamente costretta a letto: **«Sono macinata** – disse lei – **come un chicco di grano»**. All'età di 35 anni, il 16 aprile 1879, alle 3 del pomeriggio, gli occhi della piccola veggente che videro Maria si chiusero per sempre.

17 APRILE

LUNEDÌ

2ª settimana di Pasqua

bianco **2ª sett. salt.**

ANTIFONA D'INGRESSO - Cristo risorto dai morti non muore più; la morte non ha più potere su di lui *(Rm 6,9).* Alleluia.

COLLETTA - Dio onnipotente, a noi che, rinnovati dai sacramenti pasquali, abbiamo abbandonato la somiglianza con il primo uomo, concedi di essere conformati alla tua immagine di creatore. Per il nostro Signore…

PRIMA LETTURA At 4,23-31

Dagli Atti degli Apostoli

In quei giorni, rimessi in libertà, Pietro e Giovanni andarono dai loro fratelli e riferirono quanto avevano detto loro i capi dei sacerdoti e gli anziani. Quando udirono questo, tutti insieme innalzarono la loro voce a Dio dicendo: «Signore, tu che hai creato il cielo, la terra, il mare e tutte le cose che in essi si trovano, tu che, per mezzo dello Spirito Santo, dicesti per bocca del nostro padre, il tuo servo Davide: "Perché le nazioni si agitarono e i popoli tramarono cose vane? Si sollevarono i re della terra e i prìncipi si allearono insieme contro il Signore e contro il suo Cristo"; davvero in questa città Erode e Ponzio Pilato, con le nazioni e i popoli d'Israele, si sono alleati contro il tuo santo servo Gesù, che tu hai consacrato, per compiere ciò che la tua mano e la tua volontà avevano deciso che avvenisse. E ora, Signore, volgi lo sguardo alle loro minacce e concedi ai tuoi servi di proclamare con tutta franchezza la tua parola, stendendo la tua mano affinché si compiano guarigioni, segni e prodigi nel nome del tuo santo servo Gesù». Quand'ebbero terminato la preghiera, il luogo in cui erano radunati tremò e tutti furono colmati di Spirito Santo e proclamavano la parola di Dio con franchezza. **Parola di Dio.**

SALMO RESPONSORIALE — Dal Salmo 2

℟. **Beato chi si rifugia in te, Signore.**

Oppure:

℟. **Alleluia, alleluia, alleluia.**

Perché le genti sono in tumulto
e i popoli cospirano invano?
Insorgono i re della terra

e i prìncipi congiurano insieme
contro il Signore e il suo consacrato:
«Spezziamo le loro catene,
gettiamo via da noi il loro giogo!». R.

Ride colui che sta nei cieli,
il Signore si fa beffe di loro.
Egli parla nella sua ira,
li spaventa con la sua collera:
«Io stesso ho stabilito il mio sovrano
sul Sion, mia santa montagna». R.

Voglio annunciare il decreto del Signore.
Egli mi ha detto: «Tu sei mio figlio,
io oggi ti ho generato.
Chiedimi e ti darò in eredità le genti
e in tuo dominio le terre più lontane.
Le spezzerai con scettro di ferro,
come vaso di argilla le frantumerai». R.

CANTO AL VANGELO Col 3,1

Alleluia, alleluia.
Se siete risorti con Cristo,
cercate le cose di lassù, dove è Cristo
seduto alla destra di Dio.
Alleluia.

VANGELO Gv 3,1-8

✠ *Dal Vangelo secondo Giovanni*

Vi era tra i farisei un uomo di nome Nicodèmo, uno dei capi dei Giudei. Costui andò da Gesù, di notte, e gli disse: «Rabbì, sappiamo che sei venuto da Dio come maestro; nessuno infatti può compiere questi segni che tu compi, se Dio non è con lui». Gli rispose Gesù: «In verità, in verità io ti dico, se uno non nasce dall'alto, non può vedere il regno di Dio». Gli disse Nicodèmo: «Come può nascere un uomo quando è vecchio? Può forse entrare una seconda volta nel grembo di sua madre e rinascere?». Rispose Gesù: «In verità, in verità io ti dico, se uno non nasce da acqua e Spirito, non può entrare nel regno di Dio. Quello che è nato dalla carne è carne, e quello che è nato dallo Spirito è spirito. Non meravigliarti se ti ho detto: dovete nascere dall'alto. Il vento soffia dove vuole e ne senti la voce, ma non sai da dove viene né dove va: così è chiunque è nato dallo Spirito». **Parola del Signore.**

SULLE OFFERTE - Accogli, o Signore, i doni della tua Chiesa in festa e poiché le hai dato il motivo di tanta gioia, donale anche il frutto di una perenne letizia. Per Cristo nostro Signore.

Oppure: Ti presentiamo con gioia, o Signore, i doni

della redenzione eterna e ti preghiamo: concedi a noi di venerarli e di offrirli con fede, perché siano fonte di salvezza per tutti i rinati nel Battesimo. Per Cristo nostro Signore.

Prefazio pasquale.

COMUNIONE - Venne Gesù, stette in mezzo ai suoi discepoli e disse loro: «Pace a voi!» *(Gv 20,19)*. Alleluia.
Oppure: Se uno non nasce da acqua e Spirito, non può entrare nel regno di Dio *(Gv 3,5)*. Alleluia.

DOPO LA COMUNIONE - Guarda con bontà, o Signore, il tuo popolo che ti sei degnato di rinnovare con questi sacramenti di vita eterna, e donagli di giungere alla risurrezione incorruttibile del corpo, destinato alla gloria. Per Cristo nostro Signore.
Oppure: Conferma, o Dio, l'opera della redenzione e proteggi coloro che hai chiamato a far parte della santa Chiesa mediante i sacramenti della vita eterna. Per Cristo nostro Signore.

Commenti

1ª LETTURA - La piccola comunità, dove si rifugiano Pietro e Giovanni, reagisce alla prima persecuzione non approntando strategie umane, ma con la preghiera. Tale preghiera è di chiara impronta veterotestamentaria. Come in molte preghiere dei profeti, si ha prima l'invocazione a Dio creatore, poi il ricordo delle meraviglie e dei benefici e infine la petizione. In primo luogo si chiede di poter annunciare con tutta franchezza la Parola, di non essere cioè condizionati dalle minacce. C'è del coraggio: si teme la persecuzione, ma si chiede di poter diffondere la Parola senza impedimento. In secondo luogo: la preghiera ruota attorno al Salmo 2 che parla della macchinazione dei potenti della terra contro l'unto re. Persecuzione regolarmente avvenuta contro Cristo, il Messia; di queste persecuzioni Dio ride, con la sua strepitosa vittoria nella risurrezione. I persecutori sono i potenti, tra i quali si annoverano «i popoli d'Israele», divenuti alleati dei pagani. La preghiera piace a Dio, che la esaudisce con un segno visibile, con un rinnovato invio dello Spirito e con l'audacia dell'annuncio.

VANGELO - Nicodèmo è l'esempio di quei cristiani che hanno paura di mostrarsi alla luce del giorno. Pur frequentando una parrocchia e condividendo un percorso di fede, quando si tratta di mettere in pratica il Vangelo nella vita di tutti i giorni, hanno paura. Preferiscono la notte, quando nessuno li vede, per incontrare Gesù. Anche tanti giovani, a volte, si vergognano di dire che sono educatori, animatori o che fanno parte di qualche associazione cattolica per paura di essere isolati. Ma Nicodèmo rappresenta anche quei cristiani che decidono di incontrare Dio solo nel momento della notte, quando non si riesce a vedere più la luce. Tuttavia Gesù accoglie sempre. È felice di incontrarci e non importa quale motivo ci ha spinti a farlo: l'importante è vederci, nonostante la notte. Ai tanti Nicodèmo offre la possibilità di rinascere dall'alto, di vedere le cose da un altro punto di vista, di cambiare mentalità. Gesù chiede di affidarsi allo Spirito, di lasciarsi guidare da lui come la barca si lascia portare dal vento. E allora ogni notte sarà chiara come il giorno e ogni buio si trasformerà in alba.

PROPOSITO DEL GIORNO... Mi impegno a trovare un po' di tempo, nella mia giornata, per pregare o leggere un brano del Vangelo.

PRATICHE E FESTE DEL GIORNO...

- Pratiche e preghiere di ogni giorno consigliate per il mese di aprile *(pag. 727)*.

SANTI E BEATI DEL GIORNO

S. Caterina Tekakwitha • S. Innocenzo di Tortona • S. Roberto • B. Giacomo da Cerqueto • **B. Luciano Botovasoa**

BEATO LUCIANO BOTOVASOA: «Mi ha chiamato Dio a essere laico, insegnante e sposato».

A portarlo lungo il fiume per sgozzarlo è una banda di "rivoluzionari". A uno di loro Luciano profetizza: «Anche voi riceverete il Battesimo, ma in punto di morte», e la profezia si avvererà. **Poi prega per i suoi assassini prima di essere decapitato**. Così muore, martire per la fede, Luciano Botovasoa, che era nato in un villaggio del Madagascar nel 1908, aveva studiato dai Gesuiti ed era tornato in paese con il diploma di maestro. Nel 1930 si era sposato con Suzanne Soazana e avevano avuto otto figli. Egli viveva con gioia il suo ministero laicale: **«Sono molto contento della mia condizione, perché mi ha chiamato Dio a essere laico, insegnante e sposato»**.

Venuto a conoscenza della Regola dei Terziari Francescani, aveva cominciato a portare il cilicio, a digiunare; si alzava ogni notte per pregare in ginocchio, poi andava in chiesa alle 4 del mattino per pregare fino alla Messa. Nella Settimana Santa del **1947**, durante i disordini per l'indipendenza del Madagascar, inizia la caccia ai cristiani. Luciano fuggito nella foresta, è però costretto a ritornare al villaggio, perché gli indipendentisti minacciano di sterminare la sua famiglia. Viene processato nella notte del 16 aprile e poi giustiziato.

18 APRILE

MARTEDÌ

2ª settimana di Pasqua

bianco **2ª sett. salt.**

ANTIFONA D'INGRESSO - Rallegriamoci ed esultiamo, rendiamo gloria al Signore: ha preso possesso del suo regno il nostro Dio, l'Onnipotente *(Ap 19,7.6).* Alleluia.

COLLETTA - Dio onnipotente, donaci di proclamare la potenza del Signore risorto, per possedere in pienezza i doni che abbiamo ricevuto come pegno di vita nuova. Per il nostro Signore…

PRIMA LETTURA At 4,32-37

Dagli Atti degli Apostoli

La moltitudine di coloro che erano diventati credenti aveva un cuore solo e un'anima sola e nessuno considerava sua proprietà quello che gli apparteneva, ma fra loro tutto era comune. Con grande forza gli apostoli davano testimonianza della risurrezione del Signore Gesù e tutti godevano di grande favore.

Nessuno infatti tra loro era bisognoso, perché quanti possedevano campi o case li vendevano, portavano il ricavato di ciò che era stato venduto e lo deponevano ai piedi degli apostoli; poi veniva distribuito a ciascuno secondo il suo bisogno. Così Giuseppe, soprannominato dagli apostoli Bàrnaba, che significa "figlio dell'esortazione", un levìta originario di Cipro, padrone di un campo, lo vendette e ne consegnò il ricavato deponendolo ai piedi degli apostoli.
Parola di Dio.

SALMO RESPONSORIALE Dal Salmo 92 (93)

℟. **Il Signore regna, si riveste di maestà.**

Oppure:

℟. **Regna il Signore, glorioso in mezzo a noi.**

Oppure:

℟. **Alleluia, alleluia, alleluia.**

Il Signore regna, si riveste di maestà:
si riveste il Signore, si cinge di forza. ℟.

È stabile il mondo, non potrà vacillare.
Stabile è il tuo trono da sempre,
dall'eternità tu sei. ℟.

Davvero degni di fede i tuoi insegnamenti!
La santità si addice alla tua casa
per la durata dei giorni, Signore. ℞.

CANTO AL VANGELO Cfr. Gv 3,15

Alleluia, alleluia.
Bisogna che sia innalzato il Figlio dell'uomo,
perché chiunque crede in lui abbia la vita eterna.
Alleluia.

VANGELO Gv 3,7-15

✠ *Dal Vangelo secondo Giovanni*

In quel tempo, Gesù disse a Nicodèmo: «Non meravigliarti se ti ho detto: dovete nascere dall'alto. Il vento soffia dove vuole e ne senti la voce, ma non sai da dove viene né dove va: così è chiunque è nato dallo Spirito». Gli replicò Nicodèmo: «Come può accadere questo?». Gli rispose Gesù: «Tu sei maestro di Israele e non conosci queste cose? In verità, in verità io ti dico: noi parliamo di ciò che sappiamo e testimoniamo ciò che abbiamo veduto; ma voi non accogliete la nostra testimonianza. Se vi ho parlato di cose della terra e non credete, come crederete se vi parlerò di cose del cielo? Nessuno è mai salito al cielo, se non colui che è disceso dal cielo, il Figlio dell'uomo. E come Mosè innalzò il serpente nel deserto, così bisogna che sia innalzato il Figlio dell'uomo, perché chiunque crede in lui abbia la vita eterna». **Parola del Signore.**

SULLE OFFERTE - O Dio, che in questi santi misteri compi l'opera della nostra redenzione, fa' che questa celebrazione pasquale sia per noi fonte di perenne letizia. Per Cristo nostro Signore.

Oppure: La tua benevolenza, o Dio, preceda e accompagni con sollecitudine i tuoi fedeli e li conduca a ricevere degnamente questi divini misteri. Per Cristo nostro Signore.

Prefazio pasquale.

COMUNIONE - Cristo doveva patire e risorgere dai morti per entrare nella sua gloria *(Cfr. Lc 24,46.26)*. Alleluia.

Oppure: Nessuno è mai salito al cielo, se non colui che è disceso dal cielo, il Figlio dell'uomo *(Gv 3,13)*. Alleluia.

Dopo la Comunione - Esaudisci, o Signore, le nostre preghiere, perché la partecipazione al mistero della redenzione sia per noi aiuto nella vita presente e ci ottenga la gioia eterna. Per Cristo nostro Signore.

Oppure: Per la forza di questo sacramento donaci, o Signore, di testimoniare con la vita il glorioso mistero della morte e della risurrezione del tuo Figlio, che abbiamo annunciato in questa celebrazione. Egli vive e regna nei secoli dei secoli.

Commenti

1ª lettura - È il secondo "sommario", o quadro riassuntivo, dove Luca presenta lo stile di vita nuovo della Chiesa, frutto dello Spirito. Qui si sottolinea la condivisione dei beni, descritta in forma piuttosto dettagliata. Emergono due pratiche di condivisione: la prima consiste nel mettere in comune i propri beni o "condivisione d'uso". Ciascuno ha la proprietà dei suoi beni, ma se ne considera solo l'amministratore, mettendo il frutto di questi beni a disposizione di tutti. La seconda pratica consiste nella vendita dei beni, seguita dalla distribuzione del ricavato, distribuzione operata dagli apostoli, dopo che l'importo era stato deposto ai piedi degli stessi. Queste due pratiche di condivisione non sono le uniche: gli Atti ne presentano altre. Paolo parlerà del lavoro delle proprie mani per provvedere ai bisogni dei suoi e di «quelli che sono deboli». Quello che sta a cuore a Luca è mostrare che le varie pratiche di condivisione sono radicate in una profonda comunione di animi e di cuori. Dall'insieme emerge che siamo in presenza della comunità messianica, erede delle promesse fatte ai padri.

VANGELO - La risurrezione rende tutto più chiaro e la luce del Risorto ora illumina la notte in cui Nicodèmo era andato da Gesù con il desiderio di conoscere la verità. Gesù lo invita a uscire dai suoi schemi mentali, a rinascere dall'alto, facendo riferimento all'episodio dei morsi dei serpenti velenosi che si comprende solo dopo la croce e la tomba vuota: come Mosè aveva innalzato un serpente di bronzo così che gli ebrei potessero guarire, così Cristo, innalzato sulla croce, libera tutti dal morso del peccato e della morte. La croce diventa, allora, non solo la misura dell'amore di Dio, ma anche la giusta prospettiva per comprendere la nostra vita. Si può rinascere se facciamo della nostra vita un dono continuo, delle nostre capacità un'opportunità per gli altri, del nostro tempo un'attenzione rivolta ai fratelli. Rinascere dall'alto vuol dire ripartire ogni volta dall'amore di Dio per noi. È solo a partire da Dio che possiamo rileggere le nostre scelte e i nostri errori in una prospettiva diversa. Se ci lasciamo toccare dallo Spirito, l'Amore puro, rinascere dall'alto significherà capovolgere la mente e il cuore per diventare donne e uomini nuovi, capaci di mentalità e azioni dal sapore di cielo.

PROPOSITO DEL GIORNO... Spesso dimentichiamo di essere chiamati alla santità nella vita di tutti i giorni: oggi cerco di vivere, in casa e al lavoro, ricordando che il Signore mi vuole santo.

PRATICHE E FESTE DEL GIORNO...

- Pratiche e preghiere di ogni giorno consigliate per il mese di aprile *(pag. 727)*.
- Festa Madonna dell'Arco, Napoli.

SANTI E BEATI DEL GIORNO

S. Eusebio di Fano • B. Maria dell'Incarnazione Avrillot • B. Romano Archutowski • **Ven. Mercurio Maria Teresi**

VENERABILE MERCURIO MARIA TERESI:

diffondere in Sicilia la parola di Dio.

La vita di Mercurio Maria Teresi, ordinato sacerdote il 21 settembre 1765, è animata da **un ideale: portare in ogni angolo della Sicilia la parola di Dio, cosa che fa per quasi quarant'anni**.

Era nato il 10 ottobre 1742 a Montemaggiore Belsito, da Cruciano e Margherita Nasca, e la tradizione su di lui registra che «ben presto mostrò singolare pietà, ma sembrava negato agli studi per la sua mente ottusa. In seguito però, **dopo le continue preghiere davanti alla statua della Madonna dell'Udienza**, secondo la tradizione, **si sentì posare una mano sulla testa e ottenne una tale intelligenza** che, a 18 anni poté scrivere la prima opera sull'Immacolato Concepimento di Maria». **Aveva effettivamente 18 anni quando scrisse la sua prima opera sull'Immacolata Concezione di Maria**.

Il 24 maggio 1802, papa Pio VII lo nomina arcivescovo di Monreale, ma rimane in carica per soli tre anni: muore infatti a Monreale il 18 aprile 1805. Si narra che, nell'ora in cui moriva, le campane della chiesa parrocchiale di Montemaggiore Belsito suonarono da sole per dare l'annuncio della sua nascita al cielo.

19 APRILE

MERCOLEDÌ

2ª settimana di Pasqua

bianco **2ª sett. salt.**

ANTIFONA D'INGRESSO - Ti loderò, Signore, tra le genti, e annuncerò il tuo nome ai miei fratelli *(Cfr. Sal 17,50; 21,23)*. Alleluia.

COLLETTA - O Padre, che nella Pasqua del tuo Figlio hai ristabilito l'uomo nella dignità perduta e gli hai dato la speranza della risurrezione, fa' che accogliamo nell'amore il mistero celebrato ogni anno nella fede. Per il nostro Signore…

PRIMA LETTURA At 5,17-26

Dagli Atti degli Apostoli

In quei giorni, si levò il sommo sacerdote con tutti quelli della sua parte, cioè la setta dei sadducèi, pieni di gelosia, e, presi gli apostoli, li gettarono nella prigione pubblica. Ma, durante la notte, un angelo del Signore aprì le porte del carcere, li condusse fuori e disse: «Andate e proclamate al popolo, nel tempio, tutte queste parole di vita». Udito questo, entrarono nel tempio sul far del giorno e si misero a insegnare. Quando arrivò il sommo sacerdote con quelli della sua parte, convocarono il sinedrio, cioè tutto il senato dei figli d'Israele; mandarono quindi a prelevare gli apostoli nella prigione. Ma gli inservienti, giunti sul posto, non li trovarono nel carcere e tornarono a riferire: «Abbiamo trovato la prigione scrupolosamente sbarrata e le guardie che stavano davanti alle porte, ma, quando abbiamo aperto, non vi abbiamo trovato nessuno». Udite queste parole, il comandante delle guardie del tempio e i capi dei sacerdoti si domandavano perplessi a loro riguardo che cosa fosse successo. In quel momento arrivò un tale a riferire loro: «Ecco, gli uomini che avete messo in carcere si trovano nel tempio a insegnare al popolo». Allora il comandante uscì con gli inservienti e li condusse via, ma senza violenza, per timore di essere lapidati dal popolo. **Parola di Dio.**

SALMO RESPONSORIALE Dal Salmo 33 (34)

℟. **Il povero grida e il Signore lo ascolta.**

Oppure:

℟. **Alleluia, alleluia, alleluia.**

Benedirò il Signore in ogni tempo,
sulla mia bocca sempre la sua lode.

Io mi glorio nel Signore:
i poveri ascoltino e si rallegrino. ℟.

Magnificate con me il Signore,
esaltiamo insieme il suo nome.
Ho cercato il Signore: mi ha risposto
e da ogni mia paura mi ha liberato. ℟.

Guardate a lui e sarete raggianti,
i vostri volti non dovranno arrossire.
Questo povero grida e il Signore lo ascolta,
lo salva da tutte le sue angosce. ℟.

L'angelo del Signore si accampa
attorno a quelli che lo temono, e li libera.
Gustate e vedete com'è buono il Signore;
beato l'uomo che in lui si rifugia. ℟.

CANTO AL VANGELO Gv 3,16

Alleluia, alleluia.
Dio ha tanto amato il mondo
da dare il Figlio unigenito,
perché chiunque crede in lui non vada perduto,
ma abbia la vita eterna.
Alleluia.

VANGELO Gv 3,16-21

✠ *Dal Vangelo secondo Giovanni*

In quel tempo, Gesù disse a Nicodèmo: «Dio ha tanto amato il mondo da dare il Figlio unigenito, perché **chiunque crede in lui non vada perduto**, ma abbia la vita eterna. Dio, infatti, non ha mandato il Figlio nel mondo per condannare il mondo, ma perché il mondo sia salvato per mezzo di lui. Chi crede in lui non è condannato; ma chi non crede è già stato condannato, perché non ha creduto nel nome dell'unigenito Figlio di Dio. E il giudizio è questo: la luce è venuta nel mondo, ma gli uomini hanno amato più le tenebre che la luce, perché le loro opere erano malvagie. Chiunque infatti fa il male, odia la luce, e non viene alla luce perché le sue opere non vengano riprovate. Invece chi fa la verità viene verso la luce, perché appaia chiaramente che le sue opere sono state fatte in Dio». **Parola del Signore.**

SULLE OFFERTE - O Dio, che nella comunione mirabile a questo sacrificio ci hai resi partecipi della tua natura divina, dona a noi, che abbiamo conosciuto la tua verità, di testimoniarla con una degna condotta di vita. Per Cristo nostro Signore.

Oppure: Con i doni della Chiesa accetta, o Signore,

come sacrificio a te gradito, noi tuoi servi, configurati a immagine del tuo Figlio, e confermati con il sigillo dello Spirito. Per Cristo nostro Signore.

Prefazio pasquale.

COMUNIONE - Dice il Signore: «Io ho scelto voi e vi ho costituiti perché andiate e portiate frutto e il vostro frutto rimanga» *(Gv 15,16)*. Alleluia.
Oppure: La luce è venuta nel mondo. Chi fa la verità viene alla luce *(Cfr. Gv 3,19.21)*. Alleluia.

DOPO LA COMUNIONE - Assisti con bontà il tuo popolo, o Signore, e poiché lo hai colmato della grazia di questi santi misteri, donagli di passare dalla nativa fragilità umana alla vita nuova nel Cristo risorto. Egli vive e regna nei secoli dei secoli.
Oppure: Concedi, o Padre, che, nutriti con il sacramento del Corpo e del Sangue del tuo Figlio, cresciamo nella comunione del suo Spirito e nell'amore dei fratelli, fino a raggiungere nella carità operosa la pienezza del Corpo di Cristo. Egli vive e regna nei secoli dei secoli.

Commenti

1ª LETTURA - La parola di Dio non può essere imprigionata: l'episodio è una dimostrazione della verità di questa affermazione. La casta sacerdotale è preoccupata: non solo c'è il furore dei sadducèi che vedono annunciata la risurrezione, nella quale non credono, ma si aggiunge anche la loro invidia, cioè il timore di perdere l'influenza sul popolo. Messi in prigione, gli apostoli sperimentano che «l'angelo del Signore si accampa attorno a quelli che lo temono e li libera» (Sal 34,8). Li libera perché possano andare nel tempio a mettersi a predicare tutte le «parole di vita». Dio protegge gli annunciatori del Vangelo e ogni opposizione umana al suo progetto è inutile e ridicola. Il resto del racconto infatti è pieno di umorismo. Il gran dispiegamento di autorità, dal momento che il sinedrio è questa volta presentato al completo, serve solo a verificare la beffa divina: gli apostoli non sono in carcere, benché là nel carcere tutto sia in ordine. Ma ecco: arriva uno a dire che stanno di nuovo insegnando al popolo. La beffa è completa e l'imbarazzo cresce a dismisura. Chi può infatti resistere a Dio?

Vangelo - Dio ha talmente amato il mondo da mandare il suo Figlio a salvarlo; non a giudicarlo, ma a svelare il suo vero volto di Padre. Il desiderio profondo di Dio è la mia salvezza: egli desidera la mia pienezza e la mia gioia più di ogni altra cosa. Ma questa felicità è giocata nel mistero della libertà: posso (drammaticamente) rifiutarmi di accogliere la Parola, disinteressarmene, presumendo di sapere in cosa consista la mia felicità. Dio non condanna il mondo, eppure il mondo ha condannato Gesù e continua a condannarlo nei poveri, negli immigrati, nei deboli, nei bambini abortiti, negli anziani dimenticati, nei giovani derubati del futuro, nei disoccupati, nelle famiglie lasciate sempre più sole. La vita è una cosa seria e la felicità un percorso che richiede fatica e costanza: la croce di Gesù testimonia, se ancora ce ne fosse bisogno, fino a che punto Dio è disposto ad amarci e a collaborare alla nostra gioia. Nicodèmo ora conosce il vero volto di Dio, ora sa. Deve scegliere, e anche noi. Lasciamo che lo Spirito ci scuota, crediamo e avviciniamoci al vero volto di Dio che Gesù ci svela. Andiamo verso la luce e scopriremo la verità, di noi stessi e dell'amore di Dio per noi.

PROPOSITO DEL GIORNO... Oggi cerco di testimoniare la fede con la mia vita, senza troppi discorsi inutili, anche tra persone non credenti, perché il messaggio di salvezza che Gesù è venuto a portarci possa raggiungere tutti.

PRATICHE E FESTE DEL GIORNO...

- Pratiche e preghiere di ogni giorno consigliate per il mese di aprile *(pag. 727)*.
- 1° giorno novena a santa Gianna Beretta Molla (cod. 8475).
- 1° giorno novena a san Luigi Maria Grignion de Montfort.
- Festa Madonna dei Monti, Ornago (Milano).

SANTI E BEATI DEL GIORNO

S. Giorgio di Antiochia • S. Leone IX • S. Marta di Persia • B. Giacomo Duckett • **B. Gaetana (Nuccia) Tolomeo**

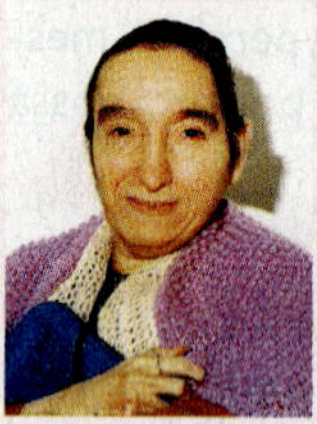

BEATA GAETANA (NUCCIA) TOLOMEO:

«Solo l'amore salva... Sorridete sempre».

Il testamento spirituale di Nuccia, al secolo Gaetana Tolomeo, è un inno di grazie al Signore: **«Voglio ringraziarti in modo particolare per il dono dell'immobilità, che è stato per me una vera scuola di abbandono, di umiltà, di pazienza e di gratitudine**... Solo l'amore salva... Sorridete sempre». La donna che scrive queste righe ha conosciuto la sofferenza da quando è piccolissima. Nuccia nasce il 19 aprile 1936 a Catanzaro. Il papà gestisce un'impresa di autotrasporti, la mamma, una casalinga piena di fede, si dedica con amore e dedizione alla figlia. Quando comincia a muovere i primi passi, la bambina si regge con difficoltà in piedi: un male oscuro l'ha colpita. Contemplando il Crocifisso, inizia allora un percorso di sequela di Cristo.

Quel rosario, costantemente legato alle mani di Nuccia, era il segreto del suo cammino verso Gesù. A circa 15 anni, quando va a Lourdes, scrive: **«Mi offrii vittima e pregai per la conversione dei peccatori»**. Nei primi mesi del 1994 inizia un'intensa azione missionaria a Radio Maria. Tantissime erano le persone che le telefonavano o le scrivevano da tutta Italia. Muore il 24 gennaio **1997**.

20 APRILE

GIOVEDÌ

2ª settimana di Pasqua

bianco **2ª sett. salt.**

ANTIFONA D'INGRESSO - O Dio, quando uscivi davanti al tuo popolo, aprivi la strada e abitavi con loro, la terra tremò e si aprirono i cieli *(Cfr. Sal 67,8-9).* Alleluia.

COLLETTA - O Dio, che hai compiuto il sacrificio della Pasqua per la salvezza del mondo, ascolta le preghiere del tuo popolo: Cristo, Sommo Sacerdote che intercede per noi, come vero uomo ci doni la riconciliazione e come vero Dio ci liberi dal peccato. Egli è Dio…

PRIMA LETTURA At 5,27-33

Dagli Atti degli Apostoli

In quei giorni, [il comandante e gli inservienti] condussero gli apostoli e li presentarono nel sinedrio; il sommo sacerdote li interrogò dicendo: «Non vi avevamo espressamente proibito di insegnare in questo nome? Ed ecco, avete riempito Gerusalemme del vostro insegnamento e volete far ricadere su di noi il sangue di quest'uomo». Rispose allora Pietro insieme agli apostoli: «Bisogna obbedire a Dio invece che agli uomini. Il Dio dei nostri padri ha risuscitato Gesù, che voi avete ucciso appendendolo a una croce. Dio lo ha innalzato alla sua destra come capo e salvatore, per dare a Israele conversione e perdono dei peccati. E di questi fatti siamo testimoni noi e lo Spirito Santo, che Dio ha dato a quelli che gli obbediscono». All'udire queste cose essi si infuriarono e volevano metterli a morte. **Parola di Dio.**

SALMO RESPONSORIALE Dal Salmo 33 (34)

℟. **Ascolta, Signore, il grido del povero.**

Oppure:

℟. **Alleluia, alleluia, alleluia.**

Benedirò il Signore in ogni tempo,
sulla mia bocca sempre la sua lode.
Gustate e vedete com'è buono il Signore;
beato l'uomo che in lui si rifugia. ℟.

Il volto del Signore contro i malfattori,

per eliminarne dalla terra il ricordo.
Gridano i giusti e il Signore li ascolta,
li libera da tutte le loro angosce. ℟.

Il Signore è vicino a chi ha il cuore spezzato,
egli salva gli spiriti affranti.
Molti sono i mali del giusto,
ma da tutti lo libera il Signore. ℟.

CANTO AL VANGELO Gv 20,29

Alleluia, alleluia.
Perché mi hai veduto, Tommaso, tu hai creduto;
beati quelli che non hanno visto e hanno creduto.
Alleluia.

VANGELO Gv 3,31-36

✠ *Dal Vangelo secondo Giovanni*

Chi viene dall'alto è al di sopra di tutti; ma chi viene dalla terra, appartiene alla terra e parla secondo la terra. Chi viene dal cielo è al di sopra di tutti. Egli attesta ciò che ha visto e udito, eppure nessuno accetta la sua testimonianza. Chi ne accetta la testimonianza, conferma che Dio è veritiero. Colui infatti che Dio ha mandato dice le parole di Dio: senza

misura egli dà lo Spirito. Il Padre ama il Figlio e gli ha dato in mano ogni cosa. Chi crede nel Figlio ha la vita eterna; chi non obbedisce al Figlio non vedrà la vita, ma l'ira di Dio rimane su di lui.
Parola del Signore.

SULLE OFFERTE - Salgano a te, o Signore, le nostre preghiere insieme all'offerta di questo sacrificio, perché, purificati dal tuo amore, possiamo accostarci al sacramento della tua grande misericordia. Per Cristo nostro Signore.
Oppure: Signore, che ti sei acquistato una moltitudine di figli con l'unico e perfetto sacrificio di Cristo, concedi a noi, nella tua Chiesa, il dono dell'unità e della pace. Per Cristo nostro Signore.

Prefazio pasquale.

COMUNIONE - Ecco, io sono con voi tutti i giorni sino alla fine del mondo *(Mt 28,20).* Alleluia.
Oppure: Colui che Dio ha mandato annuncia le parole di Dio e dona lo Spirito senza misura *(Cfr. Gv 3,34).* Alleluia.

DOPO LA COMUNIONE - Dio onnipotente, che nella risurrezione di Cristo ci fai nuove creature per la vita eterna, accresci in noi i frutti del sacramento pasquale e infondi nei nostri cuori la forza di questo nutrimento di salvezza. Per Cristo nostro Signore.
Oppure: Guarda, o Padre, i tuoi fedeli che hai nutrito di Cristo, pane vivo, perché, con la luce della fede e con la forza della carità, costruiscano e allietino la tua Chiesa. Per Cristo nostro Signore.

Commenti

1ª LETTURA - È il quarto discorso di Pietro, ancora davanti al sinedrio, in risposta alla duplice accusa di aver disobbedito «insegnando in questo nome», e di aver incolpato i notabili del popolo per la morte di Gesù. Da notare l'allergia verso «questo nome» da parte del sinedrio, nome attorno al quale si sta verificando la grande svolta. Le caratteristiche di questo breve discorso possono essere così riassunte: in primo luogo, Pietro riafferma il dovere di sottomettersi a Dio più che agli uomini, perché solo a chi si sottomette a lui è dato lo Spirito Santo. In secondo luogo, Gesù è chiamato una volta ancora «capo e salvatore», nuovo Mosè che guida il popolo verso la liberazione e la salvezza. In terzo luogo, l'opera di questo capo e salvatore consiste nel «dare a Israele conversione e perdono dei peccati». Infine: è lo Spirito Santo il garante dell'autenticità della testimonianza, sia per la vita nuova, sia per la certezza del coraggio che infonde, sia per i prodigi che opera. La reazione, rabbiosa, è preoccupante: dopo il Nazareno, si pensa all'eliminazione fisica anche degli apostoli.

VANGELO - Alla fine del discorso di Gesù a Nicodèmo, Giovanni fa una sintesi, inanellando una serie di detti di Gesù molto cari alla comunità destinataria del suo Vangelo. Il tema centrale rimane la figura di Gesù, unico rivelatore del Padre e donatore di vita eterna, attraverso lo Spirito Santo. Gesù ha mostrato il vero volto di Dio: un Padre che perdona, accoglie, guarisce, piange con noi e dona sempre una nuova possibilità di vita. Tutt'altra cosa da quel Dio che molte volte immaginiamo e imprechiamo perché punisce e castiga. Questa è un'idea di Dio che, purtroppo, è dura a morire nell'immaginario comune. Giovanni, invece, oggi ci spiega che l'unica cosa che Dio manda dal cielo è una persona: il Figlio Gesù, l'amato, il prediletto. Sarà questo Figlio a essere sacrificato per noi, perché noi possiamo imparare davvero cosa significhi essere amati da Dio. Infatti «chi crede nel Figlio ha la vita eterna», perché chi crede nell'amore non può che vivere in eterno! Lasciamoci amare da Gesù, abbattiamo ogni barriera e togliamo gli ostacoli che nel tempo abbiamo frapposto fra il nostro cuore e la sua misericordia. Scopriremo, così, che l'unica cosa che desideriamo davvero è essere amati così come siamo.

☐ **PROPOSITO DEL GIORNO...** Oggi faccio una telefonata a una persona che si trova in una situazione di sofferenza per farle sentire l'abbraccio consolante del Dio che salva.

☐ **PRATICHE E FESTE DEL GIORNO...**

- Pratiche e preghiere di ogni giorno consigliate per il mese di aprile *(pag. 727)*.
- I quindici giovedì di santa Rita: 12° giovedì (cod. 8036, 8352), secondo lo schema in uso nel santuario di Santa Rita da Cascia.
- 1° giorno novena a santa Caterina da Siena.

SANTI E BEATI DEL GIORNO

S. Agnese da Montepulciano • S. Marcellino d'Embrun • B. Antonio Page • **B. Michele Coquelet**

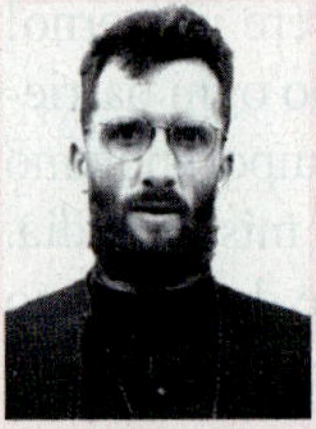

BEATO MICHELE COQUELET:
la vita per il Laos.

«Questo è ciò che le dirò semplicemente: **sono volontario per le missioni, specialmente per la missione del Laos!**». Sono queste le parole che Michele Coquelet – nato nel 1931 in Francia in una famiglia povera, numerosa e profondamente cristiana – scrive al superiore generale dei Missionari Oblati di Maria Immacolata per dichiarare di essere pronto alla missione.

La sua non è una domanda formale, ma un'offerta volontaria. Il 25 gennaio 1957 giunge la consegna: viene inviato in Laos, dove fa parte del corpo docente del seminario minore di Paksane, perché ha la particolare dote di saper comunicare con i ragazzi. Nel 1961 viene trasferito a Phôn Pheng, un villaggio cristiano. Già da tempo, però, aveva dovuto prendere delle precauzioni: i missionari erano stati denunciati come spie dagli abitanti dei villaggi non cristiani.

Il 17 aprile **1961** il missionario parte per raggiungere un malato a Ban Nam Pan. Quando sta facendo ritorno alla sua missione, il 20 aprile, non sa che il suo confratello e amico Louis Leroy è stato ucciso due giorni prima da un drappello di militanti. Anche lui viene fermato dai guerriglieri, che lo conducono via in direzione di Ban Sop Tieng e lo uccidono sul bordo della strada. Aveva 29 anni.

21 APRILE

VENERDÌ

2ª settimana di Pasqua

bianco **2ª sett. salt.**

S. Anselmo, vescovo e dottore della Chiesa (mf)

ANTIFONA D'INGRESSO - Ci hai riscattati, Signore, con il tuo sangue, uomini di ogni tribù, lingua, popolo e nazione: hai fatto di noi un regno di sacerdoti per il nostro Dio *(Cfr. Ap 5,9-10)*. Alleluia.

COLLETTA - O Dio, speranza e luce di chi ti cerca con cuore sincero, donaci di innalzare una preghiera a te gradita e di esaltarti sempre con il servizio della lode. Per il nostro Signore…

PRIMA LETTURA At 5,34-42

Dagli Atti degli Apostoli

In quei giorni, si alzò nel sinedrio un fariseo, di nome Gamalièle, dottore della Legge, stimato da tutto il popolo. Diede ordine di far uscire [gli apostoli] per un momento e disse: «Uomini di Israele, badate bene a ciò che state per fare a questi uomini. Tempo fa sorse Tèuda, infatti, che pretendeva di essere qualcuno, e a lui si aggregarono circa quattrocento uomini. Ma fu ucciso, e quelli che si erano lasciati persuadére da lui furono dissolti e finirono nel nulla. Dopo di lui sorse Giuda il Galileo, al tempo del censimento, e indusse gente a seguirlo, ma anche lui finì male, e quelli che si erano lasciati persuadére da lui si dispersero. Ora perciò io vi dico: non occupatevi di questi uomini e lasciateli andare. Se infatti questo piano o quest'opera fosse di origine umana, verrebbe distrutta; ma, se viene da Dio, non riuscirete a distruggerli. Non vi accada di trovarvi addirittura a combattere contro Dio!». Seguirono il suo parere e, richiamati gli apostoli, li fecero flagellare e ordinarono loro di non parlare nel nome di Gesù. Quindi li rimisero in libertà. Essi allora se ne andarono via dal sinedrio, lieti di essere stati giudicati degni di subire oltraggi per il nome di Gesù. E ogni giorno, nel tempio e nelle case, non cessavano di insegnare e di annunciare che Gesù è il Cristo. **Parola di Dio.**

SALMO RESPONSORIALE — Dal Salmo 26 (27)

℟. **Una cosa ho chiesto al Signore:**
abitare nella sua casa.

Oppure:

℟. **Alleluia, alleluia, alleluia.**

Il Signore è mia luce e mia salvezza:
di chi avrò timore?
Il Signore è difesa della mia vita:
di chi avrò paura? R.

Una cosa ho chiesto al Signore,
questa sola io cerco:
abitare nella casa del Signore
tutti i giorni della mia vita,
per contemplare la bellezza del Signore
e ammirare il suo santuario. R.

Sono certo di contemplare la bontà del Signore
nella terra dei viventi.
Spera nel Signore, sii forte,
si rinsaldi il tuo cuore e spera nel Signore. R.

CANTO AL VANGELO Mt 4,4b

Alleluia, alleluia.
Non di solo pane vivrà l'uomo,
ma di ogni parola che esce dalla bocca di Dio.
Alleluia.

VANGELO Gv 6,1-15

✠ *Dal Vangelo secondo Giovanni*
In quel tempo, Gesù passò all'altra riva del mare di

Galilea, cioè di Tiberìade, e lo seguiva una grande folla, perché vedeva i segni che compiva sugli infermi. Gesù salì sul monte e là si pose a sedere con i suoi discepoli. Era vicina la Pasqua, la festa dei Giudei. Allora Gesù, alzàti gli occhi, vide che una grande folla veniva da lui e disse a Filippo: «Dove potremo comprare il pane perché costoro abbiano da mangiare?». Diceva così per metterlo alla prova; egli infatti sapeva quello che stava per compiere. Gli rispose Filippo: «Duecento denari di pane non sono sufficienti neppure perché ognuno possa riceverne un pezzo». Gli disse allora uno dei suoi discepoli, Andrea, fratello di Simon Pietro: «C'è qui un ragazzo che ha cinque pani d'orzo e due pesci; ma che cos'è questo per tanta gente?». Rispose Gesù: «Fateli sedere». C'era molta erba in quel luogo. Si misero dunque a sedere ed erano circa cinquemila uomini. Allora Gesù prese i pani e, dopo aver reso grazie, li diede a quelli che erano seduti, e lo stesso fece dei pesci, quanto ne volevano. E quando furono saziati, disse ai suoi discepoli: «Raccogliete i pezzi avanzati, perché nulla vada perduto». Li raccolsero e riempirono dodici canestri con i pezzi dei cinque pani d'orzo, avanzati a coloro che avevano mangiato. Allora la gente, visto il segno che egli aveva compiuto, diceva: «Questi è davvero il profeta, colui che viene nel mondo!». Ma Gesù, sapendo che venivano a prenderlo per farlo re, si ritirò di nuovo sul monte, lui da solo. **Parola del Signore.**

Sulle offerte - Accogli, Padre misericordioso, le offerte di questa famiglia, perché con l'aiuto della tua protezione custodisca i doni ricevuti e raggiunga quelli eterni. Per Cristo nostro Signore.
Oppure: Per questo memoriale dell'immenso amore del tuo Figlio ti chiediamo umilmente, o Padre, che il frutto della sua opera redentrice, per il ministero della tua Chiesa, giovi alla salvezza del mondo intero. Per Cristo nostro Signore.

Prefazio pasquale.

Comunione - Gesù, nostro Signore, è stato consegnato alla morte a causa delle nostre colpe, ed è stato risuscitato per la nostra giustificazione *(Rm 4,25).* Alleluia.
Oppure: Gesù prese i pani, rese grazie, ne distribuì a quelli che erano seduti, quanti ne volevano *(Cfr. Gv 6,11).* Alleluia.

Dopo la Comunione - Custodisci con instancabile amore, o Padre, il popolo che hai salvato, perché coloro che sono stati redenti dalla passione del tuo Figlio partecipino alla gioia della sua risurrezione. Egli vive e regna nei secoli dei secoli.

Oppure: O Dio, che sempre nutri e fortifichi la Chiesa con i tuoi sacramenti, concedi a noi, saziati al convito del cielo, di seguire gli insegnamenti del tuo amore, per essere nel mondo lievito di vita e strumento di salvezza. Per Cristo nostro Signore.

Commenti

1ª LETTURA - L'intervento di Gamalièle, dottore della Legge, è prudente e decisivo. Partendo da due esempi di ribellioni, finite in poco tempo, enuncia un "principio di non intervento", in nome del costante intervento di Dio a favore del suo popolo. Non si può andare contro l'operare divino con un intervento umano. Gli apostoli sono lasciati liberi, dopo che, come Gesù, sono stati fatti fustigare. Degna di nota è la loro gioia per essere stati oltraggiati per amore del Nome. C'è qui un'eco della beatitudine dei perseguitati, ma c'è anche da notare che si parla del Nome in assoluto per indicare Gesù. Nel giudaismo si diceva "il Nome" per dire Dio. Gli Atti operano questa sostituzione per dire che Dio opera in Gesù, che Dio si identifica con lui. E ancora: il fatto che gli apostoli insegnino nel tempio significa che, nonostante le incomprensioni e gli abusi di potere delle autorità, la Chiesa di Gerusalemme vedeva ancora sé stessa nell'ambito del giudaismo. Oggi si direbbe: era ancora una corrente, una setta del giudaismo. Finché non arriva il ciclone Stefano, che obbliga a una svolta dolorosa, ma vitale.

VANGELO - Come Filippo e Andrea anche tu pensi di avere poco da donare agli altri? Cinque pani e due pesci, che saranno mai per saziare la fame d'amore di quelli che ti circondano? Il fatto è che tu vedi cinque e due, Dio vede cinque più due: sette. Nel linguaggio biblico, il sette indica la pienezza e perciò, se metti nelle mani di Gesù quello che credi sia il tuo poco, lui lo moltiplicherà affinché diventi pienezza di vita per te e dono da condividere in abbondanza con gli altri. Solo quando avrai spezzato il pane con il fratello, ti accorgerai di non aver più fame, perché sarai sazio di gioia. Ma c'è una condizione affinché tutto questo avvenga: alzare gli occhi. Gesù, «alzàti gli occhi», si accorge delle necessità della gente che lo segue, percepisce la loro fame, che non è solo quella di pane, ma soprattutto di senso. Dobbiamo imitare Gesù e alzare gli occhi. Dobbiamo, cioè, ritornare a vedere l'altro con la sua storia, le sue difficoltà, i suoi sogni. Impegniamoci ad alzare gli occhi e a guardare gli altri con lo sguardo di Gesù. Se faremo così, anche quel poco che ci portiamo dentro (ma che poco non è!) diventerà occasione per alzare gli occhi al cielo e ringraziare Dio del suo amore per noi.

☐ **PROPOSITO DEL GIORNO...** Oggi ripeto mentalmente più volte, durante il giorno, la frase evidenziata «Il Signore è mia luce e mia salvezza: di chi avrò timore?» e affido al Signore le paure che vivo.

☐ **PRATICHE E FESTE DEL GIORNO...**

- Pratiche e preghiere di ogni giorno consigliate per il mese di aprile *(pag. 727)*.
- Via Lucis (cod. 8001, 8527).
- Preghiera a sant'Anselmo.
- 1° giorno novena a san Giuseppe Cottolengo.

ALTRI SANTI E BEATI DEL GIORNO

S. Apollonio di Roma • S. Corrado Birndorfer da Parzham • S. Romano Adame • B. Bartolomeo Cerveri

SANT'ANSELMO D'AOSTA:
un monaco innamorato di Dio.

«**Dio, ti prego, voglio conoscerti, voglio amarti** e poterti godere», così pregava Anselmo. Fu la madre, la nobile Ermengarda d'Aosta, a instillargli l'amore appassionato verso Dio, mentre gli anni della sua giovinezza furono segnati dal contrasto con il padre che si opponeva alla sua volontà di entrare in monastero. Come racconta il suo biografico, dopo la morte della madre Anselmo rischiò di perdersi «in balia dei flutti della vita mondana», ma la provvidenza non lo permise. Verso il 1060 si recò in Normandia, nell'abbazia benedettina di Notre-Dame-du-Bec, alla scuola di Lanfranco di Pavia, a quel tempo priore di Le Bec. A 27 anni vestì l'abito e venne ordinato sacerdote. Quando Lanfranco lasciò Le Bec, Anselmo lo sostituì. **Con i suoi discepoli, preferì usare mitezza e intelligenza, piuttosto che la forza**. Elevato alla dignità di arcivescovo primate d'Inghilterra, il mite monaco dovette lottare contro l'ostilità dei sovrani inglesi, ma difese la Chiesa, anche se questo gli costò l'esilio, dal quale poté tornare solo nel 1106. Morì tre anni dopo, il 21 aprile 1109, accompagnato dalle parole della santa Messa di quel giorno: **«Voi siete quelli che avete perseverato con me nelle mie prove; e io preparo per voi un regno»**.

22 APRILE

SABATO

2ª settimana di Pasqua
bianco 2ª sett. salt.

ANTIFONA D'INGRESSO - Voi, popolo che Dio si è acquistato, proclamate le sue opere meravigliose: dalle tenebre vi ha chiamati alla sua ammirabile luce *(Cfr. 1Pt 2,9)*. Alleluia.

COLLETTA - O Dio, che nei misteri pasquali hai aperto ai tuoi fedeli la porta della misericordia, volgi il tuo sguardo su di noi e abbi pietà, perché, seguendo la via della tua volontà, per tua grazia non ci allontaniamo mai dal sentiero della vita. Per il nostro Signore…
Oppure: Cancella, o Padre, il documento scritto contro di noi per la legge del peccato, già revocato nel mistero pasquale con la risurrezione del Cristo tuo Figlio. Egli è Dio…

PRIMA LETTURA At 6,1-7

Dagli Atti degli Apostoli
In quei giorni, aumentando il numero dei discepoli, quelli di lingua greca mormorarono contro quelli

di lingua ebraica perché, nell'assistenza quotidiana, venivano trascurate le loro vedove. Allora i Dodici convocarono il gruppo dei discepoli e dissero: «Non è giusto che noi lasciamo da parte la parola di Dio per servire alle mense. Dunque, fratelli, cercate fra voi sette uomini di buona reputazione, pieni di Spirito e di sapienza, ai quali affideremo questo incarico. Noi, invece, ci dedicheremo alla preghiera e al servizio della Parola». Piacque questa proposta a tutto il gruppo e scelsero Stefano, uomo pieno di fede e di Spirito Santo, Filippo, Pròcoro, Nicànore, Timone, Parmenàs e Nicola, un prosèlito di Antiòchia. Li presentarono agli apostoli e, dopo aver pregato, imposero loro le mani. E la parola di Dio si diffondeva e il numero dei discepoli a Gerusalemme si moltiplicava grandemente; anche una grande moltitudine di sacerdoti aderiva alla fede. **Parola di Dio.**

SALMO RESPONSORIALE Dal Salmo 32 (33)

℟. **Su di noi sia il tuo amore, Signore.**

Oppure:

℟. **Alleluia, alleluia, alleluia.**

Esultate, o giusti, nel Signore;
per gli uomini retti è bella la lode.

Lodate il Signore con la cetra,
con l'arpa a dieci corde a lui cantate. R.

Perché retta è la parola del Signore
e fedele ogni sua opera.
Egli ama la giustizia e il diritto;
dell'amore del Signore è piena la terra. R.

Ecco, l'occhio del Signore è su chi lo teme,
su chi spera nel suo amore,
per liberarlo dalla morte
e nutrirlo in tempo di fame. R.

CANTO AL VANGELO

Alleluia, alleluia.
Cristo è risorto, lui che ha creato il mondo,
e ha salvato gli uomini nella sua misericordia.
Alleluia.

VANGELO

Gv 6,16-21

✠ *Dal Vangelo secondo Giovanni*

Venuta la sera, i discepoli di Gesù scesero al mare, salirono in barca e si avviarono verso l'altra riva del mare in direzione di Cafàrnao. Era ormai buio e Gesù non li aveva ancora raggiunti; il mare era agitato, perché soffiava un forte vento. Dopo aver remato per circa tre o quattro miglia, videro Gesù che camminava sul mare e si avvicinava alla barca, ed ebbero paura. Ma egli disse loro: «Sono io, non abbiate paura!». Allora vollero prenderlo sulla barca, e subito la barca toccò la riva alla quale erano diretti. **Parola del Signore.**

SULLE OFFERTE - Santifica, o Signore, i doni che ti presentiamo e, accogliendo questo sacrificio spirituale, trasforma anche noi in offerta perenne a te gradita. Per Cristo nostro Signore.

Oppure: Accogli con amore, Padre santo, i doni che ti offriamo e concedi ai tuoi fedeli di seguire il tuo Figlio con animo lieto e libertà di spirito. Egli vive e regna nei secoli dei secoli.

Prefazio pasquale.

COMUNIONE - Padre, quelli che mi hai dato siano anch'essi con me dove sono io, perché contemplino la gloria che mi hai dato *(Gv 17,24).* Alleluia.

Oppure: I discepoli presero Gesù sulla barca e subito la barca toccò la riva *(Cfr. Gv 6,21).* Alleluia.

DOPO LA COMUNIONE - O Padre, che ci hai nutriti con questo sacramento, ascolta la nostra umile preghiera: il memoriale della Pasqua, che Cristo tuo Figlio ci ha comandato di celebrare, ci edifichi sempre nel vincolo della tua carità. Per Cristo nostro Signore.

Oppure: O Dio, che in questo mirabile sacramento comunichi alla Chiesa forza e consolazione, dona al tuo popolo di aderire a Cristo nella celebrazione di questi santi misteri perché, attraverso il lavoro quotidiano, edifichi nella libertà il tuo regno che rimane in eterno. Per Cristo nostro Signore.

Commenti

1ª LETTURA - Il quadro idilliaco della comunità con «un cuore solo e un'anima sola», tracciato nelle prime pagine degli Atti (4,32), sembra offuscarsi improvvisamente. Sorgono le prime tensioni, ma il realismo di Luca ha la meglio: i problemi ci sono, le tensioni appartengono anche alle comunità più perfette. Vanno affrontate creativamente e comunitariamente, soprattutto non devono bloccare la comunità in dispute perenni, non devono impedire la diffusione del Vangelo. Tutto va visto con occhio positivo, anche il malcontento, considerato dagli apostoli non come un gesto di ribellione, ma come il sintomo di un problema da affrontare e da risolvere. È un segno di saggezza, che non sempre si è ripetuto nella storia della Chiesa, con notevoli conseguenze. Occorre grande libertà e distacco da parte di chi detiene l'autorità per affrontare le difficoltà con spirito creativo. Occorre il senso della fraternità cristiana, capace di ascoltare, di dialogare, di cercare assieme soluzioni più corrispondenti alle nuove situazioni. Gli apostoli danno qui un esempio di flessibilità e di guida sapiente della comunità.

VANGELO - Chi di noi non si è trovato, o si trova tuttora, in un mare agitato, in una situazione difficile dalla quale non riesce a uscire? I problemi diventano, a volte, delle onde giganti che sballottano la barca della vita a destra e a manca. Perdiamo la rotta giusta, navighiamo a vista, non riusciamo a trovare un porto sicuro. La tempesta che abbiamo incontrato lungo il viaggio ci porta dritti alla paura. La paura di non farcela, la paura di perdere quelli che sono nella barca con noi, la paura di non uscirne più. Questa paura, oltre a farci sprofondare sempre di più, ci impedisce di riconoscere la mano tesa di chi è venuto a salvarci, a tirarci su. I discepoli, presi dalla paura, non riconoscono Gesù. Per quanto possa essere comprensibile spaventarsi nel vedere uno che cammina sul mare, in quel momento non riescono a vedere nel Maestro la loro unica salvezza. Gesù utilizza tutte le strade per venirci incontro, le più impensabili, anche se questo significa camminare sulle acque. Sta a noi decidere di prenderlo sulla nostra barca, di accoglierlo nella nostra vita. Se accetteremo di farci aiutare da lui e non cederemo alla paura, avremo la garanzia di giungere alla riva verso cui siamo diretti.

☐ **PROPOSITO DEL GIORNO...** Oggi recito almeno un mistero del Rosario affidando a Maria e a Gesù ciò che mi preoccupa e verso cui ho perso la speranza.

☐ **PRATICHE E FESTE DEL GIORNO...**

- Pratiche e preghiere di ogni giorno consigliate per il mese di aprile *(pag. 727)*.
- 18° sabato di Pompei.
- Preghiera a Maria santissima dello Splendore.
- 1° giorno novena a san Giuseppe lavoratore (cod. 8115).
- Festa Madonna dello Splendore, Giulianova (Teramo).

SANTI E BEATI DEL GIORNO

S. Agapito I • S. Caio • S. Leone di Sens • **S. Leonida** • S. Teodoro il Siceota • B. Francesco da Fabriano

SAN LEONIDA:
un combattente per la fede.

Leonida è un **valoroso combattente per la fede che suggella con il martirio la propria vita**.

È maestro di retorica ad Alessandria e padre di sette figli. Al maggiore, Origene, ha cura di dare un'educazione filosofica e letteraria vastissima, insieme alla conoscenza profonda della Sacra Scrittura. La tradizione vuole infatti che il padre, ammirato da quel suo fervore spirituale, baciasse il petto del figlio quando dormiva.

Sotto l'Impero di Settimio Severo, nel 204, riprendono in Egitto le persecuzioni contro i cristiani. Il giovane Origene desidererebbe morire martire, ma la madre, nascondendogli i vestiti, riesce a impedirgli di presentarsi al governatore proclamandosi cristiano. Il padre Leonida, chiamato dinanzi al governatore, confessa senza titubanza di essere cristiano. Mentre si trova in carcere, gli giunge una lettera del figlio, che lo incita a mantenersi fedele a Dio: **«State attento, caro padre di non mutare risoluzione a causa di noi, vostri figli»**.

Leonida, non potendo ormai baciare il petto del figlio, bacia la sua lettera che lo riempie di gioia e lo rasserena. Sorridendo, offre quindi la testa alla spada.

23 APRILE

DOMENICA

3ª domenica di Pasqua (A) *bianco* **3ª sett. salt.**

ANTIFONA D'INGRESSO - Acclamate Dio, voi tutti della terra, cantate la gloria del suo nome, dategli gloria con la lode *(Sal 65,1-2)*. Alleluia.

Si dice il Gloria *(pag. 12).*

COLLETTA - **Preghiamo:** Esulti sempre il tuo popolo, o Dio, per la rinnovata giovinezza dello spirito, e come ora si allieta per la ritrovata dignità filiale, così attenda nella speranza il giorno glorioso

della risurrezione. Per il nostro Signore… **Amen.**
Oppure: O Dio, che in questo giorno santo raduni la tua Chiesa pellegrina nel mondo, donaci di riconoscere il Cristo crocifisso e risorto che apre il nostro cuore all'intelligenza delle Scritture e si rivela a noi nello spezzare il pane. Egli è Dio… **Amen.**

PRIMA LETTURA At 2,14a.22-33

Dagli Atti degli Apostoli

[Nel giorno di Pentecoste,] Pietro con gli Undici si alzò in piedi e a voce alta parlò così: «Uomini d'Israele, ascoltate queste parole: Gesù di Nàzaret – uomo accreditato da Dio presso di voi per mezzo di miracoli, prodigi e segni, che Dio stesso fece tra voi per opera sua, come voi sapete bene –, consegnato a voi secondo il prestabilito disegno e la prescienza di Dio, voi, per mano di pagani, l'avete crocifisso e l'avete ucciso. Ora Dio lo ha risuscitato, liberandolo dai dolori della morte, perché non era possibile che questa lo tenesse in suo potere. Dice infatti Davide a suo riguardo: "Contemplavo sempre il Signore innanzi a me; egli sta alla mia destra, perché io non vacilli. Per questo si rallegrò il mio cuore ed esultò la mia lingua, e anche la mia carne riposerà nella speranza, perché tu non abbandonerai la mia vita negli inferi né permetterai che il tuo Santo subisca la corruzione. Mi hai fatto conoscere le vie della vita, mi colmerai di gioia con la tua presenza". Fratelli, mi sia lecito dirvi francamente, riguardo al patriarca Davide, che egli morì e fu sepolto e il suo sepolcro è ancora oggi fra noi. Ma poiché era profeta e sapeva che Dio gli aveva giurato solennemente di far sedere sul suo trono un suo discendente, previde la risurrezione di Cristo e ne parlò: "Questi non fu abbandonato negli inferi, né la sua carne subì la corruzione". Questo Gesù, Dio lo ha risuscitato e noi tutti ne siamo testimoni. Innalzato dunque alla destra di Dio e dopo aver ricevuto dal Padre lo Spirito Santo promesso, lo ha effuso, come voi stessi potete vedere e udire». - Parola di Dio. ℟. **Rendiamo grazie a Dio.**

SALMO RESPONSORIALE Dal Salmo 15 (16)

℟. **Mostraci, Signore, il sentiero della vita.**

Oppure:

℟. **Alleluia, alleluia, alleluia.**

Proteggimi, o Dio: in te mi rifugio.
Ho detto al Signore: «Il mio Signore sei tu».
Il Signore è mia parte di eredità e mio calice:
nelle tue mani è la mia vita. ℟.

Benedico il Signore che mi ha dato consiglio;
anche di notte il mio animo mi istruisce.
Io pongo sempre davanti a me il Signore,
sta alla mia destra, non potrò vacillare. ℟.

Per questo gioisce il mio cuore
ed esulta la mia anima;
anche il mio corpo riposa al sicuro,
perché non abbandonerai la mia vita negli inferi,
né lascerai che il tuo fedele veda la fossa. ℟.

Mi indicherai il sentiero della vita,
gioia piena alla tua presenza,
dolcezza senza fine alla tua destra. ℟.

SECONDA LETTURA 1Pt 1,17-21

Dalla prima lettera di san Pietro apostolo

Carissimi, se chiamate Padre colui che, senza fare preferenze, giudica ciascuno secondo le proprie opere, comportatevi con timore di Dio nel tempo in cui vivete quaggiù come stranieri. Voi sapete che non a prezzo di cose effimere, come argento e oro, foste liberati dalla vostra vuota condotta, ereditata dai padri, ma con il sangue prezioso di Cristo, agnello senza difetti e senza macchia. Egli fu predestinato già prima della fondazione del mondo, ma negli ultimi tempi si è manifestato per voi; e voi per opera sua credete in Dio, che lo ha risuscitato dai morti e gli ha dato gloria, in modo che la vostra fede e la vostra speranza siano rivolte a Dio. - Parola di Dio. R. **Rendiamo grazie a Dio.**

(in piedi)

CANTO AL VANGELO
Cfr. Lc 24,32

Alleluia, alleluia.
Signore Gesù, facci comprendere le Scritture;
arde il nostro cuore mentre ci parli.
Alleluia.

VANGELO
Lc 24,13-35

Il Signore sia con voi.
R. **E con il tuo spirito.**
✠ *Dal Vangelo secondo Luca*
R. **Gloria a te, o Signore.**

Ed ecco, in quello stesso giorno [il primo della settimana] due dei [discepoli] erano in cammino per un villaggio di nome Èmmaus, distante circa undici chilometri da Gerusalemme, e conversavano tra loro di tutto quello che era accaduto. Mentre conversavano e discutevano insieme, Gesù in persona si avvicinò e camminava con loro. Ma i loro occhi erano impediti a riconoscerlo. Ed egli disse loro: «Che cosa sono questi discorsi che state facendo tra voi lungo il cammino?». Si fermarono, col volto triste; uno di loro, di nome Clèopa, gli rispose: «Solo tu sei forestiero a Gerusalemme! Non sai ciò che vi è accaduto in questi giorni?». Domandò loro: «Che cosa?». Gli risposero: «Ciò che riguarda Gesù, il Nazareno, che fu profeta potente in opere e in parole, davanti a Dio e a tutto il popolo; come i capi dei sacerdoti e le nostre autorità lo hanno consegnato per farlo condannare a morte e lo hanno crocifisso. Noi speravamo che egli fosse colui che avrebbe liberato Israele; con tutto ciò, sono passati tre giorni da quando queste cose sono accadute. Ma alcune donne, delle nostre, ci hanno sconvolti; si sono recate al mattino alla tomba e, non avendo trovato il suo corpo, sono venute a dirci di aver avuto anche una visione di angeli, i quali affermano che egli è vivo. Alcuni dei nostri sono andati alla tomba e hanno trovato come avevano detto le donne, ma lui non l'hanno visto». Disse loro: «Stolti e lenti di cuore a credere in tutto ciò che hanno detto i profeti! Non bisognava che il Cristo patisse queste sofferenze per entrare nella sua gloria?». E, cominciando da Mosè e da tutti i profeti, spiegò loro in tutte le Scritture ciò che si riferiva a lui. Quando furono vicini al villaggio dove erano diretti, egli fece come se dovesse andare più lontano. Ma essi insistettero: «**Resta con noi, perché si fa sera e il giorno è ormai al tramonto**». Egli entrò per rimanere con loro. Quando fu a tavola con loro, prese il pane, recitò la benedizione, lo spezzò e lo diede loro. Allora si aprirono loro gli occhi e lo riconobbero. Ma egli sparì dalla loro vista. Ed essi dissero l'un l'altro: «Non ardeva forse in noi il nostro cuore mentre egli conversava con noi lungo la via, quando ci spiegava le Scritture?». Partirono senza indugio e fecero ritorno a Gerusalemme, dove trovarono riuniti gli Undici e gli altri che erano con loro, i quali dicevano: «Davvero il Signore è risorto ed è apparso a Simone!». Ed essi narravano ciò che era accaduto lungo la via e come l'avevano riconosciuto nello spezzare il pane. - Parola del Signore. R. **Lode a te o Cristo.**

Si dice il Credo *(pag. 15).*

(in piedi)

SULLE OFFERTE - Accogli, o Signore, i doni della tua Chiesa in festa e poiché le hai dato il motivo di tanta gioia, donale anche il frutto di una perenne letizia. Per Cristo nostro Signore. **Amen.**

Prefazio pasquale.

COMUNIONE - I discepoli riconobbero Gesù, il Signore, nello spezzare il pane *(Cfr. Lc 24,35)*. Alleluia.

DOPO LA COMUNIONE - **Preghiamo:** Guarda con bontà, o Signore, il tuo popolo che ti sei degnato di rinnovare con questi sacramenti di vita eterna, e donagli di giungere alla risurrezione incorruttibile del corpo, destinato alla gloria. Per Cristo nostro Signore. **Amen.**

Commenti

1ª LETTURA - La discesa dello Spirito Santo nella Pentecoste trasforma gli apostoli in testimoni ardenti e coraggiosi del Risorto, consapevoli che si è ormai realizzata la promessa di Dio, mediante la quale si è entrati nell'ultimo tempo. Il cambiamento avvenuto nel gruppo dei discepoli è ben testimoniato dal primo discorso di Pietro riportato negli Atti. Gesù è «uomo accreditato da Dio», si mostra che la croce – da cui tutti gli apostoli sono rimasti scandalizzati – fa parte di un sapiente disegno di Dio, il quale per amore ha consegnato il suo unico Figlio agli uomini. All'annuncio segue la testimonianza delle Scritture che solo alla luce del mistero pasquale sono pienamente comprensibili. Pietro spiega dunque il Salmo 15, che in Cristo ha trovato la sua piena realizzazione: è lui il Messia, la cui anima non è stata abbandonata negli inferi, che non ha conosciuto la corruzione, ma è colmo di gioia nella presenza del Padre. In virtù dello Spirito effuso su di loro, gli apostoli sono testimoni della risurrezione di Cristo e con franchezza l'annunciano a tutto Israele e fino agli estremi confini della terra.

2ª LETTURA - Nel suo esordio, la lettera di Pietro conduce i fedeli a contemplare la grazia della rigenerazione operata dal Padre, per mezzo di Cristo, nello Spirito. Quindi si sofferma a considerare concretamente che cosa significhi vivere di fede, offrendo una chiave di interpretazione cristiana del mistero della sofferenza, vista come prova purificatrice e come partecipazione alle sofferenze di Cristo. Su questo solido fondamento, l'Apostolo può dunque mostrare le esigenze della vita cristiana, che è cammino di santificazione e di conformazione a Cristo. Esse non si riducono a pratiche esteriori, bensì a un atteggiamento interiore, che determina tutto l'orientamento dell'esistenza. Mediante il Battesimo si diventa figli di Dio e la consapevolezza di tale dignità ricolma i cristiani di "santo timore", termine che biblicamente non significa paura, quanto piuttosto amore pieno di venerazione e pervaso dal senso della propria piccolezza. Infatti la grazia ricevuta è stata pagata a caro prezzo da Cristo stesso, il vero agnello, il cui sangue ha liberato l'umanità dal peccato e dalla morte eterna.

VANGELO - È singolare il fatto che il Gesù post-pasquale non venga mai riconosciuto dal suo aspetto o da quello che dice, ma sempre e solo da quello che fa. È bello pensare, allora, che Gesù abbia il volto di ciascuno e che si faccia riconoscere tramite le nostre azioni. Così tutti possono incontrare Gesù attraverso di noi, perché non bastano le belle parole per dirsi cristiani, ma occorre una seria e coerente testimonianza di vita. Certo, non è semplice essere autentici discepoli oggi, ma in realtà non lo è mai stato, neanche ai tempi dello stesso Gesù, quando di fronte alla croce gli apostoli sono scappati o addirittura lo hanno rinnegato. Tuttavia il Risorto non ci abbandona mai lungo il cammino, anzi cerca sempre nuove occasioni per incontrarci. È fedele alla sua promessa: «Io sono con voi tutti i giorni». Allora facciamo nostra la preghiera dei due discepoli di Èmmaus: «Resta con noi». Resta con noi, Signore, nonostante la nostra cecità, il nostro dubbio, il nostro peccato. Resta con noi, Signore, e insegnaci le Scritture. Resta con noi, Signore, e spezza il pane per noi. Resta con noi, Signore, perché si fa sera e il buio minaccia la luce. Resta con noi, Signore, sempre! E noi non avremo più paura.

☐ **PROPOSITO DEL GIORNO...** Termino la mia giornata ripetendo la frase evidenziata in verde a pag. 662, affidando al Risorto le mie tristezze.

☐ **PRATICHE E FESTE DEL GIORNO...**

- Pratiche e preghiere di ogni giorno consigliate per il mese di aprile *(pag. 727)*.
- 99ª Giornata nazionale per l'Università Cattolica del Sacro Cuore.
- Preghiera a san Giorgio.
- Festa Madonna di Sovereto, Terlizzi (Bari).

SANTI E BEATI DEL GIORNO

S. Giorgio • S. Adalberto • S. Gerardo di Toul • B. Egidio d'Assisi • B. Maria Gabriella Sagheddu

24 APRILE

LUNEDÌ

3ª settimana di Pasqua

bianco (rosso se si celebra la memoria)

3ª sett. salt.

S. Fedele da Sigmaringen, sacerdote e martire (mf)

ANTIFONA D'INGRESSO - È risorto il buon pastore che ha dato la vita per le sue pecore, e per il suo gregge è andato incontro alla morte. Alleluia.

COLLETTA - Dio onnipotente, fa' che, spogliati dell'uomo vecchio con le sue passioni ingannevoli, viviamo come veri discepoli di Cristo, al quale ci hai resi conformi con i sacramenti pasquali. Egli è Dio…

PRIMA LETTURA — At 6,8-15

Dagli Atti degli Apostoli

In quei giorni, Stefano, pieno di grazia e di potenza, faceva grandi prodigi e segni tra il popolo. Allora alcuni della sinagoga detta dei Liberti, dei Cirenèi, degli Alessandrini e di quelli della Cilìcia e dell'Asia, si alzarono a discutere con Stefano, ma non riuscivano a resistere alla sapienza e allo Spirito con cui egli parlava. Allora istigarono alcuni perché dicessero: «Lo abbiamo udito pronunciare parole blasfeme contro Mosè e contro Dio». E così sollevarono il popolo, gli anziani e gli scribi, gli piombarono addosso, lo catturarono e lo condussero davanti al sinedrio. Presentarono quindi falsi testimoni, che dissero: «Costui non fa che parlare contro questo luogo santo e contro la Legge. Lo abbiamo infatti udito dichiarare che Gesù, questo Nazareno, distruggerà questo luogo e sovvertirà le usanze che Mosè ci ha tramandato». E tutti quelli che sedevano nel sinedrio, fissando gli occhi su di lui, videro il suo volto come quello di un angelo. **Parola di Dio.**

SALMO RESPONSORIALE Dal Salmo 118 (119)

℟. **Beato chi cammina nella legge del Signore.**

Oppure:

℟. **Alleluia, alleluia, alleluia.**

Anche se i potenti siedono e mi calunniano,
il tuo servo medita i tuoi decreti.
I tuoi insegnamenti sono la mia delizia:
sono essi i miei consiglieri. ℟.

Ti ho manifestato le mie vie e tu mi hai risposto;
insegnami i tuoi decreti.
Fammi conoscere la via dei tuoi precetti
e mediterò le tue meraviglie. ℟.

Tieni lontana da me la via della menzogna,
donami la grazia della tua legge.
Ho scelto la via della fedeltà,
mi sono proposto i tuoi giudizi. ℟.

CANTO AL VANGELO Mt 4,4b

Alleluia, alleluia.
Non di solo pane vivrà l'uomo,
ma di ogni parola che esce dalla bocca di Dio.
Alleluia.

VANGELO Gv 6,22-29

✠ *Dal Vangelo secondo Giovanni*

Il giorno dopo, la folla, rimasta dall'altra parte del mare, vide che c'era soltanto una barca e che Gesù non era salito con i suoi discepoli sulla barca, ma i suoi discepoli erano partiti da soli. Altre barche erano giunte da Tiberìade, vicino al luogo dove avevano mangiato il pane, dopo che il Signore aveva reso grazie. Quando dunque la folla vide che Gesù non era più là e nemmeno i suoi discepoli, salì sulle barche e si diresse alla volta di Cafàrnao alla ricerca di Gesù. Lo trovarono di là dal mare e gli dissero: «Rabbì, quando sei venuto qua?». Gesù rispose loro: «In verità, in verità io vi dico: voi mi cercate non perché avete visto dei segni, ma perché avete mangiato di quei pani e vi siete saziati. Datevi da fare non per il cibo che non dura, ma per il cibo che rimane per la vita eterna e che il Figlio dell'uomo vi darà. Perché su di lui il Padre, Dio, ha messo il suo sigillo». Gli dissero allora: «Che cosa dobbiamo compiere per fare le opere di Dio?». Gesù rispose loro: «Questa è l'opera di Dio: che crediate in colui che egli ha mandato». **Parola del Signore.**

SULLE OFFERTE - Salgano a te, o Signore, le nostre preghiere insieme all'offerta di questo sacrificio, perché, purificati dal tuo amore, possiamo accostarci al sacramento della tua grande misericordia. Per Cristo nostro Signore.

Oppure: O Dio, nostro Padre, per questo memoriale dell'immenso amore del tuo Figlio fa' che tutti gli uomini possano gustare il frutto della redenzione. Per Cristo nostro Signore.

Prefazio pasquale.

COMUNIONE - «Vi lascio la pace, vi do la mia pace. Non come la dà il mondo, io la do a voi», dice il Signore *(Gv 14,27).* Alleluia.

Oppure: Questa è l'opera di Dio: cha crediate in colui che egli ha mandato *(Gv 6,29).* Alleluia.

Dopo la Comunione - Dio onnipotente, che nella risurrezione di Cristo ci fai nuove creature per la vita eterna, accresci in noi i frutti del sacramento pasquale e infondi nei nostri cuori la forza di questo nutrimento di salvezza. Per Cristo nostro Signore.

Oppure: Guida con bontà, o Signore, la tua Chiesa, nutrita da questo santo convito, perché, retta dalla tua mano sicura, cresca nella libertà e perseveri nell'integrità della vita cristiana. Per Cristo nostro Signore.

Commenti

1ª lettura - Entra in scena Stefano, presentato con le stesse caratteristiche degli apostoli: «Pieno di grazia e di potenza, faceva grandi prodigi». Il suo è un primo tentativo di inculturazione, costituito da una decisa presa di distanza rispetto al giudaismo tradizionale. Tuttavia il suo approccio con il mondo giudaico di lingua e cultura greca viene respinto da quelli che contano. Stefano segue così il destino di Gesù: viene rifiutato. Pare che il prezzo da pagare per aprire nuovi cammini sia quello di essere incompresi, calunniati e condannati. Ma è anche vero che dal martirio di Stefano vengono frutti copiosissimi proprio a partire dai Greci: non solo dai Giudei di lingua greca, ma da tutta la cultura greca. Stefano è un provocatore, ma la sua provocazione viene da una sapienza superiore, è frutto di una peculiare comprensione del piano di Dio, che prevedeva che il Vangelo fosse annunciato non solo a Gerusalemme ma «sino ai confini della terra». Lo Spirito si serve del carattere entusiasta e “bellicoso” di Stefano per scuotere l’ambiente: Stefano perde, ma la causa del Vangelo percorrerà il mondo.

VANGELO - Alla folla che lo seguiva, e a tutti noi, Gesù chiede di fare un passo avanti. Se la fede nasce dall’incontro con Gesù, è importante chiedersi cosa ci spinge a cercarlo nuovamente. Gesù rimprovera la folla perché sa che quella gente non cerca la salvezza di cui è portatore il Nazareno, ma il pane che poco prima li ha sfamati. Hanno mangiato qualcosa che li ha saziati al momento, ma che non è la risposta definitiva. Ognuno ha fame di senso, ma spesso questa fame è colmata con cose troppo precarie, futili, banali. Chi crede ha il cuore rivolto a Qualcuno che lo riempie; non ha solo fame, ma ha un cuore che cerca e trova chi può sfamarlo davvero! Questa folla aspetta il pane per poter riconoscere il Messia: si comporta come quelli che sono sempre a caccia di un segno per ammettere che Dio esiste. Questi devono vedere per credere. Gesù, invece, chiede di credere per vedere. Gesù pone sé stesso come segno, come unica prova dell'autenticità di ciò che dice; si fa pane spezzato. Se ci fidiamo di lui, se coltiviamo la sua amicizia nella preghiera, nella carità, nei piccoli gesti di ogni giorno, allora i nostri occhi riconosceranno le grandi opere del suo amore nella nostra vita.

PROPOSITO DEL GIORNO... Oggi mi impegnerò a essere sincero e trasparente in ogni situazione (in famiglia, al lavoro, con gli amici...).

PRATICHE E FESTE DEL GIORNO...

- Pratiche e preghiere di ogni giorno consigliate per il mese di aprile *(pag. 727)*.
- 1° giorno novena ai santi Filippo e Giacomo apostoli.
- Anniversario della lacrimazione della Madonna Addolorata, Rho (Milano).
- Solennità Nostra Signora di Bonaria, Cagliari.
- Festa Madonna delle Grazie, Jesi (Ancona).

ALTRI SANTI E BEATI DEL GIORNO

S. Antimo di Nicomedia • S. Benedetto Menni • **S. Maria Elisabetta Hesselblad** • B. Bruno II

SANTA MARIA ELISABETTA HESSELBLAD:
il desiderio dell'unico Ovile.

«Da bambina, andando a scuola e vedendo che i miei compagni appartenevano a molte chiese diverse, cominciai a domandarmi quale fosse il vero Ovile, perché avevo letto nel Nuovo Testamento che ci sarebbe stato "un solo Ovile ed un solo Pastore". **Pregai spesso per essere condotta a quell'Ovile**». Con queste parole Maria Elisabetta Hesselblad descrive il desiderio profondo della sua anima, che non resta inascoltato. Nata in Svezia il 4 giugno 1870, quinta di tredici figli, di religione luterana, a 18 anni emigra a New York, dove è infermiera e studia con passione la dottrina cattolica, scegliendo poi di farsi battezzare. Nel 1904 è a Roma e veste l'abito brigidino nella casa di Santa Brigida. Con molto coraggio e lungimiranza, nel 1923 riporta le figlie di Santa Brigida in Svezia. Le sofferenze fisiche l'accompagnano costantemente, ma lei le spiega così alle sue Figlie: «**Desidero**, se il Signore le accetta, **offrire tutte le mie sofferenze e pene per questa attività e per la Svezia**». Tutta la sua vita è contraddistinta da una continua carità: durante la Seconda guerra mondiale dà rifugio a molti ebrei perseguitati e distribuisce viveri e vestiario. Il 24 aprile **1957** muore nella casa di Santa Brigida a Roma.

25 APRILE

MARTEDÌ

San Marco, evangelista (f)

rosso **propria**

ANTIFONA D'INGRESSO - Andate in tutto il mondo e proclamate il Vangelo a ogni creatura *(Mc 16,15)*. Alleluia.

Si dice il Gloria *(pag. 12).*

COLLETTA - O Dio, che hai glorificato il tuo evangelista Marco con il dono della predicazione del Vangelo, concedi a noi di imparare dal suo insegnamento a seguire fedelmente le orme di Cristo. Egli è Dio…

PRIMA LETTURA 1Pt 5,5b-14

Dalla prima lettera di san Pietro apostolo

Carissimi, rivestitevi tutti di umiltà gli uni verso gli altri, perché Dio resiste ai superbi, ma dà grazia agli umili. Umiliatevi dunque sotto la potente mano di Dio, affinché vi esalti al tempo opportuno, riversando su di lui ogni vostra preoccupazione, perché egli ha cura di voi. Siate sobri, vegliate. Il vostro nemico, il diavolo, come leone ruggente va in giro cercando chi divorare. Resistetegli saldi nella fede, sapendo che le medesime sofferenze sono imposte ai vostri fratelli sparsi per il mondo. E il Dio di ogni grazia, il quale vi ha chiamati alla sua gloria eterna in Cristo Gesù, egli stesso, dopo che avrete un poco sofferto, vi ristabilirà, vi confermerà, vi rafforzerà, vi darà solide fondamenta. A lui la potenza nei secoli. Amen! Vi ho scritto brevemente per mezzo di Silvano, che io ritengo fratello fedele, per esortarvi e attestarvi che questa è la vera grazia di Dio. In essa state saldi! Vi saluta la comunità che vive in Babilonia, e anche Marco, figlio mio. Salutatevi l'un l'altro con un bacio d'amore fraterno. Pace a voi tutti che siete in Cristo! **Parola di Dio.**

SALMO RESPONSORIALE — Dal Salmo 88 (89)

℟. **Canterò in eterno l'amore del Signore.**

Canterò in eterno l'amore del Signore,
di generazione in generazione
farò conoscere con la mia bocca la tua fedeltà,
perché ho detto: «È un amore edificato per sempre;
nel cielo rendi stabile la tua fedeltà». ℟.

I cieli cantano le tue meraviglie, Signore,

la tua fedeltà nell'assemblea dei santi.
Chi sulle nubi è uguale al Signore,
chi è simile al Signore tra i figli degli dèi? R.

Beato il popolo che ti sa acclamare:
camminerà, Signore, alla luce del tuo volto;
esulta tutto il giorno nel tuo nome,
si esalta nella tua giustizia. R.

CANTO AL VANGELO — 1Cor 1,23a.24b

Alleluia, alleluia.
Noi annunciamo Cristo crocifisso:
potenza di Dio e sapienza di Dio.
Alleluia.

VANGELO — Mc 16,15-20

✠ *Dal Vangelo secondo Marco*

In quel tempo, [Gesù apparve agli Undici] e disse loro: «Andate in tutto il mondo e proclamate il Vangelo a ogni creatura. Chi crederà e sarà battezzato sarà salvato, ma chi non crederà sarà condannato. Questi saranno i segni che accompagneranno quelli che credono: nel mio nome scacceranno demòni, parleranno lingue nuove, prenderanno in mano serpenti e, se berranno qualche veleno, non recherà loro danno; imporranno le mani ai malati e questi guariranno». Il Signore Gesù, dopo aver parlato con loro, fu elevato in cielo e sedette alla destra di Dio. Allora essi partirono e predicarono dappertutto, mentre il Signore agiva insieme con loro e confermava la Parola con i segni che la accompagnavano. **Parola del Signore.**

SULLE OFFERTE - Accogli, o Signore, il sacrificio di lode che ti offriamo nel ricordo glorioso di san Marco, e fa' che nella tua Chiesa sia sempre viva e operante la predicazione del Vangelo. Per Cristo nostro Signore.

PREFAZIO - *La Chiesa fondata sugli apostoli e sulla loro testimonianza.* È veramente cosa buona e giusta, nostro dovere e fonte di salvezza, rendere grazie sempre e in ogni luogo a te, Signore, Padre santo, Dio onnipotente ed eterno, per Cristo Signore nostro. Tu hai stabilito la tua Chiesa sul fondamento degli apostoli, perché sulla terra sia segno visibile della tua santità nei secoli e trasmetta a tutti gli uomini gli insegnamenti che sono via al cielo. Per questo mistero di salvezza, uniti a tutte le schiere degli angeli, ora e sempre, con cuore riconoscente, proclamiamo nel canto la tua lode: **Santo...**

Comunione - Ecco, io sono con voi tutti i giorni, sino alla fine del mondo *(Mt 28,20).* Alleluia.

Dopo la Comunione - Il dono ricevuto dal tuo santo altare ci santifichi, Dio onnipotente, e ci renda forti nell'adesione al Vangelo che san Marco ha predicato. Per Cristo nostro Signore.

Commenti

1ª lettura - Poiché Pietro lo chiama «figlio mio», la tradizione ha ritenuto che Marco nel suo Vangelo abbia raccolto la predicazione del primo degli apostoli, le cui esortazioni sono rivolte a quanti nella Chiesa hanno responsabilità di guide e di maestri. Un autentico pastore deve innanzitutto essere rivestito di umiltà, consapevole di non possedere nulla di proprio, ma di aver ricevuto tutto da Dio. Umiltà è verità: ciò vale per ogni autentico credente e a maggior ragione per chi è rivestito di autorità. Chi avrà saputo vivere nell'umiltà, riceverà a suo tempo il riconoscimento da parte di quel Dio che «resiste ai superbi e dà grazia agli umili». Oltre che umili, i pastori devono essere anche temperanti e vigilanti: ambedue insieme possono opporre una salda e sicura resistenza – la resistenza della fede – al nemico numero uno, il diavolo, qui raffigurato sotto le vesti di un leone ruggente e divoratore. Ai pastori umili e fedeli, temperanti e vigilanti, l'apostolo Pietro rivolge la promessa: quel Dio che li ha chiamati alla vita nuova in Cristo, dopo una breve sofferenza, li confermerà nella grazia.

VANGELO - Marco è il primo a mettere per iscritto la straordinaria vicenda umana e spirituale di Gesù. La tradizione ci dice che il giovane Giovanni Marco non ha visto i segni prodigiosi del Maestro, ma ha incontrato Gesù solo nell'ora buia del Getsèmani. Questo incontro, seppur breve, gli ha cambiato il cuore e raccontarlo agli altri è diventato l'unico scopo della sua vita. Molti incontrano Gesù nel momento del dolore e da lui imparano che la sofferenza non è fine a sé stessa, ma porta a qualcosa di nuovo, fuori da ogni logica umana: sarà la passione di Gesù a offrirci la speranza della risurrezione. Perciò, dopo aver incontrato il Signore, non si può fare a meno di «proclamare il Vangelo a ogni creatura», di annunciare che oltre il dolore c'è un amore immenso che ci custodisce, oltre la morte c'è una vita autentica che ci attende. Ci sono dei segni che accompagnano quelli che impegnano la loro vita a servizio del Vangelo: nel nome di Gesù scacciano i demòni della paura e dell'egoismo; usano linguaggi nuovi e comprensibili da tutti per tramandare il messaggio di sempre; seppure vengono morsi dal male non muoiono del suo veleno; guariscono con la misericordia quanti hanno il cuore e l'animo malato.

PROPOSITO DEL GIORNO... Nel giorno di san Marco, se non ho mai letto per intero il Vangelo scritto da lui, mi impegno a farlo un po' al giorno.

PRATICHE E FESTE DEL GIORNO...

- Pratiche e preghiere di ogni giorno consigliate per il mese di aprile *(pag. 727)*.
- Preghiera a san Marco evangelista.
- Informiamoci e conosciamo san Marco evangelista (cod. 8998).
- Festa Madonna del Buon Consiglio, Genazzano (Roma).

ALTRI SANTI E BEATI DEL GIORNO

S. Franca di Piacenza • **S. Giovanni Battista Piamarta** • S. Olivo • S. Pietro di Betancur • B. Mario Borzaga

SAN GIOVANNI BATTISTA PIAMARTA:

apostolo della carità e della gioventù.

Giovanni Battista Piamarta, sacerdote della diocesi di Brescia, ha nel cuore i giovani, forse perché la sua infanzia e giovinezza sono state particolarmente difficili: nato il 26 novembre 1841, perse presto la mamma e una sorella. Suo padre, sopraffatto dal dolore, si dette al bere. Fondamentale per Giovanni fu l'incontro con don Pancrazio Pezzana, che fu per lui un secondo padre e lo invitò a entrare nel seminario diocesano.

Divenuto sacerdote, il 3 dicembre 1886 da' il via all'Istituto Artigianelli, che accoglieva i ragazzi, ma poco più di un anno dopo il vescovo manda a chiamare don Giovanni: considerando l'opera poco sicura, vuole chiuderla. Padre Piamarta ascolta in silenzio, ma poi dichiara di voler continuare: **«Morirò qui dove sono, in mezzo ai miei giovani»**.

Animato da fiducia incrollabile nella provvidenza, affronta difficoltà e fatiche per dare vita ad altre diverse opere apostoliche, tra le quali: l'Editrice Queriniana, la Congregazione maschile della Santa Famiglia di Nazareth e la Congregazione delle Umili Serve del Signore. **Il segreto della sua intensa e operosa vita sta nelle lunghe ore che egli dedicava alla preghiera**. Muore il 25 aprile **1913**.

26 APRILE

MERCOLEDÌ

3ª settimana di Pasqua

bianco 3ª sett. salt.

ANTIFONA D'INGRESSO - Della tua lode è piena la mia bocca: tutto il giorno canto il tuo splendore; cantando le tue lodi esulteranno le mie labbra *(Sal 70,8.23)*. Alleluia.

COLLETTA - Assisti, o Padre, la tua famiglia, e a quanti nella tua bontà hai donato la grazia della fede concedi di aver parte all'eredità eterna nella risurrezione del tuo Figlio unigenito. Egli è Dio…

PRIMA LETTURA At 8,1b-8

Dagli Atti degli Apostoli

In quel giorno **scoppiò una violenta persecuzione** contro la Chiesa di Gerusalemme; tutti, ad eccezione degli apostoli, si dispersero nelle regioni della Giudea e della Samarìa. Uomini pii seppellirono Stefano e fecero un grande lutto per lui. Sàulo intanto cercava di distruggere la Chiesa: entrava nelle case, prendeva uomini e donne e li faceva mettere in carcere. Quelli però che si erano dispersi andarono di luogo in luogo, annunciando la Parola. Filippo, sceso in una città della Samarìa, predicava loro il Cristo. E le folle, unanimi, prestavano attenzione alle parole di Filippo, sentendolo parlare e vedendo i segni che egli compiva. Infatti da molti indemoniati uscivano spiriti impuri, emettendo alte grida, e molti paralitici e storpi furono guariti. E vi fu grande gioia in quella città. **Parola di Dio.**

SALMO RESPONSORIALE Dal Salmo 65 (66)

℟. **Acclamate Dio, voi tutti della terra.**

Oppure:

℟. **Alleluia, alleluia, alleluia.**

Acclamate Dio, voi tutti della terra,
cantate la gloria del suo nome,
dategli gloria con la lode.
Dite a Dio: «Terribili sono le tue opere!». ℟.

«A te si prostri tutta la terra,
a te canti inni, canti al tuo nome».
Venite e vedete le opere di Dio,
terribile nel suo agire sugli uomini. ℟.

Egli cambiò il mare in terraferma;
passarono a piedi il fiume:
per questo in lui esultiamo di gioia.
Con la sua forza dòmina in eterno. ℟.

CANTO AL VANGELO Cfr. Gv 6,40

Alleluia, alleluia.
Chi crede nel Figlio ha la vita eterna, dice il Signore, e io lo risusciterò nell'ultimo giorno.
Alleluia.

VANGELO Gv 6,35-40

✠ *Dal Vangelo secondo Giovanni*

In quel tempo, disse Gesù alla folla: «Io sono il pane della vita; chi viene a me non avrà fame e chi crede in me non avrà sete, mai! Vi ho detto però che voi mi avete visto, eppure non credete. Tutto ciò che il Padre mi dà, verrà a me: colui che viene a me, io non lo caccerò fuori, perché sono disceso dal cielo non per fare la mia volontà, ma la volontà di colui che mi ha mandato. E questa è la volontà di colui che mi ha mandato: che io non perda nulla di quanto egli mi ha dato, ma che lo risusciti nell'ultimo giorno. Questa infatti è la volontà del Padre mio: che chiunque vede il Figlio e crede in lui abbia la vita eterna; e io lo risusciterò nell'ultimo giorno». **Parola del Signore.**

SULLE OFFERTE - O Dio, che in questi santi misteri compi l'opera della nostra redenzione, fa' che questa celebrazione pasquale sia per noi fonte di perenne letizia. Per Cristo nostro Signore.

Oppure: Santifica, o Signore, i doni che portiamo davanti a te in rendimento di grazie; fa' che la tua parola cresca in noi e renda fecondi i nostri cuori di frutti spirituali. Per Cristo nostro Signore.

Prefazio pasquale.

Comunione - Il Signore è risorto e ha fatto splendere su di noi la sua luce: egli ci ha redenti con il suo sangue. Alleluia.
Oppure: Chiunque vede il Figlio e crede in lui ha la vita eterna *(Cfr. Gv 6,40).* Alleluia.

Dopo la Comunione - Esaudisci, o Signore, le nostre preghiere, perché la partecipazione al mistero della redenzione sia per noi aiuto nella vita presente e ci ottenga la gioia eterna. Per Cristo nostro Signore.
Oppure: O Padre, che in questi sacramenti ci comunichi la forza del tuo Spirito, fa' che impariamo a cercare te sopra ogni cosa, per portare in noi l'immagine del Cristo crocifisso e risorto. Egli vive e regna nei secoli dei secoli.

Commenti

1ª lettura - Siamo in presenza qui di un'altra svolta importante nella storia della fragile comunità cristiana: la diffusione fuori delle mura di Gerusalemme. Si passa dalla persecuzione alla dispersione e dalla dispersione alla diffusione della Parola. A essere colpiti sono gli ellenisti, i seguaci di Stefano, i quali devono fuggire e disperdersi per la Giudea e la Samarìa, dando inizio alla corsa della Parola per il mondo, «sino agli estremi confini della terra». C'è anche il contrasto tra il «grande lutto» per la morte di Stefano e la «grande gioia» per l'azione di Filippo, un altro dei Sette. Saulo «cerca di distruggere la Chiesa», ma questa si espande proprio tra coloro che sono ai margini del giudaismo: l'uscita da Gerusalemme è un fatto non solo geografico, ma anche culturale. Il Cristo viene predicato anche ai Samaritani. Il brano dà l'impressione di una nuova Pentecoste, di una nuova primavera della Chiesa, dopo quella di Gerusalemme e prima di quella tra i pagani. Il tutto è accompagnato da potenti gesti di liberazione: è un mondo che si rinnova totalmente a contatto con la diffusione della Parola.

VANGELO - Gesù, mentre tenta di convincere la folla a cercare Dio non per il pane che nutre solo il corpo, ma per quello che riempie il cuore, svela definitivamente il vero volto di Dio: un Padre tenerissimo e discreto che ha come unico desiderio la pienezza di vita dei propri figli, la vita eterna per ciascuno di loro. Si tratta di una possibilità offerta a tutti e non solo ai più meritevoli. Dunque non c'è nulla di così sbagliato che possa impedire al Signore di salvarci. La vita eterna dona alle nostre piccole esistenze umane dimensioni e respiro di immortalità. Che grande dono! La folla – ma anche noi – cerca Dio per avere dei benefici, una protezione, un aiuto. Gesù, invece, propone di alzare lo sguardo per vedere che il Dio che ha donato al popolo di Israele la manna, in realtà gli ha dato molto di più: la libertà di essere figli, la dignità assoluta di essere uomini. Convertiamo il nostro cuore a questa sorridente visione di Dio che ha Gesù.

☐ **PROPOSITO DEL GIORNO...** Oggi nella preghiera ricordo tutti i cristiani perseguitati nel mondo.

☐ **PRATICHE E FESTE DEL GIORNO...**

- Pratiche e preghiere di ogni giorno consigliate per il mese di aprile *(pag. 727)*.
- 1° giorno novena a san Nunzio Sulprizio (cod. 8028).

SANTI E BEATI DEL GIORNO

Ss. Guglielmo e Pellegrino • S. Marcellino • **S. Raffaele Arnáiz Barón** • Bb. Domenico e Gregorio

IMITIAMO LA VITA DEI SANTI, *che siano di esempio*

SAN RAFFAELE ARNÁIZ BARÓN: «Dio ha fatto la Trappa per me e me per la Trappa».

La gioia più piena Raffaele la vive quando entra come novizio nel convento trappista di Dueñas. Scrive a casa: «Dio ha fatto la Trappa per me e me per la Trappa»; confida al papà che quando è nel coro con i confratelli «possono passare ore e ore senza che me ne accorga»; confessa di non essersi **«mai alzato da tavola così contento come in quei venerdì di Quaresima in cui non abbiamo mangiato che pane e acqua»**. Proviene da una famiglia di fede profonda e la vive: è un ragazzo dalla Comunione quotidiana, dalla prolungata adorazione eucaristica, dalla penitenza e dalla mortificazione abituali. Eppure, in meno di un mese, in quel ragazzone pieno di vita si verifica un crollo: arriva il diabete mellito e in otto giorni perde 24 chili. Rimandato a casa, si riprende in fretta, ma ormai le sue condizioni di salute sono incompatibili con la vita monastica. Chiede allora di essere accolto come semplice "oblato", con l'unica ambizione di **«vivere la mia vita di infermo nella Trappa con il sorriso sulle labbra»**, pienamente convinto che **«il mio centro non è la Trappa, né il mondo, né alcuna creatura, ma solo Dio, Dio crocifisso»**. Raffaele muore il 26 aprile **1938**, ad appena 27 anni.

27 APRILE

GIOVEDÌ

3ª settimana di Pasqua

bianco **3ª sett. salt.**

Antifona d'ingresso - Cantiamo al Signore perché ha mirabilmente trionfato. Mia forza e mio canto è il Signore, egli è stato la mia salvezza *(Cfr. Es 15,1-2).* Alleluia.

Colletta - Dio onnipotente ed eterno, che in questi giorni pasquali ci hai rivelato in modo singolare la grandezza del tuo amore, fa' che accogliamo pienamente il tuo dono, perché, liberati dalle tenebre dell'errore, aderiamo sempre più agli insegnamenti della tua verità. Per il nostro Signore…

PRIMA LETTURA At 8,26-40

Dagli Atti degli Apostoli

In quei giorni, un angelo del Signore parlò a Filippo e disse: «Àlzati e va' verso il mezzogiorno, sulla strada che scende da Gerusalemme a Gaza; essa è deserta». Egli si alzò e si mise in cammino, quand'ecco un Etíope, eunùco, funzionario di Candàce, regina di Etiòpia, amministratore di tutti i suoi tesori, che era venuto per il culto a Gerusalemme, stava ritornando, seduto sul suo carro, e leggeva il profeta Isaìa. Disse allora lo Spirito a Filippo: «Va' avanti e accòstati a quel carro». Filippo corse innanzi e, udito che leggeva il profeta Isaìa, gli disse: «Capisci quello che stai leggendo?». Egli rispose: «E come potrei capire, se nessuno mi guida?». E invitò Filippo a salire e a sedere accanto a lui. Il passo della Scrittura che stava leggendo era questo: "Come una pecora egli fu condotto al macello e come un agnello senza voce innanzi a chi lo tosa, così egli non apre la sua bocca. Nella sua umiliazione il giudizio gli è stato negato, la sua discendenza chi potrà descriverla? Poiché è stata recisa dalla terra la sua vita". Rivolgendosi a Filippo, l'eunùco disse: «Ti prego, di quale persona il profeta dice questo? Di se stesso o di qualcun altro?». Filippo, prendendo la parola e partendo da quel passo della Scrittura, annunciò a lui Gesù. Proseguendo lungo la strada, giunsero dove c'era dell'acqua e l'eunùco disse: «Ecco, qui c'è dell'acqua; che cosa impedisce che io sia battezzato?». Fece fermare il carro e scesero tutti e due nell'acqua, Filippo e l'eunùco, ed egli

lo battezzò. Quando risalirono dall'acqua, lo Spirito del Signore rapì Filippo e l'eunùco non lo vide più; e, pieno di gioia, proseguiva la sua strada. Filippo invece si trovò ad Azoto ed evangelizzava tutte le città che attraversava, finché giunse a Cesarèa.
Parola di Dio.

SALMO RESPONSORIALE Dal Salmo 65 (66)

℟. **Acclamate Dio, voi tutti della terra.**

Oppure:

℟. **Alleluia, alleluia, alleluia.**

Popoli, benedite il nostro Dio,
fate risuonare la voce della sua lode;
è lui che ci mantiene fra i viventi
e non ha lasciato vacillare i nostri piedi. ℟.

Venite, ascoltate, voi tutti che temete Dio,
e narrerò quanto per me ha fatto.
A lui gridai con la mia bocca,
lo esaltai con la mia lingua. ℟.

Sia benedetto Dio,
che non ha respinto la mia preghiera,
non mi ha negato la sua misericordia. ℟.

CANTO AL VANGELO Gv 6,51

Alleluia, alleluia.
Io sono il pane vivo, disceso dal cielo, dice il Signore.
Se uno mangia di questo pane vivrà in eterno.
Alleluia.

VANGELO Gv 6,44-51

✠ *Dal Vangelo secondo Giovanni*

In quel tempo, disse Gesù alla folla: «Nessuno può venire a me, se non lo attira il Padre che mi ha mandato; e io lo risusciterò nell'ultimo giorno. Sta scritto nei profeti: "E tutti saranno istruiti da Dio". Chiunque ha ascoltato il Padre e ha imparato da lui, viene a me. Non perché qualcuno abbia visto il Padre; solo colui che viene da Dio ha visto il Padre. In verità, in verità io vi dico: chi crede ha la vita eterna. Io sono il pane della vita. I vostri padri hanno mangiato la manna nel deserto e sono morti; questo è il pane che discende dal cielo, perché chi ne mangia non muoia. Io sono il pane vivo, disceso dal cielo. Se uno mangia di questo pane vivrà in eterno e il pane che io darò è la mia carne per la vita del mondo».
Parola del Signore.

SULLE OFFERTE - O Dio, che nella comunione mirabile a questo sacrificio ci hai resi partecipi della tua natura divina, dona a noi, che abbiamo conosciuto la tua verità, di testimoniarla con una degna condotta di vita. Per Cristo nostro Signore.

Oppure: Guarda con bontà, Padre santo, questo nostro sacrificio in cui ti offriamo l'Agnello senza macchia, e donaci di pregustare la gioia della Pasqua eterna. Per Cristo nostro Signore.

Prefazio pasquale.

COMUNIONE - Cristo è morto per tutti, perché quelli che vivono non vivano più per se stessi, ma per colui che è morto e risorto per loro *(2Cor 5,15).* Alleluia.

Oppure: Io sono il pane della vita. Se uno mangia di questo pane vivrà in eterno *(Gv 6,48.51).* Alleluia.

DOPO LA COMUNIONE - Assisti con bontà il tuo popolo, o Signore, e poiché lo hai colmato della grazia di questi santi misteri, donagli di passare dalla nativa fragilità umana alla vita nuova nel Cristo risorto. Egli vive e regna nei secoli dei secoli.

Oppure: Dio onnipotente, fa' che, sostenuti dalla forza di questo sacramento, impariamo a cercare sempre te sopra ogni cosa e a portare in questa vita l'immagine dell'uomo nuovo. Per Cristo nostro Signore.

Commenti

1ª **LETTURA** - Luca continua la sua presentazione della diffusione del Vangelo a categorie sempre più distanti dal giudaismo. Dopo i Samaritani, ecco un etiope: è uno che viene da lontano e quindi porterà lontano il Vangelo. È un eunuco, uno che per Isaìa non sarà più escluso dalla comunità. È un personaggio influente e ricco perché ha i mezzi per compiere un lungo viaggio con un suo equipaggiamento e con la possibilità di avere un costoso rotolo manoscritto della Bibbia. A questo personaggio Dio invia Filippo, guidato dallo Spirito all'opera che deve compiere. L'occasione è offerta dalla Sacra Scrittura ed è a partire dalla profezia di Isaìa sul servo sofferente che Filippo mette in atto la sua missione salvifica di predicatore del Vangelo, aprendo gli occhi all'intelligenza piena della Scrittura. La grande domanda di sempre, sin dalle origini, è posta chiaramente dall'eunuco: «Di quale persona il profeta dice questo?». Con la mediazione ecclesiale e con la grazia di Dio è possibile dissipare il dubbio di chi sinceramente va cercando la verità. Al dono della fede fa dunque seguito il Battesimo.

VANGELO - Chiediti oggi: di cosa ho fame? Di cosa nutro anima e pensieri? Sto mangiando generosità, bellezza, profondità? Oppure mi nutro di egoismo, intolleranza, miopia dello spirito, insensatezza del vivere, paure? Se ci nutriamo di Cristo, egli ci abita, la sua parola opera in noi, dà forma al pensare, al sentire, all'amare. Ciò che mangi ti fa vivere e tu sei chiamato a vivere di Dio; non solo a diventare più buono, ma a nutrirti di un Dio che ti trasforma nell'intimo, dolcemente e tenacemente. Assimilare la vita di Gesù non significa solo Eucaristia, non si riduce a un rito, ma comporta una liturgia continua, un'instancabile ricerca di Cristo in me. Vuol dire: sognare i suoi sogni, respirare l'aria limpida e fresca del Vangelo, muoversi nel mare d'amore che ci avvolge e ci nutre. Il brano del Vangelo di oggi è riempito dal verbo mangiare: un gesto così semplice e quotidiano, così vitale, pieno di significati. Tuttavia il primo di tutti è che mangiare o no è questione di vita o di morte. Il pane che discende dal cielo è Dio che si pone come una questione vitale per l'uomo: davanti a te stanno la vita e la morte. Scegli dunque la vita, senza mai sentirti incapace di accogliere così tanto amore.

☐ **PROPOSITO DEL GIORNO...** Ricordo quella volta che sono stato perdonato dopo aver sbagliato in modo grave e penso a chi, invece, non ha ricevuto il mio perdono. Perché?

☐ **PRATICHE E FESTE DEL GIORNO...**

- Pratiche e preghiere di ogni giorno consigliate per il mese di aprile *(pag. 727)*.
- Ore 17:30 (possibilmente): Supplica alla Vergine Maria della Medaglia Miracolosa (cod. 8001, 8332).
- I quindici giovedì di santa Rita: 13° giovedì (cod. 8036, 8352), secondo lo schema in uso nel santuario di Santa Rita da Cascia.
- 1° giorno triduo a san Giuseppe Cottolengo.

SANTI E BEATI DEL GIORNO

S. Liberale • S. Simeone di Gerusalemme • S. Teodoro • B. Nicola Roland • **B. Maria Antonia Bandrés y Elósegui**

BEATA MARIA ANTONIA BANDRÉS Y ELÓSEGUI: «Tu sarai Figlia di Gesù».

Maria Antonia Bandrés **è il primo fiore di santità sbocciato nella Congregazione delle Figlie di Gesù**, fondata dalla beata Candida Maria di Gesù Cipitria nel 1871. Antonita, come veniva chiamata in famiglia, era nata a Tolosa il 6 maggio 1898, seconda di quindici figli. Fin da bambina aveva frequentato il Collegio delle Figlie di Gesù, ma fondamentale per la sua vita è quello che accade nel 1913 a Loyola, durante gli esercizi spirituali.

Qui si ricorda infatti quanto le aveva detto madre Candida un paio d'anni prima: «Tu sarai Figlia di Gesù» e allora **prende la decisione di essere tutta e solo di Gesù**.

Entra nella Congregazione l'8 dicembre 1915. Dopo poco tempo, però, la sua salute comincia a indebolirsi.

Nell'evolversi della malattia viene seguita dal dottor Filiberto Villalobos, il quale confessava di essere **«commosso da quella serenità di spirito e da quella fede che la rendevano così felice nelle sue ultime ore di vita»**. La giovane, qualche mese prima, aveva offerto la sua vita per la salvezza di uno zio, avviato su una cattiva strada: quest'uomo, comprendendo la spiritualità della nipote, ritorna poi sulla retta via. Suor Maria Antonia muore il 27 aprile **1919**.

28 APRILE

VENERDÌ

3ª settimana di Pasqua

bianco (rosso se si celebra la memoria)

3ª sett. salt.

S. Pietro Chanel, presbitero e martire (mf)
S. Luigi Maria Grignion de Montfort, presbitero (mf)

ANTIFONA D'INGRESSO - L'Agnello immolato è degno di ricevere potenza e ricchezza, sapienza e forza, onore, gloria e benedizione *(Ap 5,12)*. Alleluia.

COLLETTA - Dio onnipotente, che ci hai fatto conoscere la grazia della risurrezione del Signore, donaci di rinascere a vita nuova per la forza del tuo Spirito di amore. Per il nostro Signore…

PRIMA LETTURA — At 9,1-20

Dagli Atti degli Apostoli

In quei giorni, Sàulo, spirando ancora minacce e stragi contro i discepoli del Signore, si presentò al sommo sacerdote e gli chiese lettere per le sinagoghe di Damàsco, al fine di essere autorizzato a condurre in catene a Gerusalemme tutti quelli che avesse trovato, uomini e donne, appartenenti a questa Via. E avvenne che, mentre era in viaggio e stava per avvicinarsi a Damàsco, all'improvviso lo avvolse una luce dal cielo e, cadendo a terra, udì una voce che gli diceva: «Sàulo, Sàulo, perché mi perséguiti?». Rispose: «Chi sei, o Signore?». Ed egli: «Io sono Gesù, che tu perséguiti! Ma tu àlzati ed entra nella città e ti sarà detto ciò che devi fare». Gli uomini che facevano il cammino con lui si erano fermati ammutoliti, sentendo la voce, ma non vedendo nessuno. Sàulo allora si alzò da terra, ma, aperti gli occhi, non vedeva nulla. Così, guidandolo per mano, lo condussero a Damàsco. Per tre giorni rimase cieco e non prese né cibo né bevanda. C'era a Damàsco un discepolo di nome Ananìa. Il Signore in una visione gli disse: «Ananìa!». Rispose: «Eccomi, Signore!». E il Signore a lui: «Su, va' nella strada chiamata Diritta e cerca nella casa di Giuda un tale che ha nome Sàulo, di Tarso; ecco, sta pregando, e ha visto in visione un uomo, di nome Ananìa, venire a imporgli le mani perché recuperasse la vista». Rispose Ananìa: «Signore, riguardo a quest'uomo ho udito da molti quanto male ha fatto ai tuoi fedeli a Gerusalemme. Inoltre, qui egli ha l'autorizzazione dei capi dei sacerdoti di arrestare tutti quelli che invocano il tuo

nome». Ma il Signore gli disse: «Va', perché egli è lo strumento che ho scelto per me, affinché porti il mio nome dinanzi alle nazioni, ai re e ai figli d'Israele; e io gli mostrerò quanto dovrà soffrire per il mio nome». AlloraAnanìa andò, entrò nella casa, gli impose le mani e disse: «Sàulo, fratello, mi ha mandato a te il Signore, quel Gesù che ti è apparso sulla strada che percorrevi, perché tu riacquisti la vista e sia colmato di Spirito Santo». E subito gli caddero dagli occhi come delle squame e recuperò la vista. Si alzò e venne battezzato, poi prese cibo e le forze gli ritornarono. Rimase alcuni giorni insieme ai discepoli che erano a Damàsco, e subito nelle sinagoghe annunciava che Gesù è il Figlio di Dio.
Parola di Dio.

SALMO RESPONSORIALE Sal 116 (117)

℟. **Andate in tutto il mondo**
e proclamate il Vangelo.

Oppure:

℟. **Alleluia, alleluia, alleluia.**

Genti tutte, lodate il Signore,
popoli tutti, cantate la sua lode. ℟.

Perché forte è il suo amore per noi
e la fedeltà del Signore dura per sempre. ℟.

CANTO AL VANGELO Gv 6,56

Alleluia, alleluia.
Chi mangia la mia carne e beve il mio sangue
rimane in me e io in lui, dice il Signore.
Alleluia.

VANGELO Gv 6,52-59

✠ *Dal Vangelo secondo Giovanni*

In quel tempo, i Giudei si misero a discutere aspramente fra loro: «Come può costui darci la sua carne da mangiare?». Gesù disse loro: «In verità, in verità io vi dico: se non mangiate la carne del Figlio dell'uomo e non bevete il suo sangue, non avete in voi la vita. Chi mangia la mia carne e beve il mio sangue ha la vita eterna e io lo risusciterò nell'ultimo giorno. **Perché la mia carne è vero cibo e il mio sangue vera bevanda**. Chi mangia la mia carne e beve il mio sangue rimane in me e io in lui. Come il Padre, che ha la vita, ha mandato me e io vivo per il Padre, così anche colui che mangia me vivrà per me. Questo è il pane disceso dal cielo; non è come quello che mangiarono i padri e morirono.

Chi mangia questo pane vivrà in eterno». Gesù disse queste cose, insegnando nella sinagoga a Cafàrnao.
Parola del Signore.

SULLE OFFERTE - Santifica, o Signore, i doni che ti presentiamo e, accogliendo questo sacrificio spirituale, trasforma anche noi in offerta perenne a te gradita. Per Cristo nostro Signore.
Oppure: Il sacrificio che ti presentiamo, o Padre, ci trasformi, per tua grazia, in offerta perenne a te gradita. Per Cristo nostro Signore.

Prefazio pasquale.

COMUNIONE - Cristo crocifisso è risorto dai morti e ci ha redenti. Alleluia.
Oppure: Questo è il pane disceso dal cielo. Chi mangia questo pane vivrà in eterno *(Gv 6,58)*. Alleluia.

DOPO LA COMUNIONE - O Padre, che ci hai nutriti con questo sacramento, ascolta la nostra umile preghiera: il memoriale della Pasqua, che Cristo tuo Figlio ci ha comandato di celebrare, ci edifichi sempre nel vincolo della tua carità. Per Cristo nostro Signore.
Oppure: Santifica e rinnova, o Padre, i tuoi fedeli, che

hai convocato a questa mensa, ed estendi a tutti gli uomini la libertà e la pace donate sulla croce. Per Cristo nostro Signore.

Commenti

1ª LETTURA - Sàulo ottiene un mandato ufficiale per estirpare in tutti modi l'eresia che sta mietendo tanto successo. Sulla via di Damasco, però, una luce lo acceca e una voce lo interroga: siamo davanti a un tipico racconto di vocazione, con il verificarsi di un fenomeno straordinario e la voce che interpella. Sàulo resta cieco per tre giorni, deve cioè morire alla sua cecità interiore per risorgere alla nuova comprensione della realtà. Al riluttante Ananìa, viene rivelato il "mistero" di Saulo, la portata unica della sua missione universale, il suo futuro di missionario discusso, controverso e perseguitato. Il destino di Saulo è ormai legato al "nome" di Gesù che dovrà portare e testimoniare davanti ai pagani e ai loro re, come davanti ai figli di Israele. Non si poteva dire meglio il contenuto della missione e della "passione" di Sàulo. Passano solo alcuni giorni e Sàulo manifesta il suo carattere tutto d'un pezzo, passando all'azione, la più sbalorditiva: proclamare «Figlio di

Dio» quel Gesù, il cui nome pochi giorni prima lo riempiva di sdegno e di rabbia sino a perseguitare i suoi seguaci.

Vangelo - Normalmente il gesto di invitare qualcuno a tavola vuol dire condividere non solo il cibo, ma anche l'amicizia; non di meno nell'invito di Gesù di cibarsi del suo corpo e del suo sangue c'è il desiderio profondo di entrare in comunione con i suoi invitati. Egli stesso si dona affinché la nostra vita sia piena e ogni fame interiore sia saziata definitivamente. Non si tratta di qualcosa che soddisfa momentaneamente, come fu la manna per gli Ebrei nel deserto, ma di un dono immenso che fa pregustare non solo la pienezza della vita terrena, ma soprattutto la gioia della vita eterna. Per questo Gesù ci invita a partecipare al banchetto eucaristico se vogliamo prendere parte al suo mistero pasquale. Si tratta di fare spazio a Gesù nella dimensione salvifica dell'Eucaristia, riconoscendo il dono di sé come sacrificio d'amore per noi; solo così il discepolo può avere quella vita eterna che supera ogni umana attesa. È nell'Eucaristia che si trova tutto il desiderio di comunione di Dio con l'uomo, ed è grazie alla sua forza che ognuno può diventare ponte per far giungere al mondo l'annuncio della vita vera. Perché l'Eucaristia non è mai un premio per i "buoni", ma farmaco per chi ne ha bisogno.

PROPOSITO DEL GIORNO... Se posso, partecipo alla Messa e, dopo aver ricevuto l'Eucaristia, mi fermo a ringraziare e lodare per un così grande dono.

PRATICHE E FESTE DEL GIORNO...

- Pratiche e preghiere di ogni giorno consigliate per il mese di aprile *(pag. 727)*.
- Via Lucis (cod. 8001, 8527).
- Informiamoci e conosciamo san Luigi Maria Grignion de Montfort (cod. 8386, 8714).
- Preghiera a san Luigi Maria Grignion de Montfort.
- Informiamoci e conosciamo santa Gianna Beretta Molla (cod. 8475).
- Preghiera a santa Gianna Beretta Molla (cod. 8475).
- Preghiera a san Pietro Chanel.
- 1° giorno triduo a san Giuseppe Lavoratore (cod. 8115).

ALTRI SANTI E BEATI DEL GIORNO

S. Gianna Beretta Molla • S. Valeria • San Vitale • B. Guido Spada • B. Giuseppe Cebula

IMITIAMO LA VITA DEI SANTI, che siano di esempio

S. GIANNA BERETTA MOLLA: un sacrificio d'amore.

«Donna meravigliosa, **amante della vita, sposa, madre, medico professionista esemplare**, offrì la sua vita per non violare il mistero della dignità della vita» (Card. Martini). Limpida e graziosa, così appare la dottoressa Gianna Beretta all'ingegnere Pietro Molla nei primi incontri. Si sposano a Magenta il 24 settembre 1955. Gianna è medico chirurgo, poi si specializza in pediatria, ma cura tutti, soprattutto chi è vecchio e solo. Nascono i figli: Pierluigi, Maria Rita e Laura.

Nel settembre del 1961, mentre è in corso la quarta gravidanza, Gianna scopre un fibroma all'utero: la prospettiva è quella di rinunciare alla maternità per non morire, ma per Gianna la creaturina che porta in grembo ha il diritto di vivere e lei sola, in quel momento, rappresenta lo strumento della provvidenza perché possa venire al mondo: **decide quindi di sacrificare la sua vita per la figlia**. «Mi disse esplicitamente – ricorda il marito – con uno sguardo profondo che non dimenticherò mai: "Se dovete decidere fra me e il bimbo, nessuna esitazione: **scegliete, e lo esigo, il bimbo. Salvate lui**"».

Il mattino del 21 aprile **1962**, dà alla luce Gianna Emanuela e il mattino del 28 aprile, a soli 39 anni, muore.

29 APRILE

SABATO

Santa Caterina da Siena,
vergine e dottore della Chiesa,
patrona d'Italia e d'Europa (f)
bianco **propria**

SANTA CATERINA DA SIENA:
un'analfabeta per rinnovare la Chiesa.

A 20 anni Caterina ha una visione che non si cancellerà più dal suo cuore: la Vergine Maria la presenta a Gesù, che le dona uno splendido anello e le dice: **«Io, tuo Creatore e Salvatore, ti sposo nella fede»**.
Ecco perché ai progetti di matrimonio che avevano fatto per lei i suoi genitori – era la ventiquattresima figlia di Jacopo Benincasa, tintore, e di Lapa Piagenti – risponde tagliandosi i capelli e coprendosi la testa con un velo bianco. Come le era stato predetto da san Domenico in sogno, indossa l'abito delle Mantellate e **promette di dedicare la sua vita alla conversione dei peccatori e al rinnovamento della Chiesa e dei suoi rappresentanti in terra**, a partire dal Papa, che ella chiamava «il dolce Cristo in terra».
Presto Caterina, analfabeta, comincia a dettare le sue parole a vari amanuensi e così scrive a privati e prelati, a padri di famiglia e a magistrati, al re e persino al Papa,

costretto ad Avignone per lo scisma, esortandolo a non avere paura. Dio è solito servirsi di umili e deboli creature per operare cose grandi. **Di Caterina da Siena si è servito per dare pace alla Chiesa e ai popoli del suo tempo**. Caterina muore a 33 anni, dicendo: «Padre, nelle tue mani raccomando l'anima mia!».

ANTIFONA D'INGRESSO - Questa è la vergine saggia, una delle vergini prudenti che andò incontro a Cristo con la lampada accesa. Alleluia.

Si dice il Gloria *(pag. 12).*

COLLETTA - O Dio, che in santa Caterina [da Siena], ardente del tuo Spirito di amore, hai unito la contemplazione di Cristo crocifisso e il servizio della Chiesa, per sua intercessione concedi al tuo popolo di essere partecipe del mistero di Cristo, per esultare quando si manifesterà nella sua gloria. Egli è Dio…

PRIMA LETTURA — 1Gv 1,5 – 2,2

Dalla prima lettera di san Giovanni apostolo

Figlioli miei, questo è il messaggio che abbiamo udito da lui e che noi vi annunciamo: Dio è luce e in lui non c'è tenebra alcuna. Se diciamo di essere in comunione con lui e camminiamo nelle tenebre, siamo bugiardi e non mettiamo in pratica la verità. Ma se camminiamo nella luce, come egli è nella luce, siamo in comunione gli uni con gli altri, e il sangue di Gesù, il Figlio suo, ci purifica da ogni peccato. Se diciamo di essere senza peccato, inganniamo noi stessi e la verità non è in noi. Se confessiamo i nostri peccati, egli è fedele e giusto tanto da perdonarci i peccati e purificarci da ogni iniquità. Se diciamo di non avere peccato, facciamo di lui un bugiardo e la sua parola non è in noi. Figlioli miei, vi scrivo queste cose perché non pecchiate; ma se qualcuno ha peccato, abbiamo un Paràclito presso il Padre: Gesù Cristo, il giusto. È lui la vittima di espiazione per i nostri peccati; non soltanto per i nostri, ma anche per quelli di tutto il mondo. **Parola di Dio.**

SALMO RESPONSORIALE Dal Salmo 102 (103)

℟. **Benedici il Signore, anima mia.**

Benedici il Signore, anima mia,
quanto è in me benedica il suo santo nome.
Benedici il Signore, anima mia,
non dimenticare tutti i suoi benefici. ℟.

Egli perdona tutte le tue colpe,

guarisce tutte le tue infermità,
salva dalla fossa la tua vita,
ti circonda di bontà e misericordia. ℟.

Misericordioso e pietoso è il Signore,
lento all'ira e grande nell'amore.
Non è in lite per sempre,
non rimane adirato in eterno. ℟.

Come è tenero un padre verso i figli,
così il Signore è tenero verso quelli che lo temono,
perché egli sa bene di che siamo plasmati,
ricorda che noi siamo polvere. ℟.

Ma l'amore del Signore è da sempre,
per sempre su quelli che lo temono,
e la sua giustizia per i figli dei figli,
per quelli che custodiscono la sua alleanza. ℟.

CANTO AL VANGELO — Cfr. Mt 11,25

Alleluia, alleluia.
Ti rendo lode, Padre,
Signore del cielo e della terra,
perché ai piccoli hai rivelato i misteri del Regno.
Alleluia.

VANGELO Mt 11,25-30

✠ *Dal Vangelo secondo Matteo*

In quel tempo, Gesù disse: «Ti rendo lode, Padre, Signore del cielo e della terra, perché hai nascosto queste cose ai sapienti e ai dotti e le hai rivelate ai piccoli. Sì, o Padre, perché così hai deciso nella tua benevolenza. Tutto è stato dato a me dal Padre mio; nessuno conosce il Figlio se non il Padre, e nessuno conosce il Padre se non il Figlio e colui al quale il Figlio vorrà rivelarlo. **Venite a me, voi tutti che siete stanchi e oppressi, e io vi darò ristoro**. Prendete il mio giogo sopra di voi e imparate da me, che sono mite e umile di cuore, e troverete ristoro per la vostra vita. Il mio giogo infatti è dolce e il mio peso leggero». **Parola del Signore.**

SULLE OFFERTE - Accogli, o Signore, questo sacrificio di salvezza che ti offriamo nella festa di santa Caterina, perché, sostenuti dai suoi insegnamenti, con più fervore possiamo rendere grazie a te, Dio vivo e vero. Per Cristo nostro Signore.

Prefazio dei santi dottori della Chiesa o delle sante vergini.

COMUNIONE - Se camminiamo nella luce, come Dio è nella luce, siamo in comunione gli uni con gli altri, e il sangue di Gesù Cristo, Figlio suo, ci purifica da ogni peccato *(Cfr. 1Gv 1,7)*. Alleluia.

Dopo la Comunione - O Signore, questo cibo spirituale, che fu nutrimento e sostegno di santa Caterina nella vita terrena, comunichi a noi la tua vita immortale. Per Cristo nostro Signore.

Commenti

1ª lettura - Giovanni accosta la realtà di luce di Dio con uno stile, una scelta umana di vita: il "camminare nella luce". Dire che Dio è luce non significa affermare che noi lo vediamo chiaramente. Dio è luce nel senso che illumina noi, che ci dona quella chiarezza di cui abbiamo bisogno per discernere il suo disegno su di noi e per trovare la via che ci conduce a lui attraverso la nostra storia quotidiana. Poi Giovanni specifica in cosa consiste il "camminare nella luce": mettere in pratica la verità, essere in comunione con gli altri, lasciarsi purificare dal sangue di Cristo. La pratica della verità è, a sua volta, il presupposto per vivere la comunione fraterna, prova della vera comunione con Dio. Le due comunioni, orizzontale e verticale, si intersecano: l'una diventa verifica dell'autenticità dell'altra. Esse stanno o cadono insieme. Non si può stare bene con Dio se non si sta bene con gli altri. Infine, premessa e conseguenza allo stesso tempo del camminare nella via della luce e della verità, è l'atteggiamento di fronte alla propria condizione di peccatori, bisognosi della salvezza che viene solo da Cristo.

VANGELO - Troviamo nel Vangelo la lode di Gesù al Padre per aver nascosto la rivelazione ai sapienti – troppo pieni si sé per comprenderla – e l'invito a farsi piccoli per comprendere il grande mistero d'amore di Dio per l'uomo. Attenzione, però: il Signore non ci chiede di comportarci come bambini, ma di farci piccoli nel cuore. I piccoli non smettono mai di cercare. Sempre a chiedere il perché delle cose, sempre a stupirsi di quello che li circonda, sempre con gli occhi pieni di meraviglia e il cuore colmo di gratitudine. Quelli invece che credono di sapere tutto hanno smesso di cercare, convinti di essere superiori grazie alla loro conoscenza perfetta. Dio, invece, preferisce gli imperfetti, i piccoli che hanno tanta voglia di crescere, che sono bisognosi di abbracci e che tendono la mano, fiduciosi che qualcuno più grande di loro li aiuterà ad attraversare quella strada tante volte pericolosa che è la vita. Fu grazie a questa "piccolezza" che santa Caterina, della quale facciamo oggi memoria, riuscì a far ravvedere i grandi della sua epoca. Recuperiamo la semplicità delle piccole cose, dei gesti, delle parole. Solo con gli occhi e il cuore del bambino che è in noi potremo riconoscere Dio.

PROPOSITO DEL GIORNO... Medito la pagina del Vangelo e mi lascio ristorare dalle parole di Gesù.

PRATICHE E FESTE DEL GIORNO...

- Pratiche e preghiere di ogni giorno consigliate per il mese di aprile *(pag. 727)*.
- 19° sabato di Pompei.
- Preghiera a santa Caterina da Siena.
- 1° giorno novena alla Madonna di Pompei.
- Festa Madonna del Sangue (29 aprile - 1° maggio), Re (VB).
- Festa Madonna della Ghiara, Reggio Emilia.

ALTRI SANTI E BEATI DEL GIORNO

S. Severo di Napoli • S. Ugo di Cluny • S. Antonio Kim Sŏng-u • B. Itala Mela • B. Anna Chrzanowska

30 APRILE

DOMENICA

4ª domenica di Pasqua (A) *bianco* 4ª sett. salt.

ANTIFONA D'INGRESSO - Dell'amore del Signore è piena la terra; dalla sua parola furono fatti i cieli *(Sal 32,5-6)*. Alleluia.

Si dice il Gloria *(pag. 12)*.

COLLETTA - **Preghiamo:** Dio onnipotente e misericordioso, guidaci al possesso della gioia eterna, perché l'umile gregge dei tuoi fedeli giunga dove lo ha preceduto Cristo, suo pastore. Egli è Dio… **Amen.**

Oppure: O Dio, nostro Padre, che hai inviato il tuo Figlio, porta della nostra salvezza, infondi in noi la sapienza dello Spirito, perché sappiamo riconoscere la voce di Cristo, buon pastore, che ci dona la vita in abbondanza. Egli è Dio… **Amen.**

(seduti)

PRIMA LETTURA

At 2,14a.36-41

Dagli Atti degli Apostoli

[Nel giorno di Pentecoste,] Pietro con gli Undici si alzò in piedi e a voce alta parlò così: «Sappia con certezza tutta la casa d'Israele che Dio ha costituito Signore e Cristo quel Gesù che voi avete crocifisso». All'udire queste cose si sentirono trafiggere il cuore e dissero a Pietro e agli altri apostoli: «Che cosa dobbiamo fare, fratelli?». E Pietro disse loro: «Convertitevi e ciascuno di voi si faccia battezzare nel nome di Gesù Cristo, per il perdono dei vostri peccati, e riceverete il dono dello Spirito Santo. Per voi infatti è la promessa e per i vostri figli e per tutti quelli che sono lontani, quanti ne chiamerà il Signore Dio nostro». Con molte altre parole rendeva testimonianza e li esortava: «Salvatevi da questa generazione perversa!». Allora coloro che accolsero la sua parola furono battezzati e quel giorno furono aggiunte circa tremila persone. - Parola di Dio.

℟. **Rendiamo grazie a Dio.**

SALMO RESPONSORIALE Dal Salmo 22 (23)

℟. **Il Signore è il mio pastore: non manco di nulla.**

Oppure:

℟. **Alleluia, alleluia, alleluia.**

Il Signore è il mio pastore:
non manco di nulla.
Su pascoli erbosi mi fa riposare,
ad acque tranquille mi conduce.
Rinfranca l'anima mia. ℟.

Mi guida per il giusto cammino
a motivo del suo nome.
Anche se vado per una valle oscura,
non temo alcun male, perché tu sei con me.
Il tuo bastone e il tuo vincastro
mi danno sicurezza. ℟.

Davanti a me tu prepari una mensa
sotto gli occhi dei miei nemici.

Ungi di olio il mio capo;
il mio calice trabocca. R.

Sì, bontà e fedeltà mi saranno compagne
tutti i giorni della mia vita,
abiterò ancora nella casa del Signore
per lunghi giorni. R.

SECONDA LETTURA 1Pt 2,20b-25

Dalla prima lettera di san Pietro apostolo

Carissimi, se, facendo il bene, **sopporterete con pazienza la sofferenza**, ciò sarà gradito davanti a Dio. A questo infatti siete stati chiamati, perché anche Cristo patì per voi, lasciandovi un esempio, perché ne seguiate le orme: egli non commise peccato e non si trovò inganno sulla sua bocca; insultato, non rispondeva con insulti, maltrattato, non minacciava vendetta, ma si affidava a colui che giudica con giustizia. Egli portò i nostri peccati nel suo corpo sul legno della croce, perché, non vivendo più per il peccato, vivessimo per la giustizia; dalle sue piaghe siete stati guariti. Eravate erranti come pecore, ma ora siete stati ricondotti al pastore e custode delle vostre anime. - Parola di Dio. R. **Rendiamo grazie a Dio.**

(in piedi)

CANTO AL VANGELO Gv 10,14

Alleluia, alleluia.
Io sono il buon pastore, dice il Signore,
conosco le mie pecore
e le mie pecore conoscono me.
Alleluia.

VANGELO Gv 10,1-10

Il Signore sia con voi.
℟. **E con il tuo spirito.**
✠ *Dal Vangelo secondo Giovanni*
℟. **Gloria a te, o Signore.**
In quel tempo, Gesù disse: «In verità, in verità io vi dico: chi non entra nel recinto delle pecore dalla porta, ma vi sale da un'altra parte, è un ladro e un brigante. Chi invece entra dalla porta, è pastore delle pecore. Il guardiano gli apre e le pecore ascoltano la sua voce: egli chiama le sue pecore, ciascuna per nome, e le conduce fuori. E quando ha spinto fuori tutte le sue pecore, cammina davanti a esse, e le pecore lo seguono perché conoscono la sua voce. Un estraneo invece non lo seguiranno, ma fuggiranno via da lui, perché non conoscono la voce degli

estranei». Gesù disse loro questa similitudine, ma essi non capirono di che cosa parlava loro. Allora Gesù disse loro di nuovo: «In verità, in verità io vi dico: io sono la porta delle pecore. Tutti coloro che sono venuti prima di me, sono ladri e briganti; ma le pecore non li hanno ascoltati. Io sono la porta: se uno entra attraverso di me, sarà salvato; entrerà e uscirà e troverà pascolo. Il ladro non viene se non per rubare, uccidere e distruggere; io sono venuto perché abbiano la vita e l'abbiano in abbondanza». - Parola del Signore. R. **Lode a te o Cristo.**

Si dice il Credo *(pag. 15).*

(in piedi)

SULLE OFFERTE - O Dio, che in questi santi misteri compi l'opera della nostra redenzione, fa' che questa celebrazione pasquale sia per noi fonte di perenne letizia. Per Cristo nostro Signore. **Amen.**

Prefazio pasquale.

COMUNIONE - È risorto il buon pastore che ha dato la vita per le sue pecore, e per il suo gregge è andato incontro alla morte. Alleluia.

Oppure: Io sono il buon pastore e do la mia vita per le pecore *(Gv 10,14-15)*. Alleluia.

DOPO LA COMUNIONE - **Preghiamo:** O Dio, pastore buono, custodisci nella tua misericordia il gregge che hai redento con il sangue prezioso del tuo Figlio e conducilo ai pascoli della vita eterna. Per Cristo nostro Signore. **Amen.**

Commenti

1ª LETTURA - Il brano conclude il primo discorso di Pietro al popolo. Un'affermazione decisa dell'Apostolo compendia tutta l'esposizione precedente: «Dio ha costituito Signore e Cristo quel Gesù che voi avete crocifisso», cioè ha dato il suo nome divino – e quindi il suo potere – proprio a colui che Israele ha respinto e condannato a una morte infame, ritenendo una bestemmia la sua pretesa di essere il Figlio di Dio, il Cristo. Le parole di Pietro raggiungono il cuore degli astanti, mostrando loro l'enormità del male compiuto. Più tagliente di una spada a due tagli, infatti, la parola di Dio è mandata per discernere e salvare, non per condannare. La folla percepisce la grazia di quella predicazione e si apre alla fede. Pietro, secondo il mandato ricevuto dal Risorto, può allora invitare al pentimento e al Battesimo «nel nome di Gesù Cristo per il perdono dei peccati». Immergersi sacramentalmente nella persona del Crocifisso-Risorto vuol dire rendere efficace la salvezza che egli ha operato. Perciò l'Apostolo aggiunge: «Riceverete il dono dello Spirito Santo», sigillo della nuova vita in Cristo.

2ª LETTURA - Il Battesimo, togliendo il peccato originale, dà a coloro che lo ricevono la nuova identità di figli di Dio. Per meglio caratterizzare tale trasformazione, Pietro usa termini molto precisi: i battezzati nella Chiesa sono pietre vive, stirpe eletta, sacerdozio regale, nazione santa. Tale "privilegio" esige però l'acquisizione di una nuova mentalità e di una condotta di vita conformi a Cristo. Le differenze di condizione sociale o culturale perdono di consistenza, perché tutti i discepoli trovano la loro unità in Cristo e tutti sono egualmente «stranieri e pellegrini» (1Pt 2,11) in questo mondo, tutti egualmente servi di Dio. Perciò Pietro offre come modello proprio Gesù che, con pazienza e mitezza, prende su di sé il peccato non suo per distruggerlo nella sua umanità. L'umanità è così liberata dalla schiavitù del peccato e può vivere «per la giustizia», che è amore e misericordia. Con il Battesimo il cristiano è reso membro di Cristo, ed è perciò chiamato a condividere la sua passione per partecipare alla sua gloria nel cielo, insieme a tutti i fratelli che con la sua vita avrà cooperato a salvare.

VANGELO - L'immagine del Buon Pastore è cara a tanti di noi. Ci insegna la tenerezza e l'amore di Dio per ogni uomo. Ma, allo stesso tempo, ci consegna un invito chiaro: uscire. Colpisce questo pastore che spinge le pecore fuori dal recinto, facendole passare, una a una, per la porta che è egli stesso. Gesù è la nostra "uscita sicura", l'unica che ci mostra un cammino impegnativo ma autentico, una direzione nuova per cui vale la pena mettersi in viaggio. Il pastore cammina davanti alle sue pecore che, liberamente, lo seguono perché le chiama per nome, cioè ne conosce la vita. Tutto questo avviene fuori dal recinto: amare significa andare incontro; amare significa rischiare di perdere; ma amare non significherà mai possedere, perché chi ama libera. Usciamo fuori! Usciamo fuori dai nostri recinti mentali, dal nostro egoismo. Usciamo fuori dalla paura, dal buio del dubbio. Usciamo fuori dal dolore, dalla tristezza e dalla solitudine. Usciamo fuori, perché solo così potremo incontrare il Pastore che è venuto tra noi affinché gli uomini «abbiano la vita e l'abbiano in abbondanza». In abbondanza vuol dire che Dio vuole proprio esagerare con noi. Non accontentiamoci di sopravvivere, ma esageriamo nell'amore!

PROPOSITO DEL GIORNO... Oggi mi impegno a crescere nell'esercizio della pazienza. Di fronte a qualsiasi sofferenza, di fronte a qualunque prova, a ogni cruccio, voglio essere paziente.

PRATICHE E FESTE DEL GIORNO...

- Pratiche e preghiere di ogni giorno consigliate per il mese di aprile *(pag. 727)*.
- 60ª Giornata Mondiale di preghiera per le vocazioni.
- Preghiera a san Pio V.
- Preghiera a san Giuseppe Cottolengo.
- Festa Madonna Incoronata, Foggia.
- Festa Madonna del Soccorso, Prato.

SANTI E BEATI DEL GIORNO

S. Giuseppe Benedetto Cottolengo • S. Sofia • B. Benedetto da Urbino • B. Paolina von Mallinckrodt

PREGHIERE PER I MESI DI MARZO E APRILE

«Si impara a pregare pregando»
(Sant'Agostino)

PRATICHE E PREGHIERE CONSIGLIATE

«La preghiera semina vita».
(Papa Francesco)

- Santa Messa e Liturgia delle Ore (cod. 615).
- Santo Rosario: misteri gioia, luce, dolore, gloria *(pag. 728)*.
- Coroncina alla Divina Misericordia *(pag. 754)*.
- Corona angelica (cod. 8197).
- Far celebrare una santa Messa per i famigliari viventi *(ogni mese)*.
- Digiuno a pane e acqua secondo le proprie possibilità (cod. 8246) *(mercoledì e venerdì)*.
- Via Crucis *(pag. 735) (venerdì)*.
- Via Lucis (cod. 8001, 8527) *(venerdì - Tempo di Pasqua)*.
- Il sacramento della Riconciliazione (cod. 8344, 8629) *(tutte le settimane o almeno una volta al mese)*.
- Piccolo Ufficio dell'Immacolata *(sabato)*.

- MESE DI MARZO -

- Consacrazione a san Giuseppe (cod. 8001, 8100, 8115).
- Supplica a san Giuseppe (cod. 8001, 8100, 8115).
- Coroncina a san Giuseppe (cod. 8001, 8100).
- Litanie a san Giuseppe (cod. 8001, 8100, 8190).

- MESE DI APRILE -

- Litanie alla Divina Misericordia (cod. 8001, 8139).
- Consacrazione alla Divina Misericordia (cod. 8001, 8100).

IL SANTO ROSARIO

Nel nome del Padre e del Figlio e dello Spirito Santo. Amen.

O Dio vieni a salvarmi. Signore vieni presto in mio aiuto.

Gloria al Padre

MISTERI DELLA GIOIA

Lunedì e sabato

1. L'Annuncio dell'angelo a Maria

[L'angelo] entrando da lei, disse: «Rallégrati, piena di grazia: il Signore è con te. Ed ecco, concepirai un figlio, lo darai alla luce e lo chiamerai Gesù» (Lc 1,28.31).

Dio si fa carne nel grembo di Maria per essere il Dio-con-noi, il Dio che si china sull'uomo, che cammina con lui, che parla al suo cuore.

2. La visita di Maria a santa Elisabetta

Maria si alzò e andò in fretta [...] in una città di Giuda. Entrata nella casa di Zaccaria, salutò Elisabetta. Maria rimase con lei circa tre mesi (Lc 1,39-40.56).

Dopo aver accolto il Figlio di Dio nel cuore e nel grembo, Maria si mette in cammino e va da Elisabetta per condividere le grandi cose che il Signore ha operato nella sua vita. La buona notizia di Gesù comincia la sua corsa fino agli estremi confini della terra.

3. La nascita di Gesù a Betlemme

«Vi annuncio una grande gioia, che sarà di tutto il popolo: oggi, nella città di Davide, è nato per voi un Salvatore» (Lc 2,10-11).

Nella povertà di Betlemme, Maria dà alla luce colui che è la luce del mondo. In questo bambino, Dio riveste i panni della debolezza e della fragilità umana; si rivela a coloro che lo cercano con cuore sincero.

4. La presentazione di Gesù al tempio

[Simeone,] mosso dallo Spirito, si recò al tempio e, mentre i genitori vi portavano il bambino Gesù per fare ciò che la Legge prescriveva a suo riguardo, anch'egli lo accolse tra le braccia e benedisse Dio (Lc 2,27-28).

Il gesto rituale della presentazione al tempio assume per Gesù un significato più profondo: egli è il Figlio di Dio e la sua offerta anticipa l'altra offerta, quella della croce. Maria, unita al Figlio, vi partecipa fin da ora.

5. Il ritrovamento di Gesù al tempio

«Non sapevate che io devo occuparmi delle cose del Padre mio?». Sua madre custodiva tutte queste cose nel suo cuore (Lc 2,49b.51b).

Gesù apre uno spiraglio sulla sua identità e lascia intravedere il mistero della sua persona, il suo rapporto unico e privilegiato con il Padre. Maria, dinanzi alle sue parole dal significato oscuro, continua a fidarsi di Dio e, pur non comprendendo, crede.

MISTERI DELLA LUCE

Giovedì

1. Il battesimo di Gesù nel Giordano

Appena battezzato, Gesù uscì dall'acqua: ed ecco, si aprirono per lui i cieli ed egli vide lo Spirito di Dio discendere come una colomba e venire sopra di lui. Ed ecco una voce dal cielo che diceva: «Questi è il Figlio mio, l'amato: in lui ho posto il mio compiacimento» (Mt 3,16-17).

Gesù inizia la sua vita pubblica mettendosi in fila con i peccatori; questo suo gesto rivela una scelta più profonda: essere accanto all'uomo nella sua realtà di vita e di peccato.

2. La rivelazione di Gesù alle nozze di Cana

Sua madre disse ai servitori: «Qualsiasi cosa vi dica, fatela». Questo, a Cana di Galilea, fu l'inizio dei segni compiuti da Gesù; egli manifestò la sua gloria e i suoi discepoli credettero in lui (Gv 2,5.11).

Allo sguardo attento di Maria non sfugge la mancanza di vino: la gioia non allieta più il banchetto della vita. Maria interviene e invita a fare quello che Gesù dirà, cioè indica in lui la via che l'uomo può e deve percorrere se vuole scoprire il senso più vero della vita.

3. L'annuncio del regno di Dio e l'appello alla conversione

«Il tempo è compiuto e il regno di Dio è vicino; convertitevi e credete nel Vangelo» (Mc 1,15).

Gesù inaugura la sua missione con l'invito alla conversione. È importante convertirsi e credere come Maria, che non ha temuto di seguire Gesù lungo le strade ardue e imprevedibili della fede, nei momenti di gioia e di dolore.

4. La Trasfigurazione di Gesù

Sei giorni dopo, Gesù prese con sé Pietro, Giacomo e Giovanni e li condusse su un alto monte, in disparte, loro soli. Fu trasfigurato davanti a loro (Mc 9,2).

Nell'intimità con il Padre e con Pietro, Giacomo e Giovanni, Gesù sul monte Tabor apre uno squarcio di luce e offre un anticipo della gloria della Pasqua: egli è il Messia crocifisso e risorto.

5. L'istituzione dell'Eucaristia

«Prendete, questo è il mio corpo». E disse loro: «Questo è il mio sangue dell'alleanza, che è versato per molti» (Mc 14,22b.24).

Il pane preso, benedetto, spezzato e dato è Gesù; in questo gesto c'è la sfida dell'amore, vissuto nell'accoglienza del peccatore pentito, nell'attenzione al povero, nell'ascolto della voce del Padre, nella ricerca della pecora smarrita e ora giunto al dono totale di sé.

MISTERI DEL DOLORE

Martedì e venerdì

1. L'agonia di Gesù nel Getsèmani

«Padre mio, se è possibile, passi via da me questo calice!

Però non come voglio io, ma come vuoi tu!» (Mt 26,39b).
In quest'ultima preghiera, fatta di angoscia e di paura, Gesù rinnova la sua incondizionata accettazione della volontà del Padre. Seguire Gesù significa rimanere con lui nella volontà di Dio.

2. La flagellazione di Gesù

[…] Pilato fece prendere Gesù e lo fece flagellare (Gv 19,1).
In Gesù, che si consegna liberamente nelle mani dell'uomo, è rappresentata l'umanità sofferente, schiacciata dalla superbia dei potenti, offesa nella sua dignità, privata dei suoi diritti, che si avvia con lui al Calvario.

3. L'incoronazione di spine

[I soldati] intrecciarono una corona di spine, gliela posero sul capo e gli misero una canna nella mano destra. Poi, inginocchiandosi davanti a lui, lo deridevano: «Salve, re dei Giudei!» (Mt 27,29).
Gesù è deriso e beffeggiato, eppure, senza saperlo, i soldati dicono la verità: egli è re! Ma egli regna nel cuore di chi accetta di imparare da lui la via della mitezza, dell'umiltà, del perdono, così come ha fatto Maria.

4. Il viaggio di Gesù verso il Calvario

Allora [Pilato] lo consegnò loro perché fosse crocifisso. Essi presero Gesù ed egli, portando la croce, si avviò verso il luogo detto del Cranio, in ebraico Gòlgota (Gv 19,16-17).
Gesù sale al Calvario e porta su di sé il peccato del-

l'uomo, il suo egoismo… Maria lo accompagna, porta con lui il peso della croce in attesa della Pasqua.

5. La morte di Gesù in croce

Stava presso la croce di Gesù sua madre. Dopo aver preso l'aceto, Gesù disse: «È compiuto!». E, chinato il capo, consegnò lo spirito (cfr. Gv 19,25a.30).

Gesù muore, tutto è compiuto! Le tenebre scendono sul mondo. Nel buio, però, brilla una luce: è Maria, che rimane al suo posto, accanto al Figlio, fino alla fine, garanzia che le tenebre non prevarranno.

MISTERI DELLA GLORIA

Mercoledì e domenica

1. La risurrezione di Gesù

«Non abbiate paura! Voi cercate Gesù Nazareno, il crocifisso. È risorto, non è qui» (Mc 16,6b).

Gesù è risorto: è questo il grande annuncio pasquale. Il nostro Dio è il Dio dei vivi! È questa la fede che ha sostenuto Maria e che sostiene il cammino di ogni credente.

2. L'ascensione di Gesù al cielo

Detto questo, mentre lo guardavano, fu elevato in alto e una nube lo sottrasse ai loro occhi (At 1,9).

Dopo l'ultimo sguardo di tenerezza verso i suoi amici più cari, Gesù ascende al cielo e lascia ai suoi discepoli, e a noi, una missione: andare in tutto il mondo e predicare il Vangelo a ogni creatura.

3. La discesa dello Spirito Santo su Maria e gli apostoli a Pentecoste

Apparvero loro lingue come di fuoco, che si dividevano, e si posarono su ciascuno di loro, e tutti furono colmati di Spirito Santo e cominciarono a parlare in altre lingue, nel modo in cui lo Spirito dava loro il potere di esprimersi (At 2,3-4).

Lo Spirito scende, infiamma il cuore degli apostoli, infonde coraggio. A partire dal giorno di Pentecoste, la Chiesa missionaria dona a tutti coloro che incontra i frutti di una vita nuova: amore, gioia, pace…

4. L'Assunzione di Maria al cielo

Grandi cose ha fatto per me l'Onnipotente e Santo è il suo nome (Lc 1,49).

Maria è stata vicina al Figlio, ne ha condiviso le gioie e i dolori e ora anche la gloria. Nella sua assunzione al cielo contempliamo il destino ultimo dell'uomo: essere santo e immacolato al cospetto di Dio nella carità.

5. L'incoronazione di Maria regina del cielo e della terra

Un segno grandioso apparve nel cielo: una donna vestita di sole, con la luna sotto i suoi piedi e, sul capo, una corona di dodici stelle (Ap 12,1).

Nella Gerusalemme celeste Maria è regina accanto al re, suo Figlio. Maria dal cielo continua a sostenere il nostro cammino con il suo amore di madre.

Salve Regina

VIA CRUCIS

Tra i pii esercizi con cui i fedeli venerano la passione del Signore, pochi sono tanto amati quanto la Via Crucis. Attraverso questo pio esercizio i fedeli ripercorrono, con partecipe affetto, l'itinerario del dolore che sboccia in gioia, della crocifissione che prepara la risurrezione, della morte che si muta in vita.

Riti iniziali

Nel nome del Padre e del Figlio e dello Spirito Santo. Amen.

O Dio vieni a salvarmi. Signore vieni presto in mio aiuto.

Gloria al Padre

Prima di iniziare la meditazione delle sofferenze patite dal Signore Gesù per amore nostro, purifichiamo il cuore e domandiamo sinceramente perdono a Dio.

- Signore, che sei venuto per dare la tua vita in riscatto per tutti, abbi pietà di noi. **Signore, pietà.**
- Cristo, che hai voluto essere innalzato da terra per attirarci al Padre, abbi pietà di noi. **Cristo, pietà.**
- Signore, che sulla croce, hai invocato il perdono per i peccatori, abbi pietà di noi. **Signore, pietà.**

Preghiamo: Concedi, Padre buono, che la nostra vita si ispiri continuamente al mistero della croce che ora celebriamo in questo santo rito. Tu che vivi e regni, nei secoli dei secoli. **Amen.**

I STAZIONE: GESÙ È CONDANNATO A MORTE

Ti adoriamo, Cristo, e ti benediciamo.

Perché con la tua santa croce hai redento il mondo.

[Pilato] lo consegnò loro perché fosse crocifisso (Gv 19,16).

Quando condanno gli altri, quando li giudico, sei tu Gesù che io rifiuto. Signore, tu che non hai mai condannato nessuno, insegnami ad amare come tu solo sai amare.

Padre nostro • Ave Maria • Gloria al Padre

II STAZIONE: GESÙ È CARICATO DEL LEGNO DELLA CROCE

Ti adoriamo, Cristo, e ti benediciamo.

Perché con la tua santa croce hai redento il mondo.

Essi presero Gesù ed egli, portando la croce, si avviò verso il luogo detto del Cranio, in ebraico Gòlgota (Gv 19,16b-17).

O Gesù, tu porti con me il peso delle piccole e grandi sofferenze della mia vita. Ti prego, Signore, per tutti quelli che soffrono sotto il peso delle difficoltà, delle ingiustizie e dei dolori di ogni genere.

Padre nostro • Ave Maria • Gloria al Padre

III STAZIONE: GESÙ CADE PER LA PRIMA VOLTA

Ti adoriamo, Cristo, e ti benediciamo.

Perché con la tua santa croce hai redento il mondo.

Venite a me, voi tutti che siete stanchi e oppressi, e io vi darò ristoro (Mt 11,28).

Quando sono scoraggiato, quando tutto è difficile, o Gesù, donami la tua forza. Aiutami a risollevarmi, perché non resti schiacciato dalla mia tristezza.

Padre nostro • Ave Maria • Gloria al Padre

IV STAZIONE: GESÙ INCONTRA SUA MADRE

Ti adoriamo, Cristo, e ti benediciamo.

Perché con la tua santa croce hai redento il mondo.

Simeone li benedisse e a Maria, sua madre, disse: «Ecco, egli è qui per la caduta e la risurrezione di molti e anche a te una spada trafiggerà l'anima» (cfr. Lc 2,34a.35a).

Signore, ti prego per tutti i bambini del mondo che soffrono e che non hanno una mamma accanto per consolarli. La Vergine Maria, tua madre, doni loro la sua tenerezza.

Padre nostro • Ave Maria • Gloria al Padre

V STAZIONE: SIMONE DI CIRENE PORTA LA CROCE DI GESÙ

Ti adoriamo, Cristo, e ti benediciamo.

Perché con la tua santa croce hai redento il mondo.

Mentre lo conducevano via, fermarono un certo Simone di Cirene, che tornava dai campi, e gli misero addosso la croce, da portare dietro a Gesù (Lc 23,26).

Signore, adesso hai bisogno di me per portare la tua croce? Rendimi attento alla miseria di coloro che mi circondano. Quando li aiuto, sei tu che aiuto.

Padre nostro • Ave Maria • Gloria al Padre

VI STAZIONE:
LA VERONICA ASCIUGA IL VOLTO DI GESÙ

Ti adoriamo, Cristo, e ti benediciamo.

Perché con la tua santa croce hai redento il mondo.

Disprezzato e reietto dagli uomini, uomo dei dolori che ben conosce il patire, come uno davanti al quale ci si copre la faccia; era disprezzato e non ne avevamo alcuna stima (Is 53,3).

Come la Veronica che asciuga il tuo volto, per amor tuo io possa confortare quelli che soffrono. Gesù, ti prego per i malati, le persone anziane, sole e abbandonate, per tutti quelli che sono tristi e che io vorrei consolare.

Padre nostro • Ave Maria • Gloria al Padre

VII STAZIONE: GESÙ CADE PER LA SECONDA VOLTA

Ti adoriamo, Cristo, e ti benediciamo.

Perché con la tua santa croce hai redento il mondo.

Essi godono della mia caduta, si radunano, si radunano contro di me per colpirmi di sorpresa (Sal 35,15a).

Anche quando prendo delle buone risoluzioni, stento a restarvi fedele. Gesù, insegnami a non scoraggiarmi, ad accettare umilmente le mie cadute. Donami la tua pazienza e la tua forza.

Padre nostro • Ave Maria • Gloria al Padre

VIII STAZIONE: GESÙ INCONTRA LE DONNE DI GERUSALEMME

Ti adoriamo, Cristo, e ti benediciamo.

Perché con la tua santa croce hai redento il mondo.

«Figlie di Gerusalemme, non piangete su di me, ma piangete su voi stesse e sui vostri figli» (Lc 23,28b).

Tu lo sai, Signore, che io guardo più facilmente i difetti degli altri piuttosto che i miei! Insegnami a riconoscere i miei peccati e a seguirti nel cammino del perdono.

Padre nostro • Ave Maria • Gloria al Padre

IX STAZIONE: GESÙ CADE PER LA TERZA VOLTA

Ti adoriamo, Cristo, e ti benediciamo.

Perché con la tua santa croce hai redento il mondo.

Noi tutti eravamo sperduti come un gregge, ognuno di noi seguiva la sua strada; il Signore fece ricadere su di lui l'iniquità di noi tutti (Is 53,6).

Malgrado le mie cadute e le mie ricadute, io so, Signore, che tu mi ami sempre. Grazie, Gesù, mi risollevi e mi doni la gioia del tuo perdono nel sacramento della Riconciliazione.

Padre nostro • Ave Maria • Gloria al Padre

X STAZIONE: GESÙ È SPOGLIATO DELLE VESTI

Ti adoriamo, Cristo, e ti benediciamo.

Perché con la tua santa croce hai redento il mondo.

I soldati poi [...] presero le sue vesti, ne fecero quattro parti – una per ciascun soldato – e la tunica (Gv 19,23a).

Tu ci hai creati, Signore, a tua immagine e somiglianza. Tanti uomini sono offesi, disprezzati, oltraggiati... Tu, Gesù, li ami e riconosci la loro dignità. Insegnami a guardare con amore i poveri che incontro.

Padre nostro • Ave Maria • Gloria al Padre

XI STAZIONE: GESÙ È INCHIODATO SULLA CROCE

Ti adoriamo, Cristo, e ti benediciamo.

Perché con la tua santa croce hai redento il mondo.

Gesù allora, vedendo la madre e accanto a lei il discepolo che egli amava, disse alla madre: «Donna, ecco tuo figlio!». Poi disse al discepolo: «Ecco tua madre!» (Gv 19,26-27a).

Sì, Signore Gesù, io ricevo Maria come mia vera madre. Insieme con lei mi fermo ai piedi della croce, con lei prego affinché il tuo amore arrivi a tutti gli uomini.

Padre nostro • Ave Maria • Gloria al Padre

XII STAZIONE: GESÙ MUORE SULLA CROCE

Ti adoriamo, Cristo, e ti benediciamo.

Perché con la tua santa croce hai redento il mondo.

Quando giunsero sul luogo chiamato Cranio, vi crocifissero lui e i malfattori [...]. Gesù diceva: «Padre, perdona loro perché non sanno quello che fanno» (Lc 23,33-34a).

Signore Gesù, nell'ora della tua morte le tue braccia sono grandi e aperte per accoglierci e offrirci il tuo perdono. Insegnami, Gesù, a perdonare come tu mi perdoni.

Padre nostro • Ave Maria • Gloria al Padre

XIII STAZIONE: GESÙ È DEPOSTO DALLA CROCE

Ti adoriamo, Cristo, e ti benediciamo.

Perché con la tua santa croce hai redento il mondo.

Venuta la sera, giunse un uomo ricco, di Arimatea, chiamato Giuseppe; anche lui era diventato discepolo di Gesù. Questi si presentò a Pilato e chiese il corpo di Gesù. Pilato allora ordinò che gli fosse consegnato (Mt 27,57-58).

Maria, quando ricevi il corpo di Gesù, il tuo dolore è immenso, ma lui ti lascia la sua pace. È la tua pace, Gesù, che abita in me quando prego. Voglio vivere anch'io di questa pace.

Padre nostro • Ave Maria • Gloria al Padre

XIV STAZIONE: GESÙ VIENE POSTO NEL SEPOLCRO

Ti adoriamo, Cristo, e ti benediciamo.

Perché con la tua santa croce hai redento il mondo.

Giuseppe prese il corpo, lo avvolse in un lenzuolo pulito e lo depose nel suo sepolcro nuovo, che si era fatto scavare nella roccia; rotolata poi una grande pietra all'entrata del sepolcro, se ne andò (Mt 27,59-60).

Signore Gesù, che silenzio adesso! E che vuoto! Tutto sembra perduto. Ognuno se n'è andato per i fatti suoi. Ma con Maria, tua madre, io veglierò e pregherò davanti alla tua tomba diventata tabernacolo. E tu, attraverso l'Eucaristia, torna a rinnovare il mio cuore.

Padre nostro • Ave Maria • Gloria al Padre

XV STAZIONE: GESÙ È RISORTO

Ti adoriamo, Cristo, e ti benediciamo.

Perché con la tua santa croce hai redento il mondo.

«Non abbiate paura! Voi cercate Gesù Nazareno, il crocifisso. È risorto, non è qui. Ecco il luogo dove l'avevano posto. Ma andate, dite ai suoi discepoli e a Pietro: "Egli vi precede in Galilea. Là lo vedrete, come vi ha detto"» (Mc 16,6-7).

Signore, aiutami a vedere nella tua crocifissione e risurrezione un esempio di come devo sopportare e morire nell'agonia e nei conflitti della vita quotidiana. Fammi capire che solo morendo continuamente a me stesso diventerò capace di vivere più pienamente, perché solo morendo con te possiamo risorgere con te.

Padre nostro • Ave Maria • Gloria al Padre

Per il vessillo della santa croce, ci benedica Dio onnipotente, Padre e Figlio e Spirito Santo. **Amen.**

LA DIVINA MISERICORDIA

NOVENA

Gesù ha chiesto a suor Faustina una novena in preparazione alla festa della Divina Misericordia. La novena, che inizia il Venerdì Santo e che va recitata per nove giorni consecutivi senza interruzione, consiste nella recita della Coroncina alla Divina Misericordia a cui sono state legate straordinarie promesse.

Nelle pagine del *Diario* troviamo anche una bella novena (nn. 1210-1229), chiesta da Gesù a santa Faustina il 26 marzo 1937 (*Diario*, 1058-1059), ma messa per iscritto verso la fine del suo primo soggiorno nell'ospedale di Prądnik: «*Desidero che durante questi nove giorni tu conduca le anime alla fonte della Mia Misericordia, affinché attingano forza, refrigerio ed ogni grazia, di cui hanno bisogno per le difficoltà della vita e specialmente nell'ora della morte. Ogni giorno condurrai al Mio Cuore un diverso gruppo di anime e le immergerai nel mare della Mia Misericordia. E Io tutte queste anime le introdurrò nella casa del Padre Mio. Lo farai in questa vita e nella vita futura. E non rifiuterò nulla a nessun'anima che condurrai alla fonte della Mia Misericordia. Ogni giorno chiederai al Padre Mio le grazie per queste anime per la Mia dolorosa Passione*» (*Diario*, 1209).

Questa novena, così come la promessa in essa contenuta, è rivolta a Faustina e non alla totalità dei fedeli, per cui non fa parte delle forme del culto. Nonostante ciò, tutti possono pregare con le parole di questa novena, perché con assoluta certezza Gesù vuole estendere i benefici spirituali a tutti i fedeli.

Don Michele Sopoćko, confessore di santa Faustina, ha fatto un importante accostamento tra le preghiere della novena dettata a Faustina (di seguito riportata) e la grande Preghiera universale del Venerdì Santo: pregando nei singoli giorni della novena per i gruppi e le persone di condizioni differenti, praticheremo, allora, la misericordia spirituale verso il prossimo.
Sebbene il tempo che va dal Venerdì Santo al sabato prima della II domenica di Pasqua possegga un particolare privilegio per la recita della novena, tuttavia essa può essere recitata anche in un qualsiasi periodo dell'anno.

Nel nome del Padre e del Figlio e dello Spirito Santo. Amen.

O Dio vieni a salvarmi. Signore vieni presto in mio aiuto.

Gloria al Padre

Primo giorno

«Oggi conduciMi tutta l'umanità e specialmente tutti i peccatori e immergili nel mare della Mia Misericordia. E con questo Mi consolerai dell'amara tristezza in cui Mi getta la perdita delle anime».

Gesù misericordiosissimo, la cui prerogativa è quella d'avere compassione di noi e di perdonarci, non guardare i nostri peccati, ma la fiducia che abbiamo nella Tua infinita bontà e accoglici nella dimora del Tuo pietosissimo Cuore e non lasciarci uscire di lì per l'eternità. Ti supplichiamo per l'amore che Ti unisce al Padre ed allo Spirito Santo.

O Onnipotenza della divina Misericordia, rifugio per l'uomo peccatore, Tu che sei la Misericordia e un mare di compassione, aiuta chi t'invoca in umiltà.

Eterno Padre, guarda con occhio di Misericordia specialmente i poveri peccatori e tutta l'umanità, che è racchiusa nel pietosissimo Cuore di Gesù e per la Sua dolorosa Passione mostraci la Tua Misericordia, affinché per tutti i secoli possiamo esaltare l'Onnipotenza della Tua Misericordia. **Amen.**

Si reciti la Coroncina alla Divina Misericordia *(pag. 754).*

Secondo giorno

«Oggi conduciMi le anime dei sacerdoti e le anime dei religiosi e immergile nella Mia insondabile Misericordia. Essi Mi hanno dato la forza di superare l'amara Passione. Per mezzo loro come per mezzo di canali, la Mia Misericordia scende sull'umanità».

Misericordiosissimo Gesù, da cui proviene ogni bene, aumenta in noi la grazia, affinché compiamo opere degne di Misericordia, in modo che quanti ci osservano lodino il Padre della Misericordia che è nei cieli.

La fonte dell'amore di Dio alberga nei cuori limpidi, purificati nel mare della Misericordia, luminosi come le stelle, chiari come l'aurora.

Eterno Padre, guarda con gli occhi della Tua Misericordia la schiera eletta per la Tua vigna, le anime dei sacerdoti e le anime dei religiosi, e dona loro la potenza della Tua benedizione, e per i sentimenti del Cuore del Figlio Tuo, il Cuore in cui essi sono racchiusi, concedi loro la potenza della Tua luce, affinché possano guidare gli altri sulla via della salvezza, in modo da poter cantare assieme per tutta l'eternità le lodi della Tua Misericordia infinita. **Amen.**

Si reciti la Coroncina alla Divina Misericordia (pag. 754).

Terzo giorno

«Oggi conduciMi tutte le anime devote e fedeli ed immergile nel mare della Mia Misericordia. Queste anime Mi hanno confortato lungo la strada del Calvario, sono state una goccia di conforto in un mare di amarezza».

O Gesù misericordiosissimo, che elargisci a tutti in grande abbondanza le Tue grazie dal tesoro della Tua Misericordia, accoglici nella dimora del Tuo pietosissimo Cuore e non farci uscire da esso per tutta l'eternità. Te ne supplichiamo per l'ineffabile amore, di cui il tuo Cuore arde per il Padre Celeste.

Sono imperscrutabili le meraviglie della Misericordia, non riesce a scandagliarle né il peccatore, né il giusto. A tutti rivolgi sguardi di compassione, e attiri tutti al Tuo amore.

Eterno Padre, guarda con occhi di Misericordia alle anime fedeli come l'eredità del Figlio Tuo e per la Sua Passione dolorosa concedi loro la Tua benedizione e accompagnale con la Tua protezione incessante, affinché non perdano l'amore ed il tesoro della santa fede, ma con tutta la schiera degli angeli e dei santi glorifichino la Tua illimitata Misericordia nei secoli dei secoli. **Amen.**

Si reciti la Coroncina alla Divina Misericordia (pag. 754).

Quarto giorno

«Oggi conduciMi i pagani e coloro che non Mi conoscono ancora. Anche a loro ho pensato nella Mia amara Passione e il loro futuro zelo ha consolato il Mio Cuore. Immergili nel mare della Mia Misericordia».

O misericordiosissimo Gesù, che sei la luce del mondo intero, accogli nella dimora del Tuo pietosissimo Cuore le anime dei pagani che non Ti conoscono ancora. I raggi della Tua grazia li illuminino, affinché anche loro assieme a noi glorifichino i prodigi della Tua Misericordia e non lasciarli uscire dalla dimora del Tuo pietosissimo Cuore.
La luce del Tuo amore, Illumini le tenebre delle anime; fa' che queste anime Ti conoscano e glorifichino con noi la Tua MIsericordia.
Eterno Padre, guarda con occhi di Misericordia alle anime dei pagani e di coloro che non Ti conoscono ancora, e che sono racchiuse nel pietosissimo Cuore di Gesù. Attirale alla luce del Vangelo. Queste anime non sanno quale grande felicità è quella di amarTi. Fa' che anche loro glorifichino la generosità della Tua Misericordia per i secoli dei secoli. **Amen.**

Si reciti la Coroncina alla Divina Misericordia (pag. 754).

Quinto giorno

«Oggi conduciMi le anime degli eretici e degli scismatici ed immergile nel mare della Mia Misericordia. Nella Mia amara Passione Mi hanno lacerato le carni ed il cuore,

cioè la Mia Chiesa. Quando ritorneranno all'unità della Chiesa, si rimargineranno le Mie ferite ed in questo modo allevieranno la Mia Passione».

Anche per coloro che stracciarono la veste della Tua unità, sgorga dal Tuo Cuore una fonte di pietà. L'Onnipotenza della Tua Misericordia, o Dio, può ritrarre dall'errore anche queste anime.
Misericordiosissimo Gesù, che sei la bontà stessa, Tu non rifiuti la luce a coloro che Te la chiedono; accogli nella dimora del Tuo pietosissimo Cuore le anime degli eretici e le anime degli scismatici; attirali con la Tua luce all'unità della Chiesa e non lasciarli partire dalla dimora del Tuo pietosissimo Cuore, ma fa' che anch'essi glorifichino la generosità della Tua Misericordia.
Eterno Padre, guarda con gli occhi della Tua Misericordia alle anime degli eretici e degli scismatici, che hanno dissipato i Tuoi beni ed hanno abusato delle Tue grazie, perdurando ostinatamente nei loro errori. Non badare ai loro errori, ma all'amore del Figlio Tuo ed alla Sua amara Passione, che ha preso su di Sé per loro, poiché anche loro sono racchiusi nel pietosissimo Cuore di Gesù. Fa' che anche essi lodino la Tua grande Misericordia per i secoli dei secoli. **Amen.**

Si reciti la Coroncina alla Divina Misericordia (pag. 754).

Sesto giorno

«Oggi conduciMi le anime miti e umili e le anime dei bambini e immergile nella Mia Misericordia. Queste anime sono le più simili al Mio Cuore. Esse Mi hanno sostenuto nell'amaro travaglio dell'agonia. Li ho visti come gli angeli della terra che avrebbero vigilato presso i Miei altari. Su di loro riverso le Mie grazie a pieni torrenti. Solo un'anima umile è capace di accogliere la Mia grazia; alle anime umili concedo la Mia piena fiducia».

Misericordiosissimo Gesù, che hai detto: «Imparate da Me che sono mite ed umile di cuore», accogli nella dimora del Tuo pietosissimo Cuore le anime miti e umili e le anime dei bambini. Queste anime attirano l'ammirazione di tutto il paradiso e formano lo speciale compiacimento del Padre Celeste; sono un mazzo di fiori davanti al trono di Dio, del cui profumo si delizia Dio stesso. Queste anime hanno stabile dimora nel pietosissimo Cuore di Gesù e cantano incessantemente l'inno dell'amore e della Misericordia per l'eternità.

In verità l'anima umile e mite già qui sulla terra respira il paradiso, e del profumo del suo umile cuore si delizia il Creatore stesso.

Eterno Padre, guarda con occhi di Misericordia alle anime miti e umili ed alle anime dei bambini, che sono racchiuse nella dimora del pietosissimo Cuore di Gesù. Queste anime sono le più simili al Figlio Tuo; il loro profumo s'innalza dalla terra e raggiunge il Tuo trono. Padre di Misericordia e di ogni bontà, Ti supplico per l'amore ed il compiacimento che hai per queste anime, benedici il mondo intero, in modo che tutte le anime cantino assieme le lodi della Tua Misericordia per tutta l'eternità. **Amen.**

Si reciti la Coroncina alla Divina Misericordia (pag. 754).

Settimo giorno

«Oggi conduciMi le anime che venerano in modo particolare ed esaltano la Mia Misericordia ed immergile nella Mia Misericordia. Queste anime hanno sofferto maggiormente per la Mia Passione e sono penetrate più profondamente nel Mio spirito. Esse sono un riflesso vivente del Mio Cuore pietoso. Queste anime risplenderanno con una particolare luminosità nella vita futura. Nessuna finirà nel fuoco dell'inferno, difenderò in modo particolare ciascuna di loro nell'ora della morte».

Misericordiosissimo Gesù, il cui Cuore è l'amore stesso, accogli nella dimora del Tuo pietosissimo Cuore le anime che in modo particolare venerano ed esaltano la grandezza della Tua Misericordia. Queste anime sono forti della potenza di Dio stesso, in mezzo ad ogni genere di tribolazioni e contrarietà, avanzano fiduciose nella Tua Misericordia. Queste anime sono unite a Gesù e reggono sulle loro spalle l'umanità intera. Esse non saranno giudicate severamente, ma la Tua Misericordia le avvolgerà nell'ora della morte.

L'anima che esalta la bontà del Suo Signore, viene da Lui particolarmente amata, è sempre accanto alla sor-

gente viva, ed attinge la grazia dalla divina Misericordia. Eterno Padre, guarda con occhi di Misericordia alle anime che esaltano e venerano il Tuo più grande attributo, cioè la Tua insondabile Misericordia e che sono racchiuse nel misericordiosissimo Cuore di Gesù. Queste anime sono un Vangelo vivente, le loro mani sono colme di opere di Misericordia e la loro anima è piena di gioia e canta all'Altissimo l'inno della Misericordia.
Ti supplico, o Dio, mostra loro la Tua Misericordia secondo la speranza e la fiducia che hanno posto in Te; si adempia in essi la promessa di Gesù che ha detto loro: *«Le anime che onoreranno la Mia insondabile Misericordia, Io stesso le difenderò come Mia gloria durante la vita, ma specialmente nell'ora della morte».* **Amen.**

Si reciti la Coroncina alla Divina Misericordia (pag. 754).

Ottavo giorno

«Oggi conduciMi le anime che sono nel carcere del purgatorio ed immergile nell'abisso della Mia Misericordia. I torrenti del Mio Sangue attenuino la loro arsura. Tutte queste anime sono molto amate da Me; ora stanno dando soddisfazione alla Mia giustizia; è in tuo potere recar loro sollievo. Prendi dal tesoro della Mia Chiesa tutte le indulgenze ed offrile per loro… Oh, se conoscessi i loro tormenti, offriresti continuamente per loro l'elemosina dello spirito e pagheresti i debiti che essi hanno nei confronti della mia giustizia!».

Misericordiosissimo Gesù, che hai detto che vuoi Misericordia, ecco io conduco alla dimora del Tuo pietosissimo Cuore le anime del purgatorio, anime che a Te sono molto care e le quali tuttavia debbono soddisfare la Tua giustizia. I torrenti del Sangue e dell'Acqua che sono scaturiti dal Tuo Cuore spengano il fuoco del purgatorio, in modo che anche là venga glorificata la potenza della Tua Misericordia.

Dall'arsura tremenda del fuoco del purgatorio, s'innalza un lamento alla Tua Misericordia, e ricevono conforto, sollievo e refrigerio nel torrente formato dal Sangue e dall'Acqua.

Eterno Padre, guarda con occhi di Misericordia alle anime che soffrono nel purgatorio, e che sono racchiuse nel pietosissimo Cuore di Gesù.

Ti supplico per la dolorosa Passione del Figlio Tuo Gesù e per tutta l'amarezza da cui fu inondata la Sua santissima anima, mostra la Tua Misericordia alle anime che sono sotto lo sguardo della Tua giustizia, non guardare a loro se non attraverso le Piaghe del Tuo amatissimo Figlio Gesù, poiché noi crediamo che la Tua bontà e la Tua Misericordia sono senza limiti. **Amen.**

Si reciti la Coroncina alla Divina Misericordia (pag. 754).

Nono giorno

«Oggi conduciMi le anime tiepide ed immergile nell'abisso della Mia Misericordia. Queste anime feriscono il Mio Cuore nel modo più doloroso. La Mia anima nell'Orto degli Ulivi ha provato la più grande ripugnanza per un'anima tiepida. Sono state loro la causa per cui ho detto: Padre, allontana da Me questo calice, se questa è la Tua volontà. Per loro, ricorrere alla Mia Misericordia costituisce l'ultima tavola di salvezza».

Misericordiosissimo Gesù, che sei la pietà stessa, introduco nella dimora del Tuo Cuore pietosissimo le anime tiepide. Possano riscaldarsi nel Tuo puro amore queste anime di ghiaccio, che assomigliano a cadaveri e suscitano in Te tanta ripugnanza. O Gesù pietosissimo, usa l'onnipotenza della Tua Misericordia ed attirale nell'ardore stesso del Tuo amore e concedi loro l'amore santo, dato che puoi tutto.
Il fuoco e il ghiaccio non possono stare uniti, poiché o si spegne il fuoco o si scioglie il ghiaccio, ma la Tua Misericordia, o Dio, può soccorrere miserie anche maggiori.
Eterno Padre, guarda con occhi di Misericordia alle anime tiepide, che sono racchiuse nel pietosissimo Cuore di Gesù. Padre della Misericordia, Ti supplico per l'amarezza della Passione del Tuo Figlio e per la Sua agonia di tre ore sulla croce, permetti che anche loro lodino l'abisso della Tua Misericordia. **Amen.**

Si reciti la Coroncina alla Divina Misericordia (pag. 754).

CORONCINA ALLA DIVINA MISERICORDIA

Per la preghiera si usa una comune corona del santo Rosario.

La coroncina alla Divina Misericordia è stata dettata da Gesù a santa Faustina Kowalska a Vilnius nel 1935. Nelle rivelazioni successive Gesù ha mostrato il valore e l'efficacia di questa preghiera assieme alle promesse ad essa legate.

Si tratta delle tre grandi promesse:

1. *Chiunque reciterà questa Coroncina, otterrà tanta Misericordia nell'ora della morte. Anche se si trattasse del peccatore più incallito e la recita anche una volta sola, otterrà la grazia della mia infinita Misericordia.*
2. *Nell'ora della morte difenderò come mia gloria ogni anima che reciterà questa Coroncina, oppure altri la reciteranno vicino ad un agonizzante, ed otterranno per l'agonizzante lo stesso perdono. Quando vicino ad un agonizzante viene recitata questa Coroncina, si placa l'ira di Dio e l'imperscrutabile Misericordia avvolge l'anima.*
3. *Tutte le anime che adoreranno la mia Misericordia e ne diffonderanno il culto [...] queste anime nell'ora della morte non avranno paura. La mia Misericordia le proteggerà in quell'ultima lotta.*

Nel nome del Padre e del Figlio e dello Spirito Santo. Amen.
O Dio vieni a salvarmi. Signore vieni presto in mio aiuto.
Gloria al Padre • Padre nostro • Ave Maria

Io credo in Dio, Padre onnipotente, Creatore del cielo e della terra. E in Gesù Cristo, suo unico Figlio, nostro Signore, il quale fu concepito di Spirito Santo, nacque da Maria Vergine, patì sotto Ponzio Pilato, fu crocifisso, morì e fu sepolto; discese agli ìnferi; il terzo giorno risuscitò da morte; salì al cielo, siede alla destra di Dio Padre onnipotente: di là verrà a giudicare i vivi e i morti. Credo nello Spirito Santo, la santa Chiesa cattolica, la comunione dei santi, la remissione dei peccati, la risurrezione della carne, la vita eterna. **Amen.**

Sui grani del Padre nostro si prega:
Eterno Padre, ti offro il corpo e il sangue, l'anima e la divinità del tuo dilettissimo Figlio e Signore nostro Gesù Cristo.
In espiazione dei nostri peccati e di quelli del mondo intero.

Sui grani dell'Ave Maria si prega:
Per la sua dolorosa passione.
Abbi Misericordia di noi e del mondo intero.

Per finire si ripete tre volte l'invocazione:
Santo Dio, Santo Forte, Santo Immortale.
Abbi pietà di noi e del mondo intero.

"La Vergine santa è il mezzo del quale nostro Signore si è servito per venire sino a noi, ed è anche il mezzo di cui noi dobbiamo servirci per andare a lui... Se, dunque, noi stabiliamo la solida devozione della santissima Vergine, ciò è solo per stabilire più perfettamente quella di Gesù Cristo, è solo per dare un mezzo facile e sicuro per trovare Gesù Cristo. Se la devozione alla santissima Vergine allontanasse da Gesù Cristo, bisognerebbe rigettarla come un'illusione del diavolo. È, però, esattamente il contrario: questa devozione è necessaria proprio per trovare Gesù Cristo perfettamente, amarlo teneramente e servirlo fedelmente".

San Luigi Maria Grignion di Montfort, *Trattato della vera devozione a Maria*

Messale Festivo

Domeniche • Solennità del Signore
Proprio dei Santi

IN COEDIZIONE CON LIBRERIA EDITRICE VATICANA

CARATTERI GRANDI

TESTI UFFICIALI CEI

Il "Messale festivo" contiene tutti i testi ufficiali aggiornati della Terza Edizione del Messale Romano; le celebrazioni sono introdotte da un commento al Vangelo tratto dalle parole di Francesco, Benedetto XVI, Giovanni Paolo II, Paolo VI; le introduzioni ai tempi liturgici sono di mons. Guido Marini, già Maestro delle celebrazioni liturgiche pontificie.

Formato: cm 13x19,4
Pagine: 1600
Prezzo: **€ 25,00**
Codice d'Ordine: **8007**
ISBN 978 88 8404-001-0

"Pregate, pregate, pregate"

Edizione ampliata

PREFAZIONE: Card. **Angelo Comastri; REVISIONE TESTI:** Padre **Serafino Tognetti**, cfd

IL LIBRO PIÙ VENDUTO DOPO LA BIBBIA

IL LIBRO DI PREGHIERE PIÙ COMPLETO ESISTENTE IN COMMERCIO

Le più belle e importanti preghiere della tradizione arricchite dalle devozioni più moderne, grazie alle quali tutti possono trovare le parole adatte per manifestare la propria fede. È impossibile non trovare la preghiera che fa per noi! Questo libro ci viene in aiuto per chiedere le grazie necessarie in ogni ambito della vita. In ogni sezione troverai gli inni, le preghiere con i maestri spirituali, le preghiere per le varie necessità, le novene, le litanie e tutte le forme di devozione più usate dalla Chiesa. Con i caratteri grandi e la grafica a colori, questo libro è adatto ai giovani e agli anziani, alle famiglie, ai sacerdoti...

Formato: cm 11,8x19
Pagine: 2160
(copertina cartonata)
Prezzo: **€ 19,00**
Codice d'Ordine: **8001**
ISBN 978-88-8404-294-1

Passione di nostro Signore Gesù Cristo

Formato: cm 16,5x24
Pagine: 72 (copertina cartonata)
Prezzo: **€ 7,00**
Codice d'Ordine: **8671**
ISBN 978-88-8404-337-5

CONTENUTI
Passione di nostro Signore Gesù Cristo

- secondo Matteo (forma lunga);
- secondo Matteo (forma breve);
- secondo Marco (forma lunga);
- secondo Marco (forma breve);
- secondo Luca (forma lunga);
- secondo Luca (forma breve);
- secondo Giovanni (forma unica).

La versione dialogata dei brani della passione dei quattro evangelisti in un unico volume!

- Matteo per l'anno liturgico A (da leggersi la domenica delle Palme);
- Marco per l'anno B (da leggersi la domenica delle Palme);
- Luca per l'anno C (da leggersi la domenica delle Palme);
- Giovanni (da leggersi il Venerdì Santo).

I testi liturgici sono tratti dal Lezionario CEI.
La presentazione grafica dei testi è adatta alla lettura liturgica.
I caratteri tipografici grandi agevolano le persone con difficoltà di lettura.

Il presente sussidio può essere posto nelle chiese davanti al Crocifisso in modo che i fedeli, sostando in preghiera, possano meditare la passione con l'aiuto dei passi evangelici.

PUBBLICAZIONI SULLA **QUARESIMA**

Codice	Titolo	Pagine	Prezzo
8052	Dalla Quaresima alla Pasqua. Itinerario liturgico e di preghiera personale	352	**€ 7,00**
8051	Notte di passione. Notte di passioni. Giuda, Pietro e Pilato nella notte di Gesù	96	**€ 3,00**
8319	La dolorosa passione di nostro Signore Gesù Cristo secondo le visioni della beata Anna Katharina Emmerick	336	**€ 10,00**
8629	Dio perdona sempre. Il sacramento della Riconciliazione	288	**€ 7,00**
8199	L'amore delle anime. Riflessioni e affetti sulla Passione di Gesù	224	**€ 7,00**
8575	Nessuno ha un amore più grande di questo	160	**€ 4,00**
8284	Autobiografia e I dolori mentali di Gesù nella sua Passione *(S. Camilla Battista da Varano)*	352	**€ 7,00**
8043	Combattimento spirituale	272	**€ 7,00**
8344	Per Confessarsi	96	**€ 3,00**

Inquadra questo QR CODE per visualizzare tutte le pubblicazioni e gli articoli religiosi sulla Quaresima e sulla Pasqua

PUBBLICAZIONI SULLA **VIA CRUCIS**

Codice	Titolo	Pagine	Prezzo
8010	Via Caritatis. *Via Crucis con il beato Carlo Acutis*	128	**€ 5,00**
8137	Via Crucis. *Undici proposte di preghiera e meditazione per tutti*	320	**€ 9,00**
8076	Via Crucis. *Il dono più prezioso*	160	**€ 3,00**
8734	Via Crucis dalla Bibbia alla Sindone	96	**€ 3,00**
8530	Via Crucis con Santa Veronica Giuliani	96	**€ 2,00**
8172	Via Crucis con Vicka sul monte Križevac	128	**€ 3,00**
8444	Via Crucis per gli sposi e le famiglie	32	**€ 1,50**
10953	Confezione libro "Via Crucis per gli sposi e le famiglie" e Corona Via Crucis		**€ 18,10**

Inquadra questo QR CODE per visualizzare tutte le pubblicazioni e gli articoli religiosi sulla Via Crucis

PUBBLICAZIONI SU
GESÙ EUCARISTIA

Codice	Titolo	Pagine	Prezzo
8037	I sei primi giovedì del mese	96	**€ 3,00**
8141	Preghiere per l'Adorazione Eucaristica	528	**€ 12,00**
8202	Adoriamo il Santissimo Sacramento (vol. 2) *Preghiere per la Quaresima*	96	**€ 3,00**
8207	Adoriamo il Santissimo Sacramento (vol. 3) *Preghiere per la Pasqua*	96	**€ 3,00**
8735	I Miracoli Eucaristici nel mondo	416	**€ 12,00**
8038	Nascosto in un pezzetto di pane *Briciole eucaristiche con il beato Carlo Acutis*	320	**€ 7,00**
8276	Preghiere prima e dopo la Comunione	128	**€ 4,00**
8391	Io sono il pane della vita. *Le Quarantore*	64	**€ 2,00**
	Cuore a cuore con Gesù. *Ringraziamento dopo la Comunione eucaristica*		
8133	**cm 7x10**	32	**€ 1,00**
8134	**cm 10x14**	32	**€ 1,50**
8958	Adoriamo il Santissimo Sacramento (vol. 1) *Preghiere per l'adorazione eucaristica*	96	**€ 3,00**
8954	Il servizio del ministro straordinario della Comunione - *Testi liturgici*	192	**€ 5,00**
8964	Lettera ai Ministri straordinari della Comunione	32	**€ 1,50**

PUBBLICAZIONI SU
SAN GIUSEPPE...

Codice
8115

Codice
8190

Codice
8019

Codice
8015

Codice
8008

Codice
8670

Codice	Titolo	Pagine	Prezzo
8115	Preghiere a san Giuseppe	320	**€ 8,00**
8190	In onore di san Giuseppe. Novena, Sacro Manto, Dolori e Gioie	64	**€ 2,00**
8019	Antologia dalla Vita di san Giuseppe *di Maria Cecilia Baij*	256	**€ 7,00**
8015	Con cuore di padre *La paternità di San Giuseppe*	544	**€ 15,00**
8008	Patris corde *Lettera apostolica in occasione del 150° anniversario della dichiarazione di san Giuseppe quale patrono della Chiesa universale*	64	**€ 1,00**
8670	Redemptoris Custos. *Esortazione apostolica di san Giovanni Paolo II*	96	**€ 3,00**

ALTRE PUBBLICAZIONI SU
SAN GIUSEPPE

Codice
8393

Codice
8340

Codice
8421

Codice
8930

Codice
8957

Codice
8633

Codice	Titolo	Pagine	Prezzo
8393	San Giuseppe. *Dignità, privilegi, devozioni*	320	**€ 5,00**
8340	Il mese di marzo dedicato a san Giuseppe	192	**€ 5,00**
8421	San Giuseppe *negli insegnamenti di Paolo VI e di Giovanni Paolo II*	256	**€ 5,00**
8930	San Giuseppe. *Fatto religioso e teologia*	624	**€ 12,00**
8957	San Giuseppe. *Custode di Gesù*	192	**€ 5,00**
8633	Preghiere degli Oblati di San Giuseppe	448	**€ 9,00**

Inquadra questo QR CODE per visualizzare tutte le pubblicazioni e gli articoli religiosi su san Giuseppe

PUBBLICAZIONI SULLA
DIVINA MISERICORDIA

Codice	Titolo	Pagine	Prezzo
8189	Coroncina e novena alla divina misericordia	336	**€ 3,00**
8130	Gesù confido in te *Il culto della divina misericordia. Le preghiere di santa Faustina*	512	**€ 7,00**
8003	L'ora della Divina Misericordia *La Passione dell'amore crocifisso*	128	**€ 5,00**
8423	Santa Faustina e la Divina Misericordia	352	**€ 9,00**
8192	Novena all'Amore Misericordioso	96	**€ 2,00**
74003	Diario. Santa Faustina Kowalska	984	**€ 12,00**
10104	Libricino "La coroncina alla divina misericordia" e la corona		**€ 5,00**

Inquadra questo QR Code per visualizzare tutte le pubblicazioni e gli articoli religiosi sulla Divina Misericordia

I Nove Primi Venerdì del mese

AUTORE: Don **Giuseppe Brioschi**, sdb

Formato: cm 10x14
Pagine: 112
Prezzo: **€ 2,00**
Codice d'Ordine: **8247**
ISBN 978-88-8404-032-9

Il libro propone la famosa pratica dei nove primi venerdì del mese in una veste grafica completamente rinnovata e con nuovissime meditazioni per ognuno dei nove primi venerdì del mese: 50 pagine in più sempre allo stesso prezzo!
Regalarsi e regalare "I nove primi venerdì del mese" significa entrare in possesso della chiave d'oro, che un giorno ci aprirà le porte dell'eterna beatitudine in cielo.

SPAGNOLO	Cod. 8217	€	2,00

I cinque primi sabati del mese

AUTORE: Don **Giuseppe Brioschi**, sdb

Formato: cm 10x14
Pagine: 96
Prezzo: **€ 3,00**
Codice d'Ordine: **8248**
ISBN 978-88-8404-028-2

A tutti coloro che per cinque mesi, al primo sabato, si confesseranno, riceveranno la santa Comunione, reciteranno il Rosario, e mi faranno compagnia per quindici minuti meditando i Misteri, con l'intenzione di offrirmi riparazioni, prometto di assisterli nell'ora della morte con tutte le grazie necessarie alla salvezza.

La Vergine Maria a Lucia di Fatima

Per regalare e regalarci la possibilità di essere assistiti da Maria nell'ora della morte con tutte le grazie necessarie alla salvezza! La pratica dei cinque primi sabati del mese in un comodo formato da portare sempre con sé.

SPAGNOLO	Cod. 8244	€	4,00
PORTOGHESE	Cod. 8083	€	4,00

"Sulla Tua Parola" - cedola di abbonamento

Desidero sottoscrivere dal bimestre..

n° .... abbonamento/i:

- ❑ Annuale in Italia spedito tramite posta **€ 27,00**
- ❑ Annuale in Italia spedito tramite corriere espresso **€ 37,00**
  *(sul retro verifica se il servizio è disponibile nella tua città)**
- ❑ Biennale in Italia spedito tramite posta **€ 54,00**
- ❑ Annuale in Italia spedito tramite posta, con contributo per donare il Messalino a parrocchie e istituti religiosi **€ 100,00**
- ❑ Annuale estero Europa **€ 60,00** – Altri continenti **€ 80,00**

I miei dati *(da compilare in ogni caso)*

Cognome e Nome ______________________________

Cod. fiscale | | | | | | | | | | | | | | | | |

Via ______________________________ n° ________

CAP ____________ Città ______________________

Provincia ________ Telefono __________________

E-mail ______________________________________

Desidero regalare un abbonamento a:

Cognome e Nome ______________________________

Via ______________________________ n° ________

CAP ____________ Città ______________________

Provincia ________ Telefono __________________

E-mail ______________________________________

compila il modulo sulla privacy nel retro della cedola

compila il modulo sulla privacy

Ho effettuato il pagamento tramite:

❑ bollettino su c/c Postale **86067428**

❑ bonifico bancario (Italia) **Banca Monte dei Paschi di Siena - Fil. Chiaravalle**
IBAN **IT 32 E 01030 37320 000061158579**
dall'estero aggiungere all'IBAN il codice SWIFT/BIC: **PASCITM1A02**

intestati a: **Editrice Shalom srl**

Invio copia della ricevuta di pagamento insieme a questa cedola tramite:

- *WhatsApp:* **3666061600** · *fax:* **071 74 50 140**
- *e-mail:* **abbonamenti@editriceshalom.it**
- *posta ordinaria:* **Editrice Shalom – Via Galvani, 1 - 60020 Camerata Picena (An)**

INFORMATIVA AI SENSI DELL'ART. 13 DEL REG. UE 679/2016 (GDPR)

La informiamo che la compilazione della presente pagina autorizza l'Editrice Shalom, in qualità di Titolare del Trattamento, a dare seguito alla sua richiesta (ai sensi dell'art. 6, p. 1, l. a). Il trattamento sarà effettuato tramite supporti cartacei ed informatici dal titolare, dal responsabile e dagli incaricati con l'osservanza di ogni misura cautelativa, che ne garantisca la sicurezza e riservatezza. Il conferimento dei dati è facoltativo, tuttavia, in caso di rifiuto, sarà impossibile eseguire le prestazioni di cui sotto. Previo suo consenso espresso, lei autorizza l'uso dei suoi dati per le seguenti finalità (ai sensi dell'art. 6, p. 1, l. a): 1. finalità di marketing, attività promozionali e commerciali, consentendoci di inviarle materiale pubblicitario o effettuare attività di vendita diretta o comunicazioni commerciali interattive su prodotti, servizi ed altre attività dell'Editrice Shalom e di società terze attraverso i canali di contatto che ci ha comunicato (i.e. telefono, e-mail, fax, SMS, mms); 2. comunicare ad altre aziende operanti nel settore editoriale, largo consumo e distribuzione, vendita a distanza, arredamento, telecomunicazioni, farmaceutico, finanziario, assicurativo, automobilistico, della politica e delle organizzazioni umanitarie e benefiche per le medesime finalità di cui al punto 1; 3. utilizzare le Sue preferenze di acquisto per poter migliorare la nostra offerta ed offrirle un servizio personalizzato e di Suo gradimento. I suoi dati non verranno trasferiti verso paesi terzi o organizzazioni internazionali, ne verranno trattati tramite sistemi decisionali automatizzati. I suoi dati verranno conservati sino a sua revoca del consenso per finalità commerciali. Ulteriori informazioni sulle modalità del trattamento, sui nominativi dei co-Titolari e dei Responsabili del trattamento nonché sulle modalità di esercizio dei suoi diritti ai sensi degli artt. dal 15 al 22 del GDPR, sono disponibili collegandosi al sito www. editriceshalom.it o scrivendo a questo indirizzo: Editrice Shalom - Via Galvani,1 - 60020 Camerata Picena (An), e-mail: info@editriceshalom.it.

Acquisite le informazioni fornite ai sensi dell'art. 13, acconsento che i dati personali da me volontariamente forniti siano utilizzati dall'Editore della testata prescelta (e eventuali società controllate) per le finalità promozionali specificate al punto 1 dell'informativa. ❑ Sì ❑ No

Acquisite le informazioni fornite ai sensi dell'art. 13, acconsento alla comunicazione dei miei dati personali per le finalità di cui al punto 2 dell'informativa ai soggetti terzi indicati. ❑ Sì ❑ No

Acquisite le informazioni fornite ai sensi dell'art. 13, acconsento al trattamento dei miei dati personali per finalità di profilazione per migliorare la qualità dei servizi erogati, come specificato al punto 3 dell'informativa. ❑ Sì ❑ No

***ATTENZIONE! Non possono essere servite dal corriere espresso le zone identificate dai seguenti CAP:**

04020	23030	30124	30141	57034	58019	80075	91023
04027	25050	30125	30142	57036	71040	80076	92010
07024	30100	30126	57030	57037	80070	80077	98050
07046	30121	30132	57031	57038	80071	80079	98055
09014	30122	30133	57032	57039	80073	91010	
22060	30123	30135	57033	58012	80074	91017	